NOUVEAUX
EXERCICES FRANÇAIS

MAURICE GREVISSE

NOUVEAUX

EXERCICES FRANÇAIS

DEUXIÈME ÉDITION

De Boeck Duculot

© Éditions Duculot, Louvain-la-Neuve (1977)
(Imprimé en Belgique sur les presses Duculot)
D. 1977.0035.10
Dépôt légal : mai 1990.
ISBN 2-8011-0115-X

Avant-propos

Ces NOUVEAUX EXERCICES FRANÇAIS *sont une refonte des* EXERCICES SUR LA GRAMMAIRE FRANÇAISE. *L'ancien manuel a été trouvé parfois un peu compliqué, un peu difficile, un peu austère. Celui-ci est plus simple, plus pratique, plus agréable aux yeux, mieux adapté — du moins on voudrait le croire — au goût des jeunes élèves, aux nécessités aussi de l'enseignement de la grammaire française et plus généralement de la langue française, dans les classes inférieures du cycle secondaire ou dans les classes d'un niveau analogue.*

La matière essentielle de ce manuel consiste dans des exercices sur la grammaire, adaptés au PRÉCIS DE GRAMMAIRE FRANÇAISE, *mais il s'y ajoute des exercices variés se rapportant au vocabulaire, à l'orthographe, à la correction du langage, à la prononciation, à la phraséologie, à la conjugaison, à l'analyse, à la ponctuation.*

Ce sont ces exercices généraux sur la langue qui, pour une part notable, donnent au présent manuel sa nouvelle physionomie. Ils se trouvent disséminés à travers tout le livre: les maîtres pourront, un peu au hasard s'ils le veulent, les choisir, capricieusement même, là où ils les jugeront opportuns, en s'arrêtant, comme on fait quand on feuillette un atlas, sur tel ou tel petit canton de la langue.

M. G.

CHAPITRE I

Les Éléments de la langue

LES MOTS — LEURS DIVERSES ESPÈCES

Milou veut faire une fable.

Milou (...) se dispose à faire « la fable » projetée.

Mais les mots, tous les mots de la langue française sont là, rangés comme une armée qui lui barre la route. Bravement, il s'élance sur eux, et s'attaque d'abord à deux ou trois mots qu'il voit au premier rang, et qu'il connaît bien. Mais ceux-là même le repoussent. Et toute l'armée des mots l'entoure, immobile, profonde, haute comme des murailles. Il tente un dernier assaut: Oh! se rendre maître d'une centaine de mots seulement et les forcer à dire cette chose très importante qu'il a à dire! Un dernier effort tend son esprit, cela se gonfle à éclater, c'est un muscle désespérément raidi qui fait mal... Il succombe soudain, et abandonne l'entreprise, accablé, avec une sorte d'écœurement, et la sensation d'un vide immense en lui-même.

Valery LARBAUD, Enfantines. © Éditions Gallimard.

1. - Discernez, dans le texte ci-dessus, les **noms** et les **verbes**. Écrivez, dans une 1ʳᵉ colonne, les noms ; — dans une 2ᵉ colonne, les verbes.

2. - Copiez les phrases suivantes et soulignez d'un trait les **noms** ; de deux traits les **verbes**.

   a) 1. Le printemps revient: l'air est plus doux, les prés reverdissent, les oiseaux chantent, tout renaît. — 2. Les petits ruisseaux font les grandes rivières. — 3. L'ennui accable les paresseux. — 4. Le corbeau de la fable tenait en son bec un fromage. — 5. Il tonne; de larges éclairs déchirent le ciel; les arbres se tordent dans le vent.

   b) 1. Un agneau se désaltérait Dans le courant d'une onde pure. Un loup survient à jeun, qui cherchait aventure, Et que la faim en ces lieux attirait. (La Fontaine.) — 2. J'ai connu un vieux forgeron. Il était gai au temps de sa force et l'azur entrait dans sa forge noire par les rayonnants midis. (Fr. Jammes.) — 3. C'était un ramage à ne pas s'entendre; chaque feuille cachait un nid, chaque arbre était un orchestre. (Th. Gautier.) — 4. Je me souviens comme nous fermions les yeux, comme nous ouvrions les narines pour recevoir ce vent espagnol sur nos petites figures. (Fr. Mauriac.)

3. - VOCABULAIRE : 1. Comment appelle-t-on : un recueil de tous les mots d'une langue ? — un recueil abrégé des mots d'une langue [racine grecque : *lexis*, mot] ; — l'art de faire de tels recueils ? — l'art d'écrire correctement les mots d'une langue ?

2. Donnez 5 verbes de la famille de *paraître*.

4. - ORTHOGRAPHE : Notez dans le carnet d'orthographe : *orthographe, succomber, paresseux, à jeun, jeûner, déjeuner, inonder, physique.*

5. - PHRASÉOLOGIE : « Oh ! se rendre maître d'une centaine de mots ! » — Imitez dans une petite phrase ce tour exclamatif.

6. - LANGAGE : 1. Ne dites pas : « prendre un *coupon* » (de chemin de fer) (belgicisme) ; — dites : « ... un *billet* ... ». — Employez dans une petite phrase l'expression correcte.

2. Des Canadiens disent : « Ce bijou coûte cinq *piastres* et une *cenne* [pour : « ... cinq *dollars* et un *cent* » (prononc. : sèn't)]. — Employez dans une phrase de votre invention les termes corrects.

7. - PRONONCIATION : Prononcez bien : *tranquille* [tran-kil', et non : tran-kiy'] *semaine* [se-mèn', et non : se-min-n'], *baleine* [ba-lèn' et non : ba-lin-n'] *escalier* [ès-ka-lyé, et non : ès-ka-yé], *millet* [mi-yè].

---

8. - Dites quelle est la nature de chacun des mots en italique **(noms ou verbes)** :

La Passion des mots.

J'*avais* la *passion* des *mots*; en *secret*, sur un petit *carnet*, j'en *faisais* une *collection*, comme d'autres *font* pour les *timbres*. J'*adorais* « grenade », « *fumée* », « bourru », « vermoulu » et surtout « manivelle »: et je me les *répétais* souvent, quand j'*étais* seul, pour le *plaisir* de les *entendre*. Or, dans les *discours* de l'*oncle*, il y en *avait* de tout nouveaux, et qui *étaient* délicieux: « damasquiné », « *florilège* », « *filigrane* », ou grandioses: « archiépiscopal », « plénipotentiaire ». Lorsque sur le *fleuve* de son *discours*, je *voyais passer* l'un de ces *vaisseaux* à trois *ponts*, je *levais* la *main* et je *demandais* des *explications*, qu'il ne me *refusait* jamais.

Marcel PAGNOL, *La Gloire de mon père*. (Pastorelly, édit.).

9. - A chacun des noms suivants joignez un **article** et un **adjectif** :

livre — récit — chien — récompense — saison.

10. - A chacun des verbes suivants joignez un **adverbe** :

répondre — courir — dormir — écrire — voyager.

11. - Soulignez, dans les expressions suivantes, les **prépositions** :

1. La maison de mes parents. — 2. Voyager par avion. — 3. Dans la peine et dans la joie. — 4. Se réconcilier avec son frère. — 5. Cacher un trésor sous une pierre. — 6. Arriver avant l'heure. — 7. Venir à l'école. — 8. Une audace sans égale.

12. - Reliez par une **préposition** les éléments de chaque couple :

1. Le clocher ~ mon village. — 2. Extraire une dent ~ douleur. — 3. Une histoire ~ rire. — 4. Un serpent ~ sonnettes. — 5. Se rendre ~ l'épicier. — 6. Prendre un médicament ~ les repas. — 7. Être bon ~ les malheureux.

13. - Dans les phrases suivantes, remplacez par un **pronom** les mots en italique :

1. La cigale était fort dépourvue; *la cigale* alla crier famine chez la fourmi et pria *la fourmi* de lui prêter quelque grain. — 2. Vingt fois sur le métier remettez votre ouvrage et polissez sans cesse *cet ouvrage*. — 3. Quand une lecture vous élève l'esprit et que *cette lecture* vous inspire de nobles sentiments, estimez que *cette lecture* est excellente. — 4. Une grenouille vit un bœuf; *ce bœuf* lui sembla de belle taille. — 5. Respectez vos parents; ne parlez *à vos parents* qu'avec déférence.

---

14. - VOCABULAIRE : 1. De quel nom général appelez-vous celui qui collectionne les timbres-poste ?

2. Cherchez dans le dictionnaire le sens de : *damasquiner, florilège, filigrane, plénipotentiaire.*

3. Rangez dans l'ordre alphabétique : *grenade, manivelle, fleuve, collection, refuser, carnet.*

15. - ORTHOGRAPHE : Notez dans le carnet d'orthographe : *bourru, plénipotentiaire, excellent, réconcilier, les journaux, carbonnade.*

16. - LANGAGE : Ne dites pas (pour marquer une quantité que vous ne voulez ou ne pouvez préciser) : « Je vous donnerai *autant* par jour » ; — dites : « ... *tant* par jour ». — Inventez une phrase où vous emploierez l'expression correcte.

17. - PHRASÉOLOGIE : Remplacez par un verbe simple les mots en italique : « On *rangera par groupes* tous ces objets » ; — « *Marquez d'un point* les noms des absents » ; — « Je vais *résoudre brusquement* la difficulté » ; — « Il faudrait *rendre moins lourd* ce fardeau ».

18. - PRONONCIATION : Prononcez bien : *avril* [faire entendre l'*l*], *juin* [jwin, et non : jou-in], *juillet* [jwi-yè, et non : jou-il-yè], *août* [ne faire entendre ni l'*a* ni le *t*], *septembre* [faire entendre le *p*], *octobre* [ne pas dire : ok-tôp'].

---

19. - Dites si, dans les phrases suivantes, les mots en italique sont des **prépositions**, ou des **conjonctions**, ou des **interjections** :

1. La mouche *et* la fourmi contestaient *de* leur prix. (La Fontaine.) — 2. Vous vendrez le nécessaire *si* vous achetez le superflu. — 3. Toujours enveloppé *d'*une pelisse *de* renard, le bon seigneur se promenait *dans* sa maison. (Flaubert.) — 4. *Quand* les chats sont partis, les souris dansent. — 5. Revenez *donc*, *hélas!* revenez *dans* mon ombre, *Si* vous ne voulez pas *que* je sois triste *et* sombre. (Hugo.) — 6. *Oh!* ces journées *de* neige, quelle transformation elles opéraient *en* nous! (F. Carco.) — 7. Le lendemain, *quand* j'ouvris ma fenêtre, les sauterelles étaient parties, *mais* quelles ruines elles avaient laissées *derrière* elles! (A. Daudet.) — 8. Le bonheur, c'est le dévouement *à* un rêve *ou à* un devoir. (Renan.)

20. - Présentez sous leurs diverses formes possibles (singulier, pluriel ; masculin, féminin) les noms ou adjectifs suivants :

champ — utile — tableau — menteur — beau — cheval — château — doux.

21. - Rangez en deux colonnes, les mots en italique en distinguant : *a)* les mots **variables** ; *b)* les mots **invariables** :

Les Charpentiers.

Je les ai *bien* connus, ces *deux* braves artisans, bons à tout faire, à mettre la main à toutes sortes de gros et de petits *travaux*, au village. Ils étaient un *peu* vieux *déjà*, mais *droits* comme des chênes encore, et vifs à *plaisanter* tout aussi bien qu'à travailler. C'étaient deux frères, *unis* comme les deux doigts de la main. Ils étaient charpentiers, *mais* dans un sens si *large* et si élastique qu'*ils* étaient *aussi*, à l'occasion, menuisiers, vitriers, serruriers et autre chose *encore*. Ils vous *rajustaient* le mieux du monde un pied de chaise, remplaçaient un carreau cassé, libéraient une *serrure* bloquée, remettaient en place un rai *de* roue. Ils faisaient aussi un peu de jardinage et d'élevage, et même un peu de braconnage, pour varier les plaisirs...

22. - Faites une phrase contenant au moins : un nom, un article, un adjectif, un adverbe ; — une phrase contenant au moins : un pronom, un verbe, un adjectif, une préposition, une conjonction, une interjection.

---

23. - VOCABULAIRE : 1. Cherchez dans le dictionnaire le sens de : *contester, pelisse, chômer,* une maladie *chronique.*

2. Donnez un diminutif de : *mouche* ; — *renard* ; — *maison* ; — *chat* ; — *chêne* ; — *jardin.*

24. - ORTHOGRAPHE : Notez dans le carnet d'orthographe : *envelopper, pelisse, j'opère, nous opérons, un champ, grisonner, les excellentes gens, les gens excellents.*

25. - LANGAGE : Dites : « le doigt m'*élance* » (= me fait sentir une douleur aiguë) — et non : « ... me *lance* ». — Inventez une courte phrase où vous emploierez l'expression correcte.

26. - PRONONCIATION : Prononcez bien : *rédempteur* [faites entendre le *p*], *promptement* [ne pas faire entendre le *p*], *tandis que* [ne pas faire entendre l'*s*], *raz de marée* [ne pas faire entendre le *z*].

27. - PHRASÉOLOGIE : Complétez par un terme de comparaison : *blanc comme* ... / *noir comme* ... / *amer comme* ... / *rusé comme* ... / *adroit comme* ... / *têtu comme* ... / *plein comme* ... [Choisir : une mule, neige, un singe, chicotin, jais, un renard, un œuf.]

---

28. - Dites quelle est la nature de chacun des mots en italique :

Le Poète et les Enfants.

Je sors. J'*entre* en passant *chez* des amis *que* j'ai.
On prend le *frais,* au fond du jardin, *en* famille.
Le serein mouille un peu les bancs *sous* la charmille ;
N'importe ! je *m*'assieds, *et* je ne sais pourquoi
Tous *les petits* enfants *viennent* autour de moi.
Dès que je suis assis, les voilà tous *qui* viennent.
C'est qu'ils savent *que* j'ai leurs goûts ; ils se souviennent
Que j'aime *comme eux* l'air, les fleurs, les *papillons*
Et les bêtes qu'on voit courir *dans* les sillons.
Ils savent que je suis *un* homme qui *les* aime.

Victor HUGO.

---

29. - VOCABULAIRE : 1. Rangez dans l'ordre alphabétique : *jardin, fleur, famille, froid, façon, courir, charrette, charmille.*

2. Cherchez dans le dictionnaire le sens de : *le serein ; charmille ;* esprit *mercantile.*

3. Quel est le contraire de *magnanime ?* [Pensez au latin *pusillus,* très petit.] — de *philanthrope ?* [Pensez au grec *misos,* haine.]

30. - ORTHOGRAPHE : Notez dans le carnet d'orthographe : *serin* (oiseau), un ciel *serein, voilà, goût, papillonner, courir, nourrir, groseillier.*

31. - PRONONCIATION : « Parler *net* », « mettre un devoir au *net* » [faites entendre le *t*].

32. - LANGAGE : 1. Ne dites pas : « une belle *ligne* » (dans les cheveux) ; — dites : « une belle *raie* ». Employez ce dernier mot dans une courte phrase.

      2. Provincialismes : « L'établi du menuisier est chargé de *crolles* » (wallonisme) ; — « ... de *ripes* (ou d'*écopeaux*) » (canadianismes). — En bon français, on dit : « ... de *copeaux* ». — Employez ce dernier mot dans une petite phrase.

33. - PHRASÉOLOGIE : Imitez, dans une courte phrase, le tour « Ils viennent : *c'est qu'*ils savent que j'ai leurs goûts » [« c'est que ... » marque la cause].

34. - CONJUGAISON : Conjuguez au présent de l'indicatif : *s'asseoir ;* — *venir ;* — *prendre.*

CHAPITRE II

La proposition

PHRASE SIMPLE

Baignade.

Il fait beau. Un maillot plonge. On nage sur le flanc, sur le nez, sur le dos, sur le menton, sur le cœur, on barbote, on fait des ronds, on fait des huit, on tourbillonne, on s'ébroue, on piaffe, on s'endort, on brasse l'onde, on cabriole, on coule à pic, on remonte d'un coup de talon net, on tape à tour de bras sur l'eau, on escalade une échelle de fer, on s'étend sur le sable et le varech. On sèche.

Henri BOSCO, *Le Quartier de sagesse.* © Éditions Gallimard.

35. - Relevez, dans le texte d'Henri Bosco : *a)* 9 propositions à **deux termes** (sujet, verbe) ; — *b)* 4 propositions à **trois termes** (sujet, verbe, objet direct).

36. - Dans les phrases suivantes, séparez par un trait vertical les termes de chaque proposition et soulignez chaque fois le **verbe,** base de la proposition :

   a) *Propositions à deux termes:* sujet, verbe (chaque terme peut être accompagné d'un complément circonstanciel): 1. Le paresseux bâille. — 2. La nouveauté plaît. — 3. Le tonnerre gronde. — 4. Vint la Saint-Nicolas. — 5. On nage sur le flanc. — 6. Le rossignol chante merveilleusement. — 7. Tout renaît au printemps. — 8. Bientôt reviendront les beaux jours. — 9. Le père de mon ami travaille à l'usine. — 10. Le long d'un clair ruisseau buvait une colombe. (La Fontaine.) — 11. Des flaques d'eau miroitaient au loin parmi les vaches. (E. Fromentin.)

   b) *Propositions à trois termes:* sujet, verbe, attribut ou complément d'objet direct (chaque terme peut être accompagné de mots qui le complètent): 1. La mer est immense. — 2. Les beaux jours sont courts. — 3. Un mot de compliment semble agréable. — 4. Rares sont les jours délicieux. — 5. La lune versait sur les campagnes sa lumière pâle. — 6. Chaque âge a ses plaisirs. — 7. Les bornes du chemin avaient des reflets de linges livides. (R. Rolland.) — 8. Maître corbeau, sur un arbre perché, Tenait en son bec un fromage. (La Fontaine.)

37. - Inventez trois propositions à deux termes (sujet, verbe intransitif) — et trois propositions à trois termes (sujet, verbe copule, complément d'objet direct).

38. - Inventez une proposition à **deux termes** et une proposition à **trois termes** (chacun des termes sera accompagné de mots le complétant).

---

39. - VOCABULAIRE : 1. Rangez dans l'ordre alphabétique : *maillot, flanc, fer, varech, nager, menton, brasser, taper, sable, mensonge.*

2. Donnez 3 mots de la famille de *nez* (lat. *nasus*) ; — 3 de la famille de *dos* (lat. *dorsus*) ; — 5 impliquant l'idée de *cœur* (lat. *cor, cordis ;* grec *kardia*).

40. - ORTHOGRAPHE : Notez dans le carnet d'orthographe : *barboter, tourbillonner, piaffer, varech, bâiller* (de sommeil), la vie de *saint Nicolas, la Saint-Nicolas.*

41. - PRONONCIATION : *Maillot* [ma-yo], *fat* [faire entendre le *t*], on *nage* [ne pas dire : *nâch'*], *colombe* [ne pas dire : *co-lomp'*].

42. - LANGAGE : 1. Ne dites pas : « Il est fâché *sur* moi » ; — dites : « ... *contre* moi ». Employez ce dernier tour dans une petite phrase.

2. Des Canadiens disent : « On franchit le *creek* » [pour : « ... le *ruisseau* » ou : « ... la *petite rivière* »]. — Inventez deux phrases où vous emploierez les expressions françaises.

43. - PHRASÉOLOGIE : Imitez, dans une courte phrase, le tour : « Rares sont les jours délicieux » (sujet à la fin de la phrase).

44. - CONJUGAISON : Conjuguez au présent de l'indicatif : *s'endormir, sécher.*

PHRASE COMPOSÉE

45. - Dans le texte suivant, soulignez chaque verbe à un mode personnel, puis séparez par un trait vertical les diverses **propositions**.

Combat contre un ours.

Un ours décimait le troupeau du berger Arriou-Mourt. Celui-ci jura qu'il se vengerait. Il releva patiemment les traces de la bête. Un soir, il enroula son manteau autour de son bras gauche, il arma son bras droit d'un couteau large, au fil ardent et il attendit l'animal. Quand l'ours arriva, Arriou-Mourt mit un genou en terre. La bête se dressa et s'avança en se balançant. Le berger cacha sa tête sous son bras gauche et serra son arme. Comme l'animal s'abattait sur lui, le berger le fendit d'un seul coup, de la poitrine à l'arrière-train, puis il se dégagea, tout sanglant. L'ours, avec des hurlements furieux, voulut l'atteindre, mais il marchait sur ses entrailles, qu'il arrachait lui-même de ses flancs; il s'arc-bouta sur ses quatre pieds et resta là. Le berger coupa une badine, en frappa à coups redoublés la bête éventrée, qui agonisa bientôt.

D'après Joseph de PESQUIDOUX, *Chez nous.*
Librairie Plon. Tous droits réservés.

46. - Séparez par un trait vertical les diverses **propositions** des phrases suivantes ; soulignez chaque fois le **verbe,** base de la proposition.

1. Une brise fraîche soufflait, les seigles et les colzas verdoyaient, des goutte-lettes de rosée tremblaient au bord du chemin, sur les haies d'épines. (Flaubert.) — 2. Aussitôt que les arbres ont développé leurs fleurs, mille ouvriers com-mencent leurs travaux. (Chateaubriand.) — 3. Ô buffet du vieux temps, tu sais bien des histoires, Et tu voudrais conter tes contes, et tu bruis Quand s'ouvrent lentement tes grandes portes noires (A. Rimbaud.) — 4. Je ne savais plus si je pensais encore ou si, plutôt, je ne rêvais pas que je pensais. (G. Duhamel.) — 5. L'avion avait gagné d'un seul coup, à la seconde même où il émergeait, un calme qui semblait extraordinaire. (Saint-Exupéry.)

47. - Prenant pour thème « la nuit », inventez deux phrases composées (vous sépa-rerez par un trait vertical les diverses **propositions**).

---

48. - VOCABULAIRE : 1. Cherchez dans le dictionnaire le sens de : *décimer, fil* (d'un couteau), *s'arc-bouter,* une *badine, colza.*

2. Comment appelle-t-on la femelle de l'ours ? — le petit de l'ours ?

3. Donnez une série d'onomatopées par lesquelles, dans les bandes des-sinées, on exprime un bruit, un choc, une chute, etc.

49. - ORTHOGRAPHE : Notez dans le carnet d'orthographe : *patiemment, s'abattre, fraîche, développer, souffler, il émergeait.*

50. - PRONONCIATION : *Entier* [bien prononcer le **t** ; ne pas dire : en-tchier], *moitié* [ne pas dire : mwa-tché], *pitié* [ne pas dire : pi-tché].

51. - LANGAGE : Ne dites pas : « Il a fait *assez bien* de fautes » ; — dites : « ... *assez de fautes* » ou : « ... *pas mal* de fautes ». — Inventez deux phrases où vous emploierez, pour exprimer l'idée de « un bon nombre » ou de « une bonne quantité », les expressions « *assez de* », « *pas mal de* ».

52. - PONCTUATION : Mettez la ponctuation : *Un jour le berger prit un couteau en arma son bras droit et attendit l'animal Comme l'ours s'abattit sur lui il le fendit d'un seul coup puis il se dégagea*

LE SUJET

53. - Mettez dans une 1ʳᵉ colonne les **verbes** ; — et, dans une 2ᵉ colonne, en les
faisant correspondre sur chaque ligne, les **sujets** et les **groupes sujets**.

L'Aviateur monte vers les étoiles.

Et voici qu'il montait vers des champs de lumière. Il s'élevait peu à peu,
en spirale, dans le puits qui s'était ouvert, et se refermait au-dessous de lui.
Et les nuages perdaient, à mesure qu'il montait, leur boue d'ombre, ils passaient contre lui, comme des vagues de plus en plus pures et blanches.
Fabien émergea.

Sa surprise fut extrême: la clarté était telle qu'elle l'éblouissait. Il dut,
quelques secondes, fermer les yeux. Il n'aurait jamais cru que les nuages, la
nuit, pussent éblouir. Mais la pleine lune et toutes les constellations les
changeaient en vagues rayonnantes.

Antoine de SAINT-EXUPÉRY, *Vol de nuit.* © Éditions Gallimard.

54. - Même exercice pour les phrases suivantes :

a) 1. L'oisiveté est funeste. — 2. Les passions tyrannisent l'homme. — 3. Le
temps fuit: le sage ne le gaspille pas. — 4. Déjà le ciel blanchit; bientôt le soleil
paraîtra et les oiseaux commenceront leurs concerts. — 5. Par la persévérance
vous parviendrez au succès. — 6. Chacun récoltera ce qu'il aura semé. — 7. Trop
parler nuit.

b) 1. Nul n'est prophète en son pays, dit un proverbe. — 2. Qui pourrait compter les étoiles du ciel? — 3. Trahir sa patrie est un crime odieux. — 4. Les pourquoi des enfants sont parfois embarrassants. — 5. Souris qui n'a qu'un trou est
bientôt prise. — 6. Ceux qui achètent le superflu vendront bientôt le nécessaire.
— 7. Qui veut la fin veut les moyens.

55. - Soulignez les **sujets** ou **groupes sujets**.

a) 1. Quand vint l'hiver, la cigale se trouva fort dépourvue. — 2. Quiconque
ne sait pas souffrir n'a pas un grand cœur. — 3. Pouvez-vous me dire où mène
ce chemin? — 4. Nos bonheurs ne durent guère. — 5. Que sert de dissimuler?
— 6. Vivent les vacances! crient les écoliers. — 7. Nobles forêts qu'émeuvent
les vents, puissent les tempêtes ne pas ravager vos ramures!

b) 1. Tout autour de la plage montaient de hautes roches escarpées. (A. Daudet.) — 2. Parurent alors entre les piliers de longues files d'enfants des écoles.
(A. de Châteaubriant.) — 3. Ainsi dit le renard, et flatteurs d'applaudir. (La Fontaine.) — 4. Ce que l'on conçoit bien s'énonce clairement. (Boileau.) — 5. L'eau

courait le long du trottoir, boueuse, avec cette ondulation particulière que lui imprimait la forme des pierres. — 6. Les poutrelles du plafond étaient vermoulues, les murailles noires de fumée, les carreaux gris de poussière. (Flaubert.) — 7. Mais bien plus que le monde m'intéressent les passants du monde. (J. Guéhenno.) — 8. Mais jouer avec Odile ne m'amusait plus comme autrefois. (J. Green.) — 9. Le long d'un clair ruisseau buvait une colombe. (La Fontaine.) — 10. Personne n'osait plus sortir dès que tombait le soir. (Maupassant.)

---

56. - VOCABULAIRE : 1. Cherchez dans le dictionnaire le sens de : *émerger, constellation, escarpé.*

2. Donnez 4 mots de la famille de *ombre.*

57. - ORTHOGRAPHE : Notez dans le carnet d'orthographe : *le puits, au-dessous de,* je vous ai *cru,* la rivière a *crû, rayonner, tyranniser, embarrassant, intéresser.*

58. - PRONONCIATION : La *rue* [ne pas faire entendre un *w* final], *tuer* [ne pas prononcer : tu-wer], *église* [ne pas prononcer : é-glîsse], *rose* [bien fermer l'*o,* ne pas prononcer : rôsse], *seconde* [se-gond'].

59. - LANGAGE : 1. Ne dites pas : « une *buse* de poêle » ; — dites : « un *tuyau* de poêle ». Employez dans une courte phrase l'expression correcte.

2. Helvétisme : « Le *cibarre* d'un stand de tir (= celui qui indique sur la cible l'endroit où arrivent les coups) ». — Le terme français est *marqueur.* Employez-le dans une phrase de votre invention.

60. - PHRASÉOLOGIE : Imitez, dans deux courtes phrases, le tour : « *Vinrent* bientôt les premiers froids » (verbe en tête de la phrase).

61. - PONCTUATION : Mettez la ponctuation : *Je ne suis pas de ceux qui disent Ce n'est rien C'est une femme qui se noie La Fontaine*

---

62. - Soulignez les **sujets** ou **groupes sujets.**

Au Collège : les visites.

Sur le conseil même du curé d'Abrecave, avec son aide aussi, l'enfant fut mis au collège d'une petite ville des environs. Sa mère et son protecteur l'y allaient visiter parfois, aux jours de marchés, grimpés sur une charrette surchargée d'agneaux et de fromages. Et le décor glissait doucement avec ses chaumières, ses arbres, ses pâtres, ses bêtes, ses œillets. On dételait dans une auberge. On allait acheter des gâteaux pour renforcer le petit paquet de saucisson. Et l'on causait à trois dans le parloir du collège, et l'on était bien content, car les professeurs faisaient l'éloge de leur élève, qui, presque à son insu, dans une habitation médiocre et sublime, s'engageait dans cette voie éternelle que son premier maître lui avait tracée.

Francis JAMMES, *M. le Curé d'Ozeron.*
(Mercure de France, édit.).

63. - Même exercice.

Calme et silence.

Le ciel était blanc, sans nuages, mais sans soleil. Sa courbe pâle s'étendait au large, couvrait la campagne d'une monotonie froide et dolente. On n'entendait aucun bruit, les oiseaux ne chantaient pas; l'horizon même n'avait point de murmure, et des sillons vides ne nous envoyaient ni les glapissements des corneilles qui s'envolent ni le bruit doux du fer des charrues.

Gustave FLAUBERT.

64. - Formez de courtes phrases en prenant comme **sujets** les mots ou groupes de mots suivants :

a) Mer — bonté — champs — instruction — les exploits des cosmonautes.

b) Chanter — lire — nous — chacun — pourquoi — quiconque s'élève — qu'on nous reprenne de nos fautes.

65. - Remplacez les trois points par un **sujet.**

1. ... plaît. — 2. ... est aisée, mais ... est difficile. — 3. ... récoltera ce qu' ... aura semé. — 4. ... peut parfois n'être pas vraisemblable. — 5. ... pour la patrie est un noble sort. — 6. Que vaut ... sans la santé? — 7. Rien ne sert ... — 8. ... ménage sa monture.

---

66. - VOCABULAIRE : 1. Cherchez dans le dictionnaire le sens de : *à son insu, sublime, épars, aristoloche, parasite, jadis.*

2. Exprimez de deux autres manières : « *beaucoup d'années* ».

67. - ORTHOGRAPHE : Notez dans le carnet d'orthographe : *charrette, chariot,décor, gâteau, professeur, presqu'île, presque achevé, apercevoir.*

68. - PRONONCIATION : Articulez bien les consonnes finales : *être propre* (et non : êt' prop'), *notre maître* (et non : not' maît'), *quatre litres* (et non : quat' lit'), *poudre rouge* (et non : poût' rouch'), *vase vide* (et non : vâss' vît'), *voyage à Lourdes* (et non : voyâche à Lourt').

69. - LANGAGE : Ne dites pas : « Sa mère lui a fait de belles *crolles* » (belgicisme) ; — dites : « ... de belles *boucles* » ou : «-... l'a bien *frisé* ». Employez, dans une phrase de votre invention, une des expressions correctes.

70. - PHRASÉOLOGIE : Dans la phrase « On était content, *car* les professeurs faisaient l'éloge de leur élève » exprimez de deux autres manières le rapport de cause.

71. - Trouvez les **sujets** convenables.

Les Travailleurs.

Pendant que ... sème le blé, ... cuit le pain, ... tisse le drap, ... confectionne les habits, ... trace des plans, ... construit des murs, ... forge des outils, ... fabrique des meubles, ... fait des chaussures, ... extrait la houille, ... distribue les lettres, ... pave la rue, ... instruit les enfants. Tous ces travailleurs accomplissent une besogne utile à leurs semblables; ... travaille pour tous, et ... travaillent pour chacun. Ainsi ... ont besoin les uns des autres.

72. - Inventez trois phrases où le **sujet** sera repris par un pronom personnel.

73. - Distinguez les **sujets apparents** et les **sujets réels** des verbes impersonnels.

1. Le ciel est gris; il pleut. — 2. Dans nos âmes, il flotte une vague tristesse. — 3. L'hiver sévit: il neige, il vente; il faudrait des secours aux malheureux. — 4. Il importe que chacun fasse son devoir. — 5. N'est-il pas juste que tout dommage soit réparé par celui qui l'a causé? — 6. Il ne suffit pas d'avoir du talent, il faut encore du caractère.

74. - Tournez les phrases suivantes par la forme impersonnelle, avec **sujet apparent** et **sujet réel** :

1. Mourir pour son pays est héroïque. — 2. Chercher un abri sous un arbre pendant un orage est imprudent. — 3. Louer quelqu'un comme il veut être loué est difficile. — 4. Se tirer d'un tel embarras eût été impossible. — 5. On aurait dit que de la neige était tombée. — 6. Quelque chose de mystérieux se passe dans ce château.

75. - Tournez par la forme personnelle les phrases suivantes :

1. Il me vint une idée. — 2. Il surviendra des difficultés. — 3. Il ne suffit pas toujours de quelques efforts pour réussir. — 4. Il sera mis fin à ces extravagances. — 5. Il se trouvera toujours des ânes pour braire contre la science.

76. - Soulignez les **sujets** ou **groupes sujets** des infinitifs ou des participes en italique.

a) 1. J'entends *siffler* le train. — 2. Dieu *aidant*, nous vaincrons bien des difficultés. — 3. Je vois la première hirondelle *tourner* autour du clocher. — 4. Nous allons, toutes précautions *prises*, nous engager dans cette affaire.

b) 1. Laissez *dire* les sots: le savoir a son prix. (La Fontaine.) — 2. La prière *finie*, nous revînmes tristement vers le coin de l'île où la barque était amarrée. (A. Daudet.) — 3. On voyait entre les arbres *courir* les esclaves des cuisines. (Flaubert.) — 4. Je regardais au loin toutes les petites clartés des maisons *s'éteindre* une à une dans le bourg. (G. Sand.) — 5. Moi je suis resté seul, toute joie *ayant fui*, Seul avec ce pédant qu'on appelle l'ennui. (Hugo.)

---

77. - VOCABULAIRE : 1. Cherchez dans le dictionnaire le sens de : *sévir, pédant, typhon*.

2. Par quel nom général désigne-t-on : celui qui creuse des puits ? — qui apprend un métier ? — qui cultive la vigne ? — qui s'occupe de la culture des jardins (lat. *hortus*, jardin) ? — qui fait des statues ?

3. Donnez 2 homonymes de *sol ;* — 2 de *chat*.

78. - ORTHOGRAPHE : Notez dans le carnet d'orthographe : *embarras, débarrasser, mystère, extravagant, travail fatigant, amarrer, bourg*.

79. - PRONONCIATION : Prononcez bien : *zède* [zèd', et non : zèt'], *oncle* [onkl', et non : onk'], *peuple* [peupl', et non : peup'], *clown* [kloun'], *gageure* [gajûr].

80. - LANGAGE : Dites : « l'outil *dont* j'ai besoin » (et non : ... *que* j'ai besoin) ; — « vous le ferez facilement » ou « il vous sera facile de le faire » (et non : « vous *aurez facile* de le faire »). — Employez dans deux phrases de votre invention : « ... dont j'ai besoin », — et : « Il me sera facile de ... ».

81. - PHRASÉOLOGIE : Imitez, dans deux courtes phrases, le tour (infinitif en tête de la phrase) : « Oublier ma promesse, je ne le ferai pas. »

COMPLÉMENTS DU VERBE

1. COMPLÉMENT D'OBJET DIRECT

Une Servante à tout faire, à tout dire...

La Péguinotte, qui devait bien *friser* la soixantaine, rouge, râblée, le poil gris, raide comme crin, *avait accaparé* les gros travaux domestiques.

Elle *lavait* les carreaux, *coupait* le bois, *allumait* le feu, *coulait* la lessive, *cassait* les olives, *salait* le jambon, *fumait* le lard, *repassait* le linge, *cuisait* les confitures, *servait* la pâtée aux chiens, *étrillait* la mule, *bêchait* le potager et ne *refusait* jamais de *donner* un coup de main, quand on *battait* le blé en juillet, sur l'aire brûlante. Moyennant quoi elle *s'était arrogé* le droit de tout *dire,* et particulièrement ce qui lui semblait désagréable à entendre. Le plus souvent elle se plaignait. Rien ne pouvait la *satisfaire.* Elle *avait* un haut sentiment de la perfection. C'est pourquoi elle *grondait* le cochon, *gourmandait* la chèvre, *morigénait* la volaille et *couvrait* le chien de reproches. Parfois même, s'en prenant avec violence à l'invisible, elle *insultait* les vents qui ne soufflaient pas à son gré.

Henri BOSCO, L'Âne Culotte. © Éditions Gallimard.

82. - Écrivez dans une 1re colonne les verbes en italique du texte d'Henri Bosco, — et dans une 2e colonne, en les faisant correspondre à chacun d'eux, les **compléments d'objet directs**.

83. - Même exercice.

    a) 1. Qui de nous n'*aime* la louange? — 2. La richesse *fait*-elle le bonheur? — 3. Une âme courageuse ne *craint* pas le danger. — 4. Si vous *avez acquis* des connaissances, *considérez*-les comme un capital précieux. — 5. Les amis que vous *avez,* les *aurez*-vous encore dans l'adversité? — 6. On *rencontre* certaines gens qui *prétendent* tout *savoir.*

    b) 1. Qui ne *risque* rien n'*a* rien. — 2. *Avez*-vous bien *fait* ce que vous *ont commandé* vos parents? — 3. Que de gens *ont* deux caractères: celui qu'ils *montrent* et celui qu'ils *ont!* — 4. L'esprit qu'on veut *avoir* gâte celui qu'on *a.* (Gresset.)

84. - Relevez les **compléments d'objet directs**; dites quel verbe chacun d'eux complète.

Ne gardons pas rancune.

    Avoir de la rancune contre quelqu'un, c'est garder, d'une façon tenace, le souvenir des offenses qu'il nous a faites et désirer, en même temps, en tirer une vengeance qu'on attendra patiemment.

    Considérez bien la laideur d'un tel sentiment, où l'on trouve à la fois de l'hypocrisie, de la poltronnerie et de la méchanceté. Elle prend, à l'occasion, des apparences aimables, elle suit des sentiers tortueux, elle épie sa victime sans oser la frapper en face.

85. - Remplacez les trois points par un **complément d'objet direct** :

a) 1. Je prends ... — 2. Le soleil éclaire ... — 3. Le retour des hirondelles annonce ... — 4. Les belles plumes font ... — 5. Nous fuirons toujours ... — 6. Il est utile d'apprendre ... — 7. ... cherchez-vous? — 8. Notre patrie nous est chère: nous ... défendrons si on ... attaque.

b) 1. Le sage supporte ... — 2. Un véritable ami console ... — 3. La Seine arrose ... — 4. Gutenberg a inventé ... — 5. Socrate fut condamné à boire ... — 6. Il faut casser ... pour avoir ...

86. - Employez dans de courtes phrases les mots (ou groupes) suivants comme **compléments d'objet directs** :

a) nos parents	le mensonge	votre profession	son châtiment
le fer	les poètes	les richesses	nos peines

b) à lire	tout	le vent gémir	si vous viendrez
nous	rien	que tout passe	pourquoi tu hésites

87. - Soulignez les **compléments d'objet directs** et, quand le complément est un groupe de mots, encadrez le centre du groupe.

1. Le vice montre parfois des dehors trompeurs. — 2. Qu'attendez-vous de la vie? — 3. Notre histoire nationale atteste la vaillance de nos aïeux. — 4. L'homme droit abhorre tout accroc à la vérité. — 5. Sachons réfléchir avant de prendre une résolution importante. — 6. Les chefs-d'œuvre de l'art charment quiconque a le goût délicat. — 7. Nous craindrons les trompeuses amorces des charlatans. — 8. Comment un autre gardera-t-il ton secret si tu ne le gardes pas toi-même?

88. - Soulignez les noms **compléments d'objet directs** et encadrez chaque fois le pronom de reprise.

1. Notre avenir, nous le préparons nous-mêmes. — 2. Ce problème, vous le résoudrez si vous réfléchissez bien. — 3. Poules, poulets, canards, chapons, le renard trouvait tout à son goût. — 4. Les difficultés, vous les surmonterez si vous êtes patients et méthodiques. — 5. Quelle surprise m'a causée votre lettre, je ne saurais la décrire. — 6. Cet immense bourdonnement des étés de mon enfance, je ne l'entends plus qu'au-dedans de moi. (Fr. Mauriac.)

89. - Joignez à chacun des verbes suivants un **sujet** et un **complément d'objet direct** :

défend	coûte	connaît	procure
porte	pèse	pardonne	racontent

---

90. - VOCABULAIRE : 1. Rangez dans l'ordre alphabétique : *semer, arbre, salade, lettre, dormir, dominer, sécher, dorer*.

     2. Expliquez : « *friser* la soixantaine », « *étriller* la mule », « *battre* le blé sur l'*aire* », « *s'arroger* un droit », « *morigéner* quelqu'un », « *gourmander* quelqu'un ».

3. Quel est le nom général désignant (suffixe -*aire*) : un homme âgé de 50 ans ? — de 60 ans ? — de 70 ans ? — de 80 ans ? — de 90 ans ? — de 100 ans ?

91. - ORTHOGRAPHE : Notez dans le carnet d'orthographe : *accaparer, aire* (d'une grange), *s'arroger* (un droit), *souffler, siffler, persifler, hypocrisie.*

92. - PRONONCIATION : Articulez bien les consonnes finales : *lessive* [et non : lessif'], *désagréable à entendre* [et non : désagréâp' à entent'], *la chèvre* [et non : chêf'], *invisible* [et non : invisîp'].

93. - LANGAGE : Ne dites pas : « *s'accaparer* de quelque chose » ; — dites : « *accaparer* quelque chose ». Employez le tour correct dans une phrase de votre invention.

94. - PHRASÉOLOGIE : Inventez deux courtes phrases où vous emploierez *moyennant quoi.*

95. - PONCTUATION : Mettez la ponctuation : *Chaque fois et à plusieurs reprises chemin faisant elle lui disait Retournez-vous ce n'est pas la peine de me conduire on ne risque rien ici* André Chamson

---

2. COMPLÉMENT D'OBJET INDIRECT

Le Culte des aïeux.

Comment ne *vouerions*-nous pas à nos aïeux un amour filial quand tout nous *rappelle* les bienfaits que nous leur *devons,* quand tout nous *inspire* des pensées de reconnaissance envers eux, qui nous *ont légué* tant de choses dont nous *jouissons?* Ces champs fertiles, ces maisons, ces ponts, ces routes, c'est eux qui nous en *ont transmis* la possession ou l'usage; ces connaissances, cette langue, ces libertés, trésors que nous *préférons* à n'importe quels biens, c'est eux encore qui en *ont assuré* à chacun de nous le bénéfice.

Qui pourrait en *douter* et qui n'*obéirait* pas à ces élans profonds qui nous poussent à leur *rendre* un filial hommage?

96. - Écrivez dans une 1re colonne les verbes en italique du texte ci-dessus, — et dans une 2e colonne, en les faisant correspondre sur chaque ligne, les compléments d'objet indirects.

97. - Même exercice.

a) 1. Qui *donne* au pauvre *prête* à Dieu. — 2. Nous *pardonnerons* à ceux qui nous *ont nui*. — 3. *Témoignez* à vos parents une tendre affection; *gardez*-leur une profonde reconnaissance. — 4. Par votre application vous me *prouverez* que vous avez compris les recommandations que je vous *ai faites;* je ne *douterai* pas de votre succès.

b) 1. Aux petits des oiseaux Dieu *donne* leur pâture. — 2. Nos précepteurs *ressemblaient* à des hérauts d'armes. (Vigny.) — 3. A la psalmodie *succédait* un silence qui ne règne aussi complet qu'au désert et sur les cimes. (Fr. Jammes.) — 4. Voilà comment j'*échappai* à l'objection que me *proposait* implicitement l'Adversaire. (M. Barrès.) — 5. Gardes, qu'on *obéisse* aux ordres de ma mère! (Racine.) — 6. L'hypocrisie est un hommage que le vice *rend* à la vertu. (La Rochefoucauld.) — 7. Je *songe* à ce village assis au bord des bois. (J. Moréas.) — 8. Vos aumônes là-haut vous *font* une richesse. (Hugo.)

98. - Remplacez les trois points par un complément d'objet indirect.

a) 1. Nous compatirons ... — 2. Faites du bien même ... — 3. Il faut se soumettre ... — 4. Une mère se dévoue ... — 5. On ne pense jamais ...

b) 1. Nous pouvons nous confier ... — 2. Les pouvoirs publics sévissent ... — 3. On doit préférer l'honneur ... — 4. On accorde volontiers sa confiance ... — 5. La vanité déplaît ... — 6. Un bon maître sait parfois user ...

99. - Joignez à chacun des infinitifs suivants un complément d'objet indirect :

parler	succéder	commander	médire	s'opposer
jouir	s'apercevoir	résister	sourire	hériter

100. - Inventez de courtes phrases où vous emploierez, chacun avec un complément d'objet indirect, les verbes suivants :

convenir	préférer	attribuer	céder
abuser	comparer	substituer	prêter

101. - Distinguez parmi les mots en italique les compléments d'objet directs et les compléments d'objet indirects.

1. Nous aimons *les livres* qui *nous* instruisent et *nous* ouvrent *l'esprit.* — 2. Les paresseux ne doivent généralement imputer *leurs échecs* qu'à *eux-mêmes.* — 3. Il faut *se* soumettre à *l'autorité légitime.* — 4. Ce bloc enfariné ne *me* dit *rien* qui vaille. (La Fontaine.) — 5. Je *vous* exhorte à *bien travailler.* — 6. Je *me* convaincs *que vous réussirez.* — 7. La mouche se plaignait *qu'elle agissait seule.*

---

102. - VOCABULAIRE : 1. Quel est le sens de *léguer ?* — de *implicitement ?*

2. Quel est le verbe signifiant « amasser de l'argent » (lat. *thesaurus,* trésor) ?

3. Comment appelle-t-on la transmission héréditaire de certains caractères, la ressemblance avec les aïeux (lat. *atavus,* aïeul ; *atavi,* les ancêtres) ?

103. - ORTHOGRAPHE : Notez dans le carnet d'orthographe : un *legs, thésauriser, pâture,* un *héraut* d'armes, *cime* (sans circonflexe), *exhorter,* il se *convainc.*

104. - PRONONCIATION : Nous *vouerons* [voû-rons : ne pas faire entendre l'*e*], un *legs* [on prononce généralement : *lè*], je *préférerai* [la 2ᵉ syllabe, en dépit de l'accent aigu, se prononce : *fè*].

105. - LANGAGE : 1. On dit : « se souvenir *de quelque chose* », mais : « se rappeler *quelque chose* ». — Dans les phrases suivantes, au lieu de *se souvenir* employez *se rappeler ;* « Je me *souviens* des jours anciens » ; — « Les premiers livres dont je me *souviens* ».

   2. Anglicisme (canadianisme) : « Se munir d'une *flashlight* ». — L'expression française est *lampe de poche.* — Employez-la dans une petite phrase.

106. - PHRASÉOLOGIE : Au moyen de *c'est ... que* mettez en relief les mots en italique : « Je pars *demain* » ; — « *À l'œuvre* on connaît l'artisan »; — « Je demande *un bien petit service* ».

107. - ANALYSE : Indiquez la fonction des mots en italique : « Ils *se* sont rendu compte de leur erreur » ; — « Nous *nous* sommes donné des gages » ; — « Ils *se* sont félicités mutuellement ».

---

3. COMPLÉMENT CIRCONSTANCIEL

La Halte des Bohémiens.

La troupe errante vient de *planter* ses tentes sur la rive du fleuve. Entre les roues des chariots, derrière des lambeaux de tapis, on voit *briller* le feu. La horde alentour apprête son souper. Sur le gazon, les chevaux *paissent* à l'aventure. Un ours apprivoisé *a pris* son gîte auprès d'une tente. On *part* demain à l'aube et chacun *fait* gaiement ses préparatifs. Les femmes chantent, les enfants crient, les marteaux font résonner l'enclume de campagne.

Mais bientôt sur la bande vagabonde *s'étend* le silence du sommeil et le calme du steppe n'est plus troublé que par le hurlement des chiens et le hennissement des chevaux. Tout repose: les feux s'éteignent, la lune *brille* seule dans le lointain des cieux, *versant* sa lumière sur la horde endormie.

Prosper MÉRIMÉE.

---

108. - Mettez en colonne les verbes en italique du texte de Mérimée ; faites correspondre à chacun d'eux, dans une 2ᵉ colonne, les compléments circonstanciels s'y rapportant (encadrez chaque fois le centre du groupe).

109. - Même exercice, mais indiquez, pour chaque complément circonstanciel, la circonstance qu'il exprime.

La Demeure du grillon.

Qui, à l'âge des ébats sur la pelouse, ne *s'est arrêté* devant la cabane du grillon? Vous vous *avancez* à pas légers, mais il a entendu votre approche et, d'un brusque recul, il *est descendu* au fond de sa cachette. Lorsque vous arrivez, le seuil du manoir *reste* désert.

Le moyen de faire *sortir* de sa cachette le disparu est bien connu. Une paille est introduite et doucement *agitée* dans le terrier. *Surpris* de ce qui *se passe* là-haut, chatouillé, l'insecte *remonte* de son appartement, *s'arrête* dans le vestibule, puis *vient* à la lumière, facile à capturer.

D'après Jean-Henri Fabre, *Souvenirs entomologiques*. (Delagrave, édit.).

---

110. - VOCABULAIRE : 1. A l'aide du dictionnaire, expliquez : *horde ; apprivoisé; steppe ; manoir.*

2. Que signifie : « *en amont* du pont » ? — Quel est le contraire de *en amont ?*

3. Dessinez une clef et indiquez, à côté de chacune de ses parties, le nom qui la désigne *(tige, anneau, panneton).*

111. - ORTHOGRAPHE : Notez dans le carnet d'orthographe : *il paît, gaiement* (ou : *gaîment*), *apprivoisé, gîte, résonner, irascible, thaumaturge.*

112. - PRONONCIATION : *Briller* [bri-yé, et non : bril-yé], *ours* [faire entendre l'*s*], *la bande vagabonde* [bien articuler la consonne finale], *hennissement* [é-nis-man].

113. - LANGAGE : « Un voyageur est *une espèce* d'historien. » (Chateaubriand.) — Inventez deux courtes phrases où vous emploierez « *une* espèce de » suivi d'un nom masculin (et gardez-vous de dire : « *un* espèce de »).

114. - PHRASÉOLOGIE : « La troupe errante plante ses tentes sur la rive du fleuve. » Mettez en inversion le complément circonstanciel. — Par quel autre moyen pourrait-on mettre en relief ce complément circonstanciel ?

---

115. - Composez 2 phrases contenant chacune un **complément circonstanciel de temps** et un **de lieu.**

116. - Discernez les **compléments circonstanciels de temps** et dites de chacun d'eux s'il marque : 1° l'époque ; 2° la durée.

1. Tout renaît au printemps. — 2. Lors du déluge, il plut durant quarante jours. — 3. Nuit et jour, toutes sortes de craintes assaillent l'avare. — 4. Certains insectes ne vivent qu'un jour. — 5. Quand il pleut à la Saint-Médard, il pleut quarante jours plus tard. — 6. Et je sais que de moi tu médis l'an passé. (La Fontaine.)

117. - Inventez de courtes phrases contenant chacune un **complément circonstanciel de temps** répondant aux questions suivantes :

1. En quelle année? — 2. En combien d'années? — 3. Depuis combien de temps? — 4. Pour quand? — 5. Combien de temps avant? — 6. Pour combien de temps?

118. - Faites entrer dans une courte phrase chacun des **compléments circonstanciels de temps** que voici :

1. À l'heure de midi. — 2. Pendant l'hiver. — 3. Dans un mois. — 4. Durant toute la nuit. — 5. De bonne heure. — 6. Pour huit jours.

119. - Discernez les **compléments circonstanciels de lieu** et dites de chacun d'eux s'il marque : 1° la situation ; 2° la direction ; 3° l'origine ; 4° le passage.

1. Un pinson chante dans le feuillage. — 2. Les Romains tiraient de la Sicile beaucoup de blé. — 3. Le renard et le bouc descendirent dans un puits. — 4. Une belette entra dans un grenier; après s'être repue, elle voulut sortir par le trou de la porte, mais rebondie qu'elle était, elle ne put retourner dans son logis. — 5. De la forêt arrivent jusqu'à nous des effluves pénétrants. — 6. Un incendie éclata dans ma rue; les pompiers arrivèrent sur les lieux; d'énormes nuages de fumée sortaient par les fenêtres; des cris d'effroi venaient du troisième étage. — 7. Le voile du matin sur les monts se déploie. (Hugo.) — 8. Quittez les bois, vous ferez bien: Vos pareils y sont misérables. (La Fontaine.)

120. - Joignez à chacune des propositions suivantes un **complément circonstanciel**, selon l'indication mise entre crochets :

1. Le corbeau tenait [lieu] ... un fromage. — 2. Un loup affamé vint [lieu: passage] ... observer l'état du troupeau. — 3. Il faut manger [but] ... — 4. La grenouille voulait égaler le bœuf [point de vue] ... — 5. Il ne faut pas faire l'aumône [cause] ... — 6. La forêt nous charme particulièrement [temps] ... — 7. Le maître encourage l'élève [moyen] ... — 8. Le renard mourant presque [cause] ... vit [lieu] ... des raisins mûrs apparemment.

121. - Employez dans une courte phrase chacun des verbes suivants en y joignant chaque fois un **complément circonstanciel** approprié :

| travailler | parler | monter | semer |
| s'instruire | entrer | attendre | porter |

122. - VOCABULAIRE : 1. Quel est le nom général désignant : celui qui peint des *portraits ?* — l'ouvrier qui travaille le *zinc ?* — celui qui fait métier de prendre des *oiseaux ?*

2. Cherchez dans le dictionnaire le sens de *treille ;* de *éphémère ;* de *effluve.*

123. - ORTHOGRAPHE : Notez dans le carnet d'orthographe : *forêt, mourir, nourrir, il plaît, il clôt, il gît.*

124. - PRONONCIATION : Articulez bien les consonnes finales : *déluge* [et non : dé-lûch'], *insecte* [et non : in-sèk'], *feuillage* [et non : feuillâch'], *effluve,* [et non : ef-flûf'].

125. - LANGAGE : Ne dites pas : *s'entraider mutuellement* (il y a pléonasme) ; — dites simplement : *s'entraider.* Inventez une courte phrase où vous emploierez ce dernier verbe.

126. - PHRASÉOLOGIE : « *C'était merveille* de l'entendre. » — Imitez cette tournure dans une phrase.

127. - ANALYSE : Soulignez les compléments circonstanciels dans : *Hier un incendie éclata subitement dans mon quartier.*

---

4. COMPLÉMENT D'AGENT

Pour la paix.

La paix! la paix! voilà ce qu'il nous faut. C'est par la paix que les hommes *sont incités* à chercher la prospérité, c'est par elle que tous les êtres *sont remis* à leur place véritable. Par la guerre on voit les mauvais instincts prévaloir: le meurtre, la rapine et le reste. Ainsi la guerre *est aimée* des hommes de mauvaise vie, et c'est par elle qu'ils *sont revêtus* d'une fausse grandeur. En temps de paix, ils ne seraient rien; on verrait trop facilement que leurs pensées, leurs inventions et leurs désirs ne *sont engendrés* que par des génies détestables.

L'homme *a été créé* par Dieu pour la paix, pour le travail, l'amour de la famille et de ses semblables. Or, puisque la guerre va contre tout cela, c'est un véritable fléau. On comprend que, de tout temps, elle *ait été détestée* des mères et *condamnée* par tous les gens de cœur.

D'après ERCKMANN-CHATRIAN, *Madame Thérèse.* (Hachette, éditeur).

128. - Écrivez dans une 1ʳᵉ colonne les verbes passifs du texte ci-dessus (ils sont en italique), et faites correspondre à chacun d'eux, dans une 2ᵉ colonne, les **compléments d'agent.**

129. - Dans les phrases suivantes, relevez les **compléments d'agent** (en encadrant le centre si ce complément forme un groupe de mots) et dites quel verbe passif ils complètent :

a) 1. Quoi que nous fassions, nous serons loués par ceux-ci, blâmés par ceux-là. — 2. Nous oublions aisément nos fautes lorsqu'elles ne sont sues que de nous-mêmes. — 3. L'homme fourbe n'est estimé de personne. — 4. Clovis fut baptisé à Reims par saint Remi.

b) 1. Aucun juge par vous ne sera visité? (Molière.) — 2. Laissez-moi carpe devenir: Je serai par vous repêchée. (La Fontaine.) — 3. Ô flots, que vous savez de lugubres histoires! Flots profonds redoutés des mères à genoux! (Hugo.) — 4. Il est plus honteux de se défier de ses amis que d'en être trompé. (La Rochefoucauld.) — 5. Le pur enthousiasme est craint des faibles âmes. (Vigny.)

130. - Tournez par l'actif les phrases suivantes et observez bien que le complément d'agent devient le sujet du verbe actif :

1. Jérusalem a été prise par les croisés. — 2. Honneur à ceux par qui ont été soulagés les maux de l'humanité! — 3. Le poète est charmé par les forêts. — 4. La boussole a été inventée par les Chinois. — 5. Les Géorgiques de Virgile ont été traduites en vers français par Delille.

131. - Tournez par le passif les phrases suivantes et soulignez chaque fois le **complément d'agent** (dont vous encadrerez le centre s'il y a lieu) :

1. Personne n'estime le menteur. — 2. Honte à celui qui a trahi la patrie! — 3. Tous ceux qui le connaissent l'aiment. — 4. Ce qui importe, c'est que notre conscience approuve notre conduite. — 5. Les vents de l'automne agitent la forêt.

132. - Inventez de courtes phrases où les verbes suivants seront complétés par un **complément d'agent** :

est arrosé par	sera loué par	est apprécié de
fut surpris par	fut écrasé par	est redouté de

133. - Faites entrer dans de courtes phrases les **compléments d'agent** suivants :

par la pluie	par le soleil	de tout le monde
par le malheur	par mes parents	de personne

---

134. - VOCABULAIRE : 1. Rangez dans l'ordre alphabétique : *Musset, Barrès, Corneille, Racine, Daudet, Lamartine, Hugo, Pascal, Maeterlinck, Ramuz.*

2. Cherchez dans le dictionnaire le sens de : *inciter, lugubre.* — Employez chacun de ces mots dans une expression.

3. Donnez 5 mots de la famille de *sel* (lat. *sal, salis*).

135. - ORTHOGRAPHE : Quand le mot *saint* s'écrit-il par la majuscule ? Donnez trois exemples.

136. - LANGAGE : Ne dites pas : « Vous *risquez* de gagner » ; — dites : « Vous *avez des chances* de gagner ». Inventez une courte phrase où vous emploierez *risquer de,* — et une phrase où vous emploierez *avoir des chances de.*

137. - PHRASÉOLOGIE : Complétez par un terme de comparaison : *bête* comme ... ; *triste* comme ... ; *doux* comme ... ; *pauvre* comme ... ; *muet* comme ... ; *frais* comme ... ; *sourd* comme ... [Choisir : l'œil, un bonnet de nuit, un pot, une oie, Job, un agneau, une carpe.]

138. - PONCTUATION : Mettez la ponctuation : *Vous sentez bien mes frères reprit le bon abbé Martin vous sentez bien que ceci ne peut pas durer*

ATTRIBUT

1. ATTRIBUT DU SUJET

Grand-père et Grand-mère.

Le grand-père, à la mode des compagnons, avait gardé ses longues boucles et sa barbe carrée: *ses poils frisés* étaient aussi drus qu'au temps lointain de sa jeunesse, mais *ils* étaient devenus blancs comme la neige, autour de son visage rapetissé.

La grand-mère avait « forci ». *Elle* était épaisse et lourde, sous un petit chignon jaunâtre. Mais *son visage* était resté frais, parce que la graisse tendait ses rides.

Ses gros yeux ronds riaient sans cesse. Elle n'avait plus qu'une dent, qui soulevait sa lèvre supérieure. *Cette dent unique* était remarquable par sa taille et son éclat: *elle* paraissait grossie, bombée, blanche comme une amande pelée et semblait admirable à mon frère Paul, qui avait parfois la permission de la toucher du bout du doigt.

D'après Marcel PAGNOL, *Le Temps des secrets.* (Pastorelly, édit.).

139. - Relevez, dans le texte de Marcel Pagnol, les **attributs des sujets** en italique.

140. - Distinguez les **attributs du sujet** (écrivez dans une 1re colonne les sujets, et dans une 2e colonne, en face de chacun d'eux, son attribut).

a) 1. La patience est une grande force. — 2. La solitude est la patrie des forts. — 3. Prendre une résolution est facile, l'exécuter est parfois difficile. — 4. La parole est d'argent, mais le silence est d'or. — 5. Le temps est un grand maître. — 6. Donnez, riches! l'aumône est sœur de la prière. (Hugo.)

b) 1. Rares sont les vrais amis. — 2. Le temps paraissait incertain et nous restions indécis. — 3. Tu serais traité d'ingrat si tu n'étais pas reconnaissant envers tes parents. — 4. Quels sont vos auteurs préférés? — 5. Que sont les richesses? Ceux qui les possèdent paraissent heureux, mais souvent ils ne le sont pas. — 6. Chanter n'est pas crier.

c) 1. Bien des savants moururent pauvres. — 2. Si ce père de famille tombe malade, que deviendront sa femme et ses enfants? — 3. Heureux les humbles! — 4. Tel est l'aveuglement de certains hommes qu'ils ne voient pas qu'ils vivent malheureux par leur faute. — 5. Soyons courageux et restons-le. — 6. Mon sentiment est que la douceur est préférable à la violence.

141. - Même exercice.

1. Sous le soleil déjà chaud, ces étoffes de printemps paraissaient riches et soyeuses. (A. Daudet.) — 2. La lumière a l'air noire et la salle a l'air morte. (Hugo.) — 3. Maigre devait être la cuisine qui se préparait à ce foyer. (Th. Gautier.) — 4. Rares sont les livres délicieux. (P. Valéry.) — 5. Il demeure exact que vous n'êtes pas malheureux, et votre cas est inexcusable. (M. Barrès.) — 6. Que vont devenir ces petits cadavres et tant d'autres lamentables déchets de la vie? (J.-H. Fabre.) — 7. Quelle est cette langueur Qui pénètre mon cœur? (P. Verlaine.) — 8. Sa distraction était, le dimanche, d'inspecter les travaux publics. (Flaubert.) — 9. Vif était le coup d'œil, plus vifs étaient le geste et la parole. (Balzac.)

142. - Discernez les **attributs du sujet** et analysez-les.

Une Feuille tombe.

L'air est froid et sec; les branches paraissent poudrées de gelée blanche, mais les feuilles restent bien vertes encore. Pourtant le feuillage des marronniers est, par places, un peu pâle. Le vent devient coupant: la ramure est en émoi. Une feuille se détache; elle est légère dans les remous de l'air; elle tourne un instant, flotte, remonte, vire à droite, à gauche, se retourne: elle est pareille à un oiseau blessé. Enfin elle semble si fatiguée qu'elle s'abandonne et se pose avec un frottement léger comme un soupir sur le pavé.

143. - Remplacez les trois points par un **attribut du sujet**.

1. Tout homme est ... — 2. L'instruction est ... — 3. Nos parents sont ... — 4. Cette pièce de monnaie paraît ... — 5. Mon ami a été nommé ... —

6. Nous ne sommes que rarement ... — 7. Les apparences sont souvent ...: tel personnage qui semblait ... est en réalité ...

144. - Formez de courtes phrases en donnant un **attribut** aux mots suivants employés comme **sujets** :

mensonge	instruction	vivre	tout	qui (relatif)
printemps	soleil	forêt	chacun	ce (pronom)

145. - Formez de courtes phrases où les mots suivants seront employés comme **attributs du sujet** :

aimable	vice	quel (interrog.)	ce	que (relat.)
meilleur	noble	qui (relat.)	roi	à plaindre

146. - Composez trois phrases où l'attribut du sujet sera en tête.

2. ATTRIBUT DU COMPLÉMENT D'OBJET

147. - Dans les phrases suivantes, soulignez les **attributs du complément d'objet** et encadrez le mot auquel chacun d'eux se rapporte.

a) 1. Quand nous jugeons l'occasion favorable, saisissons-la. — 2. Votre vie vous la voulez noble; vous la rendrez telle en vivant en gens d'honneur. — 3. Quand un danger est passé, souvent on le trouve terrible. — 4. Des personnages que leurs contemporains avaient crus grands, la postérité parfois les juge médiocres. — 5. Ma grand-mère usait d'une tisane comme remède universel.

b) 1. L'expérience nous fait sages en nous blessant. — 2. On n'aime pas ceux que leur grandeur rend dédaigneux. — 3. Bien des gens se jugent dignes des plus hauts emplois; comme la nature ne les en a pas rendus capables, on les voit contents dans les emplois médiocres. — 4. Certaines gens veulent garder intacts leurs instincts bons et mauvais; on les trouverait meilleurs s'ils extirpaient leurs défauts et s'ils développaient leurs qualités. — 5. Des prisonniers, se servant d'un canif comme outil, ont fabriqué des objets qui sont de vrais chefs-d'œuvre.

148. - Remplacez les trois points par un **attribut du complément d'objet.**

1. Nous garderons notre courage ... — 2. Vous trouverez sans doute ... la vie de ceux qui travaillent à rendre ... le sort de l'humanité. — 3. Une nation qui a produit beaucoup de grands hommes, nous la jugeons ... — 4. Je trouve les livres de Jules Verne ... — 5. L'épreuve nous laisse parfois ..., mais elle peut nous rendre...

149. - Faites entrer dans une courte phrase chacun des verbes suivants et donnez-lui un complément d'objet direct avec un **attribut de ce complément d'objet.**

juger	croire	appeler	tenir pour
trouver	choisir pour	proclamer	considérer comme

150. - Inventez de courtes phrases où les mots suivants soient employés comme **compléments d'objet directs** et donnez à chacun d'eux un **attribut** :

mer — avenir — hiver — aveugle — lecture.

151. - Distinguez les **attributs du sujet** et les **attributs du complément d'objet** et dites de chacun d'eux à quel mot il se rapporte.

Feuillages d'automne.

Les feuillages sont encore vigoureux, mais on devine la sève déjà moins généreuse. Les arbres prennent des teintes qu'on croirait invraisemblables, tant elles sont riches et variées. Les feuilles des tilleuls deviennent blondes; celles des chênes, on les voit d'abord cuivrées, puis elles paraissent rouillées et elles resteront telles durant tout l'hiver. Elles sont étrangement tenaces et restent attachées aux branches jusqu'à ce que la poussée de la sève nouvelle vienne, au printemps, les jeter bas.

152. - VOCABULAIRE : 1. Cherchez dans le dictionnaire le sens de : *dru, postérité, extirper.*

2. Donnez 4 mots de la même famille que *doigt* (lat. *digitus*).

3. Par quel mot général désigne-t-on les habitants : de Paris ? — de Londres ? — de Milan ? — de Moscou ? — de Liège ? — de Genève ? — de Bordeaux ? — de Madrid ? — de Québec ?

153. - ORTHOGRAPHE : Notez dans le carnet d'orthographe : *marronnier, développer, enthousiasme, bicyclette.*

154. - PRONONCIATION : Prononcez bien : *soulier* [sou-lyé, et non : sou-yé] ; *bandoulière* [ban-dou-lyèr, et non : ban-dou-yèr] ; *buisson* [bwi-son, et non : bou-i-son].

155. - LANGAGE : Ne dites pas : *se méconduire ;* — dites : *se conduire mal* ou *se déranger.* — Employez dans une courte phrase l'une des locutions correctes.

156. - PHRASÉOLOGIE : « Délicieux, vos gâteaux ! ». — Imitez ce tour elliptique dans une courte phrase.

157. - ANALYSE : Analysez les mots en italique : « *Les arbres* prennent des *teintes qu'*on croirait *invraisemblables.* »

DÉTERMINANTS DU NOM* ET DU PRONOM

1. ÉPITHÈTE

Un Village des Flandres.

Le village était à gauche de la route, un village des Flandres, largement éparpillé sur une *terre* plate et riche en eau. On l'atteignait par une *chaussée* grise, sinueuse et plantée de hauts *tilleuls*. Elle formait une espèce de digue, et dominait les *champs* humides, coupés de watergangs. L'hiver, souvent, la Lys montait et les couvrait. Et la chaussée demeurait seule, reliait villages et maisons comme un isthme, à travers l'inondation.

L'église s'apercevait au détour de la route, dominant un bouquet d'arbres à *têtes* rondes, de gros *marronniers* antiques, qui encadraient la petite *place*. Le *clocher* bas se terminait par un toit en éteignoir, couvert de *tuiles* rouges, et sans grâce. Autour était le cimetière, à la mode d'autrefois. Il y poussait beaucoup de folles *herbes*. Des poules venaient y gratter. Et les enfants du village y jouaient.

Maxence Van der Meersch, *L'Empreinte du dieu*. (Albin Michel, édit.).

158. - Relevez, dans le texte ci-dessus, les **épithètes** des noms en italique.

Modèle : NOMS	ÉPITHÈTES
terre	plate, riche

159. - Distinguez, dans le texte suivant, les **épithètes**, et analysez-les.

Les Champs Élysées.

Mille petits ruisseaux d'une onde pure arrosaient ces beaux lieux et y faisaient sentir une délicieuse fraîcheur; un nombre infini d'oiseaux faisaient résonner ces bocages de leurs doux chants. On voyait tout ensemble les fleurs du printemps qui naissaient sous les pas avec les plus riches fruits de l'automne qui pendaient des arbres.

Fénelon.

160. - Distinguez, dans les phrases suivantes, les noms accompagnés d'une **épithète** ; écrivez, dans une 1re colonne, les noms ; dans une 2e colonne, en face de chacun d'eux, l'épithète s'y rapportant.

a) 1. Les grandes pensées viennent d'un cœur généreux. — 2. Petite pluie abat grand vent. — 3. Une âme noble est au-dessus des paroles injurieuses. — 4. Un homme énergique vainc beaucoup de difficultés. — 5. A quoi vous servent les bons conseils des personnes expérimentées si vous ne les suivez pas?

b) 1. Un joli village s'étend au pied du mont, et l'on dirait que ses maisons blanches sortent du sable doré. (Vigny.) — 2. Avec grand bruit et grand fracas Un torrent tombait des montagnes. (La Fontaine.) — 3. Au milieu de ce tumulte des eaux, j'ai remarqué une cascade légère et silencieuse, qui tombe avec une grâce infinie sous un rideau de saules. (Chateaubriand.) — 4. Et déjà succédant au combat rouge et sombre, Le crépuscule gris meurt sur les coteaux noirs. (Hugo.)

161. - Joignez une **épithète** à chacune des expressions suivantes :

l'abeille	un fleuve	les jours	un courage
un vent	un livre	une ombre	une patience

162. - Joignez à un nom, comme **épithète**, chacun des adjectifs suivants :

fidèle	heureux	clair	profond
juste	blâmable	blanc	exotique

163. - Remplacez par une **épithète** les mots en italique :

a) 1. Des eaux *claires comme le cristal*. — 2. Les fleurs *du printemps*. — 3. Un bonheur *qui fuit rapidement*. — 4. Un homme *qui se contente de mets simples*. — 5. Une douleur *qui pique, qui étreint*. — 6. Des régions *fort éloignées du lieu où l'on est*. — 7. Un travail *qui procure un bénéfice suffisant*.

b) 1. Des aveux *qu'on fait de soi-même*. — 2. Un homme *âgé de soixante ans*. — 3. Une douleur *qui se tait*. — 4. Un vent *dont la course est violente et rapide*. — 5. Un visage *qui semble jeter des rayons*. — 6. Un serpent *qui a du venin*. — 7. Une plante *qui a du venin*. — 8. Une rivière *qui abonde en poissons*. — 9. Un commerce *qui apporte de gros bénéfices*. — 10. Un juge *qui est d'une probité parfaite*.

164. - Soulignez les **épithètes détachées** et marquez à quel nom (ou pronom) chacune d'elle se rapporte.

Modèle: Les écoliers, *joyeux*, se mirent à applaudir.

1. Bientôt le soleil se leva, radieux, derrière la colline. — 2. Dans le crépuscule, montent, indécises, de vagues rumeurs. — 3. Il allait muet, pâle et frémissant aux bruits. (Hugo.) — 4. Toujours souriante, ma mère fait rayonner au foyer une imperturbable bonne humeur. — 5. Nous partîmes de grand matin, légers comme des hirondelles. — 6. La première étoile brille au fond des cieux, pensive. — 7. Lamentable, s'encadrait dans la porte une mendiante en guenilles. — 8. Le vent secoue les peupliers et crie, furieux, dans la cheminée.

165. - Joignez à chacun des noms en italique une **épithète détachée.**

1. La *lune* monte dans un ciel violacé. — 2. Mille *pâquerettes* déplient dans le gazon leurs fraîches collerettes. — 3. Tous les *visages* se tournèrent vers cet étrange visiteur. — 4. Un *pinson*, à la cime d'un prunier, répète à plein gosier sa ritournelle. — 5. Le *ruisseau* s'insinue dans le taillis. — 6. La vieille *horloge*, dans sa haute gaine de chêne ciré, égrène sa litanie.

166. - Modifiez les phrases suivantes de telle façon que les attributs (en italique) deviennent des **épithètes détachées :**

Modèle: Les vagues assaillaient le rocher; elles étaient *énormes.* — Les vagues, *énormes,* assaillaient le rocher.

1. La neige couvrait la plaine; elle était *épaisse.* — 2. Au bout de la rue se dressait le château, qui paraissait *énorme.* — 3. Perrette était *légère;* elle marchait à grands pas. — 4. Nous étions *tristes;* nous avancions sous une pluie battante. — 5. Le corbeau était *honteux* et *confus* et il jura qu'on ne l'y prendrait plus.

---

167. - VOCABULAIRE : 1. Rangez dans l'ordre alphabétique : *Dumont, Lemaire, Chavigny, Godard, Brunet, Yvon, Delvigne.*

2. Donnez le contraire de *blanc* dans : du vin *blanc ;* une arme *blanche ;* du pain *blanc ;* une robe *blanche.*

168. - ORTHOGRAPHE : Notez dans le carnet d'orthographe, et mettez en rouge les accents : *rafraîchir, ne fût-ce que, puissé-je, croître, voilà, arôme.*

169. - PRONONCIATION : Faites entendre le *p* dans : *présomptif, symptôme ;* — ne le faites pas entendre dans : *dompter, exempter, promptitude, sculpter.*

170. - LANGAGE : Ne dites pas : « Il est furieux *sur* vous », ni « ... *après* vous » ; — dites : « Il est furieux *contre* vous ». — Inventez une phrase où vous emploierez *être furieux contre* ...

171. - ANALYSE : Dites quelle est la fonction des mots en italique : 1. Une de nos *grandes* joies était de nous *glisser* au salon où *personne* n'allait jamais. — 2. Vous avez un bel *idéal.* — 3. Définir le beau *idéal* est difficile.

---

2. APPOSITION

172. - Soulignez les **appositions** et encadrez le mot auquel chacune d'elles se rapporte.

a) 1. Le brochet, ce requin des rivières, est d'une étonnante voracité. — 2. Les jardins du château de Belœil ont été dessinés par Le Nôtre, célèbre architecte français. — 3. Attila, roi des Huns, fut vaincu en 451 par Aetius, général romain, dans la célèbre bataille des champs Catalauniques. — 4. Moïse, le législateur des Hébreux, reçut le Décalogue sur le mont Sinaï. — 5. Revoici l'hirondelle, messagère des beaux jours.

b) 1. Le lion, terreur des forêts, Chargé d'ans et pleurant son antique prouesse, Fut attaqué par ses propres sujets. (La Fontaine.) — 2. Mon père avait une passion: l'achat des vieilleries chez les brocanteurs. (M. Pagnol.) — 3. Un jour, j'étais monté au sommet de l'Etna, volcan qui brûle au milieu d'une île. (Chateaubriand.) — 4. De son temps, un Cérinthe, un hérésiarque, ne voulait pas croire qu'un Dieu eût pu se faire homme. (Bossuet.) — 5. Naître et ne pas savoir que l'enfance éphémère, Ruisseau de lait qui fuit sans une goutte amère, Est l'âge du bonheur et le plus beau moment Que l'homme, ombre qui passe, ait sous le firmament! (Hugo.) — 6. Les tout petits dorment, paquets, dans un linge noir accroché au dos des mères. (A. Malraux.)

173. - Distinguez les **appositions** et analysez-les.

1. La ville de Tongres est une des plus anciennes de la Belgique. — 2. Revoici le mois d'avril: déjà, troupe folâtre, les souffles du printemps caressent les buissons. — 3. Je constate une chose: que vous n'avez fait que de légers efforts. — 4. Vos parents ont un grand souci: assurer votre avenir. — 5. Certain ours montagnard, ours à demi léché, Confiné par le sort dans un bois solitaire, Nouveau Bellérophon, vivait seul et caché. (La Fontaine.) — 6. Je me réjouissais de te revoir, mais ta coquine de lettre m'annonce que ton voyage a dû, fâcheux contretemps, être remis au mois de janvier. — 7. La cigale, cette imprévoyante, alla crier famine chez la fourmi sa voisine.

174. - Joignez une **apposition** à chacun des mots en italique.

1. Le *chêne* résiste généralement aux bourrasques, mais le *roseau* y résiste mieux encore. — 2. La *rose* est le plus bel ornement de nos parterres. — 3. Ayez en horreur le *mensonge*. — 4. Certains jeunes gens frivoles n'ont qu'une *préoccupation:* ... — 5. Comment l'*argent* serait-il à nos yeux plus précieux que l'honneur? — 6. Nos parents ne désirent qu'une *chose:* ... — 7. Cet homme avait une passion: ...

175. - Composez de courtes phrases où vous emploierez comme **appositions** les expressions suivantes :

1. Emblème de la modestie. — 2. Saison des premiers brouillards. — 3. Le plus haut sommet des Alpes. — 4. Fidèle ami de l'homme. — 5. Que nous marchions toujours dans les voies de l'honneur. — 6. Ce grand bienfaiteur de l'humanité.

---

176. - VOCABULAIRE : 1. Cherchez dans le dictionnaire le sens de : *prouesse, brocanteur, éphémère.*

2. Qui était Bellérophon ? (Voir le dictionnaire.)

3. Rangez selon l'ordre croissant de l'idée : *typhon, brise, ouragan, bourrasque.*

177. - ORTHOGRAPHE : Notez dans le carnet d'orthographe : *kyrielle, hybride, myosotis, cyclamen, la Libye, glycine.*

178. - PRONONCIATION : Prononcez bien : *fuite* [fwit', et non : fou-it'], *cuire* [cwîr, et non : cou-ír], *puissance* [pwi-sans', et non : pou-is-sans'], *œsophage* [é-zo-fâj', et non : eu-zo...], *œcuménique* [é-ku..., et non : eu-ku...], *Œdipe* [é-dip, et non : eu-dip].

179. - LANGAGE : Ne dites pas : « C'est une affaire *conséquente* » ; — dites : « ... une affaire *importante* » ou : « ... *de grande conséquence* ». — Inventez une phrase où vous emploierez l'une ou l'autre des deux expressions correctes.

180. - PONCTUATION : Mettez la ponctuation :

> *J'ai lu chez un conteur de fables*
> *Qu'un second Rodilard l'Alexandre des chats*
> *L'Attila le fléau des rats*
> *Rendait ces derniers misérables* La Fontaine

---

3. COMPLÉMENT DÉTERMINATIF

Les Voix des cloches.

Les dimanches et les *jours* de fête, j'ai souvent entendu dans le grand bois, à travers les arbres, les *sons* de la cloche lointaine qui appelait au temple l'*homme* des champs. Appuyé contre le *tronc* d'un ormeau, j'écoutais en silence le pieux murmure. Chaque *frémissement* de l'airain portait à mon âme naïve l'*innocence* des mœurs champêtres, le *calme* de la solitude, le *charme* de la religion et la délectable *mélancolie* des *souvenirs* de ma première enfance. Oh! quel cœur si mal fait n'a tressailli au *bruit* des *cloches* de son lieu natal, de ces *cloches* qui frémirent de joie sur son berceau, qui annoncèrent son *avènement* à la vie, qui marquèrent le premier *battement* de son cœur, qui publièrent dans tous les *lieux* d'alentour la sainte *allégresse* de son père, les *douleurs* et les *joies* encore plus ineffables de sa mère!

CHATEAUBRIAND.

181. - Dans le texte de Chateaubriand, relevez les compléments déterminatifs des mots en italique (écrivez chacun sur une ligne les mots en italique, et en face de chacun d'eux, son complément déterminatif).

182. - Soulignez les **compléments déterminatifs** ; encadrez le mot que chacun d'eux détermine.

a) 1. L'amour du travail est un excellent remède contre l'ennui. — 2. La multitude des étoiles étonne l'imagination. — 3. Un bon effet du devoir, c'est de diminuer les maux de la vie. — 4. L'art de vivre en homme d'honneur, n'est-ce pas l'art d'être heureux? — 5. De nos ans passagers, dit le poète, le nombre est incertain. — 6. Les jeunes gens d'à présent aiment le sport; ils en goûtent les bienfaits. — 7. La vie des hommes est semblable à un chemin dont l'issue est un précipice.

b) 1. Je voyais avec un plaisir indicible le retour de la saison des tempêtes. (Chateaubriand.) — 2. Vous êtes le phénix des hôtes de ces bois. (La Fontaine.) — 3. Qui de nous n'a trouvé du charme à suivre des yeux les nuages du ciel? (Vigny.) — 4. Et ce bras du royaume est le plus ferme appui. (Corneille.) — 5. En vain il a des mers fouillé la profondeur. (Musset.) — 6. L'ardeur de vaincre cède à la peur de mourir. (Corneille.) — 7. Nourri dans le sérail, j'en connais les détours. (Racine.) — 8. C'était un vieillard dont la barbe blanche couvrait la poitrine. (A. France.)

183. - Discernez les **compléments déterminatifs** et analysez-les.

La Vallée du Rhin.

Le magnifique fleuve déploie le cortège de ses eaux bleues entre deux rangées de montagnes aussi nobles que lui; les cimes s'allongent par étages jusqu'au bout de l'horizon dont la ceinture lumineuse les accueille et les relie; le soleil pose une lumière sereine sur leurs flancs tailladés, sur leur dôme de forêts toujours vivantes; le soir, ces grandes images flottent dans des ondulations d'or et de pourpre et le fleuve, couché dans la brume, ressemble à un roi heureux et pacifique qui, avant de s'endormir, rassemble autour de lui les plis dorés de son manteau.

                                            Hippolyte Taine (Hachette, éditeur).

184. - Remplacez les trois points par un **complément déterminatif**.

a) *Idée générale: cri de certains animaux.*

1. Le hennissement ... — 2. Le rugissement ... — 3. Le croassement ... — 4. Le coassement ... — 5. Le bêlement ... — 6. Le nasillement ... — 7. Le pépiement ... — 8. Le piaulement ... — 9. Le bramement ... — 10. Le glapissement ... — 11. Le hululement ...

b) *Idée générale: choses mises ensemble.*

1. Une meute ... — 2. Une botte ... — 3. Un tas ... — 4. Une corbeille ... — 5. Une galerie ... — 6. Une bande ... — 7. Un paquet ... — 8. Une collection ... — 9. Une gerbe ... — 10. Un quarteron ...

185. - Joignez à un nom chacun des **compléments déterminatifs** suivants :

a) *Idée générale: retraite de certains animaux.*

1. ... du cheval. — 2. ... du bœuf. — 3. ... de l'abeille. — 4. ... du chien. — 5. ... du lapin sauvage. — 6. ... du lièvre. — 7. ... du lion. — 8. ... de l'aigle. — 9. ... du sanglier.

b) *Idée générale: habitation.*

1. ... du concierge. — 2. ... du roi. — 3. ... du forain. — 4. ... du berger. — 5. ... du passager. — 6. ... du factionnaire. — 7. ... du sauvage. — 8. ... de l'ambassadeur.

186. - Employez dans de courtes phrases les mots suivants comme **compléments déterminatifs :**

a) Mère — patrie — maison — village — forêt.

b) Chacun — nous — chanter — maintenant — ceci — dont — en.

c) Qu'on ne le vole — que notre malheur prendra fin — que l'ennemi approchait.

187. - Inventez, pour chaque cas, une phrase contenant un **complément déterminatif :** 1° du pronom *celui ;* — 2° du pronom interrogatif *lequel ?* — 3° du pronom indéfini *personne.*

188. - Inventez, pour chaque cas, une phrase avec un **complément déterminatif** marquant : 1° la matière ; — 2° le lieu ; — 3° le temps ; — 4° la manière ; — 5° la mesure.

189. - Remplacez par un adjectif épithète chaque complément déterminatif.

1. Un cœur *de père.* — 2. L'amour *d'une mère.* — 3. Un pays *de montagnes.* — 4. Les fleurs *du printemps.* — 5. Un mal *qui ne fait que passer.* — 6. Un homme *qui oublie* son devoir. — 7. Des produits *qui viennent de l'étranger.* — 8. Une ligue *contre l'alcoolisme.* — 9. Un enfant *sans parents.*

190. - Mettez au singulier ou au pluriel le complément déterminatif entre crochets.

1. Un conte [*de fée*]. — 2. Des cours [*d'eau*]. — 3. Des poignées [*de main*]. — 4. Une ville [*d'eau*]. — 5. Du papier [*à lettre*]. — 6. Des cartes [*de visite*]. — 7. Des jaunes [*d'œuf*]. — 8. Un fruit [*à pépin*]. — 9. Des coups [*de fusil*]. — 10. Des pères [*de famille*]. — 11. Un état [*de chose*].

---

191. - VOCABULAIRE : 1. Rangez dans l'ordre alphabétique : *Italie, Canada, Suisse, France, Belgique, Congo, Vietnam, Venezuela.*

2. Donnez pour chacun des mots suivants un dérivé : *maison, temps, fleuve, drap.*

192. - ORTHOGRAPHE : Notez dans le carnet d'orthographe : 1° sans accents : *cime, coteau, zone, cela, conique,* un bon *cru* (vin), *gaine ;* — 2° avec accents (mettez-les en rouge) : *grêlon, événement, crémerie, bâiller* (de sommeil), *déjà.*

193. - LANGAGE : Ne dites pas : « Vissez l'ampoule dans le *socket* » [mot courant en Belgique et aussi au Canada] ; — dites : « ... dans la *douille* ». — Inventez une phrase où vous emploierez le terme correct.

194. - PHRASÉOLOGIE : « Voici revenir les beaux jours. » — Imitez ce tour dans une petite phrase.

195. - ANALYSE : Soulignez les compléments déterminatifs et encadrez chaque fois le centre : *Du haut de l'escalier j'entendis la voix de ma mère qui répondait aux questions de ma sœur.*

COMPLÉMENT DE L'ADJECTIF

D'Excellentes Qualités.

Mon enfant, sois *plein* d'égard pour tes parents et montre-toi toujours *digne* d'eux. Sois *attentif* à leur plaire et garde-toi d'être *infidèle* aux promesses que tu leur as faites de n'être jamais *oublieux* de ton devoir. Tu seras *assidu* au travail, *secourable* à tes amis et *sensible* à tous les maux qui affligent tes semblables ; tu feras, pour te perfectionner, tous les efforts dont tu seras *capable*.

Un enfant *soucieux* de délicatesse morale est *soigneux* de sa personne ; non seulement il est *propre* sur soi, mais il veille à tenir son âme *pure* de toute souillure. C'est à un tel enfant que tu seras *semblable*. Ainsi, j'en suis *sûr*, chacun sera *content* de toi.

196. - Prenez, dans le texte qui précède, les adjectifs en italique ; en face de chacun d'eux écrivez son **complément** (disposez en deux colonnes).

197. - Écrivez dans une 1re colonne les adjectifs en italique ; dans une 2e colonne, en face de chacun d'eux, son complément.

a) 1. Notre mère a le cœur *plein* de tendresse ; elle est si *contente* de nos succès ! — 2. Sachez vous montrer *dignes* de la confiance que vos maîtres vous témoignent. — 3. Quiconque est *oublieux* de son devoir n'est pas un grand cœur. — 4. Un homme droit est *fidèle* à ses promesses. — 5. Soyons *bons* pour les animaux.

b) 1. Un vieillard sur son âne aperçut en passant Un pré *plein* d'herbe et fleurissant. (La Font.) — 2. *Borné* dans sa nature, *infini* dans ses vœux, L'homme est un dieu tombé qui se souvient des cieux. (Lamartine.) — 3. Je veux que tous les cœurs soient *heureux* de ma joie. (Voltaire.) — 4. *Pareils* à des torches, les grands arbres brûlaient lentement. (Maupassant.) — 5. Le bruit des eaux glissait, *parallèle* à celui du vent, dans les herbes. (A. Chamson.) — 6. Le mont tragique était debout comme un récif Dans la plaine jadis de tant de sang *vermeille*. (Hugo.)

198. - Discernez les **compléments d'adjectif** et analysez-les.

a) 1. Les succès dont je suis fier sont ceux qui m'ont coûté beaucoup d'efforts. — 2. Vos meilleures chances de succès sont en vous-mêmes, soyez-en certains. — 3. Ne négligez pas les intérêts de votre patrie, auxquels les vôtres sont conformes. — 4. Bien des gens sont sévères pour les autres et indulgents pour eux-mêmes. — 5. Notre siècle aura été fécond en inventions de toutes sortes.

b) 1. La mort a des rigueurs à nulle autre pareilles. (Malherbe.) — 2. Si je savais quelque chose utile à ma patrie et qui fût préjudiciable à l'Europe, ou bien qui fût utile à l'Europe et préjudiciable au genre humain, je la regarderais comme un crime. (Montesquieu.) — 3. Et quant au berger, l'on peut dire Qu'il était digne de tous maux. (La Font.) — 4. Il était, quoique riche, à la justice enclin. (Hugo.) — 5. Les terres labourées, prêtes pour la semence, développaient leurs larges carrés bruns au milieu de pièces jaunes. (Maupassant.)

199. - Remplacez les trois points par un **complément d'adjectif**.

a) 1. Un artiste fier de ... — 2. Un fossé large de ... — 3. Une grange pleine de ... — 4. Un texte facile à ... — 5. Une maison semblable à ... — 6. Un dévouement pareil à ... — 7. Un père indulgent pour ... — 8. Un homme ingrat envers ... — 9. Je suis inquiet pour ... — 10. Un enfant enclin à ...

b) 1. Toute vérité n'est pas bonne à ... — 2. Soyons charitables envers ... — 3. Le fat est plein de ... — 4. L'oisiveté est nuisible à ... — 5. Quand on est propre à ..., on n'est propre à ... — 6. Il faut être bienveillant pour ... — 7. L'homme consciencieux est exact à ...

200. - Donnez, dans de courtes phrases, un complément à chacun des adjectifs suivants :

capable	digne	doux	avide
facile	habile	agréable	susceptible

201. - Joignez à chacun des adjectifs suivants plusieurs compléments introduits par des prépositions différentes :

Modèle : Fort *en thème*, fort *aux échecs*, fort *pour pérorer*, fort *de son droit*.

ignorant	charitable	sévère	fidèle
bon	respectueux	pauvre	curieux

202. - Relevez les **compléments du comparatif** ou du **superlatif relatif** et analysez-les.

1. L'argent est moins précieux que l'or. — 2. Y a-t-il un meilleur oreiller qu'une bonne conscience? — 3. L'absence est le plus grand des maux. (La Font.) — 4. Ce vin-là est moindre que l'autre. — 5. L'eau qui dort est pire que l'eau courante. — 6. On a souvent besoin d'un plus petit que soi. — 7. Un ros-

signol, chétive créature, forme des sons aussi doux qu'éclatants. (La Font.) — 8. Ma grand-mère est la plus indulgente des grands mères.

---

203. - VOCABULAIRE : 1. Voyez dans le dictionnaire le sens de *tendresse* et de *tendreté*. Employez chacun des deux mots dans une expression.

    2. Donnez 5 verbes composés du verbe *tendre* et faites suivre chacun d'eux d'un complément d'objet.

204. - ORTHOGRAPHE : Notez dans le carnet d'orthographe, en mettant en rouge les traits d'union : *un après-midi, dira-t-on, jusque-là, moi-même, au-delà, peut-être, grand-mère*.

205. - PRONONCIATION : Prononcez bien l'*s* comme un *z* dans : *abasourdi, transit, se désister, vasistas, jersey*.

206. - LANGAGE : On peut dire : « Nous sommes *à* lundi » — ou : « Nous sommes lundi ». Inventez deux phrases où apparaîtront l'une et l'autre construction.

207. - ANALYSE : Dites quelle est la fonction des mots en italique : « *Nul* ne sait s'il est *digne* d'*amour* ou de haine. »

COMPLÉMENTS DE MOTS INVARIABLES

208. - Discernez les compléments de mots invariables et analysez-les.

    a) 1. Pour agir conformément au devoir, nous devons faire beaucoup d'efforts. — 2. Il est juste que chacun soit récompensé proportionnellement à ses mérites. — 3. Qui ne ménage pas sa monture ne saurait aller bien loin. — 4. Gare la cage ou le chaudron! (La Font.) — 5. Venez me parler immédiatement après la leçon. — 6. Mon sillon, le voici; ma gerbe, la voilà. (Hugo.)

    b) 1. Longtemps après que le soleil eut disparu à l'horizon, des nuages dans le haut du ciel gardèrent une teinte rougeâtre. — 2. Malheureusement pour nous, nos beaux projets sont renversés. — 3. Il convient que préalablement à toute critique nous examinions si nos observations sont fondées. — 4. Pris de peur, l'enfant se serrait tout contre sa mère. — 5. Haro sur le baudet! — 6. Fi du plaisir Que la crainte peut corrompre! (La Font.)

209. - Inventez de courtes phrases dans lesquelles les mots suivants seront accompagnés d'un complément :

antérieurement	contrairement	après que	voici
conjointement	différemment	gare!	bravo!

MOTS EN APOSTROPHE — MOTS EXPLÉTIFS

Que de politesses à un ours!

[Moron, le bouffon de la princesse d'Élide, aperçoit, dans la forêt, un ours qui vient à lui.]

Ah! Monsieurs l'Ours, je suis votre serviteur de tout mon cœur. De grâce, épargnez-moi! Je vous assure que je ne vaux rien du tout à manger; je n'ai que la peau et les os, et je vois de certaines gens là-bas qui seraient bien mieux votre affaire. Eh! eh! eh! Monseigneur, tout doux, s'il vous plaît. *(Il caresse l'ours et tremble de frayeur).* Là! là! là! là! Ah! Monseigneur, que Votre Altesse est jolie et bien faite! Elle a tout à fait l'air galant et la taille la plus mignonne du monde. Ah! beau poil! belle tête! beaux yeux brillants et bien fendus! Ah! beau petit nez! belle petite bouche! petites quenottes jolies! Ah, belle gorge! belles petites menottes! petits ongles bien faits! *(L'ours se lève sur ses pattes de derrière.)* À l'aide! au secours! je suis mort! miséricorde! Pauvre Moron! Ah! mon Dieu! Et vite, à moi, je suis perdu. *(Les chasseurs paraissent et Moron monte sur un arbre.)* Eh! Messieurs, ayez pitié de moi. *(Les chasseurs combattent l'ours.)* Bon! Messieurs, tuez-moi ce vilain animal-là. Ô Ciel, daigne les assister!

MOLIÈRE, *La Princesse d'Élide.*

210. - Soulignez, dans le texte de Molière, les mots mis **en apostrophe**.

211. - Relevez, dans les phrases suivantes, les mots mis **en apostrophe** et les mots **explétifs** ; analysez-les.

1. Donc, ô pauvres, que vous êtes riches, mais, ô riches, que vous êtes pauvres! (Bossuet.) — 2. Ô Temps! suspends ton vol; et vous, heures propices! suspendez votre cours. (Lamartine.) — 3. A ces mots, plein d'un juste courroux, Il vous prend sa cognée, il vous tranche la bête, Il fait trois serpents de deux coups. (La Font.) — 4. Prends-moi le bon parti; laisse là tous les livres. (Boileau.) — 5. Âmes des chevaliers, revenez-vous encor? Est-ce vous qui parlez avec la voix du cor? (Vigny.) — 6. Poète, prends ton luth; la nuit, sur la pelouse, Balance le zéphyr dans son voile odorant. (Musset.)

212. - Transformez les phrases suivantes de telle sorte que les mots en italique soient mis **en apostrophe** :

1. La *maison paternelle* nous accueille avec une joie sereine. — 2. Nous jurons tous que notre *chère patrie* vivra. — 3. Nous nous souviendrons des tendres soins dont notre *mère* a entouré notre enfance. — 4. Le *printemps* renouvelle la physionomie des campagnes et des bois. — 5. Je me demande ce que la *pâle étoile du soir* regarde dans la plaine.

ELLIPSE — PLÉONASME

213. - Dites quels sont les mots omis par **ellipse.**

1. Fais ce que dois, advienne que pourra. — 2. Du cuir d'autrui large courroie. — 3. Homicide point ne seras. — 4. A chacun son métier. — 5. Heureux les humbles! — 6. Il écoutait cette voix comme un chien celle de son maître. — 7. A petit mercier petit panier. — 8. On donne des otages: Les loups, leurs louveteaux; et les brebis, leurs chiens. (La Font.) — 9. Bienheureuse la cloche au gosier vigoureux. (Baudelaire.)

214. - Rendez chacune des phrases suivantes plus ramassée en recourant à l'**ellipse** :

1. Il était, quoiqu'il fût riche, économe de ses biens. — 2. Certaines gens parlent des affaires internationales comme les aveugles parleraient des couleurs. — 3. La vie vous réserve de nobles tâches: l'un sera médecin, un autre sera avocat, un autre sera ingénieur ... — 4. Ce commerçant n'avait aucun ordre: de là vient sa faillite.

215. - Dites quels sont les mots qui forment **pléonasme** et indiquez, dans chaque cas, ce qui est redoublé.

1. Que me font, à moi, tous ces chants? — 2. Car partout où l'oiseau vole, la chèvre y grimpe. (Hugo.) — 3. Car toi, loup, tu te plains, quoiqu'on ne t'ait rien pris. (La Font.) — 4. Nous, nous ne l'étions pas, peut-être, fatigués? (E. Rostand.) — 5. Ils approchaient de la rive, les contrebandiers. (P. Loti.)

---

216. - VOCABULAIRE : 1. Comment appelle-t-on la qualité de celui qui est : *tenace ?* — *doux ? — humble ? — petit ? — sot ? — constant ?*

2. Donnez 2 homonymes de *sur ;* employez *sur* et ses deux homonymes chacun dans une petite phrase.

217. - ORTHOGRAPHE : Notez dans le carnet d'orthographe, en mettant en rouge accents et cédilles : *un aperçu, traîner, allégrement, holà, deçà, poinçon, ç'a été.*

218. - PHRASÉOLOGIE : « Tout autour de la salle, un long couloir, obscur, sans parquet. » (A. Daudet.) — Imitez ce tour elliptique dans une phrase descriptive où vous parlerez d'une mansarde (éléments : table boiteuse, commode branlante, chaise bancale, vieux lit de cuivre, pâles chromos).

219. - LANGAGE : Il y a, dans chacune des phrases suivantes, un pléonasme vicieux : 1° « Vous pourrez avoir la possibilité de passer » ; — 2° « Cela vous permettra de pouvoir réussir » ; — 3° « Il y a des mots invariables, comme par exemple l'adverbe ». — Corrigez.

220. - PONCTUATION : Mettez la ponctuation : *Rien ne sert de courir si vous partez à temps vous arriverez je crois assez tôt*

ESPÈCES DE PROPOSITIONS

Un Jardin de rêve.

Je me vis dans un petit parc où se prolongeaient des treilles en berceaux chargées de lourdes grappes de raisins blancs et noirs; à mesure que la dame qui me guidait s'avançait sous ces berceaux, l'ombre des treillis croisés variait encore pour mes yeux ses formes et ses vêtements. Elle en sortit enfin, et nous nous trouvâmes dans un espace découvert. On y apercevait à peine la trace d'anciennes allées qui l'avaient jadis coupé en croix. La culture était négligée depuis de longues années, et des plants épars de clématites, de houblon, de chèvrefeuille, de jasmin, de lierre, d'aristo-loche, étendaient entre des arbres d'une croissance vigoureuse leurs longues traînées de lianes. Des branches pliaient jusqu'à terre chargées de fruits, et parmi des touffes d'herbes parasites s'épanouissaient quelques fleurs de jardin revenues à l'état sauvage.

Gérard de NERVAL, *Aurélia.* © Éditions Gallimard.

221. - Soulignez, dans le texte de Nerval, les propositions **indépendantes**.

222. - Écrivez dans une 1re colonne les propositions **principales,** et dans une 2e colonne, les propositions **subordonnées**.

a) 1. Bien des périls s'évanouissent quand on ose les affronter. — 2. Honore tes parents, afin que tu vives longtemps. — 3. Lorsque les chats sont partis, les souris dansent. — 4. Si tu achètes le superflu, tu vendras bientôt le nécessaire. — 5. Souvenons-nous que nous ne sommes que des hommes. — 6. La pluie qui tombe du ciel gris frappe mes vitres à petits coups.

b) 1. Tandis que coups de poing trottaient, Et que nos champions songeaient à se défendre, Arrive un troisième larron Qui saisit maître Aliboron. (La Font.) — 2. Je dis que le tombeau qui sur les morts se ferme Ouvre le firmament. (Hugo.) — 3. Une belle action est celle qui a de la bonté et qui demande de la force pour la faire. (Montesquieu.) — 4. Et puisque tu l'aimes tant, cette brave bête, je ne veux plus que tu vives loin d'elle. (A. Daudet.) — 5. Son pied touche sans qu'on le voie A la corde qui plie et dans l'air le renvoie. (Florian.)

223. - En prenant pour modèle le schéma suivant, décomposez les phrases pour faire apparaître les rapports des propositions entre elles (et encadrez le verbe base de la phrase).

Modèle : 1. Vous | voyez | la perfection
↓
2. où *s'élève* l'âme pénitente
↓
3. quand elle *est* fidèle à la grâce.

1. Il y avait ceci de particulier chez les Romains qu'ils mêlaient quelque sentiment religieux à l'amour qu'ils avaient pour leur patrie. (Montesquieu.) — 2. La petite chambre où tu as vu autrefois ta mère, les souvenirs qu'elle t'a laissés, la terre où elle repose forment l'image de la patrie. — 3. Si vous rencontrez un homme qui prétende qu'on peut s'enrichir sans travailler, fuyez-le, parce qu'il ressemble à un imposteur. — 4. Les gens qui prétendent qu'ils sont aptes à tout ne sont bons à rien.

224. - Distinguez les propositions **indépendantes,** les **principales** et les **subordonnées,** et marquez-les chacune d'un signe abréviatif.

La Modestie.

L'homme modeste ne nie pas ses mérites; il a une opinion exacte de sa valeur, mais il ne l'étale pas. Il connaît ses défauts et il ne croit pas en être excusé quand il a aperçu ces mêmes défauts chez d'autres personnes. Il reconnaît les erreurs qu'il a faites. Quand on ne prend pas garde à lui, il ne s'en formalise pas; il s'estime peu, mais il estime beaucoup les autres. Il ne cherche pas les louanges; il sait qu'elles sont souvent fausses et intéressées.

225. - Joignez à chaque proposition principale une proposition **subordonnée.**

a) 1. Nos parents désirent [*que* ...]. — 2. Pardonnez [*afin que* ...]. — 3. La mouche du coche se plaignait [*de ce que* ...]. — 4. L'honneur est trop précieux [*pour que* ...]. — 5. Vous serez maîtres de vous-mêmes [*si* ...].

b) 1. L'eau [*qui* ...] finit par creuser le roc. — 2. Il nous sera demandé compte de la manière [*dont* ...]. — 3. Gardez le souvenir des bienfaits [*que* ...]. — 4. [*Aussitôt que* ...], les oiseaux commencent leurs concerts. — 5. [*Quand* ...], c'est l'heure des grandes âmes. — 6. Les richesses, [*bien que* ...], ne font pas le bonheur.

---

226. - VOCABULAIRE : 1. Par quels noms exprimez-vous : l'action de *décevoir ?* — d'*absoudre ?* — de *trahir ?* — de *tomber ?* — d'*interrompre ?*

2. Cherchez dans le dictionnaire le sens de *treille,* — de *jadis,* — de *naguère,* — de *parasite.*

227. - ORTHOGRAPHE : Notez dans le carnet d'orthographe : *opinion, raccommoder, il paraît, apercevoir, apaiser, aplatir.*

228. - PRONONCIATION : Prononcez bien : *poireau* [pwa-rô], *oignon*[o-gnon], *appendicite* [a-pin ...], *artillerie* [ar-tiy'-rì], *jadis* [faites entendre l's].

229. - LANGAGE : Ne dites pas : « Mon chapeau est pareil *que* le vôtre » ; — « Je ferai *pareil que* vous ». — Dites : « ... pareil *au* vôtre » ; — « Je ferai *comme* vous ». — Inventez deux phrases où vous emploierez *pareil* suivi d'un complément.

230. - PHRASÉOLOGIE : Sujets résumés par *tout : *« Un souffle, une ombre, un rien, *tout* lui donnait la fièvre. » (La Font.) — Imitez ce tour dans une petite phrase.

231. - ANALYSE : Dites quelle est la fonction des mots en italique : « Son *pied* touche sans qu'on *le* voie A la *corde* qui plie et dans l'*air* le renvoie. »

---

232. - Joignez à chaque proposition subordonnée la proposition **principale** convenable.

1. Si vous avez mené une vie vertueuse, ... — 2. Dès que le printemps s'annonce, ... — 3. Si tu veux réussir, ... — 4. ... afin que vous ne soyez pas jugés vous-mêmes. — 5. ... de manière qu'on n'ait rien à vous reprocher. — 6. Quoique le devoir soit parfois douloureux, ...

233. - Soulignez les propositions **incidentes**.

1. Quand on n'a pas ce qu'on aime, dit un adage, il faut aimer ce qu'on a. — 2. L'honneur, vous le savez, est un bien précieux. — 3. Le sang, déclarait Lacordaire, est la plus pure des couleurs quand il est répandu pour la justice. — 4. La patience vous aiderait, je crois, à vaincre cette difficulté. — 5. Sire, dit le renard, vous êtes trop bon roi. — 6. Alexandre, rapporte-t-on, vint voir le philosophe Diogène. « Que désires-tu, lui demanda-t-il, que je fasse pour toi? » « Que tu t'ôtes, répondit le philosophe, de mon soleil. »

234. - Dites de chaque proposition si elle est **affirmative**, ou **négative**, ou **interrogative**, ou **exclamative**.

1. Mal juger vient souvent d'un vice de volonté. — 2. Que peu de temps suffit pour changer toutes choses! (Hugo.) — 3. Ouvre ton cœur à la pitié: ne renvoie pas ce malheureux. — 4. Tu resterais insensible à l'affection de tes parents? — 5. L'économie est fille de l'ordre. — 6. Pourquoi remettrais-tu ce travail à demain?

235. - Les propositions suivantes ont l'une des quatre formes : affirmative, négative, interrogative, exclamative. Donnez à chacune d'elles successivement les trois autres formes. (L'idée doit rester la même, mais certains mots peuvent être changés.)

1. Notre âme est immortelle. — 2. Les richesses ne font pas le bonheur. — 3. Qu'il est beau, le pays natal! — 4. Nos bonheurs durent-ils longtemps?

236. - Soulignez de deux traits les **interrogations directes,** d'un trait les **interrogations indirectes.**

1. Où peut-on être mieux qu'au sein de sa famille? — 2. Dites-moi pourquoi nul homme n'est content de son sort. — 3. Je ne sais pas si vous m'avez compris. — 4. Quoi de plus noble que la vie du docteur Schweitzer? — 5. Dis-moi qui tu hantes, je te dirai qui tu es. — 6. Nous nous demandons de quoi demain sera fait, mais nous ignorons ce que l'avenir nous réserve.

237. - Changez la forme de l'interrogation.

a) *En mettant l'interrogation indirecte:* 1. Pâle étoile du soir, que regardes-tu? — 2. Qui n'a fait des châteaux en Espagne? — 3. Est-ce le moment d'agir? — 4. Que ferais-tu sans la direction de tes parents? — 5. Est-ce que tu pourrais te passer de tes semblables?

b) *En mettant l'interrogation directe:* 1. Je ne sais s'il est un plus beau mot que le mot de mère. — 2. Vous demandez si je prendrai une résolution. — 3. Nous ignorons quel sera votre sort. — 4. Je m'enquiers si ce personnage est honnête. — 5. Vous voulez savoir comment on plante les choux à la mode de chez nous.

---

238. - VOCABULAIRE : 1. Qu'est-ce qu'un *adage ?* — Donnez un exemple.

2. Cherchez dans le dictionnaire (au mot *ras*) le sens de l'expression *faire table rase.* Employez cette expression dans une phrase.

3. Que signifie *faire* (ou *bâtir*) *des châteaux en Espagne ?* (Voir le dictionnaire, au mot *château.*) — Employez l'expression dans une phrase.

239. - ORTHOGRAPHE : Notez dans le carnet d'orthographe les mots en **-ciel** : *artificiel, circonstanciel, révérenciel, superficiel;* — mais en **-tiel** : *confidentiel, essentiel, providentiel, substantiel, torrentiel.*

240. - PRONONCIATION : Prononcez bien : *facétie* [fa-sé-sî], *facétieux* [fa-sé-syeu], *gingembre* [jin-jambr'], *chinchilla* [chin-chi-la].

241. - LANGAGE : On peut dire : « merci *de* votre lettre » ou « ... *pour* votre lettre » ; « je vous remercie *de* votre visite » ou « ... *pour* votre visite ». — Inventez une phrase où vous emploierez le tour avec *de*, et une autre où vous emploierez le tour avec *pour*.

242. - PHRASÉOLOGIE : Imitez dans 2 phrases le tour interrogatif : *Quoi de plus noble que ce dévouement ?*

243. - PONCTUATION : Mettez la ponctuation : *Est-ce que je rêve Holà Ouvrez Qui viendra donc m'ouvrir Hé monsieur ouvrez-moi je vous prie*

COORDINATION — JUXTAPOSITION

Le Garde-chasse.

L'an dernier, aux environs de Fontainebleau, je me suis trouvé dans la forêt une après-midi, par un temps de pluie et j'ai causé trois heures avec un garde-chasse qui se chauffait au pied d'un hêtre, son petit garçon assis entre ses jambes. La fumée montait toute bleue dans l'air grisâtre, et on n'entendait que le grésillement des gouttes de pluie sur les feuilles.

Cet homme était content de son état et voulait y faire entrer son garçon quand il serait d'âge. On leur donne une maisonnette, un jardin ; ils peuvent tuer du lapin à leur usage, même en échanger chez le boucher contre une livre de vraie viande ; ils ont tant par écureuil, fouine ou renard, en tout à peu près quinze cents francs par an. Le métier est sain, honoré ; la chasse fait toujours plaisir ; les petites filles vont ramasser des sacs de faînes, etc.

Hippolyte TAINE, *Thomas Graindorge*. (Hachette, éditeur).

244. - Dans le texte de Taine, soulignez d'un trait les propositions **coordonnées** (encadrez la conjonction de coordination), — et de deux traits les propositions **juxtaposées.**

245. - Dans les phrases suivantes, soulignez les conjonctions de coordination et indiquez entre parenthèses après chacune ce qu'elle marque (addition, alternative, opposition, cause, conséquence, transition).

1. La colère est funeste ; donc évitons-la. — 2. Tu sais vaincre, mais tu ne sais pas user de ta victoire. — 3. L'on espère vieillir, et l'on craint la vieillesse. (La Bruyère.) — 4. Mon verre n'est pas grand, mais je bois dans mon verre. (Musset.) — 5. Prenez garde au feu, car il brûle. — 6. Je vous écrirai ou je vous téléphonerai. — 7. L'homme est mortel ; or je suis un homme ; donc je suis mortel.

246. - Distinguez les propositions **coordonnées** et les propositions **juxtaposées.**

1. Le vice est odieux ; or le mensonge est un vice ; donc le mensonge est odieux. — 2. La faim regarde à la porte de l'ouvrier laborieux, mais elle n'ose pas entrer. — 3. Le printemps revenait : des souffles tièdes circulaient et, dans les branches, passaient les caresses de la lumière. — 4. La paresse rend tout difficile ; le travail rend tout aisé. — 5. Ils demandent le chef ; je me nomme, ils se rendent. (Corneille.) — 6. Le chat vit que les souris étaient retirées dans leurs trous, qu'elles n'osaient sortir ; il fit le mort et se suspendit à une poutre.

247. - Transformez les phrases suivantes de telle façon qu'on ait : 1° coordination; 2° subordination.

1. Je suis un homme: je suis faillible. — 2. Le soir tombait: nous fîmes halte. — 3. Tu as fait une bonne action: je te félicite. — 4. Il se repent: je lui pardonne. — 5. C'était un vrai savant: il était modeste. — 6. Ne sois pas vaniteux: tu t'aliénerais les sympathies.

---

248. - VOCABULAIRE : 1. Rangez dans l'ordre alphabétique : *Renard, Colin, Warnier, Bernard, Bérenger, Vermot, Verbist.*

2. Donnez 8 mots de la famille de *chair* (lat. *caro, carnis*).

249. - ORTHOGRAPHE : Notez dans le carnet d'orthographe, en mettant en rouge les traits d'union et aussi les points sur les *i* ou les *j* : *sur-le-champ, nu-tête, dites-moi, dites-le-moi, finira-t-il ? le jugement ci-joint.*

250. - PRONONCIATION : Prononcez bien, avec un *eu* fermé (comme dans *feu*) : *meute, feutre, neutre, observer le jeûne, meule, veule, Maubeuge, Meuse.*

251. - LANGAGE : 1. Ne dites pas : « Voilà le livre que vous m'avez *donné à prêter* » ; ni : « Donnez-moi ce livre *à prêter* ». — Dites : « ... que vous m'avez prêté » ; — « Prêtez-moi ce livre ». — Inventez deux phrases où vous emploierez correctement *prêter*.

2. Ne dites pas : « causer *à* quelqu'un ». — Dites : « causer *avec* quelqu'un ». — Employez dans une petite phrase la construction correcte.

252. - ANALYSE : Dites quelle est la fonction des mots en italique : « *Souriant*, l'amateur de *prunes vous* mène dans son *jardin* et *vous* offre *fièrement* une reine-claude. »

CHAPITRE III

Le Nom

ESPÈCES DE NOMS

Des Ossements gigantesques.

Pline raconte que, lors d'un tremblement de terre, une montagne s'étant ouverte, on trouva le corps du géant Orion, haut de quarante-six coudées (vingt mètres). Hérodote avait mentionné de son temps que le corps d'Oreste, exhumé par ordre de l'oracle, mesurait sept coudées. Plutarque, plus généreux, attribuait soixante coudées au corps d'Antée, retrouvé par Sertorius en Mauritanie. Il est à peine besoin de préciser que les restes de ces prétendus géants n'étaient que des ossements de mastodontes et autres animaux fossiles que les naturalistes de l'époque attribuaient à des squelettes humains de taille gigantesque.

Norbert CASTERET, *Au Fond des Gouffres*. (Perrin, édit.).

253. - Dans le texte de Casteret, soulignez d'un trait les noms **communs**, de deux traits les noms **propres**.

254. - Discernez les noms **communs** et les noms **propres** et analysez-les.

Mon Beau Pays.

J'aime les forêts du Luxembourg; j'aime la Semois, l'Ourthe, l'Amblève et la Meuse; j'aime le noir Borinage, et le Brabant et les étendues silencieuses de la Campine. J'aime l'Escaut, et toute la Flandre, cultivée comme un jardin.

255. - Trouvez deux noms **propres** désignant :

1° des villes; 2° des fleuves; 3° des peuples; 4° des personnages de notre histoire nationale; 5° des écrivains célèbres.

256. - Rangez les noms suivants en deux groupes : 1° noms **concrets** ; 2° noms **abstraits** :

cheval	voiture	étang	poirier
franchise	vitesse	pinson	épaisseur
maison	courage	dureté	locomotive

257. - Quels sont les noms **abstraits** correspondant aux adjectifs suivants :

large	fixe	clair	aveugle
petit	candide	opaque	corpulent
rude	pâle	sourd	aigu

258. - Transformez les phrases suivantes par l'emploi de noms **abstraits** :

Modèle: Tu es *bon*: tu te concilies les cœurs. Ta *bonté* te concilie les cœurs.

1. Nous sommes *faibles*: nous demanderons du secours. — 2. Il était *incompétent:* on l'a *renvoyé*. — 3. Parce qu'il est *bienfaisant*, on l'*aime*. — 4. Ils se sont *soumis:* cela leur a valu d'être *sauvés*. — 5. Étant fort *délicat*, il était choqué par les manières *triviales*. — 6. Si vous m'*approuvez*, j'en serai *fier*. — 7. Ces desseins sont si *vains* qu'ils révèlent un esprit étrangement *faible*.

259. - Transformez les phrases suivantes en remplaçant par un nom **collectif** les mots en italique.

1. Hourra! nos *onze joueurs* ont brillamment gagné le match! — 2. La belle *rangée de colonnes* du Louvre est due à l'architecte Claude Perrault. — 3. *L'ensemble des navires*, pour cette opération, est sorti du port à l'aube. — 4. L'apiculteur a recueilli *les jeunes abeilles* dans une corbeille. — 5. Le vaisseau a péri, mais *tous les matelots* ont été sauvés. — 6. *Les auditeurs*, pris d'enthousiasme, ont acclamé l'orateur.

260. - Quels sont les noms **collectifs** qui signifient :

1. L'ensemble des dents. — 2. L'ensemble des cheveux d'une personne. — 3. Une réunion de choses mises les unes sur les autres. — 4. L'ensemble des personnes unies par le sang ou l'alliance et vivant sous le même toit. — 5. Une petite pièce de poésie composée de quatre vers. — 6. Une multitude de valets. — 7. Tous les clients d'un marchand.

---

261. - VOCABULAIRE : 1. Qui était *Pline ?* (Voir le dictionnaire.) — *Plutarque ?* (Id.) — *Antée ?* (Id.) — *Oreste ?* (Id.) — *Hérodote ?* (Id.).

2. Cherchez dans le dictionnaire (au mot *calendes*) le sens de l'expression *renvoyer aux calendes grecques*.

262. - ORTHOGRAPHE : Notez dans le carnet d'orthographe : *entrouvrir, entracte, entraide, un volatile* (animal qui vole) ; *produit volatil* (susceptible de se réduire en gaz ou en vapeur).

263. - LANGAGE : On peut dire : « être en *manches* de chemise » ou bien : « ... en *bras* de chemise ». — Inventez 2 phrases où apparaîtront l'une et l'autre tournure.

264. - PONCTUATION : Mettez la ponctuation dans : *Puis un grand silence se fait les enfants se prennent par la main forment le cercle et guidés par leur vieux maître d'école entonnent en chœur la ronde de bienvenue aux cigognes.*

265. - ANALYSE : Analysez les mots en italique : « L'*esclave* n'a qu'un maître ;
l'ambitieux en a autant qu'*il* y a de gens utiles à sa *fortune*. »

FÉMININ DES NOMS

266. - Donnez le féminin des noms suivants :

a)

chameau	espion	avocat	dévot
paysan	fou	Anglican	cousin
berger	sot	candidat	écolier
sultan	faisan	Grec	jouvenceau
Lapon	Gabriel	Persan	prisonnier

b)

époux	curieux	favori	Jean
veuf	linot	oiseau	colonel
baron	chien	marquis	orphelin
héritier	messager	Breton	Turc
Frédéric	Simon	idiot	préfet

267. - Mettez au féminin :

a)

visiteur	fondateur	semeur	flatteur
acteur	coiffeur	pêcheur	médiateur
voleur	consolateur	lecteur	porteur

b)

pécheur	acheteur	spectateur	empereur
inspecteur	inventeur	ambassadeur	emprunteur
enchanteur	prieur	persécuteur	protecteur

268. - Dites quel est, pour les noms suivants, le participe présent obtenu en changeant
-eur en *-ant*. Formez ensuite le féminin de chacun de ces noms.

Modèle: menteur — mentant — une menteuse.

travailleur	chanteur	flatteur	voleur
tricheur	rêveur	promeneur	danseur
emballeur	fraudeur	joueur	semeur

269. - Écrivez dans une 1re colonne les noms suivants ; mettez dans une 2e colonne
quand il y a lieu, le participe présent obtenu en changeant *-eur* en *-ant;*
dans une 3e colonne, mettez les noms au féminin.

patineur	bienfaiteur	mangeur	rédacteur
moissonneur	querelleur	moniteur	moqueur
spectateur	instituteur	acheteur	acteur

270. - Mettez au féminin les noms en italique.

a) 1. L'imagination est l'[*inventeur*] des arts. — 2. Les [*pêcheurs*] de moules
exercent un rude métier. — 3. Notre mère se fait volontiers l' [*exécuteur*] de
nos projets d'enfants. — 4. Le poète tragique grec Euripide était le fils d'une

[*vendeur*] d'herbes. — 5. Certaines femmes font profession de prédire l'avenir; ces [*devins*] trouvent du crédit auprès des gens crédules.

b) 1. Les poètes ont célébré Diane [*chasseur*]. — 2. Ce châtelain avait la passion de la chasse; sa femme, pour lui complaire, était devenue grande [*chasseur*]. — 3. La musique a ses enchantements; c'est parfois une grande [*charmeur*]. — 4. En termes de droit, celle qui forme une demande en justice s'appelle [*demandeur*]; celle contre laquelle est intentée la demande s'appelle [*défendeur*]; celle qui donne à bail porte le nom de [*bailleur*]; celle qui doit se nomme [*débiteur*]. — 5. Les Furies étaient, dans le paganisme, les [*vengeurs*] des crimes.

271. - Même exercice.

1. Quelques [*pauvres*] se tenaient sur les marches de la cathédrale. — 2. La [*comte*] de Noailles a été une [*poète*] remarquable. — 3. Rome a été la [*maître*] du monde. — 4. Il y avait, chez les anciens Gaulois, des [*prêtres*] qui s'appelaient [*druides*]. — 5. Les belles-lettres sont, à l'occasion, de douces [*consolateurs*]. — 6. On servit des liqueurs composées par l'[*hôte*] elle-même.

272. - Dites quels sont :

a) Les noms féminins correspondant aux noms masculins suivants:

un traître	un daim	un jars	un ladre
un drôle	un gendre	un loup	un neveu
un empereur	un opérateur	un sauvage	un dindon

b) Les noms masculins correspondant aux noms féminins suivants:

une borgnesse	une servante	une jument	une petite-fille
une mule	une tsarine	une Suissesse	une ânesse
une brebis	une laie	une héroïne	une biche

273. - Mettez au féminin les noms en italique (et accommodez ce qui doit être accommodé).

a) 1. Un *homme* cruel comme un *tigre*. — 2. Le *serviteur* de mon *frère*. — 3. L'*oncle* du *roi*. — 4. Le *neveu* de l'*abbé*. — 5. Tuer un *dindon*,, un *jars*, un *coq* et un *canard*. — 6. Le *parrain* de ton *fils*. — 7. Manger comme un *ogre*. — 8. Les *héros* de la tragédie. — 9. Un *cerf* et un *chevreuil* aux abois.

b) 1. Les *compagnons* de mon *père*. — 2. Sacrifier un *bélier*, un *bouc* et un *taureau*. — 3. Tuer un *daim* et un *loup*. — 4. Un *garçon* têtu comme un *mulet*. — 5. Basané comme un *mulâtre*. — 6. Son *mari* est un *Suisse*. — 7. Un *prophète* de malheur. — 8. *Monsieur*, je suis votre *serviteur*. — 9. Une chevelure crépue comme celle d'un *nègre*.

FÉMININ DES NOMS : RÉCAPITULATION

274. - Mettez au féminin les noms en italique.

a) 1. L'histoire a été appelée la sage [*conseiller*] des princes. — 2. Une [*sourd-muet*] mène une existence bien triste. — 3. J'aime à contempler le visage des vieilles [*paysans*], ces rudes [*travailleurs*]. — 4. La maison paternelle est la [*gardien*] de traditions vénérables. — 5. Les oies sauvages, hardies [*voyageurs*], passent dans l'air chargé de brouillard. — 6. L'imagination, cette [*enchanteur*], retrace le passé et devance l'avenir.

b) 1. La [*prince*] lui fit sentir qu'elle était indignée que son frère lui dépêchât une telle [*ambassadeur*]. (Voltaire.) — 2. Elle était dame [*patron*] de crèches nombreuses. (Maupassant.) — 3. Il fit tant que l' [*enchanteur*] Prit un poison peu différent du sien. (La Font.) — 4. Chez la [*receveur*] de l'enregistrement, chez la [*pharmacien*] et la [*percepteur*], M. d'Avricourt imposait la couleur de ses cravates. (Colette.) — 5. Ces petites [*ogres*] avaient le teint fort beau. (Ch. Perrault.)

275. - Même exercice.

Les Reines de l'air.

Les tièdes journées de mai, [*exécuteurs*] fidèles des volontés d'avril, ont ramené les [*ambassadeurs*] de la belle saison : les hirondelles, ces [*voyageurs*] intrépides, ces [*messagers*] ponctuelles, tracent sur l'azur rafraîchi leurs courbes savantes. Elles font un peu les [*coquets*] et semblent avoir conscience qu'elles sont les [*porteurs*] de magnifiques promesses. Vraies [*rois*] de l'air, elles montent, descendent, virent, toujours [*maîtres*] de leur vol.

276. - VOCABULAIRE : 1. Donnez le plus possible de verbes composés de *venir*.
　　　　2. Cherchez dans le dictionnaire le sens du proverbe : « Une hirondelle ne fait pas le printemps. »

277. - ORTHOGRAPHE : Notez dans le carnet d'orthographe : *fraîche, rafraîchir, volontiers, le champ, professeur, piqûre.*

278. - LANGAGE : Au lieu de « *poser* un acte de vertu, de générosité, etc. » (tour qui se rencontre, même en France, notamment chez des auteurs ecclésiastiques), dites : « *accomplir* un acte de vertu », « *commettre* un acte de scélératesse ». — Employez ces deux derniers tours chacun dans une petite phrase.

279. - PHRASÉOLOGIE : « Si je me plains, c'est que j'en ai sujet. » — Inventez une phrase où vous emploierez de même *si ..., c'est que ...*

280. - ANALYSE : Séparez par un trait vertical les diverses propositions : *Quand une lecture vous élève l'esprit, et qu'elle vous inspire des sentiments généreux, vous pouvez estimer que l'ouvrage est bon et recommandable.*

NOMS DONT LE GENRE EST À REMARQUER

281. - Mettez l'article **un** ou **une** (aidez-vous, au besoin, du dictionnaire) et accordez les adjectifs.

a)
... haltère [*pesant*]　　　　　　... omoplate [*saillant*]
... moustiquaire [*léger*]　　　　　... pore [*étroit*]
... [*frais*] oasis　　　　　　　　... emplâtre [*chaud*]
... rail [*étroit*]　　　　　　　　... équerre [*épais*]

b)
... écritoire [*ancien*]　　　　　　... argile [*compact*]
... exorde [*insinuant*]　　　　　　... chrysanthème [*blanc*]
... atmosphère [*lourd*]　　　　　　... ovale [*parfait*]
... insigne [*nouveau*]　　　　　　... orbite [*creux*]

c)
... caramel [*délicieux*]　　　　　　... effluve [*odorant*]
... [*petit*] astérisque　　　　　　... [*petit*] élastique
... en-tête [*manuscrit*]　　　　　　... athénée [*nouveau*]
... amnistie [*complet*]　　　　　　... [*beau*] azalée

282. - Accordez les mots en italique.

1. On voyait, au mur de la classe, [*un*] planisphère aux couleurs vives. — 2. Les abeilles construisent des alvéoles [*régulier*]. — 3. Oh! les [*beau*] chrysanthèmes! Leurs pétales sont [*ravissant*]. — 4. Nous pouvons toujours compter sur [*tout*] l'aide de nos parents. — 5. Les domestiques prépareront le service de table dans [*cet*] office [*spacieux*]. — 6. Le navire a trouvé dans ce port [*un excellent*] relâche. — 7. L'acoustique de ce théâtre n'est pas très [*bon*]. — 8. Nous offrirons à notre mère [*un beau*] azalée. — 9. On a appliqué [*un gros*] emplâtre.

NOMS À DOUBLE GENRE

283. - Mettez, selon le genre, l'article **un** ou **une**.

1. Manger ... couple d'œufs. Arrêter ... couple de brigands. ... couple de forces parallèles. Attacher des chiens avec ... couple. ... couple de pigeons suffira pour peupler ce colombier.

2. Mettre ... crêpe à son chapeau. Manger ... crêpe.

3. Le cadran d' ... pendule. Les oscillations d' ... pendule.

4. Suivre ... mode excentrique. Réformer ... mode d'enseignement.

5. Briser ... moule de plâtre. La coquille d' ... moule a deux valves.

284. - Faites l'accord des mots en italique.

a) 1. Le vent, dans les branches, chante comme [*un*] orgue [*aérien*]. — 2. Que notre vie tout entière soit comme [*un*] hymne de joie. — 3. J'aime d' [*un*] amour [*profond*] ma terre natale. — 4. Dans la plaine, [*seul*] restent encore quelques orges. — 5. Voici Pâques [*revenu*]: les cloches sonnent à toute volée, les orgues [*joyeux*] enflent leur grande voix. — 6. Il y a de [*secret*] délices à se vaincre soi-même. — 7. [*Certain*] foudres ou grands tonneaux ont une contenance de 300 hectolitres.

b) 1. L'aigle [*majestueux*] plane plus haut que les hautes montagnes. — 2. L'aigle est [*furieux*] quand on lui ravit ses aiglons. — 3. Il y a dans le chœur de cette église [*un beau*] aigle de cuivre. — 4. Qu' [*un grand*] amour [*filial*] réponde à l'amour [*maternel*]. — 5. Le peintre français Boucher a peint un grand nombre de [*petit*] Amours [*joufflu*]. — 6. C'est [*un*] œuvre [*important*] que [*celui*] de notre perfectionnement moral. — 7. Les alchimistes du moyen âge cherchaient le moyen de changer en or les métaux inférieurs: cette recherche s'appelait [*le grand*] œuvre. — 8. L'entrepreneur assure que [*le gros*] œuvre sera [*achevé*] dans un mois.

c) 1. [*Tout*] les délices qui les environnent ne leur sont rien. (Fénelon.) — 2. Aucun poète n'a fait monter vers ce ciel [*un pareil*] hymne de confiance et d'espoir. (A. Bellessort.) — 3. Ce verre de vin puissant me fut [*un*] délice. (G. Duhamel.) — 4. Les prêtres défilaient un par un, chantant les hymnes [*traditionnel*]. (Barbey d'Aurevilly.) — 5. Je redoutai du roi les [*cruel*] amours. (Racine.) — 6. Cela ressemblait aux sons d'orgues [*lointain*]. (R. Boylesve.) — 7. C'était la détresse d'une agonie morale, arrivée à [*un*] période [*aigu*]. (P. Bourget.) — 8. L'imagination m'apportait des délices [*infini*]. (Nerval.)

285. - Inventez pour chacun des noms *amour, délice, orgue,* deux phrases où le nom sera employé au singulier dans la première, et au pluriel dans la seconde.

286. - Écrivez dans une 1re colonne les adjectifs suivants ; dans une 2e colonne le féminin de ces adjectifs ; dans une 3e colonne les expressions correspondantes du type « toutes les vilaines gens ».

Modèle: vilain | vilaine | toutes les vilaines gens

heureux	bon	brave	vieux
honnête	meilleur	méchant	habile

287. - Faites l'accord des mots se rapportant à **gens.**

a) 1. Les [*vieux*] gens aiment à se rappeler leur passé. — 2. Que de [*petit*] gens ont un grand cœur! — 3. Fuyez les fourbes et les flatteurs: de [*tel*] gens sont [*dangereux*]. — 4. [*Certain*] gens ne sont [*heureux*] que quand un gros travail s'offre à leur activité. — 5. Les [*vrai*] gens de bien abhorrent le mensonge. — 6. N'en voit-on pas qui, avec leurs amis, paraissent les [*meilleur*] gens du monde, et qui, dans le cercle de leur famille, sont des gens [*hargneux*] ? — 7. C'est un large buffet sculpté; le chêne sombre, Très vieux, a pris cet air si bon des [*vieux*] gens. (A. Rimbaud.)

b) 1. Il n'est pas convenable de dévisager [*tout*] les gens que l'on rencontre. — 2. Les [*bon*] gens de la rue s'apitoient volontiers sur les enfants malheureux. — 3. Que répondre à de [*pareil*] gens, [*auquel*] toute éducation a toujours fait défaut? — 4. Les gens [*heureux*] n'ont pas d'histoire. — 5. On a vu de [*malheu-*]

reux] gens de lettres mourir dans le besoin. — 6. [*Quel*] gens êtes-vous? — 7. Ces élégances ne conviennent pas aux [*petit*] gens. — 8. Que diront- [*ils* ou *elles*], les [*bon*] gens du village?

288. - Même exercice.

1. [*Certain*] gens de robe ont oublié parfois que la justice leur imposait de graves devoirs. — 2. [*Confiné*] dans leurs souvenirs, [*tout*] ces gens sont [*dérouté*] par les événements actuels. — 3. On prend parfois pour de [*méchant*] et [*malhonnête*] gens des personnes à qui il ne manque que les usages du monde. — 4. Le fabuliste donne au peuple des grenouilles le nom de gent [*marécageux*]. — 5. Ah! [*quel vilain*] et [*sot*] gens nous avons [*rencontré*]! — 6. Voyez [*quel*] sont, parmi [*tout*] ces [*brave*] gens, [*ceux* ou *celles*] [*auquel*] vous donnerez votre confiance. — 7. Voyez [*quel*] sont, parmi [*tout*] ces [*bon*] gens, [*ceux* ou *celles*] [*auquel*] vous donnerez votre confiance. — 8. Ce sont de [*vrai*] gens d'affaires.

289. - Mettez à la forme convenable les mots en italique, dont **gens** commande l'accord.

1. J'écris pour ces [*petit*] gens d'entre [*lequel*] je suis sorti. (G. Duhamel.) — 2. [*Tout*] les gens qui vous entourent ont droit à votre affection. (H. Troyat.) — 3. Les cousins Jorrier n'étaient pas de [*mauvais*] gens. (H. Bosco.) — 4. Parler et offenser, pour de [*certain*] gens est précisément la même chose. [*Ils* ou *elles*] sont [*piquant*] et [*amer*]. (La Bruyère.) — 5. [*Tel*] gens n'ont pas fait la moitié de leur course Qu' [*ils* ou *elles*] sont au bout de leurs écus. (La Font.) — 6. Nous paraissions de fort [*vilain*] gens, des gens à la fois [*correct*] et injustes. (M. Barrès.) — 7. C'étaient deux [*vieux*] gens, [*fin*], très agréables. [*Ils* ou *elles*] étaient riches. (J. et J. Tharaud.) — 8. C'étaient des gens [*naïf*], [*silencieux*] à force de solitude. (A. Daudet.) — 9. [*Cher*] [*vieux*] gens qu'on n'a pas [*connu*] et qu'on vénère par-delà le silence du temps! (J. Tousseul.)

---

290. - VOCABULAIRE : 1. Qu'est-ce que La Fontaine désigne par *la gent marécageuse* ? — par *la gent trotte-menu* ? — par *la gent qui porte crête* ? — par *la gent qui fend les airs* ?

2. Qu'est-ce que le *Pirée* ? (Voir le dictionnaire, partie histor.) — Que signifie l'expression *prendre le Pirée pour un homme* ?

291. - ORTHOGRAPHE : Notez dans le carnet d'orthographe : *embonpoint, abhorrer, hypothèse, synonyme, excepter, occurrence, un kilo.*

292. - PRONONCIATION : Prononcez bien : *chaos* [ka-o], *archange* [ar-kanj'], *catéchumène* [ka-té-ku-mèn'], *archéologie* [ar-ké-o-lo-jî], *chiromancie* [ki-ro-man-sî].

293. - PHRASÉOLOGIE : Imitez dans une courte phrase le tour « Grenouilles aussitôt de sauter dans les ondes. » (La Font.)

294. - LANGAGE : Ne dites pas : « On commémore l'anniversaire, le souvenir de cette victoire » (il y aurait pléonasme). — Dites : « On commémore cette victoire » ou : « On célèbre l'anniversaire de cette victoire ». — Inventez une phrase où vous emploierez *commémorer*.

295. - ANALYSE : Dites quelle est la fonction des mots en italique : « Le peuple croit *éloquents ceux* qui ont la facilité *d'enfiler* de belles phrases. »

PLURIEL DES NOMS

296. - Mettez au pluriel.

a) 1. Le licou du veau. — 2. L'essieu du tombereau. — 3. Le chemineau a fait un aveu. — 4. Le cheval du général. — 5. Le museau du putois. — 6. Un lambeau de sarrau. — 7. Ce travail est un jeu. — 8. Un pneu et un marteau. — 9. La voix du coucou dans le taillis. — 10. Un hibou et un blaireau.

b) 1. Le gaz du fourneau. — 2. Le joujou dans le berceau. — 3. Un trou dans le vitrail. — 4. Le feu du fanal est un signal. — 5. Un cal au genou du chameau. — 6. Un pois, un chou et une noix. — 7. Le crucifix de l'hôpital. — 8. Le travail du bourgeois. — 9. L'œil du lynx et du hibou. — 10. Le landau du carnaval.

c) 1. L'étau du forgeron. — 2. L'étal du boucher. — 3. Le gouvernail du bateau. — 4. Le chapeau de l'épouvantail. — 5. Un copeau mince comme un cheveu. — 6. Le nez du chacal. — 7. Un verrou sur le vantail. — 8. Ce récital est un régal. — 9. Un rail et un tuyau. — 10. Le portail du château.

297. - Mettez au singulier.

a) 1. Les eaux des puits. — 2. Des fruits à noyau. — 3. Les troupeaux dans les enclos. — 4. Les avis des journaux. — 5. Les compas et les niveaux. — 6. Les succès des rivaux. — 7. Des baux engendrant des procès. — 8. Les remords des filous. — 9. Trouver des chevaux aux relais. — 10. Les legs aux neveux.

b) 1. Des mets sur des plateaux. — 2. Les poids des métaux. — 3. Les poitrails de ces animaux. — 4. Des secours aux malheureux. — 5. Des écriteaux sur des poteaux. — 6. Des matelas dans des galetas. — 7. Des treillis et des barreaux. — 8. Des poireaux et des radis. — 9. Les rinceaux des confessionnaux. — 10. Des brebis et des agneaux dans des enclos.

298. - Mettez au pluriel les noms en italique.

La Saint-Nicolas.

Vive saint Nicolas ! Que de [*joujou*], que de merveilles sous les [*feu*] des étalages, et quels reflets mystérieux dans ces rouges, ces [*bleu*], ces ors, ces couleurs de [*vitrail*] qui papillotent aux yeux des enfants éblouis! C'est comme si la porte du bonheur avait ouvert ses deux [*vantail*]. Partout ce sont des [*tableau*] féeriques: voici des [*château*] forts, des [*arsenal*] complets, des régiments avec leurs [*général*], des [*jeu*] de construction, qui vous permettraient d'édifier des [*palais*], depuis les [*soupirail*] jusqu'aux girouettes; voici des gares avec leurs [*signal*], leurs [*rail*], leurs aiguillages; voici des trottinettes aux [*pneu*] rebondis; voici, dans des boîtes qui fleurent le sapin frais, des ménageries, avec des éléphants, des [*chacal*], de grands méchants loups et des [*agneau*] frisés, tout cela enveloppé dans des [*copeau*] minces comme des [*cheveu*]; voici même des [*vaisseau*] spatiaux équipés pour de fantastiques voyages.

299. - Même exercice.

La Fête du Printemps.

Les buissons ont mis leurs [*manteau*] verts et le ciel a déployé ses [*bleu*] les plus frais. Les portes du renouveau se sont ouvertes à deux [*vantail*]; les brises tièdes courent par monts et par [*val*], caressent les [*rameau*] et agitent doucement les [*éventail*] des verdures nouvelles. Les [*ruisseau*] jasent et rient sur les [*caillou*]; dans les [*bois*], les musiciens ailés accordent leurs [*voix*] pour les [*festival*] prochains et pour les [*bal*] de la lumière de mai. On n'attend plus que les [*landau*] du Printemps, ce prince enchanteur, qui fera éclore partout les fleurs.

300. - Mettez au pluriel les noms en italique.

a) 1. J'aime, dans les vieux [*logis*], les vieilles armoires à [*panneau*] sculptés. — 2. Les [*chacal*] vivent par troupes dans les régions désertiques; ils cherchent leur nourriture dans les [*lieu*] habités; ils ne s'attaquent jamais aux autres [*animal*]. — 3. Ah! ces [*bocal*] de confitures dans les armoires de ma grand-mère! Quels [*régal*] j'en faisais en imagination! — 4. Que d'excentricités dans les [*carnaval*]! Les [*sarrau*] des casseurs de [*caillou*] s'y trouvent mêlés aux toilettes chargées de [*bijou*]. — 5. De nombreuses îles de la Micronésie, ont été formées par des [*corail*].

b) 1. C'est imiter quelqu'un que de planter des [*chou*]. (Musset.) — 2. Les coupés et les [*landau*] s'engageaient à la file dans les arcades réservées. (Maupassant.) — 3. Ils ont mis des [*verrou*] aux trois portes de chêne. (Maeterlinck.) — 4. On eût cru entendre des voix tristes sortir des [*soupirail*] de l'antre de la Sibylle. (Chateaubriand.) — 5. Les [*vitrail*] garnis de plomb obscurcissaient la pâleur de l'aube. (Flaubert.) — 6. Mais j'use peu des [*bleu*]! Les [*bleu*] sont froids! (A. Billy.) — 7. Les [*vantail*] de la porte offraient encore, vers le haut, quelques restes de peinture sang de bœuf. (Th. Gautier.)

c) 1. Les [*hibou*] jetaient dans la nuit leurs appels funèbres. — 2. Observez ces joueurs de cartes: quelle variété dans l'art de replier et d'ouvrir ces petits [*éventail*] où tiennent leurs espoirs! — 3. Les [*bail*] de maison sont faits généralement pour trois, six ou neuf ans. — 4. La gare brille de tous ses [*feu*], les [*signal*] luisent comme des [*clou*] lumineux dans le crépuscule. — 5. Mille artistes ailés, dans les [*rameau*] reverdis se préparent à donner leurs merveilleux [*festival*]; nous entendrons bientôt les admirables [*récital*] du rossignol. — 6. Le ciel n'était pas tout à fait bleu; il était plutôt gris, mais d'un gris plus doux que tous les [*bleu*] du monde. (A. France.) — 7. Mais qu'ils étaient beaux, les [*joujou*] de mes rêves! (Id.)

---

301. - VOCABULAIRE : 1. Rangez dans l'ordre alphabétique : *permettre, calmer, calculer, partir, paraître, douter, doubler, permuter.*

2. Cherchez dans le dictionnaire le sens des mots suivants (où se retrouve le radical grec *manteia* = divination) : *cartomancie, chiromancie, nécromancie, rhabdomancie.*

302. - ORTHOGRAPHE : Notez dans le carnet d'orthographe : *lynx, larynx, pharynx;* — mais : *sphinx.*

303. - PRONONCIATION : Articulez bien les consonnes finales dans : *pauvre femme, votre livre, quatre gaufres, douze litres.*

304. - LANGAGE : On peut dire : « *passer* les bornes » ou « *dépasser* les bornes ». — Inventez deux phrases où apparaîtront l'une et l'autre manière de dire.

305. - ANALYSE : Analysez les mots en italique : « *Il* arrive que nous estimions *quelqu'un* sur la seule réputation *qu'*il a. »

NOMS À DOUBLE FORME AU PLURIEL

306. - Mettez au **pluriel** les noms en italique.

a) 1. C'est un tableau touchant que celui de braves enfants entourant de soins affectueux leurs vieux [*aïeul*]. — 2. Nos bons [*aïeul*] voyageaient dans des coches et dans des diligences. — 3. Les [*ciel*] de lit sont des espèces de dais drapés au-dessus des lits. — 4. Les [*œil*]-de-bœuf de la cour du Louvre, à Paris, sont ornés de sculptures. — 5. Certaines infiltrations se produisent parfois dans les [*ciel*] de carrière. — 6. Les botanistes rangent l'oignon, le poireau, l'échalote dans la famille des [*ail*]. — 7. Les [*œil*]-de-loup, les [*œil*]-de-chat, les [*œil*]-de-serpent sont des pierres chatoyantes.

b) 1. Est-il rien au monde de plus beau que des [*œil*] d'enfant? (E. Pérochon.) — 2. Les [*ciel*] pour les mortels sont un livre entrouvert. (Lamartine.) — 3. Tous les [*travail*] que je n'aime pas sont ceux qui réclament de la patience. (Colette.) — 4. L'amour qui tient ma chair, où mon instinct s'entête, C'est celui dont sont morts mes [*aïeul*] paysans. (J. Richepin.) — 5. Des fleurs, des bêtes, des gens, des arbres, des [*ciel*] … je peins de tout. (O. Mirbeau.) — 6. Voici nos petits et leur mère qui viennent prendre place à côté de leurs [*aïeul*]. (Fr. Jammes.) — 7. Étoile du soir, qui brilles au fond des [*ciel*], que regardes-tu?

307. - Même exercice.

a) 1. De longs chapelets d' [*ail*] pendent aux poutres du grenier. — 2. Un caractère énergique sait s'obliger à accomplir des [*travail*] qui lui répugnent. — 3. Certains chevaux peureux refusent de s'engager dans les [*travail*] des maréchaux-ferrants. — 4. Le peintre français Joseph Vernet a peint des marines dont les [*ciel*] sont fort beaux. — 5. Les [*œil*] sont le miroir de l'âme. — 6. On taille à deux [*œil*] bien saillants la brindille du poirier.

b) 1. Bleus ou noirs, tous aimés, tous beaux, Des [*œil*] sans nombre ont vu l'aurore. (Sully Prudhomme.) — 2. Je suis né dans la Médie et je puis compter d'illustres [*aïeul*]. (Montesquieu.) — 3. Je songe aux [*ciel*] marins, à leurs couchants si doux. (J. Moréas.) — 4. Nos bons [*aïeul*] vivaient dans l'ignorance, Ne connaissant ni le « tien » ni le « mien ». (Voltaire.) — 5. Pour raconter son infortune à la forêt de ses [*aïeul*], La biche brame au clair de lune. (M. Rollinat.)

308. - Faites entrer dans une courte phrase chacun des pluriels suivants :

1. Nos aïeux. — 2. Les travaux. — 3. Les ciels. — 4. Les aulx. — 5. Mes aïeuls. — 6. Plusieurs travails. — 7. Les cieux.

PLURIEL DES NOMS PROPRES

309. - Mettez, quand il y a lieu, la marque du pluriel aux noms propres en italique.

a) 1. Cornélie, la mère des [*Gracque*], disait en montrant ses enfants: « Voilà mes joyaux, à moi! » — 2. Il y a chez nous une foule de [*Dumont*] et de [*Dupont*]. — 3. L'historien latin Suétone a écrit la vie des douze [*César*]. — 4. Tite-Live a raconté le combat des trois [*Horace*] contre les trois [*Curiace*]. — 5. Les [*Bossuet*], les [*Massillon*], les [*Fléchier*] ont illustré la chaire chrétienne au XVIIᵉ siècle.

b) 1. Les deux [*Van Eyck*] ont perfectionné, au XVᵉ siècle, la peinture à l'huile. — 2. Que de nobles jouissances on peut goûter en admirant dans les musées les [*Rembrandt*], les [*Corot*], les [*Memling*]! — 3. Le grand Condé était de la famille des [*Bourbon*]. — 4. De tous les peuples de la Gaule, a dit César, les [*Belge*] sont les plus braves. — 5. Il n'est pas rare que, dans une même bibliothèque, on trouve plusieurs [*Molière*]. — 6. Bibracte était la ville la plus industrieuse des [*Gaule*].

310. - Même exercice.

a) 1. La famille des [*Capulet*] et celle des [*Montaigu*] se sont livré, au XVᵉ siècle, à Vérone, une lutte sans pitié. — 2. Hélas! tous les [*César*] et tous les [*Charlemagne*] Ont deux versants ainsi que les hautes montagnes. (Hugo.) — 3. On voyait, tapissant le manteau de la cheminée, un arbre généalogique de la famille des [*Chateaubriand*]. — 4. Les [*Alexandre*], les [*Napoléon*] ont fait beaucoup de bruit dans le monde. — 5. Existe-t-il encore des [*Aristide*] et des [*Socrate*]?

b) 1. On trouve parfois, se coudoyant dans les assemblées, de graves [*Solon*] et de facétieux [*Paillasse*]. — 2. Deux [*Phèdre*] furent représentées à Paris en 1677: l'une de Racine, l'autre du méchant poète Pradon. — 3. Vivent les scouts, ces courageux petits [*Aymerillot*] modernes! — 4. Le libraire a annoncé qu'il nous enverrait trente [*Énéide*] et trente [*Géographie de l'Europe*]. — 5. Les deux [*Lenoir*] se prêtent, en toutes circonstances, un mutuel appui.

311. - Faites entrer dans de courtes phrases les expressions suivantes :

1. Les deux Flandres. — 2. Les Bonaparte. — 3. Les Bourbons. — 4. Les frères Legrand. — 5. Les Jérémies de notre temps.

---

312. - VOCABULAIRE : 1. En vous aidant du dictionnaire, marquez la différence de sens entre *agoniser* et *agonir*.

2. Qu'est-ce qu'un *manteau* de cheminée ? — Qu'est-ce que l'*Énéide ?*

313. - ORTHOGRAPHE : Copiez les mots suivants en mettant en rouge les accents : *événement, j'ai dû, râteau, il plaît, crémerie, allégement, infâme, Liège, féerique.*

314. - LANGAGE : « Se fâcher *contre* quelqu'un » = s'irriter contre lui ; « se fâcher *avec* quelqu'un » = se brouiller avec lui. — Inventez deux phrases où vous ferez sentir la différence de sens entre ces deux constructions.

315. - ANALYSE : Séparez par un trait vertical les différentes propositions : *Quand nous craignons un danger, parfois nous ne voulons pas croire qu'il nous menace, et souvent aussi, nous estimons trop facilement qu'il va nous frapper.*

PLURIEL DES NOMS COMPOSÉS

316. - Mettez au pluriel.

a) 1. Le chef-lieu de la province. — 2. La table du wagon-restaurant. — 3. La clef du coffre-fort. — 4. L'aile de la chauve-souris. — 5. Le cadre de cette eau-forte. — 6. Le nid de l'oiseau-mouche. — 7. La tige du chou-fleur. —

8. Le noyau de la reine-claude. — 9. Le piquant du porc-épic. — 10. L'arc-boutant de ce mur.

b) 1. L'anniversaire de la grand-mère. — 2. Le chef-d'œuvre de l'artiste. — 3. L'appel du haut-parleur. — 4. Le faux-fuyant de l'hypocrisie. — 5. Le timbre-poste de ce pays. — 6. L'architecte du gratte-ciel. — 7. L'arrière-boutique du brocanteur. — 8. Le pétale de la perce-neige. — 9. La porte du rez-de-chaussée. — 10. L'auteur de l'avant-projet.

c) 1. Le nom de l'ayant droit. — 2. La clef de la garde-robe. — 3. Le modèle de ce couvre-lit. — 4. Un rôle de bouche-trou. — 5. Le personnage de ce bas-relief. — 6. Ce cabaret est un coupe-gorge. — 7. Le mot du pince-sans-rire. — 8. Le banc du terre-plein. — 9. Le post-scriptum de la lettre. — 10. L'inscription de l'ex-voto.

317. - Mettez au pluriel les **noms composés** en italique.

a) 1. Quelle variété de teintes dans ces [*plate-bande*]! Les [*reine-marguerite*] y voisinent avec les [*bouton-d'or*], les [*gueule-de-lion*], les [*pied-d'alouette*] et les [*belle-d'un-jour*]. — 2. On a fait aux [*belle-mère*] une réputation détestable. — 3. Les [*avant-bec*] d'un pont sont les contreforts en avant et en arrière de la pile de ce pont. — 4. Ne soyez pas des [*casse-cou*]. — 5. Quels tristes contrastes parfois entre nos pensées et nos [*arrière-pensée*]!

b) 1. L'hiver s'en va; déjà voici les premières [*perce-neige*]. — 2. Sachons ne pas fuir les [*tête-à-tête*] avec nous-mêmes. — 3. Un homme droit ne parle pas par [*sous-entendu*], il ne fait pas de [*croc-en-jambe*] à la vérité. — 4. Pour bien prouver l'authenticité de certains textes, on en donne parfois des [*fac-similé*] photographiques. — 5. Les [*perce-oreille*] sont inoffensifs: ils ne percent que des fruits.

318. - Même exercice.

a) 1. Mille [*arc-en-ciel*] se courbent et se croisent sur l'abîme. (Chateaubriand.) — 2. Ils cherchent à réveiller leur goût déjà éteint par des [*eau-de-vie*]. (La Bruyère.) — 3. Tous les autres [*porte-drapeau*] étaient là. (A. Daudet.) — 4. Il n'y a pas un de vos [*beau-frère*] qui ne soit plus riche que vous. (Mme de Sévigné.) — 5. Mes [*arrière-neveu*] me devront cet ombrage. (La Font.) — 6. Voilà ce qui se passe quand il est loisible aux [*touche-à-tout*] de se donner carrière. (P. Claudel.) — 7. Quelques dahlias achevaient de se flétrir dans les [*plate-bande*]. (Th. Gautier.) — 8. Nous hébergeons ici les [*pique-assiette*] et les [*vide-gousset*]. (Cl. Farrère.)

b) 1. C'était le même village, mais avec le grand silence des [*après-midi*] d'été. (A. Daudet.) — 2. Ses deux [*grand-père*] vendaient du drap auprès de la porte Saint-Innocent. (Molière.) — 3. Notre vie ressemble à ces bâtisses fragiles, étayées dans le ciel par des [*arc-boutant*]. (Chateaubriand.) — 4. On parle, on va, l'on vient; les [*guet-apens*] sont prêts. (Hugo.) — 5. Je me souviens des [*Fête-Dieu*]. (Fr. Mauriac.) — 6. Après tant de [*chef-d'œuvre*] des plus fameuses littératures, l'Évangile est demeuré un livre unique au monde. (Lacordaire.) — 7. Les lanternes des [*garde-barrière*] étaient invisibles. (J. Giraudoux.) — 8. Il n'y a que les [*meurt-de-faim*] pour avaler les bouchées doubles. (R. Boylesve.)

— 9. Sur la table, il y avait trois ou quatre grands [*in-folio*] grecs ou latins. (Mérimée.) — 10. Les [*gratte-ciel*] disparaissent à mi-hauteur. (P. Morand.)

319. - Inventez de courtes phrases où vous emploierez, au pluriel, les expressions suivantes :

    1. Le chef-d'œuvre. — 2. Un avant-coureur. — 3. Un arc-en-ciel. — 4. Un après-midi. — 5. Le garde-chasse. — 6. Le timbre-poste.

320. - Mettez au pluriel les **noms composés** en italique.

Chez Grand-mère.

a) Ah! les [*grand-mère*]! De quelle tendresse elles savent entourer leurs [*petit-fils*] et leurs [*petite-fille*]! La mienne était une adorable vieille, à la figure un peu parcheminée, sur laquelle j'aimais à passer la main dans les [*tête-à-tête*] en suivant les [*va-et-vient*] d'une conversation familière. Grandmère aimait le linge immaculé, les [*chef-d'œuvre*] de fine batiste. Et quel ordre dans son boudoir! J'y passais les [*après-midi*] des jeudis pluvieux. Dans un vase de vieux Saxe, quelques [*gueule-de-lion*] ouvraient leurs pétales de velours; les gouttes de pluie, derrière les [*brise-bise*] de tulle, traçaient sur les vitres leurs itinéraires brusques et onduleux.

b) La grande horloge à gaine, appuyée au trumeau et la pendule de marbre vert sur la cheminée faisaient chevaucher leurs [*tic-tac*]. Venait le moment de manger. C'était un des [*amour-propre*] de grand-maman de disposer sur la nappe à carreaux les tasses et les soucoupes de porcelaine fleurie. Ah! la savoureuse confiture de [*reine-claude*] faite par elle! Le soir tombait; sur la table laquée et sur la cheminée, deux [*abat-jour*] de soie verte tamisaient une lumière de bonheur, qui faisait luire, dans les pendeloques du lustre, de minuscules [*arc-en-ciel*].

---

321. - VOCABULAIRE : 1. Quel est le sens de *trumeau* ? — de *batiste* ? — d'*itinéraire* ?

    2. Parmi les noms *grincement, vrombissement, roulement, clapotis, clameur, pétillement,* choisissez celui qui convient pour chacun des compléments : la *populace,* une *poulie,* les *vagues,* les *bûches* dans le feu, un *tambour,* un *avion.*

322. - ORTHOGRAPHE : Notez dans le carnet d'orthographe : *dahlia, gaine, guet-apens, authenticité, hypocrite.*

323. - PHRASÉOLOGIE : « Mon petit chat était mignon. » Exprimez cette idée par une phrase exclamative, où *mignon* sera mis en vedette.

324. - LANGAGE : On peut dire : « Je souhaite *de* partir » ou « Je souhaite partir ». — Inventez une phrase où vous emploierez la première construction, — et une autre où vous emploierez la seconde.

325. - PONCTUATION : Mettez la ponctuation : *Tandis que tout le monde était saisi d'effroi et d'horreur qu'on portait le roi dans son lit qu'on cherchait les chirurgiens qu'on ignorait si la blessure était mortelle si le couteau était empoisonné le parricide répéta plusieurs fois Qu'on prenne garde à monseigneur le dauphin qu'il ne sorte pas de la journée*

PLURIEL DES NOMS ÉTRANGERS
ET DES NOMS ACCIDENTELS

326. - Cherchez dans le dictionnaire la signification des mots suivants, et mettez-les au pluriel.

a) 1. Un cicerone. — 2. Un factotum. — 3. Un duplicata. — 4. Une vendetta. — 5. Un lazarone. — 6. Un carbonaro.

b) 1. Un sportman. — 2. Un placet. — 3. Un dilettante. — 4. Un impromptu. — 5. Un hidalgo. — 6. Un imbroglio.

327. - Mettez au pluriel :

1. Un Alléluia s'élève. — 2. Un nouvel alinéa. — 3. L'agenda de l'homme d'affaires. — 4. Un sandwich beurré. — 5. Un in-folio épais. — 6. L'indication du cicerone. — 7. Un concerto de Beethoven. — 8. Chanter un Te Deum. — 9. La chambre du sanatorium. — 10. Parler avec un gentleman.

328. - Mettez, quand il y a lieu, la marque du pluriel aux noms en italique.

a) 1. Les [*dandy*] se piquaient d'une suprême élégance dans leur toilette et dans leurs manières. — 2. Les [*domino*] sont des costumes de bal masqué, composés d'une robe ouverte tombant jusqu'aux talons et d'une sorte de capuchon. — 3. Certains commerçants subiraient moins de [*déficit*] si leurs [*agenda*] étaient plus régulièrement tenus. — 4. Il y a dans le rosaire cent cinquante [*Avé*] et quinze [*Pater*]. — 5. L'honnêteté et la franchise vous défendent mieux que les longs [*factum*] ou que les [*quolibet*].

b) 1. Celui qui invoque un alibi allègue qu'il était présent dans un lieu autre que celui où a été commis le crime ou le délit dont on l'accuse; les [*alibi*] innocentent les accusés. — 2. Les [*sportman*] tombent parfois dans de fâcheux excès. — 3. Les [*policeman*] sont des agents de police anglais; les [*alguazil*] sont des agents de police espagnols. — 4. L'administration exige parfois les [*duplicata*] de certains actes. — 5. Nos [*cameraman*] réalisent parfois de véritables exploits.

329. - Même exercice.

a) 1. Tu piqueras des [« *peut-être* »] aux ailes de tes projets. (G. Duhamel.) — 2. Nous ne sommes pas des bêtes féroces et encore moins des [*dilettante*].

(J. et J. Tharaud.) — 3. Aurelle comprenait enfin que le monde est un grand parc dessiné par un dieu jardinier pour les [*gentleman*] des Royaumes-Unis. (A. Maurois.) — 4. Mais il ne répondit à mes questions que par des [*oui*] ou des [*non*]. (O. Mirbeau.) — 5. Paul était devenu, à vingt ans, un des plus élégants [*dandy*] de la jeunesse dorée toulousaine. (É. Henriot.) — 6. Une musique triomphale éclate, couvrant le crépitement des [*bravo*]. (H. Béraud.)

b) 1. Les [*bravo*] sont des assassins à gages. — 2. Il y a, dans les comédies de Molière, d'amusants [*quiproquo*]. — 3. Les [*factotum*] sont des personnages qui s'occupent de tout dans une maison. — 4. Tel élève qui n'avait eu jusque-là que quelques [*accessit*] passe brillamment ses [*examen*]. — 5. Sur tout le parcours du cortège, les [*vivat*] montaient, enthousiastes. — 6. Cet enfant a un grand désir de savoir: que de [*pourquoi*], que de [*comment*] dans sa conversation!

330. - Mettez au pluriel les expressions suivantes et faites-les entrer chacune dans une petite phrase :

1. L'appel du cicerone. — 2. Le pensum infligé à l'élève paresseux. — 3. Un parfait gentleman. — 4. Un Te Deum. — 5. Un si, un mais, un cependant.

---

331. - VOCABULAIRE : 1. Cherchez dans le dictionnaire le sens de : *alibi, cicerone, quolibet, dilettante.*

2. Que signifie *poudre* dans « jeter de la *poudre* aux yeux » ? — Cherchez dans le dictionnaire (au mot *poudre*) le sens de cette locution.

332. - ORTHOGRAPHE : Notez dans le carnet d'orthographe : *occuper, colline, imbécile, imbécillité, intervalle.*

333. - LANGAGE : Ne dites pas : « Tu n'aimes pas le chocolat ? Moi *bien !* ». — Dites: « ... moi *si !* » ou : « ... moi *oui !* » — Employez dans une phrase l'un des tours corrects.

334. - PHRASÉOLOGIE : « Restait cette redoutable infanterie de l'armée d'Espagne » (Bossuet). — Inventez une phrase où vous mettrez en tête : « Venaient alors ... ».

335. - ANALYSE : Dites quelle est la fonction des mots en italique : « *Cette* personne ne *nous* nuit en rien, et elle nous devient cependant un objet de *haine, parce que* nous la croyons plus *heureuse* que nous. »

PLURIEL DES NOMS : RÉCAPITULATION

336. - Mettez au pluriel les noms en italique.

La Vraie Bienfaisance.

a) L'aumône n'est bien souvent, hélas! qu'un de ces [*faux-fuyant*] dont nous usons pour écarter de nous le spectacle de la misère ou les sollicitations des [*malheureux*]. Ces [*vieux*] que vous rencontrez, pitoyables [*meurt-de-faim*] aux vêtements en [*lambeau*] et aux [*genou*] tremblants, vous assaillent de plaintes. Ces [*tableau*] de la détresse humaine offusquent vos [*œil*] et c'est plutôt pour échapper aux importunités de ces [*vieux*] à [*cheveu*] blancs que vous leur jetez quelques [*sou*].

b) Une telle bienfaisance se réduit à quelques [*faux-semblant*] de pitié. D'ailleurs elle risque d'encourager parfois les [*chemineau*] à mendier. Des [*travail*] appropriés à leur âge et à leur situation, voilà surtout ce qu'il importerait de procurer à ces déshérités. En outre, la vraie bienfaisance, sans s'arrêter aux [*pourquoi*] et aux [*comment*] des enquêteurs, compatit aux [*mal*] de ceux qui souffrent: dans des [*tête-à-tête*] intimes, elle se penche sur la misère, elle console, fait luire des espoirs. Elle repousse les [*arrière-pensée*] de l'égoïsme; en un mot, c'est la charité des [*Vincent de Paul*] et des [*Schweitzer*].

NOMS SANS SINGULIER OU SANS PLURIEL
OU CHANGEANT DE SENS AU PLURIEL

337. - Cherchez dans le dictionnaire le sens des noms suivants, et faites-les entrer chacun dans une expression :

agapes	branchies	fastes	nippes
ambages	calendes	frusques	prémices
arrérages	errements	mânes	sévices

338. - Faites entrer chacun des noms suivants dans deux phrases, en l'employant d'abord au singulier, puis au pluriel, avec des sens différents :

humanité	attention	or	vacance
lunette	bonté	impatience	vue

CHAPITRE IV

L'Article

ESPÈCES ET EMPLOI

Madame Thérèse.

Madame Thérèse n'avait pas son égale pour *les* travaux de *l*'aiguille ; cette femme, qu'on n'avait crue propre qu'à verser *des* verres d'eau-de-vie et à se trimbaler sur *une* charrette derrière *un* tas de sans-culottes, en savait plus, touchant *les* choses domestiques, que pas une commère d'Anstatt. Elle apporta même chez nous *l*'art de broder *des* guirlandes, et de marquer en lettres rouges *le* beau linge, chose complètement ignorée jusqu'alors dans *la* montagne, et qui prouve combien *les* grandes révolutions répandent *la* lumière.

De plus, madame Thérèse aidait Lisbeth à *la* cuisine, sans la gêner, sachant que *les* vieux domestiques ne peuvent souffrir qu'on dérange leurs affaires.

ERCKMANN-CHATRIAN, *Madame Thérèse*. (Hachette, éditeur).

339. - Dans le texte d'Erckmann-Chatrian, distinguez parmi les **articles** en italique :
1° les articles définis ; 2° les articles indéfinis (et joignez à chacun d'eux le nom auquel il se rapporte).

340. - Faites entrer chacun des noms suivants dans deux courtes phrases ; dans la 1re, il sera précédé d'un article défini ; dans la seconde, d'un article indéfini :

rose — livre — maison — hirondelle — patrie.

341. - Mettez devant chacun des noms ou groupes suivants l'article **le** ou **la** et faites l'élision quand il y a lieu :

origine	habitude	hirondelle	haut clocher	yole
entreprise	hérisson	halo	abondance	hurluberlu
heure	humble devoir	oisiveté	heureux jour	ouistiti

342. - Analysez les **articles** (ils sont en italique).

Modèle : Le soleil brille ; — *le :* article défini ; masc. sing. ; déterminatif de *soleil*.

a) 1. *Les* yeux sont *le* miroir de *l*'âme. — 2. *Les* chiens dormaient et *le* berger, à *l*'ombre d'*un* grand ormeau, jouait de *la* flûte avec d'autres bergers voisins. — 3. *La* modestie donne à *la* vertu *un* beau relief.

b) 1. De *la* même manière qu'*un* poison se répand dans *les* veines, *la* flatterie s'insinue dans *l'*âme. — 2. Lorsque Dieu forma *le* cœur et *les* entrailles de *l'*homme, dit *un* orateur sacré, il y mit premièrement *la* bonté.

343. - Dites si, dans les phrases suivantes, **des** est l'article indéfini pluriel ou s'il équivaut à la préposition *de* combinée avec *les,* article défini :

1. *Des* nuages planent sur la ville. — 2. Voyez la course *des* nuages. — 3. Le vol *des* hirondelles est rapide. — 4. *Des* hirondelles volent autour du clocher. — 5. *Des* profondeurs de la forêt venaient *des* rumeurs étranges. — 6. Mon père, armé de son fusil, tirait *des* chouettes qui sortaient *des* créneaux à l'entrée de la nuit. (Chateaubriand.)

344. - Dans les phrases suivantes, discernez les **articles contractés** et les **articles partitifs :**

1. L'automne vient : les feuilles *des* marronniers prennent *des* teintes jaunâtres ; *de la* brume flotte le matin *au* fond *des* vallées. — 2. La modestie est *au* mérite ce que les ombres sont *aux* figures dans un tableau : elle lui donne *de la* force et *du* relief. (La Bruyère.) — 3. Nous trouvons toujours *de la* consolation dans les paroles *des* amis qui s'émeuvent *du* mal qui nous accable. — 4. Il faut *de l'*énergie et *de la* patience pour surmonter les difficultés *des* temps présents.

345. - Discernez les divers **articles** et analysez-les.

Étranges Bûcherons.

La manière dont les castors abattent les arbres est curieuse : ils les choisissent toujours au bord d'une rivière. Des travailleurs, dont le nombre est proportionné à l'importance de la besogne, rongent incessamment les racines. Il y faut de la patience, mais le travail avance. On n'incise point l'arbre du côté de la terre, mais du côté de l'eau, pour qu'il tombe sur le courant. Un castor, placé à quelque distance, avertit les bûcherons par un sifflement quand il voit pencher la cime de l'arbre attaqué.

D'après CHATEAUBRIAND.

346. - Analysez les différents **articles.**

a) 1. La plus belle parure est la modestie. — 2. La crainte du Seigneur est le commencement de la sagesse. — 3. Le temps est l'étoffe dont la vie est faite. — 4. Quand les chats sont partis, dit un proverbe, les souris dansent. — 5. Le sage ne se fie pas aux apparences.

b) 1. Les hommes doivent compatir aux maux de leurs semblables. — 2. Les cosmonautes ont accompli, dans la grande aventure de l'espace, des exploits prodigieux. — 3. La soif des honneurs fait oublier à certains personnages l'amour du vrai et de la justice. — 4. Prenons garde que l'aise et l'abondance ne tarissent en nous les sources de la compassion et ne nous rendent insensibles aux souffrances du prochain.

347. - Exercice oral : Rendez raison de l'emploi des **articles définis** en italique.

1. La science la plus utile est la connaissance de soi-même: *la* maxime est judicieuse. — 2. Au siège de Frederikshall, en 1718, une balle atteignit Charles XII à *la* tempe; le roi avait encore eu la force, en expirant, de mettre *la* main sur la garde de son épée. — 3. Musset a écrit sur *la* Malibran des stances célèbres. — 4. *Les* Bossuet, *les* Bourdaloue, *les* Massillon, *les* Fléchier ont porté l'éloquence de la chaire à un haut degré de perfection. — 5. *La* Rome des Césars était bien différente de *la* Rome d'aujourd'hui.

---

348. - VOCABULAIRE : 1. Quel est le sens de *agapes ?* — d'*errements ?* — de *mânes ?* — de *prémices ?*

2. Donnez pour chacun des noms suivants un diminutif : *cascade, maison, jambon, flotte, lion, tarte, nègre.*

349. - ORTHOGRAPHE : Notez dans le carnet d'orthographe : 1° mots en **-ole** : *casserole, féverole, banderole, auréole, carriole ;* — 2° mots en **-olle** : *corolle, girolle, barcarolle.*

350. - PRONONCIATION : Prononcez bien, avec un *o* fermé et long : *chose, rose, diplôme, idiome, atome, axiome, symptôme, dôme.*

351. - LANGAGE : Des Canadiens disent : « Ça m'*achale* de voyager la nuit ; c'est *achalant* de voyager la nuit » [*achaler* = incommoder, fatiguer, importuner, agacer] ; — Inventez deux phrases où vous emploierez, au lieu d'*achaler,* le mot vraiment français.

352. - ANALYSE : Dans la phrase « Rien ne sert de courir », quel est le sujet de *sert ?*

ARTICLE DEVANT **PLUS, MOINS, MIEUX**

353. - Exercice oral : Rendez raison de l'emploi de l'article devant **plus, moins, mieux.**

1. La rose est *la* plus belle des fleurs. — 2. C'est au sein de notre famille que nous nous trouvons *le* plus heureux. — 3. Est-il vrai que c'est en hiver que la nature est *le* moins belle? — 4. Ce ne sont pas toujours les élèves *les* mieux doués qui obtiennent les meilleures places. — 5. Nos maîtres nous guident dans la direction qu'ils jugent *la* mieux appropriée à chaque situation. — 6. Des peuples de la Gaule, les Belges n'étaient pas *les* moins braves.

354. - Remplacez les trois points par **le,** ou **la,** ou **les.**

a) 1. C'est vers le 21 juin que les jours sont ... plus longs. — 2. Les résolutions ... plus fermes sont vaines si elles ne se résolvent pas en actes. — 3. Les belles actions cachées sont ... plus méritoires. — 4. Les bonheurs ... moins compliqués ont des chances d'être ... plus durables. — 5. C'est dans la solitude que nous sommes ... mieux disposés à réfléchir profondément. — 6. Il importe de savoir par qui la patrie sera ... mieux servie.

b) 1. Nos protecteurs ... plus sûrs sont nos talents acquis. — 2. Les pensées ... plus nobles ne plaisent pas à l'esprit quand l'oreille est blessée. — 3. C'est quand nos amis nous abandonnent que nous éprouvons ... mieux que les affections qui paraissaient ... plus sincères n'étaient rien au prix de l'amour maternel. — 4. L'imagination est une maîtresse d'erreur: c'est quand elle nous paraît ... moins folle qu'il faut nous défier de ses suggestions. — 5. La cloche sonnait alors l'heure ... plus lourde de la journée. (A. Lafon.) — 6. C'est quand elles sont ... plus accablées par le malheur que les grandes âmes révèlent leur courage. — 7. Elle tâta de nouveau les bottes de poireaux, puis elle garda celle qui lui parut ... plus belle. (A. France.)

355. - Sur chacun des thèmes suivants formez deux phrases où vous emploierez devant **plus, moins, mieux** : 1° l'article variable **le, la, les** ; 2° l'article invariable **le.**

1. La famille. — 2. La paresse. — 3. Les sports.

ARTICLE PARTITIF

La Forêt au crépuscule.

Quelle belle chose qu'une forêt à l'heure du soir où le soleil glisse comme de l'or dans l'épaisseur des branches! De la joie, calme et sereine, rayonne autour des hêtres; ils élancent vers les hauteurs de l'air leurs troncs sveltes et nus. Le sol, débarrassé des broussailles, laisse le regard plonger dans les profondeurs de la forêt; de la lumière baigne la futaie et si des pas ou des voix s'y font entendre, ils y prennent une sonorité particulière, notamment s'il y a du brouillard.

La forêt au crépuscule est comme un temple avec des piliers puissants; il y a partout de la majesté; tout au loin, dans la zone la plus reculée du silence, brillent des rayons lumineux, doux à l'œil comme du feu qui s'éteindrait lentement.

D'après André THEURIET, *Les Enchantements de la forêt.*
(Hachette, éditeur).

356. - Soulignez, dans le texte qui précède, les articles **partitifs** (il y en a six).

357. - Discernez les cas où **du, de la, de l', des** (ils sont en italique) sont des articles partitifs.

a) 1. Avec *de la* patience on vient à bout *des* difficultés les plus grandes. — 2. Dans la cour *de la* ferme, *des* chiens aboyaient furieusement. — 3. Ayons *de* l'énergie, *de la* persévérance, et nous surmonterons beaucoup d'obstacles. — 4. Comment un élève, même s'il a *de* l'intelligence, *de la* mémoire, *du* jugement, retirerait-il *du* fruit *des* études qu'il fait s'il n'a *de la* méthode et *du* caractère? — 5. Le cœur a *des* raisons que la raison ne connaît point. — 6. Il y a *de* l'éloquence dans le ton *de la* voix.

b) 1. Il faut *de* l'héroïsme pour s'acquitter exactement *des* petites obligations *de la* vie quotidienne. — 2. *Des* hirondelles poussent *des* cris aigus en virant autour *du* clocher. — 3. La reconnaissance est la mémoire *du* cœur. — 4. Cueille-t-on *du* raisin sur les épines ou *des* figues sur les ronces? — 5. Les chasseurs s'assirent au revers *du* fossé: *des* sacs, *des* gibecières, on vit sortir *du* pain, *de la* viande froide, *du* fromage, *des* boîtes de conserves, *du* cognac même. — 6. Eh bien, moi, je t'irai porter *des* confitures. (Hugo.) — 7. *De* l'apaisement et un peu d'espoir étaient revenus à la maison depuis cette soirée. (P. Loti.)

358. - Formez, sur chacun des thèmes suivants, deux phrases où vous ferez entrer **du, de la, de l'**, avec deux valeurs différentes, la 1re partitive, la 2e non partitive.

Modèles: a) La lune pousse *de la* lumière dans les branches. — *b)* L'éclat *de la* lumière éblouit les yeux.

1. La pluie. — 2. L'orage. — 3. Le brouillard. — 4. La neige.

359. - Analysez la préposition **de** servant d'**article partitif**.

Modèles: « Il n'a pas *de* courage. » — *De:* préposition servant d'article partitif ; se rapporte à *côurage*.

1. Ces gens n'ont plus *de* vin. — 2. Vous n'aurez guère *de* mérite à vaincre la difficulté si vous n'avez pas fait les efforts qu'elle requérait. — 3. Il n'y a pas *de* vraie grandeur sans dévouement à une noble cause. — 4. L'enfant n'éprouve plus *de* crainte quand il s'est jeté dans les bras de sa mère. — 5. Il ne tombe jamais *de* pluie dans ces régions.

360. - Remplacez les trois points par **du, de la, de l', des** — ou par le simple **de**.

1. La paix du cœur procure ... douces jouissances. — 2. J'ai commencé l'année scolaire avec ... grandes espérances; avec ... bonne volonté et moyennant ... grands efforts, j'obtiendrai ... excellents résultats. — 3. Pour faire ... bonne politique, il faut que les gouvernements sachent faire ... bonnes finances. — 4. Si vous allez à la montagne, vous y trouverez ... grand air, vous y verrez ... larges paysages. — 5. Les cosmonautes ont accompli ... étonnantes prouesses. — 6. Il faut ... bon sens dans les affaires.

361. - Exercice oral : Distinguez les cas où la négation est absolue et ceux où elle ne l'est pas.

> *Modèles :* a) Il n'a pas *d'*argent (= aucune quantité d'argent : négation absolue).
> b) Il n'a pas *de l'*argent pour le gaspiller (= il a de l'argent, mais non...).

1. Cet élève n'a pas *de* courage : il court à un échec. — 2. Cet élève n'a pas *du* courage, il a de l'acharnement : il aura un succès complet. — 3. Il y a dans les profondeurs de l'océan des poissons qui n'ont pas *d'*yeux. — 4. De quoi vous plaignez-vous ? N'avez-vous pas *des* yeux, qui peuvent jouir de la lumière, et *des* oreilles, qui peuvent entendre la voix de ceux que vous aimez ? — 5. Celui qui n'a pas *de* volonté est semblable à un vaisseau sans gouvernail. — 6. N'ayons pas *de la* volonté par à-coups, mais dans tout ce que nous entreprenons.

362. - Remplacez les trois points par **de** là où la négation est absolue (l'idée est alors « aucune quantité de ») — ou par **du, de la, de l', des,** dans le cas contraire.

a) 1. Il n'avait pas ... fange en l'eau de son moulin. (Hugo.) — 2. Nul n'aura ... esprit, hors nous et nos amis. (Molière.) — 3. Nous n'avons pas ... intelligence pour la mettre au service de l'erreur. — 4. Personne au village ne lui portait plus ... blé. (A. Daudet.) — 5. Je n'ai pas amassé ... millions pour envoyer mon unique héritier se faire casser la figure en Afrique ! (É. Augier.)

b) 1. Les bons auteurs n'ont ... esprit qu'autant qu'il en faut. (Voltaire.) — 2. Je ne mets ... vérités dans sa tête que pour le garantir des erreurs qu'il apprendrait à leur place. (J.-J. Rousseau.) — 3. Qui s'aime trop n'a pas ... amis. — 4. Certaines gens se félicitent de leur fierté, qui n'ont pas ... fierté, mais ... orgueil. — 5. Si vous n'avez pas ... ordre, vous perdrez beaucoup de temps. — 6. Cela, ce n'est pas ... petite bière ! — 7. Aimez le foyer paternel : n'y trouvez-vous pas ... bonté, ... affection, ... sécurité ?

---

363. - VOCABULAIRE : 1. Donnez 6 mots impliquant l'idée d'égalité et renfermant la racine latine *aequus* = égal.

2. Quel est le sens de la locution *avoir du plomb dans l'aile ?* Employez cette locution dans une phrase.

364. - ORTHOGRAPHE : Notez dans le carnet d'orthographe : *embarrasser, accommoder, zone* (pas d'accent !), *difficile, matelas.*

365. - PHRASÉOLOGIE : « Le voyez-vous, comme il vole ou à la victoire ou à la mort ? » (Bossuet.) — Inventez une phrase où vous parlerez d'un coureur cycliste en pleine action : « Le voyez-vous, comme... ».

366. - LANGAGE : L'ancien article contracté *ès* signifie « en les » : il ne s'emploie bien qu'avec un nom pluriel. — Inventez une phrase où *ès* sera correctement employé.

367. - ANALYSE : Dites quelle est la fonction des mots en italique : « Nous rede-
viendrons *dignes* de l'*estime* des gens de bien si nous réparons les torts
que nous avons faits à *autrui*. »

RÉPÉTITION DE L'ARTICLE

368. - Exercice oral. Dites pourquoi, dans les phrases suivantes, l'article est répété
ou non.

1. Les prés, les bois, les champs, les jardins, sous les souffles du printemps,
se mettent à revivre. — 2. La gloire, les richesses, les plaisirs sont-ils capables
de procurer un bonheur véritable? — 3. Les bons et beaux livres sont pour
moi d'excellents amis. — 4. Cet orateur a prononcé un long et ennuyeux discours. — 5. La haute, l'admirable recherche des savants modernes mérite l'encouragement des pouvoirs publics. — 6. Un collègue et ami de mon père annonce sa visite.

369. - Répétez l'article s'il y a lieu.

a) 1. Ce blé couvrait d'un lacs Les menteurs et … traîtres appas. (La Font.)
— 2. Dans le petit bois de chênes verts, il y a des oiseaux, … violettes, et …
sources sous l'herbe fine. (A. Daudet.) — 3. De même qu'il y a la vraie et …
fausse monnaie, de même il existe un vrai et … faux bonheur. — 4. Un éducateur a une haute et … importante mission à remplir. — 5. Certains guerriers
francs avaient à la ceinture une francisque ou … hache à fer recourbé. —
6. Il y a les grands et … petits devoirs: acquittons-nous des uns et des autres.

b) 1. Dans la bonne et … mauvaise fortune, gardez une âme sereine. — 2.
Il est bon de se conformer aux us et … coutumes des lieux où l'on habite. —
3. Le général a ordonné que les officiers, … sous-officiers et … soldats par-
ticiperaient à la cérémonie. — 4. Les bons et … vrais amis sont unis en toute
occasion. — 5. Pasteur fut une belle et … grande âme de savant. — 6. Le
gracieux, … émouvant Daudet est à la fois un artiste et … poète.

370. - Pour ce qui est de l'article, tournez chacune des expressions suivantes de trois
autres manières :

1. Le code civil et le code pénal. — 2. La littérature française et la littérature anglaise. — 3. La langue italienne et la langue espagnole. — 4. La syntaxe latine et la syntaxe française. — 5. La race bovine et la race chevaline.

OMISSION DE L'ARTICLE

371. - Exercice oral. Rendez raison de l'omission de l'article.

1. Bonne renommée vaut mieux que ceinture dorée. — 2. Ayons conscience
de nos faiblesses comme de nos forces. — 3. Gloire, jeunesse, orgueil, biens

que la tombe emporte... (Hugo.) — 4. Volontiers gens boiteux haïssent le logis. (La Font.) — 5. Le lièvre passe sur le bord de l'étang: grenouilles aussitôt de sauter dans l'eau. — 6. Vous êtes écolier.

372. - Trouvez cinq proverbes où l'on constate l'omission de l'article.

373. - Faites entrer chacun dans une locution les noms suivants, employés sans article:

garde   honte   fortune   parole   asile
tête   courage   vergogne   service   possession

374. - Employez dans une petite phrase chacune des expressions suivantes :

1. Donner carte blanche. — 2. Faire grise mine. — 3. Ajouter foi. — 4. Imposer silence. — 5. Noir comme jais. — 6. Amer comme chicotin. — 7. Être chef. — 8. Être le chef.

---

375. - VOCABULAIRE : 1. Donnez 4 homonymes de *cour* et employez chacun d'eux dans une expression.

2. Donnez 5 mots où se retrouve le radical latin *fluĕre* = couler.

376. - ORTHOGRAPHE : Notez dans le carnet d'orthographe : *boiter, renommée, syntaxe, Méditerranée, pseudonyme.*

377. - LANGAGE : 1. Ne dites pas : « Maman *prend* les poussières sur la commode » ; — dites : « ... *époussette* la commode », ou : « ... *essuie* la commode », ou : « *ôte* la poussière ... », ou : « ... *enlève* la poussière ... ». — Inventez une phrase où vous emploierez une des expressions correctes.

2. Canadianisme : « Tu viens encore me *badrer ?* » [pour : « ... m'*importuner,* ... me *déranger,* ... m'*ennuyer* »]. — Employez dans une petite phrase l'une des expressions françaises.

378. - CONJUGAISON : Conjuguez au présent de l'indicatif : *vaincre la difficulté.*

379. - ANALYSE : Soulignez les groupes du complément d'agent : *Si un aveugle est conduit par un autre aveugle, ils tomberont tous deux dans le fossé ; peut-être seront-ils relevés par quelque bon Samaritain.*

CHAPITRE V

L'Adjectif

GÉNÉRALITÉS

Appel des vents du large.

Quand passent les canards sauvages à l'époque des migrations, ils provoquent de curieuses marées sur les territoires qu'ils dominent. Les canards domestiques, comme attirés par le grand vol triangulaire, amorcent un vol inhabile. L'appel sauvage a réveillé en eux je ne sais quel vestige sauvage. Et voilà les canards de la ferme changés pour une minute en oiseaux migrateurs. Voilà que dans cette petite terre dure où circulaient d'humbles images de mare, de vers, de poulailler, se développent les étendues continentales, le goût des vents du large, et la géographie des mers. L'animal ignorait que sa cervelle fût assez vaste pour contenir tant de merveilles, mais le voilà qui bat des ailes, méprise le grain, méprise les vers, et veut devenir canard sauvage.

Antoine de SAINT-EXUPÉRY, *Terre des hommes*. © Éditions Gallimard.

380. - Relevez dans le texte ci-dessus les adjectifs **qualificatifs** et analysez-les.

Modèle: sauvages: adject. qualific.; masc. plur.; épithète de *canards.*

381. - Analysez les adjectifs **qualificatifs** (épithètes ou attributs).

1. Le silence éternel de ces espaces infinis m'effraie. (Pascal.) — 2. Il est un heureux choix de mots harmonieux. (Boileau.) — 3. Rien ne nous rend si grands qu'une grande douleur. (Musset.) — 4. Dieu! que le son du cor est triste au fond des bois! (Vigny.) — 5. Que vous êtes joli! que vous me semblez beau! (La Font.) — 6. Le sinistre océan jette son noir sanglot. (Hugo.)

382. - Joignez à chacun des noms suivants un adjectif qualificatif **épithète** :

un livre	un orage	un chemin	un paysage
un professeur	une pluie	un ciel	une maladie

383. - Employez chacun des mots suivants dans une courte phrase, d'abord comme **nom,** puis comme adjectif **qualificatif** :

noir	beau	vieux	riche
utile	orgueilleux	brave	humble

384. - Dans les expressions suivantes, remplacez par un adjectif **qualificatif** les mots en italique :

a) 1. Un soleil *de printemps*. — 2. Une adresse *qui étonne*. — 3. L'autorité *du père*. — 4. Un défaut *qu'on ne peut corriger*. — 5. Un accident *causant la mort*. — 6. Une difficulté *qu'on ne peut surmonter*. — 7. Un journal *paraissant tous les jours*. — 8. L'aliénation *de l'esprit*. — 9. La dignité *d'évêque*. — 10. Un plan *de cinq ans*.

b) 1. Un métier *qui apporte du profit*. — 2. Un intérêt *qui consiste en argent*. — 3. Un travail *qui procure un bénéfice suffisant*. — 4. Une colonne *faite d'une seule pierre*. — 5. Un homme *qui parle un grand nombre de langues*. — 6. Un visage *qui a un teint très rouge*. — 7. Un témoignage *conforme à la vérité*. — 8. Un mur *appartenant à deux propriétés contiguës*. — 9. Un fruit *qui est en forme d'œuf*. — 10. Deux jardins *touchant l'un à l'autre*.

---

385. - VOCABULAIRE : 1. Cherchez dans le dictionnaire le sens de *migration*, — de *vestige*, — de *aliéner* (par ex. : son bien).

2. Que signifie *donner carte blanche* (voir le dictionnaire au mot *carte*) ?

386. - ORTHOGRAPHE : 1. Notez dans le carnet d'orthographe : *poulailler, groseillier, quincaillier, médaillier, marguillier*.

2. Devant un *h* muet, l'élision et la liaison se font ; devant un *h* aspiré, non. Remplacez les trois points par *le,* ou *la,* ou *l' :* ... harpe, ... houx, ... hôtel, ... héron, ... histoire, ... hectare, ... hoquet, ... hauteur, ... huile, ... hypoténuse.

387. - LANGAGE : Ne dites pas : « Je ne *peux mal* de recommencer » ; — dites : « Je *n'ai garde de* ... », ou : « Je *me garderai bien* de ... », ou : « *Il n'y a pas de danger* que ... » — Inventez trois phrases où vous emploierez les tours corrects.

388. - CONJUGAISON : Conjuguez au présent du subjonctif : *craindre*.

389. - PONCTUATION : Mettez la ponctuation [Il s'agit d'une course de bœufs] : *Rangée le long de la piste la foule attend entame des paris piétine et tout à coup une clameur s'élève le sol tremble un souffle précipité et chaud gronde avec un bruit de vannes ouvertes le signal a été donné*

FÉMININ DES ADJECTIFS

390. - Donnez le féminin des adjectifs suivants :

clair	étourdi	vert	gris	timide	rapide	jeune
trapu	joufflu	crochu	haut	compact	intelligent	froid
petit	droit	pesant	violent	honnête	futur	informe

391. - Donnez le masculin des adjectifs dont voici la forme féminine :

étrangère	personnelle	maigriotte	tierce
pâlotte	franche	inquiète	neuve
grecque	fraîche	rousse	plaintive
honteuse	lasse	secrète	andalouse

392. - Mettez à la forme convenable les adjectifs en italique.

a) 1. De l'eau [*clair*]. — 2. Une confiance [*mutuel*]. — 3. La littérature [*français*]. — 4. Une [*pareil*] ardeur. — 5. Un [*nouveau*] ouvrage. — 6. Un [*fou*] orgueil. — 7. Une coutume [*païen*]. — 8. Une voix [*plaintif*]. — 9. Une maison [*princier*]. — 10. Une demande [*exprès*].

b) 1. Une sœur [*jumeau*]. — 2. Une [*vieux*] chanson. — 3. Une [*fou*] entreprise. — 4. De la cire [*mou*]. — 5. Une figure [*vieillot*]. — 6. Une solution [*boiteux*]. — 7. Une [*bref*] harangue. — 8. La nation [*franc*]. — 9. Une physionomie [*franc*]. — 10. Une tumeur [*malin*].

c) 1. Une parole [*flatteur*]. — 2. Une mélodie [*charmeur*]. — 3. Une joie [*intérieur*]. — 4. Une attitude [*provocateur*]. — 5. Une roue [*moteur*]. — 6. Une fée [*protecteur*]. — 7. Une réplique [*vengeur*]. — 8. Une vallée [*enchanteur*]. — 9. Une volonté [*dominateur*]. — 10. Une personne [*grondeur*].

393. - Joignez chacun des adjectifs suivants à un nom féminin et faites l'accord :

Modèle : Une maladie *mortelle.*

a) mortel	nouveau	vermeil	long
pareil	aérien	contigu	sec
gentil	glouton	complet	public
nul	réparateur	naïf	vieux
bénin	musulman	juif	malin
b) solennel	mou	ambigu	caduc
quotidien	persan	bas	vengeur
frais	douillet	sot	doux
lapon	peureux	discret	pâlot
beau	vieillot	turc	aigu

394. - Accordez les adjectifs en italique.

a) 1. Une inquiétude [*continuel*] rend l'humeur [*ombrageux*]. — 2. Une véritable œuvre de science est [*étranger*] à toute passion [*partisan*]. — 3. La race [*lapon*] est simple et [*hospitalier*]. — 4. Quand vous faites une communication [*secret*], ne la faites pas en présence d'une [*tiers*] personne: celle-ci pourrait être [*indiscret*]. — 5. Il faut savoir accomplir avec une joie [*discret*] sa besogne [*quotidien*]. — 6. Une humeur [*doux*] et [*bénin*] vous conciliera les sympathies.

b) 1. L'enfance est [*naïf*]: elle éprouve une joie [*vif*] au récit des histoires [*merveilleux*]. — 2. L'opinion [*public*] est versatile: parfois, [*las*] de louer quelqu'un, elle se prend à le blâmer. — 3. La face de la nature n'est-elle pas [*expressif*] comme celle de l'homme? — 4. Une parole [*indiscret*] ou [*ambigu*] cause parfois de regrettables querelles. — 5. Cet enfant a la figure [*pâlot*]; sa santé s'accommoderait fort du grand air et de la vie [*paysan*]. — 6. Souvent les paroles [*moqueur*] révèlent une certaine indigence d'esprit. — 7. J'aime la [*fier*] beauté des vallées [*valaisan*].

395. - Mettez au féminin les adjectifs en italique et faites l'accord.

a) 1. Des flammes [*oblong*] tremblaient sur les cuirasses d'airain. (Flaubert.) — 2. Pour lutter contre les forces [*naturel*], l'homme, créature infiniment vulnérable, doit vivre en société. (A. Maurois.) — 3. Les scieries n'interrompaient pas leur [*long*] plainte, les piles de planches parfumaient cette après-midi d'une odeur de résine [*frais*] et de copeaux. (Fr. Mauriac.) — 4. Toute l'industrie moderne déclare [*caduc*] et [*honteux*] notre [*vieux*] et honnête manie de réparation. (G. Duhamel.) — 5. Craignez d'un vain plaisir les [*trompeur*] amorces. (Boileau.)

b) 1. Dans les ruelles [*tortueux*], la machine avança avec une lenteur de saurien. (H. Troyat.) — 2. Il se laissait glisser en de [*délicieux*] somnolences, tandis que la forêt [*printanier*] bruissait autour de lui. (M. Genevoix.) — 3. Leur bible [*hébreu*] à la main, elles chantent à voix [*aigu*] dans ce silence de nécropole. (P. Loti.) — 4. Il sut se défier de la liqueur [*traître*]. (La Font.) — 5. Au sein de vos [*faux*] prospérités, les passions [*vengeur*] punissent vos forfaits. (J.-J. Rousseau.) — 6. L'amitié improvisée que je lui avais vouée d'abord se fit [*tuteur*] et [*maternel*]. (A. Hermant.)

396. - Faites entrer chacun dans une phrase de votre invention les adjectifs suivants, mis au féminin :

1. Favori. — 2. Discret. — 3. Faux. — 4. Caduc. — 5. Frais. — 6. Rémunérateur.

FÉMININ DES ADJECTIFS : RÉCAPITULATION

397. - Mettez à la forme convenable les adjectifs en italique.

La Maison paternelle.

Lorsque, après une [*long*] absence, je revois fumer le toit de la maison [*paternel*], une [*doux*] émotion m'étreint, une joie [*intérieur*] m'envahit. Voici les fenêtres [*jumeau*] avec le sourire de leurs géraniums et la [*frais*] invitation de leurs rideaux de tulle. Voici la cuisine [*propret*] pavée de céramique [*blanc*]; elle est un peu [*vieillot*], avec la [*maître*] poutre qui barre son plafond, avec sa batterie [*complet*] de cuivre rouge et ses assiettes [*fleuri*], avec sa [*grand*] horloge à gaine, qui rythme comme autrefois sa [*discret*] chanson.

398. - Même exercice.

L'Espérance.

La [*doux*] espérance murmure à nos oreilles des paroles [*consolateur*] ; elle fait luire à nos yeux des perspectives [*enchanteur*] et quoique les visions [*merveilleux*] qu'elle déroule se révèlent parfois [*faux*], quoique les satis- factions qu'elle nous a promises soient [*fugitif*] et [*caduc*], nous nous laissons solliciter jusqu'au jour où tout vient à manquer et où notre âme reste [*inquiet*] de l'avenir. C'est avec peine que nous reprenons chaque jour notre tâche de la veille, mais chaque jour une espérance [*nouveau*], une illusion [*secret*] nous rend des forces [*frais*] et relève notre courage.

399. - VOCABULAIRE : 1. Cherchez dans le dictionnaire le sens de *tulle*, — de *caduc*, — de *invulnérable*, — de *nécropole*.

2. Employez avec un nom l'adjectif dérivé de : *lumière, cercle, pierre, œil* (lat. *oculus*), *poitrine* (lat. *pectus, pectoris*).

400. - ORTHOGRAPHE : Notez dans le carnet d'orthographe : *gaine, dévot, ratisser, zone, gnome, joliment, conique, raclée* (pas d'accents circonflexes !).

401. - PRONONCIATION : Prononcez bien : *inextinguible* [i-neks-tin-gwibl'], *lin-guistique* [lin-gwis-tik], *lingual* [lin-gwal].

402. - LANGAGE : Ne dites pas : « Je *soignerai* pour cette affaire » ; — dites : « J'*aurai soin* de cette affaire », ou : « J'y *veillerai* », ou : « Je *m'en occuperai* ». — Inven- tez trois phrases où vous emploierez les expressions correctes.

403. - PHRASÉOLOGIE : Commencez par « Voici ... » une phrase qui entrerait dans la description de votre classe.

404. - ANALYSE : Analysez les mots en italique : « Voici les *fenêtres* de la maison paternelle, avec le sourire de leurs *rideaux* de tulle. »

PLURIEL DES ADJECTIFS QUALIFICATIFS

405. - Mettez au pluriel.

a) 1. Un cœur pur. — 2. Une nation pacifique. — 3. Un bon auteur. — 4. Un long voyage. — 5. Un léger effort. — 6. Un poème lyrique. — 7. Une belle action. — 8. Un conte bleu.

b) 1. Un gros livre. — 2. Un brouillard épais. — 3. Un doux murmure. — 4. Un mot amical. — 5. Un hideux épouvantail. — 6. Un hôtel luxueux. — 7. Le nouveau journal. — 8. Un beau vitrail. — 9. Un affreux fléau. — 10. Un landau somptueux.

c) 1. Un chantier naval. — 2. Un bijou précieux. — 3. Un succès final. — 4. Un discours banal et injurieux. — 5. Un livre hébreu. — 6. Un rocher fatal. — 7. Un moulin banal. — 8. Un texte original. — 9. Un prince féodal. — 10. Un fruit jumeau. — 11. Un exposé magistral. — 12. Un monument colossal.

406. - Accordez les adjectifs en italique.

a) 1. Les climats [*équatorial*] n'ont pas de saison sèche; les climats [*tropical*] ont une période pluvieuse et une période sèche. — 2. Le mistral, le sirocco, le simoun sont des vents [*régional*]. — 3. Les véritables historiens doivent se montrer [*impartial*]. — 4. Les temps [*féodal*] ont connu les fours, les moulins, les pressoirs [*banal*]. — 5. Veuillez agréer l'expression de mes sentiments bien [*cordial*].

b) 1. Les pourparlers, fort brefs, étaient devenus presque [*cordial*]. (A. Hermant.) — 2. Il fit son entrée dans Moscou sous sept arcs [*triomphal*]. (Voltaire.) — 3. Eh bien, mes amis, j'ai, moi, Jubier, rejeté l'enseignement de mes coteaux [*natal*]. (M. Bedel.) — 4. Dans mes abris [*familial*], si bien protégé, à l'écart, je n'avais pour fuir que les rêves. (É. Henriot.) — 5. Les passants [*matinal*] rangés contre les maisons, les gens aux fenêtres saluent. (O. Aubry.) — 6. Les restaurateurs de tableaux leur sont plus [*fatal*] que tout le reste. (Fr. Mauriac.) — 7. Après des compliments [*banal*], on s'assit autour de la table. (Gén. de Gaulle.) — 8. Les chantiers [*naval*] recherchaient la vitesse par la beauté. (R. Vercel.) — 9. Ces glissements ont été [*fatal*] pour les Français. (A. Siegfried.)

DEGRÉS DES ADJECTIFS QUALIFICATIFS

Le Guépard.

Les plaines où le Niger commence à prendre figure de *grand* fleuve servent de champ de course tout d'abord à une bête *bien sympathique :* le guépard. *Sympathique,* parce qu'il n'est pas *cruel* et que, de tout temps, il fut un animal *fort facile* à apprivoiser. À condition qu'on lui réserve de *très larges* espaces et qu'il puisse chasser avec l'homme, il accepte volontiers l'amitié du maître de la nature. Il traduit même ses sentiments par un ronronnement qui n'est pas *moins significatif* que celui des chats.

Car cet animal, qui est *aussi rapide* que *le plus rapide* des lévriers et qui a une tête de *gros* chat, ronronne comme ce dernier. Le guépard est *le meil-*

leur coureur de la création. Sur un ou deux kilomètres, il est *imbattable*. Il dédaigne les appâts et les gibiers *morts*. C'est un animal *très sportif*.

D'après André DEMAISON, *La Vie privée des bêtes sauvages*.
(Armand Colin, édit.).

407. - Dites si, dans le texte ci-dessus, les mots en italique marquent le **positif,** ou le **comparatif** (d'égalité, de supériorité, d'infériorité), ou le **superlatif** (absolu, relatif).

408. - Distinguez les **positifs,** les **comparatifs** (d'égalité, de supériorité, d'infériorité), les **superlatifs** (absolus, relatifs).

1. Une bonne conscience est le plus doux des oreillers. — 2. Une faute de français gâte le plus beau vers. — 3. Il est infiniment regrettable que certains hommes soient moins attentifs à leurs devoirs qu'à leurs intérêts. — 4. L'œuvre d'un Pasteur n'est-elle pas aussi estimable que celle des conquérants les plus illustres? — 5. La girafe a le cou très long. — 6. La baleine est plus grosse que l'éléphant; c'est le plus gros des animaux. — 7. Rien n'est moins stable que la fortune.

409. - Donnez, pour chacun des adjectifs suivants, les trois **comparatifs** :

1. Beau. — 2. Froid. — 3. Juste. — 4. Vieux. — 5. Modeste.

410. - Remplacez les trois points par le **comparatif de supériorité** de l'adjectif placé en tête de la phrase.

a) 1. [*Haut*] Il n'est pas toujours bon d'occuper un emploi ... que celui qu'on occupe. — 2. [*Précieux*] Est-il un bien ... que l'honneur? — 3. [*Attentif*] Nous prêtons une oreille ... quand on parle de nos qualités. — 4. [*Grand*] Les malheurs nous ont blessés, mais nous avons acquis une expérience ... — 5. [*Sot*] Souvent un sot personnage trouve un personnage ... encore pour l'admirer.

b) 1. [*Bon*] Il n'est pas de ... remède à l'ennui que le travail. — 2. [*Mauvais*] Le proverbe dit qu'un coup de langue est parfois ... qu'un coup de lance. — 3. [*Bon*] Le vrai bien est celui qui rend les hommes ... — 4. [*Petit*] Les maux d'autrui nous semblent généralement ... que les nôtres. — 5. [*Mauvais*] Il n'y a point de ... sourd que celui qui ne veut rien entendre. — 6. [*Petit*] Le chevreuil est ... que le cerf.

411. - Soulignez d'un trait les **superlatifs absolus** ; de deux traits les **superlatifs relatifs.**

a) 1. Quand on souffre d'un mal très grave, il est sage d'user d'un remède fort énergique. — 2. Les plus grands événements sont parfois produits par les causes les plus méprisables. — 3. C'est une joie bien douce que celle d'une grand-mère fêtée par ses petits-enfants. — 4. Les fautes les plus graves peuvent être pardonnées si l'on a un repentir très sincère. — 5. On trouve parfois dans les greniers des meubles archivieux. — 6. Ce philatéliste possède des timbres rarissimes: il en est extrêmement fier.

b) 1. Les plus désespérés sont les chants les plus beaux. (Musset.) — 2. Le style le moins noble a pourtant sa noblesse. (Boileau). — 3. La poudre est très bonne quand elle fait des couronnes comme celles-là. (Vigny.) — 4. Le moindre vent qui d'aventure Fait rider la face de l'eau Vous oblige à baisser la tête. (La Font.) — 5. Les vieillards, remplis de l'indignation la plus vive, s'en retournèrent. (Voltaire.) — 6. Et les plus tristes fronts, les plus souillés peut-être, Se dérident soudain à voir l'enfant paraître, Innocent et joyeux. (Hugo.) — 7. Le dîner et la soirée furent on ne peut plus pénibles. (R. Boylesve.)

412. - Donnez, pour chacun des adjectifs suivants : 1° le comparatif de supériorité ; 2° le superlatif absolu (avec **très**) et le superlatif relatif (avec **le plus**) :

1. Long. — 2. Agréable. — 3. Facile. — 4. Riche. — 5. Courageux. — 6. Rapide.

413. - Donnez, pour ceux des adjectifs en italique qui admettent les divers degrés : 1° le **comparatif** (d'égalité, de supériorité, d'infériorité) ; 2° le **superlatif** (absolu, relatif) :

> *Modèle:* L'homme pauvre; — aussi pauvre, plus pauvre, moins pauvre; — très pauvre, le plus pauvre, le moins pauvre.

a) 1. Un climat *froid*. — 2. Une somme *triple*. — 3. Un livre *intéressant*. — 4. Une *grosse* déception. — 5. Un bois *épais*. — 6. Le *dernier* jour. — 7. Une retraite *sûre*. — 8. Un *grand* cœur.

b) 1. Un *bon* auteur. — 2. Une tâche *pénible*. — 3. Un *noble* devoir. — 4. La *principale* obligation. — 5. Un *haut* édifice. — 6. Un champ *carré*. — 7. Le globe *terrestre*. — 8. De *mauvaises* jambes.

414. - Soulignez d'un trait les comparatifs et les superlatifs relatifs, — de deux traits le complément de chacun d'eux.

1. Louis est plus docile que son frère. — 2. Rien n'est plus beau qu'un sourire d'enfant. — 3. Ma tâche est moins pénible que la vôtre. — 4. Cette fleur est la plus belle de toutes. — 5. Je vous prête le plus intéressant de mes livres. — 6. Mon père est le meilleur des hommes. — 7. Flaubert est postérieur à Chateaubriand.

415. - Inventez trois phrases négatives contenant chacune un **comparatif d'égalité** (employez *si* ou *aussi*).

> *Modèle:* Pierre n'est pas *si courageux* (ou: *aussi courageux*) que son frère.

416. - Cherchez quatre adjectifs en *-issime* et faites entrer chacun d'eux dans une expression.

417. - Inventez, sur le ton du badinage, une courte lettre à un ami, dans laquelle vous emploierez des superlatifs en *-issime*, répondant aux adjectifs : *grand, savant, riche, profond,* etc.

418. - VOCABULAIRE : 1. Rangez dans l'ordre alphabétique : *Sabatier, Arnaud, Sablon, Breny, Toussaint, Tavernier, Herment, Charpentier, Champenois.*
2. Au moyen du préfixe *archi-,* formez les superlatifs absolus de : *vieux, sourd, menteur.*

419. - ORTHOGRAPHE : Notez dans le carnet d'orthographe : *sympathie, apprivoiser, girafe, philatéliste, cachottier.*

420. - LANGAGE : Ne dites pas : « Ces roses sont toutes *au plus belles* » ; — dites : « ... *plus belles l'une que l'autre* », « ... *plus belles les unes que les autres* ».
— Employez dans deux courtes phrases les constructions correctes.

421. - CONJUGAISON : Conjuguez au subjonctif présent passif : *conduire.*

422. - ANALYSE : Dans la phrase suivante, soulignez le groupe du sujet principal : *Le regret qu'ont les hommes du mauvais emploi du temps qu'ils ont déjà vécu ne les conduit pas toujours à faire de celui qui leur reste à vivre un meilleur usage.*

ACCORD DE L'ADJECTIF QUALIFICATIF

Les Bruits du village.

Bienfaisante absence de tapage, où peu à peu chaque bruit se remet en place avec sa sonorité *propre,* instrument faisant sa partie dans la *subtile* et presque *insensible* symphonie du *petit* univers *campagnard.* On croit entendre le silence, et c'est un chuintement dans l'oreille, comme si la chaleur grésillait, comme si la lune dans la nuit versait de *molles* et *bruissantes* avalanches de lumière.

Du plus loin du temps, j'écoute ces bruits *villageois* qui jamais n'ont cessé de me plaire et de m'émouvoir: le pas d'un cheval sur la route, le roulement d'un tombereau, la pluie d'averse sur les feuilles, ou dans la gouttière ce torrent; par *beau* temps le matin, la faux que le faucheur affûte ou le rasement du fer tranchant l'herbe, ou le râteau du jardinier dans les cailloux de la terrasse; l'aboi d'un chien, le cri d'un coq; la forge autrefois — car le maréchal-ferrant comme le bourrelier se fait *rare,* tout autant que le cavalier, martelant de son trot le sol *dur.*

Émile HENRIOT, *Rencontres en Ile-de-France.* (Hachette, éditeur).

423. - Analysez, dans le texte d'Émile Henriot, les adjectifs en italique, et observez bien comment chacun d'eux s'accorde.

424. - Justifiez l'accord des adjectifs en italique.

1. Défions-nous des *belles* paroles des gens qui se vantent d'être *vertueux.* — 2. Le génie est une *longue* patience. — 3. Ce chef a montré un courage et un zèle *exemplaires.* — 4. Évitez les paroles et les gestes *violents.* — 5. Le héron a les pieds et le cou très *longs.* — 6. Voici des personnages dont la taille et l'air *sinistre* inspirent la terreur. — 7. A ce spectacle, j'ai été pris d'une inquiétude et d'un émoi *profonds.* — 8. Mon oncle et ma tante sont *contents* de moi. — 9. Armez-vous d'un courage et d'une foi *nouvelle.* (Racine.)

425. - Accordez les adjectifs en italique.

a) 1. Suivez les [*bon*] conseils des personnes [*sage*]. — 2. Les [*petit*] ruisseaux font les [*grand*] rivières. — 3. Mes [*cher*] enfants, je vous sais [*droit*] et [*aimant*]. — 4. [*Innombrable*] sont ceux qui s'ignorent eux-mêmes. — 5. Un échec peut laisser [*intact*] notre force et notre talent. — 6. Nous trouvons [*beau*] la vie du docteur Schweitzer. — 7. Admirez la grâce et la blancheur [*neigeux*] du cygne. — 8. Bien [*mûr*], la poire et l'abricot sont [*délicieux*].

b) 1. Ta tombe et ton berceau sont [*couvert*] d'un nuage. (Lamartine.) — 2. C'est une chance d'avoir eu un père et une mère [*excellent*]. (É. Henriot.) — 3. Elle s'était levée avec une résolution et une énergie [*effrayant*]. (Maupassant.) — 4. Je priais la mer, je priais le vent d'être [*clément*] à mon espérance. (E.-M. de Vogüé.) — 5. Son cœur et son intelligence étaient [*prêt*] à recueillir le bon grain sans effort. (Fr. Jammes.) — 6. Le château de Murol est d'une étendue et d'une complication [*fantastique*]. (G. Sand.) — 7. Il tomba soudain dans un mutisme et une immobilité [*effrayant*]. (A. Maurois.) — 8. Ces laitières ont une aisance, une sûreté et un aplomb [*admirable*]. (Th. Gautier.)

426. - Faites l'accord des adjectifs entre crochets.

a) 1. Mon père et ma mère sont [*bon*]. — 2. Une rose et un œillet [*blanc*]. — 3. Le lièvre et la grenouille sont [*craintif*]. — 4. Une table et une armoire [*verni*]. — 5. Ce dessin et cette caricature sont [*amusant*]. — 6. Un roman et plusieurs nouvelles [*intéressant*]. — 7. Des chrysanthèmes et des héliotropes [*charmant*]. — 8. Des chemins et des autoroutes [*nouveau*].

b) 1. Des chansons et des effluves [*printanier*]. — 2. Des moustiquaires et des oriflammes [*neuf*]. — 3. L'enclume et le marteau [*pesant*]. — 4. Le froment et l'avoine bien [*mûr*]. — 5. L'atmosphère et la mer sont [*bleu*]. — 6. Ces arabesques et ces paraphes sont [*prétentieux*]. — 7. [*Content*] de leur journée, Pierre et sa sœur rentrent [*joyeux*] à la maison.

c) 1. Il était dans une colère, une fureur [*terrible*]. — 2. Il a montré une douceur, une bonté [*admirable*]. — 3. Il travaille avec une patience, un acharnement [*étonnant*]. — 4. Cet homme déploie un courage, une énergie peu [*commun*]. — 5· Il a pour sa mère une tendresse, une vénération [*émouvant*].

427. - VOCABULAIRE : 1. Cherchez dans le dictionnaire le sens de *hécatombe.* Employez ce nom dans une courte phrase.

2. Donnez 3 noms en *-sphère,* en mettant devant chacun d'eux l'article indéfini convenable.

428. - ORTHOGRAPHE : Notez dans le carnet d'orthographe : *le puits, le remous, le mets, le relais, le remords, le pouls.*

429. - LANGAGE : On peut dire : « *environ* ce temps » et « *aux environs de* Pâques ». — Employez ces deux tours chacun dans une courte phrase.

430. - ANALYSE : Dites quelle est la fonction des mots en italique : « *Il* est fréquent que l'opinion publique blâme *aujourd'hui* ceux *qu'*elle portait hier aux *nues.* »

---

431. - Accordez les adjectifs en italique.

Paysages dans le ciel.

Tous ceux dont l'âme et les yeux sont [*frais*] et [*naïf*] se plaisent à regarder la fuite tantôt [*lourd*], tantôt [*léger*] des nuages. Lorsque du haut d'une colline d'où la vue et le rêve peuvent s'étendre, [*large*] et [*profond*], on observe ces masses et ces entassements, on les voit accourir, d'abord [*confus*] et un peu [*indécis*], puis se séparer. Les nuages les plus [*léger*] flottent comme des écharpes et des voiles [*transparent*] de tulle [*noir*], puis se dispersent ; les plus lourds cheminent lentement et ressemblent à des tribus [*errant*].

Les nuages dominent parfois des paysages et des visions [*merveilleux*] : falaises et rochers [*noir*] surplombant une mer [*bleu*] ; tours et murs [*branlant*] de châteaux [*féodal*] ; montagnes et pics [*abrupt*] qu'égaient brusquement la lumière et le poudroiement [*doré*] du soleil.

432. - Faites l'accord des adjectifs entre crochets.

a) 1. Le héron a le cou ainsi que les pattes fort [*long*]. — 2. Il faut, pour vaincre certaines difficultés, une volonté, une opiniâtreté [*inébranlable*]. — 3. Certains peuples du nord de l'Asie se nourrissent de chair ou de poisson [*cru*]. — 4. L'autruche a la tête, ainsi que le cou, [*garni*] de duvet. — 5. Nous aimons à contempler la mer ou le ciel [*étoilé*]. — 6. Louis XIV a exercé sur son siècle une autorité, un empire [*extraordinaire*]. — 7. Les aviateurs Mermoz, Guillaumet, Nungesser, Saint-Exupéry ont déployé une valeur, une audace [*étonnant*].

b) 1. Une âme forte sait être [*maître*] du corps qu'elle anime. — 2. Les journées de mai ont une grâce, un charme vraiment [*prenant*]. — 3. M. Palissot est le tact et la délicatesse [*personnifié*]. (A. Billy.) — 4. Il y a, dans la culture comme dans l'éloquence [*anglais*], quelque chose de négligé dans la perfection qui m'enchante. (A. Maurois.) — 5. C'étaient trois femmes d'un esprit et d'une beauté [*exceptionnel*]. (Villiers de l'Isle-Adam.)

433. - Faites l'accord des adjectifs en italique.

1. Des feuilles de papier [*rectangulaire*]. — 2. Une corbeille de fruits [*mûr*]. — 3. Des livres d'images [*relié*]. — 4. Des bas de coton [*troué*]. — 5. Un mur de pierres très [*haut*]. — 6. Un verre d'eau [*gazeux*]. — 7. Des colonnes de marbre [*épars*]. — 8. Un vol d'oies [*sauvage*]. — 9. Un tas de feuilles [*mort*].

434. - Justifiez l'accord de l'adjectif en donnant, dans chaque cas, le sens de « avoir l'air ».

1. Ils m'avaient l'air terriblement *hardis*. (A. France.) — 2. Seule madame Hoc avait l'air *inquiète*. (M. Prévost.) — 3. Ses yeux n'avaient plus l'air *vivants*. (Hugo.) — 4. Quand elle revint dans le bureau, elle avait l'air *enchanté* et *dispos*. (H. Troyat.) — 5. A Paris les oranges ont l'air *triste* de fruits tombés. (A. Daudet.) — 6. L'église avait l'air *toute neuve*. (Fr. Jammes.) — 7. Elle avait l'air doucement *ébloui* des convalescents. (G. Duhamel.) — 8. Tous ces pauvres livres, qui croulaient par piles, avaient l'air *prêts* à partir. (A. Daudet.)

435. - Justifiez l'accord des adjectifs en italique.

1. Leur tâche est des plus *délicates*. (G. Duhamel.) — 2. La demande était d'ailleurs des plus *simples*. (E. Jaloux.) — 3. Un rat plein d'embonpoint, gras et des mieux *nourris*, Et qui ne connaissait l'avent ni le carême, Sur le bord d'un marais égayait ses esprits. (La Font.) — 4. La cour a gardé un caractère oriental des plus *purs*. (P. Arène.) — 5. La nuit est des plus *obscures*. (A. Gide.) — 6. N'est-ce pas que cet homme est des moins *ordinaires?* (E. Rostand.)

---

436. - VOCABULAIRE : 1. Le grec *anthrôpos* signifie « homme ». Donnez 5 mots français où se retrouve cette racine grecque.

2. Que signifie la locution *c'est la mer à boire ?*

3. Rangez dans l'ordre alphabétique les noms de famille des élèves de votre classe.

437. - ORTHOGRAPHE : Notez dans le carnet d'orthographe : la *gaze* (étoffe), *convalescent, dessiner, rasséréner* (lat. *serenus,* serein), *hémorragie*.

438. - PRONONCIATION : Prononcez bien : *dégingandé* [dé-jin ..., et non : déghin ...], *arguer* [ar-gu-é], *aiguillon* [è-gwi-yon], *jaguar* [ja-gwâr], *aiguiser* [é-ghi-zé].

439. - LANGAGE : Ne dites pas : « Je n'*en* peux rien » ; — dites : « Je n'*y* peux (ou *puis*) rien » ou : « Ce n'est pas ma faute » (ou : « de ma faute »). — Inventez deux phrases où vous emploierez les expressions correctes.

440. - PHRASÉOLOGIE : Inondation : « Les eaux, d'heure en heure, montèrent sournoisement et se ménagèrent leur place dans l'énorme débordement. » — Dans cette phrase, mettez le complément *leur place* à l'endroit où il marquera, de façon expressive, l'état final de la montée des eaux.

441. - ANALYSE : Analysez les mots en italique : « *Qui* te rend si *hardi* de troubler mon breuvage ? Dit cet *animal* plein de *rage*. »

MOTS DÉSIGNANT UNE COULEUR

Les Nuages sous les Tropiques.

Les nuages amoncellent leurs masses blanchâtres, où une multitude de vallons incarnats ou roses s'étendent à l'infini. Les divers contours de ces vallons célestes présentent des teintes blondes, vieil ivoire, ventre de biche, mastic, beiges, qui fuient à perte de vue dans le blanc ou des ombres marron, feuille-morte, brique, qui se prolongent sur d'autres ombres. On voit çà et là sortir du flanc caverneux de ces montagnes des fleuves d'une lumière argentée qui se précipitent en coulées gris jaunâtre sur des récifs orange.

Ici ce sont de noirs rochers qui se dressent sur l'étendue bleu sombre du firmament; là ce sont de longues grèves or et cuivre, qui s'étendent sur des fonds de ciel bleus, ponceau, écarlates et vert émeraude. La réverbération de ces couleurs se répand sur la mer dont elle glace les flots azurés de reflets safran et pourpres.

D'après BERNARDIN DE SAINT-PIERRE.

442. - Dans le texte de Bernardin de Saint-Pierre, relevez les mots désignant une couleur. Rangez-les en trois catégories : 1° adjectifs simples ; 2° adjectifs composés ; 3° noms.

443. - Justifiez l'accord des mots en italique.

1. Entre les nuages *noirs*, le soleil glisse ses rayons *jaune clair*. — 2. Les meubles dorment sous leurs housses de percale *blanche*, striées de raies *rouge vif*. — 3. Oh! les beaux chrysanthèmes *jaune foncé!* — 4. Après la partie de ski, nous rentrons, les joues *pourpres*. — 5. La mer étale sa nappe *vert émeraude*. — 6. Son œil avait des reflets *lie de vin*. — 7. Que d'uniformes *gros bleu!*

444. - Mettez à la forme convenable les mots en italique.

a) 1. Des cheveux [*châtain*]. — 2. Des rubans [*brun foncé*]. — 3. Des bannières [*rouge vif*]. — 4. Des étoffes [*mauve*]. — 5. Des corolles [*bleu de ciel*]. — 6. Des tulipes [*vieil or*]. — 7. Des salons [*blanc et or*]. — 8. Des foulards [*crème*].

b) 1. Des sourcils [*châtain clair*]. — 2. Des toilettes [*pervenche*]. — 3. Des broderies [*gris perle*]. — 4. Une vareuse [*kaki*]. — 5. Des rubans [*vert pomme*]. — 6. Des étoffes [*tête de nègre*]. — 7. Des cravates [*café au lait*]. — 8. Des blouses [*bleu marine*].

445. - Complétez de trois manières différentes les expressions suivantes, en notant chaque fois une couleur (1° adjectif simple ; 2° adjectif composé ; 3° nom) :

1. Des feuilles. — 2. Des chrysanthèmes. — 3. Des reflets. — 4. Des lueurs. — 5. Des pétales. — 6. Des rideaux. — 7. Des yeux. — 8. Des tulipes.

446. - Faites, quand il y a lieu, l'accord des mots en italique.

a) 1. Une grande profondeur semble se creuser [*vert d'émeraude*]. (Cl. Farrère.) — 2. Sa figure était [*coquelicot*]. (R. Boylesve.) — 3. Une demi-teinte [*violet clair*] enveloppe toute chose. (E. Psichari.) — 4. Il est vrai que ce chien avait de beaux yeux, des prunelles [*marron*] avec des lueurs [*doré*]. (A. France.) — 5. Il avait une figure un peu longue, une moustache [*châtain clair*]. (Tr. Bernard.) — 6. Ses yeux étaient [*bleu*]; ses lèvres [*rose lilas*]. (P. Benoit.) — 7. Nous admirions quel air délicieusement étrange et chimériquement joyeux prenaient sur le tapis ces maisons [*vert pomme*], [*rose*], [*lilas*], [*ventre de biche*]. (Th. Gautier.)

b) 1. Il avait les joues [*pourpre*]. (Stendhal.) — 2. C'est toujours l'assemblage des marguerites [*jaune pâle*] et des lins [*rose*]. (P. Loti.) — 3. Elle était vêtue d'une robe [*lilas*]. (J. Green.) — 4. Les dernières vagues atlantiques se jettent sur une pointe de rochers [*brun pourpre*]. (P. Morand.) — 5. Au sommet d'une des plus lointaines montagnes [*gris perle*] s'esquisse une petite ville [*gris rose*]. (P. Loti.) — 6. Elle avait en fait ces yeux [*bleu norvège*], ces joues [*rose saxe*], ces cheveux [*blond vénitien*], tout cet ensemble, en un mot, que l'on nomme chez les femmes l'air anglais. (J. Giraudoux.) — 7. Les colibris ne gazouillent plus. Leurs petites ailes [*bleu, rose, rubis, vert de mer*] restent immobiles. (A. Daudet.) — 8. La voiture de Corinne était toute petite, d'un blanc de lait, avec des garnitures [*sang de bœuf*]. (H. Troyat.) — 9. Les rues se sont égayées de quelques spahis en promenade, ceinturés de flanelle [*garance*] ou coiffés de calots [*vermillon*]. (É. Henriot.)

___

447. - VOCABULAIRE : 1. Le latin *somnus* signifie « sommeil ». Donnez 4 mots français où se retrouve cette racine latine.

2. Donnez 6 mots français terminés par le suffixe *-itude*.

448. - ORTHOGRAPHE : Notez dans le carnet d'orthographe : *carrousel, carrosse, barrique, parricide, marraine.*

449. - LANGAGE : On peut dire : « J'ai fait cela *dans le but* de vous plaire. » — Inventez une phrase où vous emploierez *dans le but de.*

450. - CONJUGAISON : Conjuguez au présent du subjonctif : *aller.*

451. - PONCTUATION : Mettez la ponctuation : *Son premier soin le matin quand il est levé est de savoir où il dînera après dîner il pense où il ira souper*

ADJECTIFS COMPOSÉS

452. - Orthographiez correctement les adjectifs composés en italique.

a) 1. Des réflexions [*aigre-doux*]. — 2. Des personnes [*sourd-muet*]. — 3. Des monuments [*gréco-romain*]. — 4. Des comédies [*héroï-comique*]. — 5. Les [*avant-dernier*] pages. — 6. Une brebis [*mort-né*]. — 7. Les populations [*anglo-saxon*]. — 8. La guerre [*russo-japonais*]. — 9. La période [*gallo-romain*]. — 10. Les brumes [*avant-courrier*] de l'automne.

b) 1. Une fillette [*nouveau-né*]. — 2. Les signes [*avant-coureur*] d'une catastrophe. — 3. Des personnages [*tout-puissant*]. — 4. Une maison [*frais bâti*]. — 5. Des portes [*large ouvert*]. — 6. Des adolescents [*frais émoulu*] du collège. — 7. Des personnes [*nouveau venu*]. — 8. Des chatons [*nouveau-né*]. — 9. Les gens les plus [*haut placé*].

453. - Donnez aux adjectifs composés la forme convenable.

a) 1. L'abbé de l'Épée recueillit deux fillettes [*sourd-muet*]. — 2. Si vous avez des reproches à faire, faites-les sans paroles [*aigre-doux*] ni blâmes [*sous-entendu*]. — 3. La fenêtre était [*grand ouvert*] derrière son contrevent rabattu. (M. Genevoix.) — 4. Au diable chefs-d'œuvre [*mort-né*]! (Th. Gautier.) — 5. L'opinion des pays [*anglo-saxon*] vous est redevenue favorable. (J. et J. Tharaud.) — 6. Les [*nouveau venu*] avaient le bras droit découvert. (C. Jullian.) — 7. Les yeux [*large ouvert*] et aveugles, elle contemplait quelque chose d'invisible. (Colette.)

b) 1. Un frisson recommence au loin, semblable à la rumeur [*avant-courrier*] de la marée montante. (A. Theuriet.) — 2. Ces élèves sont arrivés [*bon premier*]. — 3. Admirez ce parterre de roses [*frais éclos*]. — 4. Les philatélistes considèrent leurs collections comme [*sacro-saint*]. — 5. Les abeilles [*nouveau-né*] sont semblables aux abeilles de toujours. (G. Duhamel.) — 6. Légère et [*court-vêtu*], elle allait à grands pas. (La Font.) — 7. Il menait avec lui les généraux [*premier-né*] de sa gloire. (Chateaubriand.) — 8. Je m'en vais voir si ces mains [*tout-puissant*] me seront favorables ou rigoureuses. (Bossuet.) — 9. Il y avait partout des insectes [*nouveau-né*]. (E. Fromentin.)

ADJECTIFS PRIS ADVERBIALEMENT

454. - Faites entrer dans de petites phrases, en les rapportant à un nom pluriel, les expressions suivantes :

1. Sentir bon. — 2. Parler haut. — 3. Marcher droit. — 4. Parler franc. — 5. Penser juste. — 6. Voler bas.

455. - Justifiez l'accord ou le non-accord des mots en italique.

Modèles: a) Ces paroles me vont *droit* au cœur; — *droit:* adjectif pris adverbialement, complém. de *vont*.

b) La fusée monte, *droite,* vers le ciel; — *droite:* épithète détachée de *fusée.*

1. Des fumées montaient *droites* dans le ciel. — 2. Les arbres jaillissaient *droit* vers le ciel. — 3. Si vous ne dites que ce pré appartient au marquis de Carabas, vous serez tous hachés *menu* comme chair à pâté. — 4. Cette grêle d'insectes tomba *drue* et *bruyante.* (A. Daudet.) — 5. A l'entrée du four étaient allumées des bûchettes de bouleau, qui brûlaient *clair.* (A. Theuriet.) — 6. La gaieté de ces gens sonne, *franche* et *claire,* dans la conversation. — 7. Une rivière coulait dans un lit aux bords tranchés *vif.* (M. Genevoix.) — 8. Alors, les sources chantent bien plus *clair.* (A. Daudet.)

456. - Distinguez, en vue de l'accord, si les mots en italique gardent leur valeur adjective ou s'ils sont pris adverbialement.

1. Comment un homme qui a trahi la foi jurée marcherait-il la tête [*haut*]? — 2. Ceux qui portent [*haut*] la tête risquent d'être abaissés. — 3. Que de gens ne voient pas [*clair*] en eux-mêmes! — 4. Les futurs orateurs doivent apprendre à raisonner [*juste*]. — 5. Une petite pluie tombait, [*doux*] et [*bienfaisant*], sur la campagne. — 6. La fortune nous fait parfois payer [*cher*] les avantages qu'elle nous accorde. — 7. Cette étoffe est [*cher*]; vous la vendez bien [*cher*].

---

457. - VOCABULAIRE : 1. Cherchez dans le dictionnaire le sens de *controuver.* Employez ce verbe dans une courte phrase.

2. Quels sont les noms exprimant : l'action de *corrompre ?* — de *pendre ?* — de *découvrir ?* — d'*inventer ?* — d'*ouvrir ?*

458. - ORTHOGRAPHE : Notez dans le carnet d'orthographe : *à cor* et *à cri, recueillir, orgueilleux, phtisie, fraîche, corolle, coteau, coreligionnaire.*

459. - LANGAGE : « Dringuelle » est un germanisme (*drinkgeld* = argent pour boire). Dites : « un pourboire », « une gratification ». Employez ces derniers mots dans deux courtes phrases.

460. - PHRASÉOLOGIE : « Je laisse à penser la vie Que firent ces deux amis. » (La Font.) — Inventez une phrase où vous emploierez le tour « laisser à penser ... ».

461. - ANALYSE : Discernez les différentes propositions ; dites quelle est la nature de chacune d'elles :

> *Il est amer et doux pendant les nuits d'hiver*
> *D'écouter près du feu qui palpite et qui fume*
> *Les souvenirs lointains lentement s'élever*
> *Au bruit des carillons qui chantent dans la brume.* (Baudelaire.)

ACCORD DE CERTAINS ADJECTIFS

462. - Accordez, s'il y a lieu, les adjectifs en italique (attention ! mettez bien, quand il le faut, le trait d'union !)

a) 1. Deux [*demi*] douzaines. — 2. Une pomme et [*demi*]. — 3. Une biche [*demi*] morte. — 4. La [*mi*] carême. — 5. Trois heures et [*demi*]. — 6. La [*mi*] temps. — 7. A [*mi*] hauteur. — 8. Les [*semi*] voyelles. — 9. Une besogne [*à demi*] faite. — 10. Toutes les [*demi*] heures. — 11. Parler à [*demi*] mot. — 12. Deux journées et [*demi*].

b) 1. Depuis deux heures et [*demi*] on était à table. (Flaubert.) — 2. Les [*demi*] savants sont souvent prétentieux. — 3. La gloire de ce musée est une abondante collection de panneaux peints, [*mi*] gothiques, [*mi*] flamands. (M. Barrès.) — 4. Les [*demi*] heures s'en vont l'une après l'autre, tranquilles. (P. Loti.) — 5. Certaines horloges sonnent les heures, les [*demi*] et les quarts. — 6. Ah! je suis [*demi*] morte! (E. Rostand.) — 7. Il y a des trains [*semi*] directs. — 8. Ces avis sont [*semi*] officiels. — 9. Quatre [*demi*] valent deux unités. — 10. Trois oranges pour nous deux: cela fait pour chacun une orange et [*demi*]! — 11. Je rêvais, les paupières [*mi*] closes. — 12. Des [*demi*] efforts ne produiront que des [*demi*] succès.

463. - Inventez deux courtes phrases où **demi** sera employé devant un nom féminin ;
— et deux phrases où il sera employé après un nom féminin.

464. - Accordez, quand il y a lieu, les adjectifs en italique.

1. Ma [*feu*] mère se plaisait à secourir les malheureux. — 2. Je me rappelle avec émotion mes [*feu*] tantes, si indulgentes. — 3. Mes [*feu*] oncles étaient des gens d'honneur. — 4. On ne dit plus aujourd'hui: la [*feu*] reine; on dit: la reine défunte. — 5. Une lettre doit être expédiée [*franc de port*]. — 6. Renvoyez ces paquets [*franc de port*]. — 7. Elles se font [*fort*] de renverser tous les obstacles. — 8. Les avocats qui plaident coupable reconnaissent la culpabilité de l'accusé en se faisant [*fort*] de l'excuser ou de l'atténuer.

465. - Accordez, quand il y a lieu, les mots en italique.

a) 1. Les [*grand*]-mamans ont des trésors d'indulgence. — 2. Si nous laissons le mal s'invétérer, nous ne l'extirperons qu'à [*grand*]-peine. — 3. La difficulté est grande, mais vous ferez tous les efforts [*possible*]; [*haut*] les cœurs! — 4. Les villes et les campagnes ravagées par la guerre font [*grand*]-pitié. — 5. Est-il bon que les jeunes gens aient de l'argent [*plein*] les poches? — 6. J'aime à me promener dans la forêt, le matin, [*nu*]-tête. — 7. Quand nous félicitons quelqu'un, adressons-lui les compliments les plus justes [*possible*].

b) 1. Tous étaient pieds [*nu*]. (Hugo.) — 2. Elle s'était levée [*nu*]-jambes, [*nu*]-pieds. (Maupassant.) — 3. Nous vaincrons la difficulté [*haut*] la main. — 4. Nous avons ouvert tous les tiroirs [*possible*]. (Baudelaire.) — 5. Les instructions de M. Aldo étaient formelles: n'emporter que le moins de bagages [*possible*]. (P. Benoit.) — 6. Vivent les scouts, ces vaillants, qui vont [*nu*]-jambes!

— 7. On croit avoir reçu tous les coups [*possible*]. (Fr. Mauriac.) — 8. Angelo ne pensait à rien d'autre qu'à faire le plus de mouvements [*possible*]. (J. Giono.)

---

466. - VOCABULAIRE : 1. Cherchez dans le dictionnaire le sens de *écot*. Inventez une courte phrase où vous emploierez ce nom, et une autre où vous emploierez l'homonyme *écho*.
2. Donnez 8 verbes composés de *tenir*.

467. - ORTHOGRAPHE : Notez dans le carnet d'orthographe en mettant en rouge le trait d'union : *par-ci, par-là, cet homme-là, demi-mesure, ultra-violet, non-intervention, faux-monnayeur.*

468. - LANGAGE : *Fortuné* peut signifier : 1° qui est au comble du bonheur ; 2° pourvu de grandes richesses. — Employez cet adjectif dans deux phrases où l'on verra apparaître les deux sens.

469. - CONJUGAISON : Conjuguez au passé simple passif : *reconnaître.*

470. - ANALYSE : Dites quelle est la fonction des mots en italique : « La cigale, ayant chanté tout l'*été,* n'avait rien amassé ; l'*hiver* venu, elle souffrit cruellement de la *faim.* »

ACCORD DE L'ADJECTIF : RÉCAPITULATION

471. - Donnez aux mots en italique la forme convenable.

Les Hirondelles.

Peut-être que l'un de vous, ce soir, dans la [*demi*]-obscurité du crépuscule, est occupé comme moi à regarder les hirondelles. Elles se ressemblent : les miennes ont bien l'air [*pareil*] à celles de chez vous. Elles volent [*haut*] dans le ciel limpide de la fin d'été et qui se colore, à l'horizon là-bas, de [*demi*]-teintes et de reflets [*rose*] ou [*pourpre*]. Les zigzags et les courbes toujours [*changeant*] de la gent [*volant*] sont des plus [*capricieux*], leur variété est des plus [*grand*].

Quelles bâfrées de moucherons dans ces tours et ces glissades constamment [*renouvelé*], lorsque les becs sont [*large*] ouverts et les coups d'ailes le plus justes [*possible*] ! Un détail vient tourmenter ma contemplation : par instants je vois l'une ou l'autre des hirondelles retomber et pénétrer sous le porche de la ferme : là, dans cent nids de terre [*sec*], [*entremêlé*] de brins de paille, jacassent des becs [*jaune clair*], [*grand*] ouverts, avides d'une pâtée constamment attendue.

D'après Émile HENRIOT, *Rencontres en Ile-de-France.* (Hachette, éditeur).

472. - Mettez à la forme convenable les mots en italique.

a) 1. Rien ne rend les hommes si [*grand*], dit le poète, qu'une grande douleur. — 2. L'expérience tient une école où les leçons coûtent [*cher*]. — 3. C'est par tous les moyens [*possible*] que nous devons nous efforcer de nous instruire. — 4. Le soleil se lève: des [*demi*]-clartés hasardent à l'horizon leurs teintes [*rose pâle*]. — 5. Les boiseries [*acajou*] ressortent bien sur des tentures [*jaune clair*]. — 6. Quand on est adolescent, on se met volontiers des projets [*plein*] la tête.

b) 1. Il contemplait avec émotion une statue [*haut*] perchée. (R. Bazin.) — 2. Le torrent des images se glisse sous mes yeux à [*demi*] fermés. (E. Jaloux.) — 3. Au reste, à quoi [*bon*] ces petits moyens? (J. Lemaitre.) — 4. Les papillons [*nouveau*]-nés dérivent au fil du vent. (G. Duhamel.) — 5. Vous n'avez jamais vu une colère, un désespoir [*pareil*] au mien. (A. Daudet.) — 6. Je marchais en soulevant du bout du pied le plus de cailloux [*possible*]. (R. Boylesve.) — 7. Ils avisèrent sur le port un restaurant des plus [*médiocre*]. (Flaubert.) — 8. Il tenait à la main une feuille de papier [*frais*] écrite. (Id.)

PLACE DE L'ADJECTIF ÉPITHÈTE

473. - Mettez à la place convenable (avant ou après le nom) les adjectifs en italique.

a) 1. [*Rapide*] Un fleuve. — 2. [*Perpendiculaire*] Une droite. — 3. [*Harmonieux*] Un mot. — 4. [*Long*] Un compliment. — 5. [*Rouge*] Une tuile. — 6. [*Tortueuse*] Une route. — 7. [*Gothique*] L'architecture. — 8. [*Suisse*] Un village. — 9. [*Canadien*] Le blé.

b) 1. [*Vieille*] Une chaumière. — 2. [*Dormantes*] Des eaux. — 3. [*Étoilé*] Le ciel. — 4. [*Premiers*] Les hommes. — 5. [*Artificiel*] Un satellite. — 6. [*Olympiques*] Les jeux. — 7. [*Troisième*] Le rang. — 8. [*Ovale*] Un visage. — 9. [*Petites*] Les fleurs des champs.

474. - Donnez aux adjectifs entre crochets la place convenable (avant ou après le nom).

a) 1. [*Honnête*] Un ... commerçant ... ne prend pas un bénéfice exorbitant. — 2. [*Triste*] Fi! monsieur, vous jouez là un ... personnage ...! — 3. [*Pauvre*] Un ... homme ... est celui qui n'a pas le nécessaire; un ... homme ..., celui qui est dans un état pitoyable ou qui manque d'adresse, d'énergie. — 4. [*Brave*] Un ... homme ... a beaucoup de courage, de vaillance; un ... homme ... est bon et obligeant. — 5. [*Bon*] Un ... élève ... étudie non pour l'école, mais pour la vie.

b) 1. [*Ancien*] Un ... ami ... est un homme qui n'est plus ami; un ... ami ... est un homme avec qui on est ami depuis longtemps. — 2. [*Bon*] Un ... chef ... réunit toutes les qualités requises pour bien commander; un ... chef ... a de la bonté. — 3. [*Plaisant*] Un ... homme ... est un homme impertinent, ridicule; un ... homme ... est un homme qui divertit. — 4. [*Simple*] Une ... observation ... suffit pour ramener dans le devoir un élève docile. — 5. [*Commune*] Les auditeurs ont proclamé d'une ... voix ... que ce chanteur n'avait qu'une ... voix ...

475. - Expliquez le sens de l'adjectif dans chacune des expressions suivantes :

1. Un homme seul; un seul homme. — 2. De l'eau pure; une pure calomnie. — 3. Un écrivain méchant; un méchant écrivain. — 4. Une nouvelle vraie; du vrai marbre. — 5. Un repas maigre; un maigre repas. — 6. Un enfant propre; son propre enfant. — 7. Un visage triste; un triste personnage. — 8. Une pomme verte; une verte vieillesse.

---

476. - VOCABULAIRE : 1. Cherchez dans le dictionnaire (au mot *vent*) le sens de la locution *avoir vent de quelque chose*. Employez-la dans une courte phrase.

2. Donnez 8 verbes composés de -*duire* (lat. *ducĕre,* conduire) ; joignez à chacun d'eux un complément d'objet direct.

477. - ORTHOGRAPHE : Notez dans le carnet d'orthographe : *exorbitant, exalter, exécrer, exonérer ;* — avec **h** : *exhaler, exhumer, exhausser, exhiber, exhorter.*

478. - LANGAGE : Ne dites pas : « Cet enfant est *amitieux* » (wallonisme) ; dites : « ... *affectueux* ». — Employez ce dernier adjectif dans une courte phrase.

479. - PONCTUATION : Mettez la ponctuation : *Ma mère me tenait à plein bras et disait l'air éperdu Je t'achèterai le poisson rouge mon chéri Les oreilles c'est si douloureux*

480. - ANALYSE : Analysez les mots en italique : « L'hirondelle quitte *nos* régions *dès que* s'annoncent les *brouillards de* l'automne. »

ADJECTIFS NUMÉRAUX

Une Épitaphe.

C'est ici que repose celui qui ne s'est jamais reposé. Il s'est promené à cinq cent trente enterrements. Il s'est réjoui de la naissance de deux mille six cent quatre-vingts enfants. Les pensions dont il a félicité ses amis, toujours en des termes différents, montent à deux millions six cent mille livres; le chemin qu'il a fait sur le pavé à neuf mille six cents stades; celui qu'il a fait dans la campagne, à trente-six. Sa conversation était amusante: il avait un fonds tout fait de trois cent soixante-cinq contes; il possédait, d'ailleurs, depuis son jeune âge, cent dix-huit apophtegmes tirés des Anciens, qu'il employait dans les occasions brillantes.

MONTESQUIEU, *Lettres persanes.*

481. - Relevez, dans le texte de Montesquieu, les adjectifs **numéraux cardinaux**, et analysez chacun d'eux.

> *Modèle:* L'année a *quatre* saisons; — *quatre:* adj. numéral cardinal, détermine *saisons.*

482. - Écrivez les nombres en toutes lettres (mettez bien, là où il les faut : le trait d'union, — la conjonction *et*).

a)

80 ans	530 hommes	785 kilomètres	41 ares
32 hectolitres	480 mètres	401 volumes	70 kilos
66 dollars	101 litres	64 ans	131 pages

b)

8 200 tuiles	1 805 hectares	526 mètres	2 321 641 francs
202 moutons	561 204 habitants	7 801 hectares	21 000 000 de francs
91 vaches	86 384 680 francs	240 degrés	3 121 406 habitants

483. - Mettez, quand il le faut, l's du pluriel à *vingt* et à *cent* (mettez bien aussi le trait d'union là où il est nécessaire).

1. Trois [*cent*] francs. — 2. Quatre [*vingt*] mètres. — 3. Cinq [*cent*] [*vingt*] kilos. — 4. Quatre [*vingt*] [*deux*] ans. — 5. Huit [*cent*] trente hommes. — 6. Sept [*cent*] cartouches. — 7. Trois [*cent*] quatre [*vingt*] cinq grammes. — 8. Neuf [*cent*] quatre [*vingt*] dix dollars. — 9. Reçu la somme de huit [*cent*] quatre [*vingt*] francs.

484. - Même exercice.

1. Plus de trois [*cent*] chevaliers étaient réunis autour du roi. (Michelet.) — 2. De nombreux villages sont tombés de six [*cent*] habitants à trois [*cent*]. (M. Barrès.) — 3. Ma carrière est de quatre [*vingt*] ans tout au plus. (Bossuet.) — 4. Elle avait une rente de trois [*cent*] quatre [*vingt*] francs, léguée par sa maîtresse. (Flaubert.) — 5. On mesura [*vingt*] cinq verges carrées de terre. (Michelet.) — 6. On se fusillait à quatre [*vingt*] mètres. (Hugo.) — 7. Les deux corps de la grande armée romaine étaient séparés par quatre [*cent*] kilomètres de route. (C. Jullian.)

485. - Remplacez les trois points par *mille* ou par *mil* et mettez, quand il y a lieu, l's du pluriel.

1. Vingt-trois ... francs. — 2. Six ... hommes. — 3. Trente ... habitants. — 4. En ... neuf cent quarante. — 5. Quatre ... huit cents mètres. — 6. Les terreurs de l'an ... — 7. Deux cent ... francs. — 8. L'an deux ... — 9. En ... huit cent quinze. — 10. Une distance de six ... marins. — 11. Un trajet de vingt ... anglais.

486. - Écrivez les nombres en toutes lettres (attention : *mille*).

Un Beau Parti.

C'est une fille accoutumée à vivre de salade, de lait, de fromage et de pommes, et à laquelle par conséquent il ne faudra ni table bien servie, ni consommés exquis, ni orges mondés perpétuels, ni les autres délicatesses qu'il faudrait pour une autre femme; et cela ne va pas à si peu de chose qu'il ne monte bien, tous les ans, à 3 000 francs pour le moins. Outre cela, elle n'est curieuse que d'une propreté fort simple, et n'aime point les superbes habits, ni les riches bijoux, ni les meubles somptueux, où donnent ses pareilles avec tant de chaleur; et cet article-là vaut plus de 4 000 livres par an. De plus, elle a une aversion horrible pour le jeu, ce qui n'est pas commun aux femmes d'aujourd'hui; et j'en sais une de nos quartiers qui a perdu à trente-et-quarante 20 000 francs cette année. Mais n'en prenons rien que le quart. 5 000 francs au jeu par an, et 4 000 francs en habits et bijoux, cela fait 9 000 livres; et 1 000 écus que nous mettons pour la nourriture, ne voilà-t-il pas par année vos 12 000 francs bien comptés?

MOLIÈRE, *L'Avare*.

487. - Écrivez les nombres en toutes lettres.

a) 1. L'homme a 32 dents. — 2. L'air contient 21 parties d'oxygène pour 79 parties d'azote. — 2. Le plomb fond à 355 degrés; l'étain, à 230 degrés. — 4. La lumière parcourt 300 000 kilomètres par seconde. — 5. La Lune est à environ 384 000 kilomètres de la Terre. — 6. La bombe atomique lancée sur Hiroshima, le 6 août 1945, a tué plus de 80 000 personnes.

b) 1. Les anciennes diligences pesaient jusqu'à 4 000 kilogrammes. — 2. Dans l'air, la vitesse du son est d'environ 340 mètres par seconde; dans l'eau, elle est d'environ 1 435 mètres par seconde; dans les solides, elle est de plus de 3 000 mètres par seconde. — 3. La plus grande des pyramides d'Égypte a une hauteur de 138 mètres. — 4. La tour Eiffel a été édifiée en 1889, à Paris; elle a 300 mètres de hauteur et pèse plus de 9 000 000 de kilos. — 5. Le tunnel creusé sous le mont Blanc entre la France et l'Italie a une longueur de 11 600 mètres.

c) 1. Le tunnel du Simplon, le plus long du monde, comprend deux galeries: l'une est longue de 19 801 mètres, l'autre de 19 821 mètres. — 2. Luna-10, le premier satellite artificiel de la Lune, lancé par les savants soviétiques en avril 1966, pesait 245 kilos. — 3. La Chine a une population de plus de 720 000 000 d'habitants. — 4. Aux approches de l'an 1000, on crut, dit-on, à la fin du monde. — 5. Il serait intéressant d'avoir des détails sur la vie des populations qui habitaient nos régions vers l'an 1500 ou vers l'an 2000 avant Jésus-Christ. — 6. Les baleines peuvent atteindre une longueur de 25 mètres et peser jusqu'à 150 000 kilos.

488. - Écrivez les nombres en toutes lettres.

1. Notre mémoire, qui est aujourd'hui de 37 000 francs, s'élevait au double. (H. Becque.) — 2. Bâtie pour contenir 175 000 spectateurs, l'enceinte regorgeait. Ses tribunes entouraient une arène de 600 mètres. (H. Béraud.) — 3. Et le lugubre roi sourit de voir groupées Sur 400 vaisseaux 80 000 épées. (Hugo.) — 4. Il habitait à 200 mètres du bourg une cabane de planches pourries. (O. Mirbeau.) — 5. Les 25 000 francs que j'avais confiés à Fauconnier valurent un jour 500 000 francs. (J. Chardonne.) — 6. Il se donna ensuite le plaisir d'ouvrir les 80 volumes. (Stendhal.) — 7. Il était né en 1809, en face des bleus coteaux des blanches Pyrénées. (Fr. Jammes.)

489. - Dans les phrases suivantes, relevez les adjectifs numéraux **ordinaux** et analysez-les.

1. Nous vivons au vingtième siècle. — 2. Louis IX entreprit la septième et la huitième croisade. — 3. Dans le calendrier républicain, le dixième jour de la décade s'appelait décadi. — 4. La Fontaine a vécu au dix-septième siècle. — 5. Le mètre est la dix-millionième partie du quart du méridien terrestre.

490. - Écrivez en toutes lettres les adjectifs numéraux **ordinaux** correspondant aux nombres suivants :

1	4	6	10	20	100	583	1 001
2	5	9	13	30	101	679	2 289

491. - Relevez les adjectifs **numéraux** (cardinaux et ordinaux) et analysez-les.

Une Légende arabe.

Une légende arabe rapporte que le brahmane qui avait imaginé le jeu des échecs ne demanda à son prince pour récompense rien d'autre que des grains de blé: un grain sur la première case, deux sur la deuxième, quatre sur la troisième, huit sur la quatrième, et ainsi de suite, toujours en doublant, jusqu'à la soixante-quatrième case. La demande parut modeste et le prince y acquiesça volontiers.

Mais le calcul fait, on s'aperçut avec horreur que toutes les réserves de l'Inde, et même la production de la terre entière, seraient de loin insuffisantes pour constituer la quantité de blé demandée. Le nombre de grains correspondant à l'ensemble des soixante-quatre cases de l'échiquier s'élevait, en effet, à plus de dix-huit milliards de milliards [18 suivi de 18 zéros]! Pour produire cette étonnante quantité de blé, il eût fallu ensemencer soixante-seize fois les continents du monde entier.

492. - VOCABULAIRE : 1. Cherchez dans le dictionnaire le sens de *épitaphe,* — de *apophtegme,* — de *brahmane,* — de *acquiescer.*

2. Le grec *algos* signifie « douleur ». Quels sont les mots français en *-algie* où l'on trouve en composition les racines grecques : *neuron* = nerf ; *gastêr, gastros* = ventre, estomac ; *kephalê* = tête ; — ou la racine latine *coxa* = hanche.

493. - ORTHOGRAPHE : 1. Chiffres romains (en majuscules) : I = 1 ; — IV = 4 ; — V = 5 ; — VI = 6 ; — IX = 9 ; — X = 10 ; — XI = 11 ; — XIX = 19 ; — XL = 40 ; — LXXII = 72 ; — XC = 90 ; — C = 100 ; — D = 500 ; — DC = 600 ; — M = 1 000 ; — MM = 2 000.

2. Écrivez en chiffres romains : 32 ; 65 ; 91 ; 524 ; 709 ; 1673 ; 1968.

3. Un *chronogramme* (gr. *khronos,* temps ; *gramma,* lettre) est une phrase (souvent latine) dont les lettres numérales, par addition de leurs valeurs, indiquent une date. Un chronogramme, gravé sur le linteau de la porte d'un vieux presbytère, dit : **eCCe DoMVs pastorIs ; possVnt Intrare VoLentes** (= Voici la maison du pasteur ; peuvent entrer ceux qui le veulent). En quelle année, marquée par ce chronogramme, ce presbytère a-t-il été construit ?

494. - LANGAGE : Ne dites pas : « coller une affiche avec de la *pape* » (flandricisme) ; — dites : « ... avec de la *colle de pâte* » ou : « ... avec de la *colle de farine* ». — Employez chacune de ces deux dernières expressions dans une courte phrase.

495. - PHRASÉOLOGIE : « J'ai la chair de poule, *rien que d'*y songer. » — Inventez une phrase où vous emploierez la tournure *rien que de* avec un infinitif.

496. - PONCTUATION : 1. Écrivez, en vous servant de chiffres arabes, les dates suivantes, et séparez par un point le quantième, le mois et l'année : *13 mai 1960 ; 17 octobre 1963 ; 24 août 1968.*

2. Notez que, dans l'écriture des nombres (chiffres arabes) : 1° on met une virgule entre la partie entière et la partie décimale : *124,36 ;* — 2° on sépare par un espace les tranches de trois chiffres, en remontant : unités, dizaines, centaines, etc. : *42 758 196,25* (sauf pour la date des années : *1789, 1914,* etc.) ; — 3° on met après la partie décimale le symbole de l'unité dont il s'agit : *36,46 kg ; 25,3 m,* etc.

3. Écrivez en vous servant de chiffres arabes (et employez les symboles voulus là où il s'agit de symboles d'unités) : *dix mille trois cent quatre ; — quarante-six mille sept cent vingt-cinq ; — soixante-quatre unités cinquante-deux centièmes ; — cent cinquante-huit kilos trois cent deux grammes ; — quatre mille trois cent vingt-sept mètres cubes cent vingt-six décimètres cubes*

ADJECTIFS POSSESSIFS

L'Usurier Gobseck.

Les cheveux de mon usurier étaient plats, soigneusement peignés et d'un gris cendré. Les traits de son visage impassible paraissaient avoir été coulés dans le bronze, jaunes comme ceux d'une fouine; ses petits yeux n'avaient presque point de cils et craignaient la lumière; mais l'abat-jour d'une vieille casquette les en garantissait. Son nez pointu était si grêlé dans le bout que vous l'eussiez comparé à une vrille. Il avait les lèvres minces de ces alchimistes et de ces petits vieillards peints par Rembrandt. Cet homme parlait bas, d'un ton doux, et ne s'emportait jamais. Son âge était un problème: on ne pouvait pas savoir s'il était vieux avant le temps ou s'il avait ménagé sa jeunesse afin qu'elle lui servît toujours. Tout était propre et râpé dans sa chambre. En hiver, les tisons de son foyer, toujours enterrés dans un talus de cendres, y fumaient sans flamber. Ses actions, depuis l'heure de son lever jusqu'à ses accès de toux le soir, étaient soumises à la régularité d'une pendule.

Honoré de BALZAC, *Gobseck*.

497. - Relevez dans le texte ci-dessus, les adjectifs **possessifs**; analysez chacun d'eux.

> *Modèle:* J'aime *ma* mère: — *ma:* adj. possessif; fém. sing.; 1re pers.; déterminatif de *mère*.

498. - Analysez les adjectifs **possessifs** et dites s'ils concernent un ou plusieurs possesseurs, un ou plusieurs objets possédés.

1. J'aime mon pays. — 2. Ouvre ton livre. — 3. L'avare avait perdu son trésor. — 4. L'hiver a ses plaisirs. — 5. Les hirondelles construisent leurs nids. — 6. Faisons notre devoir. — 7. Quel est votre nom? quels sont vos prénoms? — 8. Je pris mes jambes à mon cou.

499. - Même exercice.

1. Qui te rend si hardi de troubler mon breuvage? (La Font.) — 2. Tout mortel se soulage à parler de ses maux. (A. Chénier.) — 3. Sachez à vos devoirs immoler vos plaisirs. (Fénelon.) — 4. Mon verre n'est pas grand, mais je bois dans mon verre. (Musset.) — 5. Là se réunissaient les hirondelles prêtes à quitter nos climats. Je ne perdais pas un seul de leurs gazouillements. (Chateaubriand.) — 6. Son enfance se réveillait, avec tout son goût amer, avec toute sa tristesse et tout son sérieux, à la seule vue de ses livres de prix des années précédentes. (V. Larbaud.) — 7. J'ai retrouvé l'autre jour un mien article. (Montherlant.) — 8. M. Auguste Krauset est né dans le département de l'Oise; mais,

avec son large feutre noir, son court veston de lustrine, son pantalon bouffant sur les reins, son buste massif et ses gestes lents, il a l'air d'un paysan auvergnat. (G. Duhamel.)

500. - Conjuguez au présent de l'indicatif :

　　　1. Je prends mon livre, ma règle et mes cahiers. — 2. Je retrouve ma ville, mon quartier, mes parents.

501. - Donnez deux expressions où *mon* sera joint à un nom *masculin*, puis deux expressions où il sera joint à un nom *féminin*. — De même avec *ton*, et avec *son*.

502. - Remplacez les trois points par l'adjectif **possessif** convenable.

　　　a) 1. Nous devons prendre ... amis avec ... défauts. — 2. J'admire les lis et ... riche parure. — 3. Je retrouve ... maison natale et ... accueillante douceur. — 4. Chacun est fils de ... œuvres. — 5. Heureux l'homme des champs s'il connaissait ... bonheur! — 6. C'est une ingratitude odieuse que celle des enfants envers ... parents.

　　　b) 1. ... condition jamais ne nous contente. (La Font.) — 2. Quand ... amis sont borgnes, je les regarde de profil. (Joubert.) — 3. Le cœur a ... raisons que la raison ne connaît point. (Pascal.) — 4. Un riche laboureur sentant ... mort prochaine, Fit venir ... enfants. (La Font.) — 5. Retenant ... haleine, je n'entendais que le bruit de ... artères dans ... tempes et le battement de ... cœur. (Chateaubriand.) — 6. Avec ... parapluie bleu et ... brebis sales, avec ... vêtements qui sentent le fromage, tu t'en vas vers le ciel du coteau, appuyé sur ... bâton de houx, de chêne ou de néflier. (Fr. Jammes.)

503. - Faites entrer chacun dans une courte phrase les adjectifs possessifs toniques (variables) : **mien, tien, sien.**

504. - Refondez les phrases suivantes en remplaçant les éléments en italique par un adjectif **possessif**, que vous placerez avant le nom.

　　　1. Vous voyez là la maison *qui m'appartient*. — 2. Les livres *que tu possèdes* sont tes amis. — 3. Les compliments *que vous me faites* me touchent. — 4. Les jeux *auxquels vous vous livrez* sont bien bruyants! — 5. A l'âge *où ils sont*, on n'a pas encore beaucoup d'expérience.

―――――――――――

505. - VOCABULAIRE : 1. Quel est le sens de *usurier ?* — de *impassible ?* — de *lustrine ?*

　　　2. Le grec *phagein* signifie « manger ». Expliquez par cette racine le sens de : *anthropophage, sarcophage, phagocyte, xylophage.* (Voir le dictionnaire.)

506. - ORTHOGRAPHE : Notez dans le carnet d'orthographe : *zéphyr, whisky, moelleux, un poêle, jouer au whist, rythme, sarrau.*

507. - PRONONCIATION : Prononcez bien : *envergure* [an-ver-ghûr'], *isthme* [ism'], *asthme* [asm'], *toast* [tôst'], *tomahawk* [to-ma-ôk].

508. - LANGAGE : On peut dire : « Elle *paraît* quatre-vingts ans » (= semble avoir quatre-vingts ans). — Employez *paraître*, en ce sens, dans une courte phrase.

509. - ANALYSE : Dites quelle est la fonction des mots en italique : « Cet homme parlait *bas ;* son nez était *si* grêlé dans le bout que vous l'eussiez comparé à une vrille. »

---

510. - Indiquez la nuance particulière marquée par l'adjectif **possessif** (appartenance, respect, habitude, affection, objet de l'action, familiarité).

1. *Mon* verre n'est pas grand, mais je bois dans *mon* verre. (Musset.) — 2. Ces gens sont malheureux : allons à *leur* secours. — 3. Quoi ? ce n'est pas encor beaucoup D'avoir de *mon* gosier retiré *votre* cou ? (La Font.) — 4. Je le vois : vous avez encore *votre* migraine. — 5. *Mon* capitaine, j'exécuterai ces ordres. — 6. Allons, *mon* petit Paul, me disait le professeur, fais un effort. — 7. *Notre* lièvre, dit le fabuliste, n'avait que quatre pas à faire. — 8. Comment voulez-vous que je le regrette, *votre* Paris bruyant et noir ? (A. Daudet.)

511. - Inventez quatre courtes phrases où l'article défini tiendra lieu du possessif devant des noms désignant soit des parties du corps ou du vêtement, soit une faculté mentale.

512. - Remplacez les trois points par *leurs*, adjectif possessif, ou par *leur*, pronom invariable (= à eux, à elles).

a) 1. Ces gens retournent au village, pour sauver ... meubles et ... hardes. — 2. Admirons les héros : ... exemples nous soutiennent. — 3. Les arbres perdent ... feuilles aux premiers jours d'octobre. — 4. Les gens aimables conservent ... amis ; ils ... montrent une fidélité constante. — 5. Vivent mes bonnes tantes ! ... bonnes figures me réjouissent ; je ... dois bien de l'affection.

b) 1. Qui de nous n'a trouvé du charme à suivre des yeux les nuages du ciel ? Qui ne ... a envié la liberté de ... voyages au milieu des airs ? (Vigny.) — 2. Le père fut sage De ... montrer avant sa mort Que le travail est un trésor. (La Font.) — 3. Je ... conte la vie et que, dans nos douleurs, Il faut que la bonté soit au fond de nos cœurs. (Hugo.) — 4. L'intendant vint, la barrette à la main, prendre les comédiens et les conduire à ... logements respectifs. (Th. Gautier.) — 5. Les fermes basses, accroupies comme des poules couveuses et largement adhérentes à la terre de ... clos, ouvrirent tous les volets de ... petites fenêtres. (R. Martin du Gard.) — 6. Mlle Mesureux ne se souvenait pas d'avoir eu besoin, pour ... parler, d'une phrase nouvelle. (J. Kessel.) — 7. Tu n'auras point la cruauté de piéger ces amis mélodieux, de ... tendre des lacets. (M. Bedel.)

513. - Mettez l'adjectif **possessif** convenable ou bien l'**article défini** (contracté au besoin).

1. C'est un tableau touchant que celui du vieux père tendant ... bras au fils prodigue qui lui exprime ... repentir. — 2. Une personne qui a ... bras long

a un crédit, un pouvoir qui s'étend loin. — 3. Colbert, dit-on, se frottait ...
mains en voyant le matin qu'il avait beaucoup de travail à accomplir. — 4. Le
coq tend ... cou pour lancer un cocorico sonore. — 5. La vieillesse, en général,
nous ôte ... mémoire, mais les vieillards se rappellent presque toujours le temps
de ... enfance. — 6. Gnathon, l'égoïste dépeint par La Bruyère, mange glou-
tonnement: les sauces lui dégouttent de ... menton et de ... barbe; il roule
... yeux vers les plats; il écure ... dents, et il continue de manger.

514. - Remplacez les trois points par l'adjectif **possessif** convenable (en rapport
avec **chacun**).

1. Chacun a ... qualités et ... défauts. — 2. Condé et Turenne avaient chacun ... génie. — 3. Il faut, mes amis, que vous appliquiez chacun ... esprit à
penser juste. — 4. Vous aurez chacun ... joies et ... peines. — 5. Les hommes
doivent, dans le champ de la vie, creuser chacun ... sillon et moissonner ...
gerbe. — 6. Nous exercerons chacun ... profession. — 7. Les diverses saisons
ont chacune ... plaisirs.

515. - Justifiez l'accord des adjectifs **possessifs** en italique.

1. Les avares emporteront-ils dans la tombe *leur or* et *leurs pierreries?* —
2. Les castors construisent *leurs huttes* dans les cours d'eau; on fait à ces ron-
geurs une chasse active pour *leurs fourrures*. — 3. Mes amis, aimez *votre patrie*. — 4. Cependant les marchands ont rouvert *leurs boutiques*. (Hugo.) —
5. Quelques guerriers en cheveux blancs laissaient tomber de grosses larmes
qui roulaient sur *leurs boucliers*. Tous penchés en avant et appuyés sur *leurs
lances*, ils semblaient déjà prêter l'oreille aux paroles de la druidesse. (Chateaubriand.) — 6. Ils restaient debout, sans bouger, ne pensant même pas à
ôter *leur chapeau* et *leur manteau*. (R. Rolland.)

---

516. - VOCABULAIRE : 1. Quelle est la couleur du *rubis ?* — de l'*émeraude ?* —
du *jais ?* — du *saphir ?* — de la *topaze ?* — de l'*améthyste ?* — de la *tur-
quoise ?* (Consultez le dictionnaire.)

2. Faites un croquis représentant : un *saxophone*, — un *hautbois*, — une
timbale, — des *cymbales*, — un *trombone à coulisses*, — un *métronome*.

517. - ORTHOGRAPHE : Notez dans le carnet d'orthographe (sans accents !) :
registre, coteau, boiteux, revolver, assener, drolatique.

518. - LANGAGE : 1. On peut dire : 1° faire connaissance *avec* quelqu'un ; 2° faire
connaissance *de* quelqu'un ; 3° faire *la* connaissance de quelqu'un. — Employez chacun de ces tours dans une courte phrase.

2. Provincialismes : « Cet homme est un *taiseux* » (wallonisme) [pour :
« ... un *taciturne* »]. — « Faire cuire la viande dans un grand *vaisseau* » (canadianisme) [pour: « ...une *marmite* », « ...une *casserole* », « ...un *chaudron* »].
— Employez, chacune dans une phrase, les expressions françaises.

519. - CONJUGAISON : Conjuguez au passé simple : *sourire*.

520. - PONCTUATION : Mettez la ponctuation : *Dans le silence j'entendis tout à coup la voix de ma mère qui criait du haut de l'escalier Eh bien qu'est-ce que c'est Qui est-ce*

ADJECTIFS DÉMONSTRATIFS

Soir tranquille.

Aricie goûtait alors une impression délicieuse de détente. Devant ce large paysage de ciel et d'eau, sur ce fond de ville à demi voilée par la brume, elle laissait voler sa pensée loin des soucis du jour, elle oubliait ses tâches. Elle aspirait profondément l'espace et cette odeur marine, son cœur en était tout gonflé. Son regard allait se poser sur le clocher de Saint-Michel, c'était la direction de sa maison natale, où tous les siens avaient vécu... Puis, rabaissant les yeux sur les eaux, mesurant la distance qu'elles mettaient entre la ville et elle, elle lui comparait, par un jeu enfantin de l'esprit, cette autre distance idéale qui la séparait de la vie. Elle songeait à cet autre fleuve de chagrins, de renoncements, d'amertumes, dont le flot chaque jour accru l'éloignait sans cesse davantage du bonheur.

Émile HENRIOT, *Aricie Brun*. Librairie Plon, tous droits réservés.

521. - Relevez, dans le texte d'Émile Henriot, les adjectifs **démonstratifs** et analysez chacun d'eux.

Modèle: Ce paysage est enchanteur; — *ce* adj. démonstr.; masc. sing.; déterminatif de *paysage*.

522. - Analysez les adjectifs **démonstratifs**.

1. Tu te trompes, Philémon, si avec ce carrosse brillant, ce grand nombre de coquins qui te suivent, et ces six bêtes qui te traînent, tu penses qu'on t'en estime davantage. (La Bruyère.) — 2. Après bien des efforts, on parvint à le tirer de l'armoire, ce fameux bocal. (A. Daudet.) — 3. Le train courait dans ce jardin, dans ce paradis des roses, dans ce bois d'orangers et de citronniers épanouis qui portent en même temps leurs bouquets blancs et leurs fruits d'or, dans ce royaume des parfums, dans cette patrie des fleurs, sur ce rivage admirable qui va de Marseille à Gênes. (Maupassant.) — 4. On nous donnait parfois pour étrennes une de ces boîtes de Nuremberg renfermant une ville allemande en miniature. (Th. Gautier.)

523. - Remplacez les trois points par *ce* ou par *cet*.

1. Le pinson, ... bel oiseau, ... oiseau sémillant. — 2. Voici ... témoignage, ... humble témoignage. — 3. ... chef-d'œuvre admirable, ... admirable chef-d'œuvre. — 4. Je connais ... personnage, ... héroïque personnage. — 5. Vois-

tu ... haut peuplier? — 6. Faites-moi ... honneur. — 7. J'ai vu ... spectacle
étonnant, ... épouvantable spectacle. — 8. Admirons ... héros.

524. - Remplacez les trois points par *ces* ou par *ses*.

1. Voulez-vous juger d'un homme: observez ... amis. — 2. On aime ... héros qui ont voué leur vie au soulagement de l'humanité. — 3. Le cœur a ...
raisons, que la raison ne connaît point. (Pascal.) — 4. Chacun est fils de ...
œuvres. — 5. Voyez si vous romprez ... dards liés ensemble. (La Font.) — 6.
Pour qui sont ... serpents qui sifflent sur vos têtes? (Racine.)

525. - Inventez deux phrases où vous emploierez des adjectifs **démonstratifs prochains,** et deux phrases où vous emploierez des adjectifs **démonstratifs
lointains.**

---

526. - VOCABULAIRE : 1. Que signifie *avoir maille à partir avec quelqu'un ?* Quel est,
dans cette locution, le sens précis de *maille ?* — de *partir ?*

2. Quel est le contraire de *maléfique ?* — de *misanthrope ?* — de *germa-
nophile ?*

527. - ORTHOGRAPHE : Notez dans le carnet d'orthographe : *détoner* = faire explo-
sion ; — *détonner* = sortir du ton ; — *patronner, patronage ;* — *cantonner,
cantonal.*

528. - PHRASÉOLOGIE : Dans la phrase « Nous résolûmes enfin *cet épineux problème* », mettez en relief, par un pronom personnel d'anticipation, le complément en italique.

529. - LANGAGE : 1. *Fiable* se dit couramment au Canada, dans le sens de « digne de
confiance, à qui on peut se fier ». — Inventez une phrase, où, au lieu de *fiable*
(archaïsme en France), vous emploierez l'expression courante dans l'usage
français.

2. Le long de certaines routes belges fraîchement asphaltées, des panneaux
portent : « *grenailles* errantes ». On dit en France : « *gravillon(s)* ». — Employez ce dernier nom dans une phrase de votre invention.

530. - ANALYSE : Analysez les mots en italique : « *Devant* ce paysage, je laissais
voler ma *pensée, loin de* tout souci. »

ADJECTIFS INDÉFINIS

Aimer le livre.

Nul instrument plus utile que le livre. Bien qu'il existe des bibliothèques publiques, des bibliothèques de prêt, certaines bibliothèques circu-

lantes, on ne peut songer sans douleur et sans pitié à la maison dans laquelle il ne se trouverait aucun livre. Le livre, ne l'oublions pas, contient diverses recettes de vie. Il exige l'effort personnel. Il permet, mieux que tout autre instrument ou que toute autre technique, le choix et l'établissement de rations équilibrées. Il permet la réflexion, c'est-à-dire le retour maintes fois répété de l'esprit sur son difficile chemin. Il conjure la décadence de l'attention en ramenant sans cesse l'homme dans la solitude féconde.

Heureux l'enfant qui peut trouver près de son lit, près de sa table de travail, un humble rayon de bois sur lequel il rangera un petit dictionnaire, une grammaire, quelques livres d'étude, de sagesse, de foi.

D'après Georges DUHAMEL, *Les Annales,* février 1954.

531. - Relevez, dans le texte ci-dessus, les adjectifs **indéfinis** et analysez chacun d'eux.

> *Modèle: Tout* homme est mortel; — *tout:* adjectif indéfini; masc. sing.; déterminatif de *homme.*

532. - Analysez les adjectifs **indéfinis.**

a) 1. Aucun homme ne sait le tout de rien. — 2. Quand on dit de certaines personnes qu'elles ont plusieurs cordes à leur arc, on veut dire qu'elles ont plusieurs moyens pour parvenir à leur but ou qu'elles ont, pour vivre, diverses ressources. — 3. En plus d'une occasion, on a vu l'opinion publique blâmer tel personnage qu'elle louait jusque-là. — 4. Toute profession ennoblit celui qui l'exerce consciencieusement. — 5. Les mêmes causes produisent les mêmes effets.

b) 1. Ne laissez nulle place Où la main ne passe et repasse. (La Font.) — 2. Tous les hommes ont un secret attrait pour les ruines. (Chateaubriand.) — 3. Une large pluie de mars tombait sur ma tête et me faisait quelque bien. (Vigny.) — 4. Plus d'une âme inscrit en silence Ce que la foule n'entend pas. (Hugo.) — 5. On l'appelle le Roi du fer, pour je ne sais quelle considération de finance. (G. Duhamel.) — 6. Chaque accusé fut interrogé pendant trois ou quatre minutes. (A. France.) — 7. Certain païen chez lui gardait un dieu de bois. (La Font.) — 8. Rome avait accordé aux peuples d'Italie, en différents temps, divers privilèges. — 9. Les fous souffrent dans leur chair, comme les autres hommes. (G. Duhamel.)

533. - Dites si, dans les phrases suivantes, les adjectifs **indéfinis** marquent une idée : 1° de qualité ; 2° de quantité ; 3° d'identité, de ressemblance ou de différence :

1. Aucun chemin de fleurs ne conduit à la gloire. (La Font.) — 2. On éprouve je ne sais quelle joie après avoir admiré un chef-d'œuvre. — 3. Elle posa sur le comptoir un tiroir qui contenait des bobines de différentes couleurs. (J. Green.) — 4. Maintes gens croient que le bonheur est dans la richesse. — 5. J'écoute si d'en haut il tombe quelque bruit. (Hugo.) — 6. Pas un chat dans les rues du village. (A. Daudet.) — 7. Quelques crimes toujours précèdent les

grands crimes. (Racine.) — 8. Autres temps, autres mœurs. — 9. Les Frontenac se retrouvèrent tous, dans le même compartiment. (Fr. Mauriac.) — 10. Tel homme parfois est récompensé qui méritait d'être puni.

534. - Dites si les mots en italique sont adjectifs **indéfinis** ou adjectifs **qualificatifs**.

1. Le devoir de cet élève est *nul*. — 2. Dès que les chèvres ont brouté, *Certain* esprit de liberté Leur fait chercher fortune. (La Font.) — 3. *Toute* sa vie est pareille à une journée d'orage. (R. Rolland.) — 4. *Toute* vie est un mélange de biens et de maux. — 5. Votre succès est *certain* si vous êtes courageux et méthodique; *nulle* difficulté ne vous arrêtera. — 6. L'abeille se pose sur *différentes* fleurs. — 7. Nous avons sur cette question des avis *différents;* vous avez votre opinion; la mienne est *autre*. — 8. *Telle* est ma décision. — 9. Revenez un *autre* jour. — 10. *Tel* problème semble difficile à résoudre qui devient simple quand on en analyse les données.

535. - Exercice oral : Expliquez l'emploi ou le sens des adjectifs en italique.

1. Est-il *aucun* moment Qui vous puisse assurer d'un second seulement? (La Font.) — 2. Pour un naturaliste, *aucunes* mœurs ne sont plus intéressantes que celles des abeilles. — 3. *Nuls* pépiements d'oiseaux n'égayaient cette solitude. (H. Lavedan.) — 4. C'est une générosité *nulle* que celle qui s'exerce en vue de recueillir des approbations. — 5. Je ne crois pas qu'*aucun* homme puisse se flatter d'être sans défauts. — 6. Vous ferez ce voyage sans *aucuns* frais.

536. - VOCABULAIRE : 1. Indiquez la différence de sens entre *ennoblir* et *anoblir*. Employez chacun de ces verbes dans une courte phrase.

2. De son vrai nom François Rabelais (XVIe s.) avait formé plaisamment, par anagramme, le pseudonyme ALCOFRIBAS NASIER. Semblablement le poète Paul Verlaine (XIXe s.) avait formé PAUVRE LÉLIAN. — Cherchez dans le dictionnaire le sens de « une *anagramme* » et de *pseudonyme*. — Formez une anagramme de votre nom (prénom + nom de famille).

537. - ORTHOGRAPHE : Notez dans le carnet d'orthographe : *bibliothèque, réflexion, un laissez-passer, du laisser-aller, monothéisme*.

538. - LANGAGE : On dit, sans *de :* « Je me rappelle avoir fait telle chose » (la construction avec *de* et un infinitif « Je me rappelle *d'*avoir fait ... » est vieillie). — Inventez une phrase où vous emploierez sans *de*, le tour courant.

539. - PHRASÉOLOGIE : Imitez dans une phrase de votre invention le tour « Cela *ne laisse pas de* m'inquiéter » (= cela m'inquiète vraiment).

540. - ANALYSE : Dites quelle est la fonction des mots en italique : « *On* ne peut songer sans douleur à la *maison où il* ne se trouverait *aucun* livre. »

541. - PONCTUATION : Employez la virgule pour séparer la partie décimale de la partie entière d'un nombre : *18,25 m ; 25,5 mm ; 35,7 kg ; 46,32 l*, etc.

SUR LE MOT « QUELQUE »

542. - Justifiez l'orthographe de *quel que* ou de *quelque*.

a) 1. Il lui restait encore *quelques* obus à examiner. (Vigny.) — 2. *Quelle que* puisse être votre valeur, soyez modeste. — 3. S'il y a en vous *quelques* qualités, croyez qu'il y en a davantage dans les autres. — 4. Le cours du Rhin est long de *quelque* treize cents kilomètres. — 5. *Quelques* beaux pays que vous ayez visités, vous retrouverez avec plaisir votre région natale. — 6. *Quelque* puissante que soit votre imagination, vous ne sauriez bien décrire ce que vous n'avez jamais vu.

b) 1. *Quelle que* soit la destinée de mes travaux, cet exemple, je l'espère, ne sera pas perdu. (A. Thierry.) — 2. A *quelque* temps de là, la cigogne le prie. (La Font.) — 3. *Quels que* soient les mets, l'appétit et le bonheur leur prêtent une saveur charmante. (Töppfer.) — 4. Il y eut *quelques* instants de silence que personne n'osa rompre. (G. Sand.) — 5. Je résolus, *quels que* fussent mes périls à venir, de n'avoir plus d'autre arme. (Vigny.) — 6. J'ai fait connaissance avec lui il y a *quelque* soixante-dix ans. (Fr. Jammes.) — 7. A peine *quelque* lampe au fond des corridors Étoilait l'ombre obscure. (Hugo.)

543. - Inventez trois courtes phrases où vous emploierez *quel que* (deux mots) — et trois phrases où vous emploierez *quelque* (un mot).

544. - Dites si *quelque* est adjectif indéfini ou adverbe.

a) 1. Nous nous retirons dans *quelque* humble village. — 2. La dépense montera à *quelque* cent mille francs. — 3. *Quelque* rudement qu'on le traite, il ne se plaint pas. — 4. *Quelque* explication que vous donniez, on ne vous croira pas. — 5. *Quelque* puissant qu'il soit, il ne nous fait pas peur. — 6. Cet homme trouve toujours *quelque* sujet de se plaindre. — 7. Nous étions *quelque* peu découragés. — 8. *Quelque* brillant personnage qu'il soit, cet homme a ses faiblesses.

b) 1. Nous avons attendu *quelque* temps. — 2. *Quelque* malheureux que tu sois, tu en trouveras de plus malheureux que toi. — 3. *Quelque* loin que cet homme aille, il porte avec lui son ennui. — 4. On ne peut avoir l'âme grande ou l'esprit un peu pénétrant sans *quelque* passion pour les lettres. (Vauvenargues.) — 5. A *quelque* cent mètres, la nappe bleu-de-paon d'une rivière entraînait avec paresse le mirage des arbres. (Fr. Jammes.) — 6. Nous tâchons de rencontrer *quelque* habile homme, *quelque* médecin particulier qui pût donner *quelque* soulagement à la fille de notre maître. (Molière.) — 7. Un loup *quelque* peu clerc prouva par sa harangue Qu'il fallait dévouer ce maudit animal. (La Font.) — 8. Ton témoignage peut présenter *quelque* intérêt pour l'enquête. (H. Bazin.)

545. - Remplacez les trois points par *quel que* ou par *quelque* et faites l'accord quand il y a lieu.

a) 1. Nous pouvons, ... soit notre profession, être des gens de mérite. — 2. Certaines gens se donnent toujours ... raisons de n'être contents de personne.

— 3. Il faut aimer sa patrie, ... injustices qu'on y subisse. — 4. Une difficulté, ... elle soit, ne rebute pas l'homme énergique. — 5. ... puisse être la fortune d'un homme, elle est périssable.

b) 1. Au lieu de villages, on aperçoit les ruines de ... tours. (Chateaubriand.) — 2. ... soit le souci que ta jeunesse endure, Laisse-la s'élargir cette sainte blessure. (Musset.) — 3. L'adolescent, que l'on m'avait dit arriéré, avait bien lu ... mille volumes de plus que moi. (A. Hermant.) — 4. ... brillants lauriers que promette la guerre, On peut être héros sans ravager la terre. (Boileau.) — 5. ... soit la chose qu'on veut dire, il n'y a qu'un mot pour l'exprimer. (Maupassant.) — 6. ... méchants que soient les hommes, ils n'oseraient paraître ennemis de la vertu. (La Rochefoucauld.)

546. - Même exercice.

a) 1. De ... superbes distinctions que se flattent les grands, ils ne sont que des hommes. — 2. Le mont Everest s'élève à ... 8 800 mètres. — 3. Les hommes énergiques, ... brutalement que l'adversité les frappe, ne se laissent pas abattre. — 4. ... soit la beauté, le charme de la forêt au printemps, c'est à l'automne que le peintre la contemple le plus volontiers. — 5. ... en doivent être les conséquences, je m'acquitterai de mon devoir. — 6. J'accomplirai cette tâche, ... en soit la difficulté.

b) 1. Mes pieds ballants pendaient à ... dix mètres au-dessus de la source. (F. Fabre.) — 2. Qu'importe au genre humain que ... frelons pillent le miel de ... abeilles? (Voltaire.) — 3. Ces représentations, ... grossières qu'elles fussent, se recommandaient par la fidélité et l'exactitude technique. (Th. Gautier.) — 4. Je défends et j'aime, ... soient mes reproches et nos dissemblances, tous ceux en qui je discerne de la divinité. (M. Barrès.) — 5. Pour tous les travaux de ... importance, les deux hommes se trouvaient associés. (A. Chamson.) — 6. ... soient leurs soucis ou leurs angoisses, les malades sont des âmes vacantes. (G. Duhamel.)

547. - Remplacez les trois points par **quelque** et, quand il y a lieu, faites l'accord.

1. ... grandes qualités que vous possédiez, ne vous enorgueillissez pas. — 2. ... bons poètes que soient Hugo et Lamartine, certains esprits leur préfèrent les grands prosateurs. — 3. ... beaux éloges qu'on fasse de nous, nous en attendons volontiers de plus grands encore. — 4. ... puissants personnages que soient vos protecteurs, c'est votre honnêteté qui vous protégera le mieux. — 5. ... grandes difficultés que vous rencontriez, ne perdez pas courage. — 6. ... merveilleuses explorations qu'aient faites les grands voyageurs des siècles derniers, les cosmonautes de notre temps en ont fait de plus étonnantes.

548. - Inventez sur chacun des thèmes suivants une phrase contenant les mots *quel que* ou *quelque* — et faites l'accord.

1. Les plaisirs de l'hiver. — 2. La difficulté de nos travaux. — 3. Les charmes de la musique. — 4. Les exploits des cosmonautes. — 5. Les agréments de la télévision.

549. - Inventez quatre phrases où *quelque* sera invariable comme adverbe.

---

550. - VOCABULAIRE : 1. Quel est le nom général désignant les habitants de l'*Inde ?*
— de l'île de *Madagascar ?* — de l'île de *Chypre ?* — de l'île de *Cuba ?*
— du *Berry ?* — du *Guatemala ?* — de *Monaco ?*
2. Donnez 8 mots ayant le préfixe *inter-*.

551. - ORTHOGRAPHE : Notez dans le carnet d'orthographe : *maréchal-ferrant,*
au-delà, au-dedans, au-dehors, voirie, pèlerin.

552. - LANGAGE : On peut dire : 1° « Je vous *renvoie* ce colis » ; 2° « Je vous *re-*
tourne ce colis ». — Inventez une phrase où vous emploierez *retourner* au
sens de *renvoyer.*

553. - CONJUGAISON : Conjuguez au passé composé, forme pronominale : *lever.*

554. - ANALYSE : Dites quelle est la fonction des mots en italique : « Le temps fuit
*sans que l'*on y songe. »

SUR LE MOT « TOUT »

Dans les Gouffres.

Nous étions, mon compagnon et moi, *tout* comprimés dans un lami-
noir rocheux où nous étions engagés ; *tout* soudain j'entendis un bruit
saccadé, rapide, qui faisait vibrer *tout* le sol. *Tout* intrigué, j'invitai mon
compagnon, couché à cinq mètres derrière moi, à ne plus remuer et à
écouter ; mais il n'entendait rien, alors que je percevais des coups pré-
cipités dont la nature m'échappait ; *tous* pourtant étaient bien résonnants.
Le *tout* finit par s'éclaircir : les coups, c'étaient les battements tumul-
tueux du cœur de mon camarade ; je les entendais *tous* à cinq mètres de
distance et je les percevais par *tout* le corps. Le plancher creux sur lequel
était couché mon compagnon, *tout* incroyable que cela paraisse, me les
transmettait comme un amplificateur ; nous pouvions même compter *toutes*
les pulsations.

D'après Norbert CASTERET, *Au Fond des Gouffres.* (Perrin, édit.).

555. - Indiquez, pour chaque cas, dans le texte ci-dessus, la nature du mot *tout.*

556. - Analysez le mot tout.

a) 1. Nous devons à nos parents *toute* notre affection. — 2. *Tout* homme se soulage à parler de ses maux. — 3. Nous avons marché *toute* une après-midi dans la forêt. — 4. Nous sommes *tout* contents quand nous recevons une lettre. — 5. *Tout* chante quand revient le gai printemps. — 6. Un bon auteur ordonne ses idées de manière qu'elles forment des *touts* bien organisés.

b) 1. Apprenez que *tout* flatteur Vit aux dépens de celui qui l'écoute. (La Font.) — 2. *Tous* les hommes ont un secret attrait pour les ruines. (Chateaubriand.) — 3. Le vacarme des voix me faisait peur; parfois elles se taisaient *toutes*. (Fr. Mauriac.) — 4. Les hommes n'ont plus le temps de rien connaître. Ils achètent des choses *toutes* faites chez les marchands. (Saint-Exupéry.) — 5. *Tout* m'afflige et me nuit, et conspire à me nuire. (Racine.) — 6. Elle demeurait sérieuse et impassible, *toute* à son travail. (H. Bordeaux.) — 7. Le commis faisait l'article, jurait que c'était *tout* soie. (É. Zola.)

557. - Même exercice.

a) 1. *Tous* cherchent le bonheur, peu le trouvent. — 2. *Tous* ceux qui ont visité la Suisse en ont admiré les beautés. — 3. *Tout* agréables que sont les voyages, le moment du retour a sa douceur. — 4. Les hommes sont *tous* mortels. — 5. Ces personnes pédantes sont *toutes* hérissées de grec et de latin. — 6. Une mère est *tout* émue en voyant son enfant faire ses premiers pas. — 7. Les grands hommes ne meurent pas *tout* entiers.

b) 1. Ce sont des gens *tout* d'une pièce. (J. Chardonne.) — 2. La montagne est là *toute* avec son fauve effroi. (Hugo.) — 3. *Tout* dort dans les maisons où regarde la lune. (A. Samain.) — 4. Je gagne beaucoup moins que les médecins et les notaires, mais c'est là une infériorité *tout* accidentelle. (J. Romains.) — 5. Il monta sur les deux genoux *toutes* les collines ayant une chapelle à leur sommet. (Flaubert.) — 6. Nous avons *tous* assez de force pour supporter les maux d'autrui. (La Rochefoucauld.) — 7. Vieillards, hommes, femmes, enfants, *tous* voulaient me voir. (Montesquieu.)

558. - Composez, sur chacun des thèmes suivants, une phrase où vous emploierez le mot tout :

a) Comme *adjectif:* 1. Passer une journée. — 2. Les saisons. — 3. Nos habitudes.

b) Comme *pronom:* 1. Ennui du paresseux. — 2. Joies de l'été. — 3. L'instruction.

c) Comme *nom:* 1. Le programme scolaire. — 2. Nos habitudes morales.

d) Comme *adverbe:* 1. Jour de pluie. — 2. Fierté d'un succès. — 3. L'infini dans les cieux.

559. - Remplacez les trois points par le mot tout, que vous orthographierez correctement.

a) 1. ... les hommes doivent s'entraider. — 2. Il y a des phrases ... faites dont on se sert ... les jours sans en peser le sens. — 3. ... Rome est couverte de monuments. — 4. Ma grand-mère est là, immobile, ... à ses souvenirs. —

5. Les professions sont diverses, mais ... ont leur noblesse. — 6. Après avoir réfléchi ... une journée sur ce problème, j'en ai trouvé la solution.

b) 1. On rencontre ... espèce de gens dans ces pays. (H. Bosco.) — 2. Si à choses égales on ajoute choses égales, les ... seront égaux. (Pascal.) — 3. L'idée de faire parade d'une science ... fraîchement acquise et de tourner en ridicule ses meilleures amies apaisa un peu l'irritation de notre hôtesse. (A. Hermant.) — 4. La jeune fille, ... émue, tomba aux genoux de sa mère. (Lamennais.) — 5. Une abeille, deux abeilles, ... engourdies encore par leur long sommeil hivernal, remuaient doucement leurs ailes. (M. Genevoix.) — 6. Ma première impression fut ... d'étonnement et de dégoût. (P. Loti.) — 7. Elle se jeta ... habillée sur son lit. (Th. Gautier.) — 8. Il était une fois un homme qui avait une cervelle d'or; oui, madame, une cervelle ... en or. (A. Daudet.) — 9. Mes deux frères, et moi, nous étions ... enfants. (Hugo.) — 10. Les ... petits dormaient, paquets, dans un linge noir accroché au dos des mères. (A. Malraux.)

560. - Même exercice.

1. Nous ne savons le ... de rien; ... nos connaissances sont bornées. — 2. Au banquet de la vie, ... ne sont pas assis également à l'aise. — 3. Il y a des caractères ... d'une pièce, qui heurtent de front ... les difficultés. — 4. Quand l'orateur parut la salle ... entière applaudit. — 5. ... humble qu'elle peut être, une profession honore celui qui l'exerce avec conscience. — 6. Dans les yeux du moucheron, ... petits qu'ils sont, se peint le firmament. — 7. Faites ce que vous pourrez de cette veste ... usagée.

561. - Orthographiez correctement **tout** devant **autre**.

1. J'aurais pu avoir une [*tout*] autre place. (J. Romains.) — 2. Elle avait du mépris pour [*tout*] autre arme. (Mérimée.) — 3. Il se sert d'une [*tout*] autre arme. — 4. [*Tout*] autre musique paraît brutale et grossière. (E. Jaloux.) — 5. Les armes offensives et défensives étaient [*tout*] autres encore qu'aujourd'hui. (Voltaire.) — 6. [*Tout*] autre solution m'eût semblé singulièrement inconsidérée. (R. Martin du Gard.) — 7. Nous adopterons une [*tout*] autre solution. — 8. Notre pays nous paraît plus beau que [*tout*] autre contrée. — 9. Les villes et les villages ont ici une [*tout*] autre apparence. (Chateaubriand.) — 10. [*Tout*] autre histoire est mutilée, la nôtre seule est complète. (Michelet.)

562. - Faites entrer dans une phrase chacune des expressions suivantes :

1. Toute autre. — 2. Tout autres. — 3. Tout entière. — 4. Tout entiers. — 5. Tout agréables que sont ... — 6. Tout émues. — 7. Toutes honteuses. — 8. Être tout ardeur. — 9. Plusieurs touts.

---

563. - VOCABULAIRE : 1. Expliquez, par le sens du grec *monos* = seul, la signification de : *monolithe, monotone, monologue, monosyllabe, monomanie.*

2. Quel est le sens de : « ouvrage préparé *de longue main* » ; — de « *mettre la dernière main* à un travail » ?

564. - ORTHOGRAPHE : Notez dans le carnet d'orthographe : *profession, concurrent, s'entraider, avoir du bagou, printanier.*

565. - PRONONCIATION : Prononcez bien : *déliquescence* [dé-li-kwè-sans'], *équilatéral* [é-kwi ...], *équidistant* [é-kwi ...] ; — mais : *équinoxe* [é-ki ...], *équité* [é-ki ...], *équivalent* [é-ki ...], *équivoque* [é-ki ...], *équitation* [é-ki ...], *séquence* [sé-kans'].

566. - LANGAGE : On peut dire : « partir *en* voyage, *en* vacances, *en* mission, etc. ». — Inventez deux phrases où vous emploierez cette construction.

567. - PHRASÉOLOGIE : « Naître, vivre et mourir : voilà notre destin ». — Inventez une phrase où vous emploierez de même des infinitifs placés en tête de la phrase et résumés par *voilà*...

568. - PONCTUATION : Éliminez les termes conjonctifs et remplacez-les par un signe de ponctuation : « Les délicats sont malheureux, *parce que* rien ne saurait les satisfaire. » — « Tu ne mérites pas de compliments, *puisque* tu n'as fait aucun progrès. »

SUR LE MOT «MÊME»

Les Jeux de Michel.

Michel s'amuse, toujours avec le *même* plaisir, avec ses nombreux animaux en pâte et en porcelaine. Chaque jour il se livre avec eux aux *mêmes* jeux, auxquels eux-*mêmes* semblent participer. Ils n'ont pas tous *même* caractère ni *mêmes* goûts: les uns sont les bons, et d'autres sont les mauvais. Les bons n'aspirent qu'à vivre en paix, et les mauvais viennent les tracasser, essaient *même* de les blesser. De là naissent des disputes, des conflits *même*, quelquefois si âpres que Michel lui-*même* en a la gorge serrée. Il y a des embûches, des traîtrises, des guerres *même*. Mais à la longue les choses s'arrangent. Jamais de catastrophes sans appel: au dénouement les blessés guérissent et les morts eux-*mêmes* se décident à ressusciter.

D'après André Lichtenberger, *Le Petit Roi.*
Librairie Plon, tous droits réservés.

569. - Indiquez pour chaque cas, dans le texte ci-dessus, si *même* est **adjectif** ou **adverbe**.

570. - Analysez le mot **même**.

a) 1. Les *mêmes* causes produisent les *mêmes* effets. — 2. Nous sommes souvent nous-*mêmes* les auteurs de nos misères. — 3. Ma mère est la bonté *même*. — 4. Le firmament étoilé, les forêts, les champs de blé, les brins d'herbe *même* émeuvent le poète. — 5. Observons, à l'étranger, les villes, les monuments, les musées, les usines, les auberges *même*. — 6. Les légions de César ont été la discipline et la solidité *mêmes*.

b) 1. Et les nuits qui venaient après, les nuits *mêmes* étaient lumineuses. (P. Loti.) — 2. Les rues *même* ont été débaptisées. (H. Bordeaux.) — 3. Et les violettes elles-*mêmes,* écloses par magie dans l'herbe, cette nuit, les reconnais-tu? (Colette.) — 4. Nous avions les *mêmes* goûts, le *même* rythme de vie. (A. Maurois.) — 5. Ce vieillard était la sérénité *même*. (J. Green.) — 6. Soyez hospitalier, *même* à votre ennemi. (Hugo.) — 7. D'autres hommes aussi fugitifs que moi viendront faire les *mêmes* réflexions sur les *mêmes* ruines. (Chateaubriand.)

571. - Distinguez si **même** marque : 1° l'identité, la ressemblance ; 2° l'extension.

1. Il répète toujours les *mêmes* discours. — 2. Les bruits de la nature sont majestueux, *même* lorsqu'ils sont terribles. — 3. Comment prétendrons-nous qu'un autre garde notre secret, si nous ne pouvons le garder nous-*mêmes?* (La Rochefoucauld.) — 4. Souvent le criminel n'a pas besoin d'autre châtiment que son crime *même*. — 5. Seigneur, préservez-moi, préservez ceux que j'aime, Frères, parents, amis, et mes ennemis *même* Dans le mal triomphants. (Hugo.) — 6. Défiez-vous de la flatterie, *même* désintéressée.

572. - Composez sur chacun des thèmes suivants une phrase où vous emploierez **même** :

a) Comme *adjectif:* 1. Les soucis qu'on a. — 2. Les caractères. — 3. Les lectures.

b) Comme *adverbe:* 1. Les divers métiers. — 2. Les êtres de la création. — 3. Les conquêtes de la science.

573. - Remplacez les trois points par le mot **même**, que vous orthographierez correctement.

a) 1. Les tendresses des mamans se traduisent en tous pays par les ... gestes. — 2. Quelques simples gestes, quelques regards ... suffisent parfois pour exprimer notre volonté. — 3. La forêt au printemps est la grâce et la fraîcheur ... — 4. Les nuages les plus noirs ... ont comme une bordure d'argent. — 5. Si l'on est volontaire, on peut apprendre une langue étrangère à coups de dictionnaire, sur les œuvres ... — 6. On voit des hommes tomber d'une haute fortune par les ... défauts que ceux qui les y avaient fait monter. — 7. Beaucoup d'hommes sont des fugitifs d'eux-...

b) 1. Tout m'importe en Alsace, les cultures, les usines, ... les auberges. (M. Barrès.) — 2. Nous méprisons beaucoup de choses pour ne pas nous mépriser nous-... (Vauvenargues.) — 3. Le village avait ses devins, ses rebouteux, ses saints ... (H. Bordeaux.) — 4. Nous avons de nos sentiments, ... les mieux

éprouvés, un modèle dans l'esprit. (E. Jaloux.) — 5. Mais je parle des anciens
sur l'autorité des anciens ... (Fénelon.) — 6. Elles ont jusqu'à deux mille livres
de dot et ornent ... leurs oreilles de pendants d'or. (Voltaire.) — 7. Une ... vague
écumante Nous jetait aux ... récifs. (Hugo.)

574. - Même exercice.

a) 1. Je regarde mes amis comme d'autres moi-... — 2. Que notre ardeur
au travail et notre volonté soient toujours les ... — 3. Tous les emplois, les
plus humbles ..., ont, dans la société, leur utilité. — 4. De simples commis, des
concierges ... peuvent en s'acquittant de leur tâche, être très estimables. — 5.
Ceux ... qui ont de l'expérience se heurtent parfois à de grandes difficultés. —
6. Tout en ayant confiance en vous-..., mes amis, ne soyez pas téméraires.

b) 1. L'opinion publique blâme parfois des personnes qui sont la droiture
et la sagesse ... — 2. Il est affligeant de voir des enfants manquer de respect
à leurs supérieurs et à leurs parents ... — 3. Si vous avez le goût du travail, les
tâches quotidiennes, les besognes difficiles ... auront pour vous des attraits.
— 4. Les arbres portent aujourd'hui les ... fruits qu'ils portaient il y a deux
mille ans. — 5. Les hommes, et ... les siècles passés, doivent entrer en scène
dans le récit. (A. Thierry.) — 6. Des renards, des loups ... ne lui soufflent-ils
pas dans ses doigts, sur sa joue? (J. Renard.)

---

575. - VOCABULAIRE : 1. Cherchez dans le dictionnaire le sens de *rebouteux,*
de *conflagration,* de *lexicologie,* de *récif,* de boire *à même.*

2. Suffixe *-ier* (*-ière*) : Quels sont les noms exprimant l'idée de « réci-
pient » et se rapportant au *sucre ?* — à la *sauce ?* — au *sel ?* — à la *salade ?*
— à l'*encre ?* — au *thé ?* — au *café ?*

576. - ORTHOGRAPHE : Notez dans le carnet d'orthographe : *susciter, ressusciter;*
— *siffler, persifler* ; — *sonner, résonance* ; — *charrette, chariot.*

577. - PRONONCIATION : Prononcez bien : *quasi* [ka-zi], *quatrain* [ka-trin], *qui-*
proquo [ki-pro-ko], *quolibet* [ko-li-bè], *quadrille* [ka-driy'] ; — mais :
quadrupède [kwa ...], *quaternaire* [kwa ...], *quinquagénaire* [kwin-kwa ...],
quatuor [kwa ...].

578. - LANGAGE : On peut dire : « C'est un professeur *hors de pair* » ou bien : « ...*hors*
pair ». — Inventez deux phrases où apparaîtront l'une et l'autre construction.

579. - PHRASÉOLOGIE : « Les pauvres morts abandonnés doivent avoir froid dans
leur tombe de hasard. » — Modifiez la tournure en commençant la phrase
par : « Ah ! comme ils doivent ... ».

580. - ANALYSE : Dans « C'est un trésor que la santé », prenez en bloc *c'est ... que*
et dites ce qu'il est, pour l'analyse. — Quelle est la fonction de *santé ?*

SUR LE MOT «TEL»

581. - Analysez le mot **tel**.

a) 1. Voici toutes les verdures nouvelles. Une *telle* variété de tons charme le regard. — 2. *Tel* camarade peut vous inciter à être sincère, mais prenez garde : *tel* soi-disant ami est peut-être un hypocrite. — 3. *Tel* qui rit vendredi dimanche pleurera. — 4. La persévérance et la méthode : *telles* sont les meilleures conditions de votre succès. — 5. Ce sont les paroles, *telles* que je les ai entendues. — 6. *Tel* fait des libéralités, qui ne paie pas ses dettes.

b) 1. *Telles* gens n'ont pas fait la moitié de leur course Qu'ils sont au bout de leurs écus. (La Font.) — 2. Il sort de *tels* bruits du fond des forêts, il se passe de *telles* choses aux yeux que j'essayerais en vain de les décrire. (Chateaubriand.) — 3. *Tels* que la haute mer contre les durs rivages A la grande tuerie ils se sont tous rués. (Leconte de Lisle.) — 4. Veuillez faire arrêter et conduire en prison un *tel* de *tel* endroit. (P.-L. Courier.) — 5. Quelques-uns avaient servi dans l'ancienne armée, *tels* que Louis Davout. (Heredia.) — 6. La voilà *telle* que la mort nous l'a faite. (Bossuet.)

582. - Remplacez les trois points par *tel,* que vous orthographierez correctement.

a) 1. ... était la discipline des anciens Romains qu'on a vu chez eux des généraux condamner à mourir leurs propres enfants. — 2. Notre mère a pour consoler nos chagrins ... paroles, ... gestes que nous connaissons si bien! — 3. ... aurait pu faire de grands progrès, qui aboutit à un échec. — 4. Quelques pépiements, ... qu'un prélude indécis, circulent dans la ramure. — 5. ... est pris qui croyait prendre.

b) 1. Il y avait deux chambres ... quelles. (Mérimée.) — 2. Leur bonheur immérité les poursuit, ... une vengeance. (P. Morand.) — 3. Durtal désigna du doigt des nuages noirs qui fuyaient ... que des fumées d'usines. (J.-K. Huysmans.) — 4. Elle m'apparaissait ... qu'une princesse de contes merveilleux. (Fr. Mauriac.) — 5. ... ils étaient alors, ... je les vois aujourd'hui. (G. Duhamel.) — 6. Vus des avions, les camions semblaient fixés à la route, ... des mouches à un papier collant. (A. Malraux.)

ADJECTIFS DÉTERMINATIFS : RÉCAPITULATION

583. - Relevez les divers adjectifs : numéraux, possessifs, démonstratifs, relatifs, interrogatifs, indéfinis ; analysez-les.

1. Votre avenir, mes enfants, pour une part, dépend de vous-mêmes. — 2. Mille cris joyeux résonnent; divers murmures circulent dans les branches; toute cette agitation annonce le lever du jour. — 3. Quels succès espérez-vous si vous remplissez vos journées de je ne sais quelles frivolités? — 4. L'homme,

cet être faible dans la nature, est exposé à maints dangers; quelques vapeurs parfois suffisent pour le tuer. — 5. Chaque âge a ses défauts. — 6. Le bailleur et le preneur ont signé le bail après lecture, lequel bail a été dûment enregistré.

584. - Même exercice.

1. Quand ils ont aperçu M. le sous-préfet avec sa belle culotte et sa serviette en chagrin gaufré, les oiseaux ont eu peur et se sont arrêtés de chanter. (A. Daudet.) — 2. Humble tâcheron sans métier défini, il était l'homme de toutes les besognes dont ne veulent pas les autres journaliers. (M. Genevoix.) — 3. Le père Mabeuf avait près de quatre-vingts ans. Il considérait ses plantes et entre autres un rhododendron magnifique qui était une de ses consolations. (V. Hugo.) — 4. Vous serez peut-être empêché d'assister à la réunion, auquel cas vous me préviendrez. — 5. Ces blés sont mûrs, dit-il; allez chez nos amis Les prier que chacun, apportant sa faucille, Nous vienne aider demain dès la pointe du jour. (La Fontaine.) — 6. Quelques crimes toujours précèdent les grands crimes. (Racine.) — 7. Je ne sais plus à quel saint me vouer. — 8. Quelle est cette langueur Qui pénètre mon cœur? (P. Verlaine.)

---

585. - VOCABULAIRE : 1. Que signifie : « *éluder* une question » ? Employez ce verbe dans une petite phrase.

2. Remplacez par un simple adjectif : *qu'on ne saurait éteindre* (lat. *exstinguĕre,* éteindre) ; *qu'on ne saurait percevoir* (lat. *percipĕre,* percevoir) ; *sans saveur* (lat. *sapĕre,* avoir de la saveur) ; *qu'on ne peut réprimer* (lat. *coercēre,* réprimer).

586. - ORTHOGRAPHE : Notez dans le carnet d'orthographe : *enivrer, enorgueillir, inonder, inoculer, inoccupé ; — innover, innocence, ennoblir.*

587. - LANGAGE : 1. On peut dire : « *remettre* quelqu'un » (au sens de « le reconnaître »), et « se *remettre* quelqu'un ou quelque chose » (au sens de « s'en rappeler le souvenir »). — Employez ainsi *remettre* et *se remettre* chacun dans une petite phrase.

2. Anglicisme : « un *boiler* » [= appareil domestique destiné à produire de l'eau chaude]. — Le mot français est *chauffe-eau ;* employez-le dans une petite phrase.

588. - PHRASÉOLOGIE : La phrase suivante est équivoque : « Il comptait sur son camarade ; bientôt il s'aperçut qu'il le trahissait ». Dissipez l'équivoque.

589. - CONJUGAISON : Conjuguez au plus-que-parfait de l'indicatif, forme interrogative : *dormir.*

CHAPITRE VI

Le Pronom

EMPLOI GÉNÉRAL

590. - Chaque fois que la chose est possible, remplacez par un **pronom** les mots en italique. (On prendra garde qu'en principe un nom qui n'est pas déterminé ne peut pas être représenté par un pronom.)

1. Les rapaces nocturnes ont le corps couvert d'un fin duvet; ce *duvet* les protège contre le froid. — 2. Il y a des âmes douées d'une énergie extraordinaire; rien ne résiste à *cette énergie*. — 3. Vous avez avoué vos torts avec franchise; *cette franchise* vous honore. — 4. A quoi vous servent les conseils de vos parents si vous ne voulez pas suivre *ces conseils?* — 5. Vous nous exhortez à ne pas perdre courage; comment perdrions-nous *courage* quand nous considérons votre exemple? — 6. Je vous apporte un livre, mais trouverez-vous le temps de lire *ce livre* et goûterez-vous l'esprit *de ce livre?* — 7. On conquerra la Lune; nos arrière-neveux feront *dans la Lune* de belles excursions. — 8. C'était une sorte de hutte; les murs *de cette hutte* étaient de paille.

PRONOMS PERSONNELS

La Poule blanche des canonniers.

C'était bien la plus charmante poule que *j'*aie connue de ma vie; *elle* était toute blanche, sans une seule tache; et ce brave homme, avec ses gros doigts mutilés à Marengo et à Austerlitz, *lui* avait collé sur la tête une petite aigrette rouge, et sur la poitrine un petit collier d'argent avec une plaque à son chiffre. La bonne poule *en* était fière et reconnaissante à la fois. *Elle* savait que les sentinelles *la* faisaient toujours respecter et *elle* n'avait peur de personne, pas même d'un petit cochon de lait et d'une chouette qu'on avait logés auprès d'*elle* sous le canon voisin. La belle poule faisait le bonheur des canonniers; *elle* recevait de *nous* tous des miettes de pain et de sucre tant que *nous* étions en uniforme; mais *elle* avait l'horreur de l'habit bourgeois.

Alfred de VIGNY, *Servitude et Grandeur militaires.*

591. - Analysez, dans le texte de Vigny, les pronoms **personnels** (genre, nombre, personne, fonction).

592. - Relevez les pronoms **personnels** ; analysez chacun d'eux.

a) 1. Dis-moi qui tu hantes, et je te dirai qui tu es. — 2. Nous nous plaisons à occuper notre esprit de ce qui nous charme. — 3. J'aime les fables de La Fontaine; je vais vous réciter « La Cigale et la Fourmi »; vous me direz si vous la trouvez belle. — 4. Ces gens se fourvoient; faites-leur voir leur erreur.

b) 1. Que Votre Majesté Ne se mette pas en colère; Mais plutôt qu'elle considère Que je me vas désaltérant Dans le courant Plus de vingt pas au-dessous d'elle. (La Font.) — 2. Un regard jeté de côté suffisait toujours pour me forcer à lui répondre, lorsqu'il me parlait. (J. Green.) — 3. Vous nous préparez ainsi pour demain des artisans dignes des générations ouvrières d'autrefois. (M. Barrès.) — 4. Tu n'auras point la cruauté de piéger ces amis mélodieux, de leur tendre des lacets, de les prendre à la glu. (M. Bedel.) — 5. On vous a conté que l'araignée de Pellisson fut mélomane? Ce n'est pas moi qui m'en ébahirais. (Colette.)

593. - Parmi les pronoms personnels distinguez ceux qui sont **toniques** et ceux qui sont **atones**.

1. Dites-moi ce que vous cherchez. — 2. Il importe de se connaître soi-même. — 3. Vous, vous cherchez les rieurs; moi, je les évite. — 4. Je soussigné certifie exacte la copie du présent contrat. — 5. Le travail ennoblit l'homme et lui procure de la joie; la paresse, elle, l'avilit; évitons-la.

594. - Inventez trois courtes phrases où vous emploierez : 1° un pronom personnel de la **1re personne** ; 2° un pronom personnel de la **2e personne** ; 3° un pronom personnel de la **3e personne**.

595. - Inventez trois courtes phrases contenant chacune un pronom personnel **réfléchi**.

596. - Dites si, dans les phrases suivantes, le pronom en italique a le sens **réfléchi**, — ou s'il a le sens **réciproque**, — ou s'il est **sans fonction logique**.

1. On *se* persuade mieux par les raisons qu'on *se* donne à *soi*-même. — 2. Après une querelle très vive, ils *se* sont réconciliés. — 3. Nous *nous* pardonnons tout et rien aux autres hommes. (La Font.) — 4. Je *m'*aperçois de mon erreur. — 5. Tu *te* doutes bien que nous *nous* reverrons. — 6. Vous *vous* entraidez. — 7. Si j'étais paresseux, je *me* nuirais grandement. — 8. Les soldats romains frémissaient, *se* cherchaient dans les ténèbres; ils *s'*appelaient, ils *se* demandaient un peu de pain ou d'eau. (Chateaubriand.)

---

597. - VOCABULAIRE : 1. Quels sont les dérivés en -*iste* se rapportant : à *propagande ?* — à *étalage ?* — à *drogue ?* — à *excursion ?* — à *bouquin ?* — à *orgue ?* — à *récidive ?*

2. Donnez dans la famille de *nom :* 5 mots commençant par *nom-* ; — 5 mots ne commençant pas par *nom-*.

598. - ORTHOGRAPHE : Notez dans le carnet d'orthographe : *les Français, un soldat français, les Canadiens, les journaux canadiens, ramoner, raffoler, raccourcir.*

599. - LANGAGE : On peut dire « jusqu'aujourd'hui » ou « jusqu'*à* aujourd'hui » (mais il faut *à* dans : « jusqu'*à* demain, jusqu'*à* hier, jusqu'*à* maintenant », etc.). — Inventez quatre phrases où *jusque* introduira les compléments : *aujourd'hui, avant-hier, lundi, maintenant.*

600. - PHRASÉOLOGIE : Mettez en relief : 1° par le gallicisme *c'est ... que ;* 2° par anticipation d'un pronom personnel ; 3° par mise en vedette en tête de la phrase et reprise par un pronom — les mots en italique : « Il faut résoudre *cette difficulté.* »

---

601. - Remplacez les trois points par **leur** ou par **leurs**.

a) 1. Ceux qui consacrent ... forces au soulagement des maux de ... semblables méritent l'admiration que nous ... vouons. — 2. Les chênes montrent au bout de ... branches de légères taches vertes, mais les hêtres déjà ouvrent ... bourgeons pointus. — 3. Bien des gens s'étonnent quand on ... montre ... défauts; mais si quelque flatteur ... énumère ... qualités, ils n'en sont guère surpris. — 4. La plupart des hommes occupent ... pensées de ce qui ... paraît agréable, de ce qui fait l'objet de ... désirs ou de ce qui ... cause des contrariétés.

b) 1. Les insectes qui vivent de la lumière, demoiselles vertes, cantharides, volaient à ... frênes, à ... roseaux. (Balzac.) — 2. Un riche laboureur, sentant sa mort prochaine, Fit venir ses enfants, ... parla sans témoins. (La Font.) — 3. Il y avait des gens autour de moi; j'entendais le bruit de ... pas ou, parfois, le petit bourdonnement de ... paroles. (J.-P. Sartre.) — 4. Ces dames pensaient que j'allais ... faire peur, et moi j'étais plus tremblant qu'elles. (Stendhal.) — 5. Ils partirent pour voir l'Enfant Montés sur ... trois éléphants. (Marie Noël.) — 6. Trois meuniers, dans la petite salle, appelaient pour qu'on ... apportât de l'eau-de-vie. (Flaubert.) — 7. Des femmes criaient et riaient; ... voix étaient perçantes, animales. (Fr. Mauriac.) — 8. ... cartables pointaient sous ... pèlerines. A cause des gros foulards qui ... entouraient le cou, ... têtes semblaient vissées directement dans ... épaules. (H. Troyat.)

602. - Remplacez la proposition relative en italique par le simple participe passé précédé d'un pronom personnel avec **à**.

Modèle : La lettre *qui lui a été envoyée;* — la lettre *à lui envoyée.*

1. Nous ne trahirons pas le secret *qui nous a été confié.* — 2. Les bonheurs *que vos secrets espoirs vous ont promis,* la vie vous les procurera-t-elle? — 3. Les fils du laboureur retournèrent le champ *qui leur avait été laissé* par leur père. — 4. Accomplissons les tâches *qui nous ont été imposées.* — 5. N'exagérez pas, en les racontant, les maux *que la vie vous a infligés.* — 6. Les documents *qui leur ont été transmis* ne nous ont pas été renvoyés. — 7. Il réclame une indemnité pour les dommages *que lui ont causés* ses voisins. — 8. S'il vous en a coûté quelque chose pour le port du colis *qui m'a été adressé,* je vous le rembourserai.

603. - Indiquez ce que représente, dans les phrases suivantes, le pronom **le** :

1. Je vous offre ce livre; lisez-*le* attentivement. — 2. Je vous parle en ami, reconnaissez-*le*. — 3. Vous êtes un ingrat, vous *le* fûtes toujours. (Racine.) — 4. Je vous *le* répète; vous courez un grand danger. — 5. Traître à ma patrie! non, je ne *le* serai pas! — 6. Tout cela, je vous *le* promets volontiers. — 7. Vous *le* prenez bien haut! — 8. Pour être en retard, oui, ils *le* sont. (P. Loti.) — 9. Nous sommes des hommes libres et nous entendons *le* rester. (Gén. de Gaulle.) — 10. Nous ne touchons que ceux qui *le* sont déjà. (Fr. Mauriac.)

604. - Remplacez les trois points par un des pronoms **le, la, l', les.**

1. Vous êtes les défenseurs de la vérité; vous ... serez avec fierté. — 2. Soyez respectueux comme doivent ... être des enfants bien élevés. — 3. Les méchants seront punis; la justice veut qu'ils ... soient. — 4. Rome voulut être la maîtresse du monde, et elle ... devint. — 5. Il y a des gens qui sont très instruits sans ... paraître. — 6. Êtes-vous les personnes dont on m'a parlé? — Nous ... sommes. — 7. Vous êtes pleins de santé; puissiez-vous ... rester toujours. — 8. Vous n'êtes pas encore écrivains, mais vous ... deviendrez peut-être. — 9. Resterez-vous mes amis? Oui, nous ... resterons. — 10. La consolation de tes parents, tu ... seras toujours.

605. - Remplacez les trois points par **soi** ou par un des pronoms **lui, elle, eux, elles**

1. Il accomplit son éternelle promenade en tenant droit devant ... cette main bandée de blanc. (G. Duhamel.) — 2. Qui ne songe qu'à ... quand la fortune est bonne Dans le malheur n'a point d'amis. (Florian.) — 3. Plus on a voyagé et plus on se convainc que l'on n'est bien que chez ... — 4. Ceux qui dans le malheur se replient sur ...-mêmes, en souffrent davantage. — 5. Nul n'est prophète chez ... — 6. La guerre traîne après ... beaucoup de maux. — 7. La mère, plantée sur la première marche du perron, regardait droit devant ... (J.-P. Sartre.) — 8. Et quand nous remontons le soir, chacun rentre chez ... (Ch.-L. Philippe.)

606. - Analysez les mots **en** et **y** (en discernant s'ils sont pronoms personnels **ou** adverbes).

1. Vous chantiez? j'*en* suis fort aise. (La Font.) — 2. Vos raisons sont bonnes, j'*en* reconnais la pertinence. — 3. Venez-vous de la ville? Oui, j'*en* viens. — 4. Quittez les bois, vous ferez bien: Vos pareils *y* sont misérables. (La Font.) — 5. La persévérance et la méthode sont deux conditions du succès; pensez-*y* bien. — 6. Ce travail est mal fait; vous *y* apporterez les corrections nécessaires. — 7. La lune, rouge et ovale, émergea de la mer et *y* allongea son reflet. (Cl. Farrère.) — 8. Il veut aller ailleurs: il croit qu'il *y* vivra mieux. — 9. Je regardai sa figure. Elle me fit peur. Un étrange durcissement *en* avait creusé les traits. (H. Bosco.)

607. - Inventez six courtes phrases où **en** (3 phrases) et **y** (3 phrases) seront, dans des gallicismes, des éléments de valeur imprécise.

608. - VOCABULAIRE : 1. Notez le sens de *émerger ;* — de *immerger ;* — de *inhaler ;* — de *exhaler ;* — de *inhumer ;* — de *exhumer.*

2. Que signifie la locution *vouloir prendre la lune avec ses dents ?*

609. - ORTHOGRAPHE : Notez dans le carnet d'orthographe : *traîtrise, maîtrise, infâme, infamie, pâtir, compatir, cône, conifère.*

610. - PRONONCIATION : Prononcez bien : *pupille* [pu-pil'], *bacille* [ba-sil'], *tranquille* [tran-kil'], *codicille* [ko-di-sil'] ; — mais : *Camille* [ka-miy'], *pastille* [pas-tiy'], *vanille* [va-niy'], *cédille* [sé-diy'], *camomille* [ka-mo-miy'], *il scintille* [sin-tiy'], *Séville* [sé-viy'].

611. - LANGAGE : On peut dire : « *éviter* quelque chose *à quelqu'un* » (= le lui épargner). — Employez cette construction dans deux phrases de votre invention.

612. - CONJUGAISON : Conjuguez au conditionnel passé 2ᵉ forme : *chanter.*

613. - ANALYSE : Analysez les mots en italique : « La Suisse est un pays charmant ; j'*y* vais chaque année *et* j'*en* admire les beautés. »

PRONOMS POSSESSIFS

614. - Discernez les **pronoms possessifs** et analysez chacun d'eux.

Modèle : Chacun a ses défauts; nous avons *les nôtres ;* — *les nôtres :* pronom possessif; masc. plur., 1ʳᵉ pers.; complément d'objet direct de *avons.*

1. Mes devoirs sont faits, les tiens le sont-ils? — 2. Les injustices des pervers Servent souvent d'excuse aux nôtres. (La Font.) — 3. En défendant l'honneur de la famille, je défends aussi le mien. — 4. Les pauvres ont leurs fardeaux; les riches aussi ont les leurs. — 5. Si vous aimez votre pays, ses intérêts doivent être les vôtres. — 6. Les maisons qui ne sont pas la nôtre présentent un caractère de nouveauté qui pour moi est charmante et instructive. (Ch.-L. Philippe.) — 7. Je me retournai pour voir contre le mien son visage. (A. Gide.) — 8. Vous savez ce que c'est que de perdre une mère. Vous avez, je crois, la conscience qu'en bien des choses, c'est la vôtre qui vous a doué; je sais bien aussi que je dois à la mienne une grande partie de ce qui est en moi. (Renan.)

615. - Conjuguez au présent de l'indicatif :

1. Des soucis? j'ai les miens; des satisfactions? j'ai les miennes. — 2. J'aime cette maison parce que c'est la mienne.

616. - Remplacez par un **pronom possessif** les éléments en italique.

1. Au lieu de scruter la conduite d'autrui, scrutez *votre conduite.* — 2. Tu caresses ce projet, tu y tiens parce que c'est *ton projet.* — 3. Souvent nous ne considérons que les intérêts qui sont *nos intérêts.* — 4. Maman oubliait sa peine pour ne penser qu'à *ma peine.* — 5. Votre pays a ses charmes; *mon pays* aussi a *ses charmes.* — 6. L'égoïste ne pense pas à nos avantages: il ne voit que *ses avantages.*

617. - Complétez les possessifs par **notre, votre,** — ou par **nôtre(s), vôtre(s),** en mettant bien, là où il le faut, l'accent circonflexe sur **l'o.**

1. On vous a fait voir *v...* erreur. — 2. Cette maison est-elle la *v...?* — 3. Que *V...* Majesté ne se mette pas en colère. (La Font.) — 4. *N...* sentiment est conforme au *v...* — 5. *V...* décision, nous la faisons *n...* — 6. Vous et les *v...* nous avez toujours secourus. — 7. Serez-vous des *n...* ce soir? — 8. Nous ne pouvions déshonorer *n...* nom pour justifier *n...* conduite, n'est-ce pas? (J. Green.)

PRONOMS DÉMONSTRATIFS

Ceux qui vivent.

Ceux qui vivent, ce sont ceux qui luttent; ce sont
Ceux dont un dessein ferme emplit l'âme et le front,
Ceux qui d'un haut destin gravissent l'âpre cime,
Ceux qui marchent pensifs, épris d'un but sublime,
Ayant devant les yeux sans cesse, nuit et jour,
Ou quelque saint labeur ou quelque grand amour.
C'est le prophète saint prosterné devant l'arche,
C'est le travailleur, pâtre, ouvrier, patriarche,
Ceux dont le cœur est bon, ceux dont les jours sont pleins.
Ceux-là vivent, Seigneur! les autres, je les plains.

Victor HUGO, Les Châtiments.

618. - Soulignez, dans le texte de Hugo, les **pronoms démonstratifs.**

619. - Discernez les **pronoms démonstratifs** et analysez chacun d'eux.

a) 1. Celui qui ne sait pas souffrir n'a pas un grand cœur. — 2. Voyager est bon: cela étend les idées et rabat l'amour-propre. — 3. Le plus fort est celui qui tient sa force en bride. — 4. De toutes les aventures modernes, celle des cosmonautes est la plus étonnante. — 5. Retenez ceci: le travail est un trésor. — 6. Sur ce, je vous quitte. — 7. Prenez ces deux livres: celui-ci vous instruira; celui-là vous récréera.

b) 1. Et s'il n'en reste qu'un, je serai celui-là! (Hugo.) — 2. Ce disant, il ramassa le pistolet. (J. Romains.) — 3. Partir, c'est mourir un peu. (E. Haraucourt.) — 4. Ceci n'est pas un conte à plaisir inventé. (La Font.) — 5. Ce qu'elle était pour ses quatre enfants, et peut-être pour son mari, je le dirai aisément. Cela se reconnaissait à beaucoup de preuves. (R. Bazin.) — 6. Heureux ceux qui sont morts dans une juste guerre! (Ch. Péguy.) — 7. Ces vieux, ça n'a qu'une goutte de sang dans les veines. (A. Daudet.)

620. - Remplacez les mots en italique par le **pronom démonstratif** convenable.

1. La jalousie est de tous les maux *le mal* qui fait le moins de pitié aux personnes qui le causent. — 2. Nos droits finissent là où commencent *les droits* des autres. — 3. La leçon des exemples vaut mieux que *la leçon* des préceptes. — 4. L'esprit que nous voulons avoir gâte *l'esprit* que nous avons. — 5. Les caprices de notre humeur sont encore plus bizarres que *les caprices* de la fortune. — 6. Sache quelles sont tes qualités, quels sont tes défauts; recherche *tes défauts* pour les corriger, *tes qualités* pour les perfectionner.

621. - Mettez en relief au moyen de *c'est ... qui* ou de *c'est ... que* les éléments en italique.

a) 1. Nous devons fuir *l'erreur.* — 2. *Nous* avons gagné le match. — 3. *La cendre des morts,* dit le poète, créa la patrie. — 4. Je préfère *le canotage.* — 5. Nous passerons nos vacances *en Suisse.* — 6. Nous prendrons une décision *aujourd'hui même.*

b) 1. *Dans l'adversité,* nous connaissons nos vrais amis. — 2. *La Fontaine* est le premier de nos fabulistes. — 3. Les abeilles viennent *du séjour des dieux.* — 4. *A l'œuvre* on connaît l'artisan. — 5. Je vous dis cela *dans votre intérêt.* — 6. *Tu* seras le capitaine de l'équipe. — 7. Que le poète se frappe le cœur: *là* est son vrai génie.

622. - Inventez 2 phrases dans lesquelles **ceci** représentera quelque chose qui va être exprimé ; — et 2 phrases dans lesquelles **cela** représentera quelque chose qui vient d'être exprimé.

623. - Remplacez les trois points par un pronom démonstratif **prochain** ou par un pronom démonstratif **lointain**.

1. Vos richesses et vos amis? ... peuvent vous abandonner. ... peuvent vous être ôtées en un jour. — 2. Dites-vous bien ...: nul ne sait commander s'il n'a pas appris à obéir. — 3. La comédie diffère de la tragédie: ... peint les passions violentes; ... représente les mœurs dans des situations plaisantes. — 4. Défiez-vous de la flatterie: ... est bon à rappeler. — 5. J'aime les sports, j'aime l'étude: ... enrichit mon esprit; ... fortifient mon corps. — 6. La patience vient à bout de tout: ... est passé en proverbe.

624. - Remplacez les trois points par un pronom démonstratif avec **-ci** ou **-là**.

1. Un souriceau rencontra un coq et un chat: ... lui parut doux; ..., turbulent. — 2. Choisis plutôt une perte qu'un gain honteux: ... t'affligera un moment, ... t'affligera toujours. — 3. Vive l'été! vive aussi l'hiver! ... m'apporte les joies du ski; ..., les baignades et le canotage. — 4. Quoi d'étonnant si le renard berna le bouc? ... ne voyait pas plus loin que son nez; ... était passé maître en fait de tromperie. — 5. Ni les timorés ni les téméraires ne sont de bons modèles! ... vont au-delà du vrai courage; ... se tiennent en-deçà. — 6. Une devise? n'aimez-vous pas ..., qui est celle du Québec: « Je me souviens »?

625. - Remplacez les trois points par **c'**, ou **ç'**, ou **ça**, ou **çà**.

1. ... a été pour moi un grand honneur de vous recevoir. — 2. Ah! ..., pour qui me prend-on? — 3. Les choses ne se passeront pas comme ...! — 4. Tout ... ne fait pas mon affaire. — 5. Oh! les jolis chatons! ... joue, ... saute; vraiment ... m'amuse de les regarder. — 6. Or ... sire Grégoire, Que gagnez-vous par an? (La Font.) — 7. ... était merveilles d'entendre chanter le savetier. — 8. ... aurait été dommage de laisser passer cette occasion. — 9. Ah! ... alors, ... m'étonnerait! — 10. ... était admirable, ce coucher de soleil. — 11. ... et là des arbustes chétifs croissent sur cette terre aride. — 12. ..., te défendras-tu, poltron!

---

626. - VOCABULAIRE : 1. Quel est le sens de *prendre son essor ?* — de *à l'envi ?* — Employez chacune de ces expressions dans une petite phrase.

2. Donnez les contraires de : *polythéisme, théorique, absolu, absoudre, chauve, concave.*

627. - ORTHOGRAPHE : Notez dans le carnet d'orthographe : *noyau, joyau, tuyau, boyau ; — tombeau, bourreau, rideau, berceau, chemineau.*

628. - PHRASÉOLOGIE : Remplacez *cela* par un nom précis, précédé de l'adjectif démonstratif : « Il vient de perdre sa mère : *cela* l'afflige. » — « Vous estimez qu'il faut partir ; j'approuve *cela.* » — « On apprit que deux maisons avaient été cambriolées ; *cela* émut tout le quartier. »

629. - LANGAGE : Ne dites pas : « En automne, il fait souvent *cru,* le temps est *cru* » (wallonisme et canadianisme). Dites : « ... il fait *froid et humide* ». — Employez l'expression correcte dans une phrase de votre invention.

630. - PONCTUATION : Mettez la ponctuation : *Chaque homme a trois caractères celui qu'il a celui qu'il montre celui qu'il croit avoir*

PRONOMS RELATIFS

Rentrée des classes.

Je vais vous dire ce *que* me rappellent, tous les ans, le ciel agité de l'automne, les premiers dîners à la lampe et les feuilles *qui* jaunissent dans les arbres *qui* frissonnent; je vais vous dire ce *que* je vois quand je traverse le Luxembourg dans les premiers jours d'octobre, alors qu'il est un peu triste et plus beau que jamais; car c'est le temps *où* les feuilles tombent une à une sur les blanches épaules des statues. Ce *que* je vois alors dans ce jardin, c'est un petit bonhomme *qui*, les mains dans les poches et sa gibecière au dos, s'en va au collège en sautillant comme un moineau. Ma pensée seule le voit, car ce petit bonhomme est une ombre; c'est l'ombre du moi *que* j'étais il y a vingt-cinq ans.

Anatole FRANCE, *Le Livre de mon ami.* (Calmann-Lévy, édit.).

631. - Analysez, dans le texte d'Anatole France, les **pronoms relatifs.**

Modèle: Un mal *qui* répand la terreur; — *qui:* pronom relatif; antécédent *mal;* masc. sing.; sujet de *répand.*

632. - Dans les phrases suivantes, soulignez les **pronoms relatifs** ; encadrez chaque fois l'**antécédent** :

1. Une souris qui n'a qu'un trou sera bientôt prise. — 2. Le temps est l'étoffe dont la vie est faite. — 3. Quel est celui de ces tableaux que vous préférez? — 4. Votre ami est là qui attend. — 5. Qu'ai-je dit qui vous étonne? — 6. Tel est pris qui croyait prendre. — 7. Je connais le sentier détourné par lequel vous êtes venu. — 8. Nous versons une somme de dix mille francs, laquelle nous sera remboursée dans cinq ans. — 9. Celui-là est bientôt riche qui épargne tous les jours quelque chose. — 10. J'entends, qui grignote les heures, l'horloge du salon.

633. - Discernez les **pronoms relatifs** et analysez chacun d'eux.

a) 1. Les fleuves sont des chemins qui marchent. (Pascal.) — 2. Un loup survient à jeun qui cherchait aventure. (La Font.) — 3. Le vent redouble ses efforts Et fait si bien qu'il déracine Celui de qui la tête au ciel était voisine Et dont les pieds touchaient à l'empire des morts. (Id.) — 4. Insensé que je suis! que fais-je ici moi-même? (Musset.) — 5. Mon père, de qui je voyais, sous la lampe, le crâne piqueté d'une rosée de sueur, se leva. (Fr. Mauriac.) — 6. L'homme que je suis devenu couvait déjà, de très bonne heure, sous l'enfant que j'étais. (P. Loti.)

b) 1. Adieu, Meuse endormeuse et douce à mon enfance, Qui demeures aux prés où tu coules tout bas. (Ch. Péguy.) — 2. Je vois des objets que tu ranges, d'autres que tu époussettes et des meubles dont tu prends soin. (Ch.-L. Philippe.) — 3. Quiconque trahit sa patrie est un monstre d'ingratitude. — 4, Quoi que tu fasses, fais-le avec soin. — 5. Que de choses merveilleuses se sont passées du temps qu'il y avait des fées! — 6. Contre qui que ce soit qu'un chef ait à sévir, que sa sévérité soit tempérée par la bonté. — 7. Il s'écoulait toujours quelques minutes durant lesquelles le foyer nous éclairait tout seul. (R, Boylesve.)

634. - Inventez deux courtes phrases où l'**antécédent** du pronom relatif sera : 1° un nom ; — 2° un pronom.

635. - Transformez les phrases suivantes en indiquant entre parenthèses quel serait le pronom **antécédent** si on voulait l'exprimer.

1. *Qui* casse les verres les paie. — 2. On pardonne volontiers à *qui* se repent. — 3. Cet homme gagne l'estime de *qui* le connaît bien. — 4. Silvia ne le connaissait plus. *Dont* il sentit une douleur extrême. (Musset.) — 5. Vous pensâtes même ne me pas trouver, *qui* eût été une belle chose. (Mme de Sévigné.) — 6. Il veut avoir trop d'esprit, *dont* j'enrage. (Molière.) — 7. Heureux *qui* frissonne aux miracles de cette poésie! (A. France.) — 8. Ne lapidez pas *qui* vous ombrage. (Hugo.)

---

636. - VOCABULAIRE : Suffixe *-ite*. — Comment s'appelle l'inflammation de l'*oreille* (grec : *oûs, ôtos*) ? — d'une *veine* (gr. *phleps, phlebos*) ? — de la muqueuse des *paupières* (lat. *conjunctivus* = servant à lier) ? — des *méninges* ? — du *péritoine* ? — de la muqueuse de l'*estomac* (gr. *gastêr, gastros*) ? — de l'*intestin* (gr. *enteron*) ?

637. - ORTHOGRAPHE : Notez dans le carnet d'orthographe : *résonance, assonance, dissonance, époumoner, donation, ramonage.*

638. - PRONONCIATION : Prononcez bien : *symptôme* [sinp-tôm'], *bourgmestre* [bourg'-mèstr'], *couenne* [kwan'], *dompter* [don-té].

639. - LANGAGE : Ne dites pas « *Tout qui* le connaît l'aime ». Dites : « *Quiconque* le connaît ... » ou : « *Tous ceux qui* le connaissent ... » — Inventez deux phrases où vous emploierez les tours corrects.

640. - PHRASÉOLOGIE : « Les clients de l'hôtel prenaient, *qui* du thé, *qui* du porto, *qui* un cocktail, *qui* un whisky au soda. » (P. Bourget.) — Dans une phrase où vous décrirez des enfants s'amusant à se déguiser, imitez cet emploi de *qui* distributif.

641. - ANALYSE : Analysez les mots en italique : « *Il* convient que vous cherchiez *dans* le dictionnaire les mots de l'orthographe *desquels* vous n'êtes pas *sûr*. »

---

642. - Faites passer dans les phrases suivantes les éléments en italique et donnez-leur la place convenable :

1. [*Qui sont de vrais trésors*] Il y a des tableaux dans nos musées. — 2. [*Dont nous ne contrôlons guère la valeur*] Nous donnons parfois des raisons dans le feu de la discussion. — 3. [*Qui vous charmeront*] Vous trouverez bien des endroits en lisant les fables de La Fontaine. — 4. [*Où l'on aimerait à vivre*] Il y a de beaux villages en France, en Suisse, au Canada, chez nous aussi. — 5. [*Dont chaque page est remplie de merveilles*] Le firmament étoilé est comme un livre pour le poète. — 6. [*Que nous négligeons à tort*] Il y a beaucoup de petites choses au cours de chacune de nos journées. — 7. [*Que nous coupâmes en deux*] Nous reçûmes une tartelette de tante Odile.

643. - Remplacez les trois points par le pronom **relatif** convenable, précédé, s'il y a lieu, d'une préposition.

1. Rapporte-moi le livre ... je t'ai prêté. — 2. Tous les chiens ... aboient ne mordent pas. — 3. Ce sont là des tâches ... il faudrait s'appliquer. — 4. L'avare se refuse même les choses ... il aurait besoin. — 5. Qu'est-ce que ce projet ... tu m'as parlé? — 6. Malheur à ceux ... le scandale arrive. — 7. Il n'est rien ... nous ne devions être disposés pour faire plaisir à nos parents. — 8. C'est une aventure ... je me rappellerai longtemps.

644. - Remplacez les trois points par **quoique** ou par **quoi que**.

a) 1. Faisons notre devoir, ... il puisse arriver. — 2. Le bûcheron de la fable, ... il fût accablé de malheur, aimait mieux souffrir que mourir. — 3. L'œil du moucheron, ... à peine perceptible, reçoit l'image du firmament. — 4. ... vous écriviez, évitez la bassesse. (Boileau.) — 5. Certains fruits, ... séduisants par leur couleur, sont funestes. — 6. La fortune, ... elle puisse avoir de solide, est instable.

b) 1. ... les premières violettes aient ouvert leurs corolles, le gel est encore à craindre. — 2. ... vous puissiez dire, vous ne me convaincrez pas. — 3. ... le lièvre n'eût que quatre pas à faire, la tortue arriva la première. — 4. ... fît le lièvre, la tortue arriva avant lui. — 5. Il était, ... riche, à la justice enclin. (Hugo.) — 6. ... il en soit, je ne veux pas entraîner mon lecteur à travers le labyrinthe de ces sentiments compliqués. (J. Green.)

645. - Dites quelle est la fonction de **dont**.

1. C'est une affaire *dont* je vois l'importance. — 2. Il n'est rien *dont* je sois plus certain. — 3. Je vous suis reconnaissant des faveurs *dont* vous me comblez. — 4. Elle-même s'aidait d'une canne *dont* elle tâtait le sol devant elle. (H. Bosco.) — 5. Voilà un résultat *dont* je suis content. — 6. Je vois là-bas la maison *dont* je pense que vous êtes propriétaire. — 7. Il n'y a point de mal *dont* il ne naisse un bien. (Voltaire.)

646. - Analysez le relatif **dont**.

1. Il n'est guère de difficultés *dont* un travail opiniâtre ne puisse triompher. — 2. La clef *dont* on se sert est toujours claire. — 3. Les peupliers, *dont* on voit

l'image dans le fleuve, frissonnent sous la brise. — 4. Les hirondelles évoluent au-dessus du lac, *dont* elles effleurent l'eau bleue. — 5. La voix *dont* notre mère nous parle est douce à notre oreille. — 6. Ils ramassèrent le héron, qui vivait encore, et *dont* ils coupèrent la gorge. (Nerval.) — 7. Souvent ce que nous disons frappe moins que la manière *dont* nous le disons. — 8. C'est une aventure *dont* je me souviendrai longtemps.

647. - Inventez trois phrases où **dont** sera complément : 1° d'un nom ; 2° d'un adjectif ; 3° d'un verbe.

648. - Remplacez les trois points par **dont** ou par **d'où**.

1. La race ... nous descendons a sa fierté. — 2. Ce jardin ... vous sortez a imprégné vos vêtements des senteurs de l'automne. — 3. Que d'esquisses inachevées ... pouvaient sortir des chefs-d'œuvre! — 4. Je revois la maison paternelle et sa cheminée ... sort un filet de fumée blanche. — 5. Gardons les traditions de la famille ... nous descendons. — 6. Ce sens de l'honneur, vous l'avez reçu du peuple ... vous êtes issu. — 7. Bien des gens gardent toujours l'accent de la région ... ils viennent. — 8. Cet homme est très orgueilleux, mais il n'aime pas qu'on lui rappelle ... il est issu.

---

649. - VOCABULAIRE : 1. Qu'est-ce qu'un lapin *de garenne ?* — un lapin *de clapier ?*
2. Quels sont les diminutifs de : *vieux, aigre, mou, pâle ?*

650. - ORTHOGRAPHE : Notez dans le carnet d'orthographe : *rhume, rhumatisme, rhinocéros, rhododendron, rhétorique, rhubarbe.*

651. - LANGAGE : On peut dire *aux environs de* non seulement en parlant de l'espace, mais aussi en parlant du temps, par exemple : « *aux environs de* Pâques ». — Employez dans une courte phrase cette expression avec un complément indiquant une date.

652. - PHRASÉOLOGIE : « *Qui* n'a pas vu Avignon du temps des papes, n'a rien vu. » (A. Daudet.) — Dans une phrase de votre invention, imitez cet emploi de *qui* sans antécédent.

653. - CONJUGAISON : Conjuguez au subjonctif plus-que-parfait : *descendre.*

PRONOMS INTERROGATIFS

654. - Distinguez les **pronoms interrogatifs** d'avec les pronoms relatifs. Analysez chacun de ces pronoms interrogatifs ou relatifs.

Modèle: Que demandez-vous? — *que:* pronom interrogatif; neutre sing.; compl. d'objet direct de *demandez.*

1. Qui pourrait compter les étoiles qui brillent au firmament ou les grains de sable que la mer roule sur le rivage? — 2. De quoi demain sera-t-il fait? — 3. Je ne sais plus que faire. — 4. Quoi de plus changeant que l'opinion publique? quoi de plus instable que les faveurs qu'elle accorde? — 5. Pour qui sont ces serpents qui sifflent sur vos têtes? (Racine.) — 6. Voilà bien des opinions; auxquelles nous arrêter? — 7. Joies du sport, joies de la musique: dites-moi desquelles vous êtes amateur.

655. - Composez sur chacun des thèmes suivants une phrase où vous emploierez un **pronom interrogatif** :

1. La découverte de l'Amérique. — 2. Le choix d'une profession. — 3. La conquête de la Lune. — 4. Les effets de la douceur ou de la violence.

656. - Renforcez au moyen de **est-ce qui** ou de **est-ce que** les pronoms interrogatifs.

1. Que me dites-vous là? — 2. Qui vous a appris cette nouvelle? — 3. De quoi parlez-vous? — 4. Par quoi commencerons-nous? — 5. De ces deux livres lequel choisissez-vous? — 6. A qui dois-je m'adresser?

PRONOMS INDÉFINIS

La Récréation.

Personne ne criait ni ne jouait. *Certains* fumaient une cigarette, cachée dans le creux de la main, au fond de leur poche, et se promenaient de long en large sous le préau; *les autres* s'entassaient auprès d'un portail condamné, dans une sorte de trou formé par une brusque descente qui mettait la cour de niveau avec la rue voisine. *On* s'asseyait, les jambes pendantes, sur les parapets de ce trou, sur les crochets de fer qui condamnaient le portail. *On* ne voyait pas dans la rue, mais parfois, contre les battants, tout près, tout près de soi, *on* entendait le pas de *quelqu'un* qui s'éloignait.

ALAIN-FOURNIER, *Miracles*. © Éditions Gallimard.

657. - Dites quelle est, dans le texte d'Alain-Fournier, la fonction de chaque **pronom indéfini**.

658. - Relevez les **pronoms indéfinis** et analysez chacun d'eux.

a) 1. Il ne faut dédaigner personne: chacun a sa dignité. — 2. Nul ne sait le tout de rien. — 3. Aucun n'est prophète chez soi. — 4. Plus d'un, qui avait visité des contrées lointaines, s'est senti heureux en rentrant au pays natal. —

5. Ne faites pas à autrui ce que vous ne voudriez pas qu'on vous fît à vous-même. — 6. Cette musique a je ne sais quoi qui m'enchante. — 7. Tout, dans cette ville, rappelle le moyen âge. — 8. Chacun est l'artisan de sa propre fortune.

b) 1. Tout m'afflige et me nuit, et conspire à me nuire. (Racine.) — 2. Rien ne me verra plus, je ne verrai plus rien. (Hugo.) — 3. J'éviterai avec soin d'offenser personne, si je suis équitable. (La Bruyère.) — 4. Chacun tourne en réalités Autant qu'il peut ses propres songes. (La Font.) — 5. Au bout d'un quart d'heure, qui fut long, j'entendis sur l'escalier quelqu'un. (P.-L. Courier.) — 6. Dans le bonheur d'autrui je cherche mon bonheur. (Corneille.) — 7. Il pensait que les tristesses de tous ne changent rien aux devoirs de chacun. (A. Maurois.) — 8. Pas un ne recula. Dormez, morts héroïques! (Hugo.)

---

659. - VOCABULAIRE : 1. Comment appelle-t-on la partie de l'avant d'un navire ? — la partie de l'arrière ?

2. Quels sont les verbes en -*iser* de la même famille que : *divin, égal, tyran, symbole, sympathie, immortel, faveur, réel ?*

660. - ORTHOGRAPHE : Notez dans le carnet d'orthographe : *pose* (action de poser), *pause* (interruption momentanée), *trafiquant, va-t'en, excepter, pyjama.*

661. - LANGAGE : On dit : « informer *que* … ». — Faites une phrase où vous emploierez cette construction.

662. - CONJUGAISON : Conjuguez au conditionnel passé 2e forme : *se taire.*

663. - PONCTUATION : Mettez la ponctuation : *Lausanne le 7 janvier 19.. Monsieur le Directeur En réponse à votre demande du 5 janvier j'ai l'honneur de vous informer qu'il me sera impossible de vous fournir pour la date que vous fixez les documents dont vous parlez je suis en observation à la clinique X… à Lausanne*

---

664. - Distinguez, parmi les mots en italique, les **pronoms indéfinis** d'avec les adjectifs indéfinis. Analysez chacun d'eux.

1. *Certains* personnages s'imaginent qu'ils ont atteint le sommet du savoir: quelle vanité! — 2. *Certains* se figurent que l'esprit humain est illimité: quelle erreur! — 3. Nous avons *plusieurs* raisons de nous défier de notre imagination. — 4. *Plusieurs* pensent, non sans raison, qu'on atterrira bientôt sur la Lune. — 5. *Plus d'un* homme a été perdu par l'orgueil. — 6. *Plus d'un* se satisfait de demi-raisons. — 7. L'orage tombera sur *tel* qui n'y pense pas. — 8. *Tel* personnage se croit orateur qui n'est que bavard.

665. - Composez, sur chacun des thèmes suivants, une phrase où vous ferez entrer un **pronom indéfini.**

1. Mes rêves d'avenir. — 2. La grâce et la naïveté de l'enfance. — 3. Le vol de l'hirondelle. — 4. Joies du printemps. — 5. Mon sport favori.

666. - Dites à quel pronom personnel équivaut le pronom **on**.

1. Gardes, qu'*on* obéisse aux ordres de ma mère! (Racine.) — 2. Qu'*on* hait un ennemi quand il est près de nous! (Id.) — 3. Mon ami, a-t-*on* étudié sa leçon aujourd'hui? — 4. Voyons, chère madame, comment va-t-*on* ce matin? A-t-*on* pris la potion que j'ai prescrite? — 5. Le maître est content de ses élèves: *on* a fait de remarquables progrès! — 6. Les bonnes tantes que j'ai! *On* me gâte, *on* me conte des histoires. — 7. Les élèves joyeux s'ébattent dans la cour: *on* court, *on* rit, *on* se poursuit; quelle animation! — 8. Ma promesse est ferme; soyez tranquille: *on* s'occupera de vous! — 9. Ah! quel petit babouin! *on* s'agite sans cesse et *on* fait cent sottises!

667. - Remplacez les trois points par **on** ou par **l'on**.

1. ... peut, si ... le veut, faire de beaux progrès. — 2. Il est bon que ... conserve les traditions léguées par les aïeux. — 3. ... revoit avec plaisir les lieux où ... a passé son enfance. — 4. Le vent fait rage; ... l'entend gémir et secouer les grands peupliers. — 5. Lorsque ... compte pour rien le devoir, ... n'est pas digne d'estime. — 6. Je voudrais que ... comprenne bien ma pensée. — 7. Voici le printemps: que ... longe le ruisseau ou que ... contourne les taillis, mille rumeurs se croisent dans l'air léger.

668. - Accordez les mots en italique.

1. Personne, parmi les dames romaines, ne fut plus [*fier*] de ses enfants que Cornélie, qui pouvait dire: « On est [*heureux*] de montrer ses bijoux, mais pour moi, ce sont mes enfants qui sont mes joyaux. » — 2. On est rarement aussi [*heureux*] qu'on le souhaiterait. — 3. Ma fille, quand on est [*paresseux*] comme vous l'êtes, on risque fort d'être [*malheureux*] plus tard. — 4. On est tous [*égal*] devant la mort. — 5. Personne parmi les héroïnes françaises ne se montra plus [*courageux*] que Jeanne d'Arc. — 6. « Mes chères petites, disait l'institutrice, si [*quelqu'un*] de vous a de la peine, pourquoi ne m'ouvrirait-elle pas son cœur? »

669. - Remplacez les trois points par l'une des expressions **l'un, l'autre, — l'un l'autre, — l'un et l'autre ;** — s'il y a lieu, faites l'accord ; — là où c'est nécessaire, mettez une préposition.

1. Ces deux frères doivent s'aider ... — 2. Corsaires à corsaires, ... s'attaquant, ne font pas leurs affaires. (La Font.) — 3. Pour un âne enlevé deux voleurs se battaient: ... voulait le garder; ... le voulait vendre. (Id.) — 4. Nous sommes entre le passé et l'avenir: ... ne nous appartient plus, ... ne nous appartient pas encore. — 5. La richesse et la gloire? ... est essentiellement instable. — 6. Je vous souhaite mille prospérités ... enchaînées. — 7. La vraie science et la vanité s'excluent ... — 8. Deux amis véritables ont ... une profonde estime.

---

670. - VOCABULAIRE : 1. Rangez dans l'ordre alphabétique ces noms de musiciens : *Mozart, Vincent d'Indy, Beethoven, Grétry, Lulli, Chopin, Schubert, Liszt, Brahms, Debussy.*

2. Qu'est-ce qu'un instrument *contondant ?*

671. - ORTHOGRAPHE : 1. Notez dans le carnet d'orthographe : *ils sont légion, hydravion, pedigree, neurasthénie, ·lapalissade.*

2. Devant un *h* muet, l'élision et la liaison se font ; devant un *h* aspiré, non. Remplacez les trois points par *le,* ou *la,* ou *l' :* ... hérisson, ... herbe, ... horizon, ... handicapé, ... hache, ... horreur, ... habit, ... hasard, ... hirondelle, ... herse.

672. - LANGAGE : Provincialismes : « Cet enfant fait un *cumulet* » (Belgique) ; — « ... un *custourniau* » (Hainaut) ; — « ... le *coupèrou* » (Liège) ; — « ... un *cul-mariot* » (Champagne) ; — « ... la *cupesse* » (Genève). — Terme familier : « ... des *galipettes* ». — A ces provincialismes et à ce terme familier opposons : *culbute* et *cabriole*. — Employez ces deux derniers mots chacun dans une petite phrase.

673. - PHRASÉOLOGIE : Modifiez la phrase suivante, pour éviter la cascade des prépositions : « Il sortit *par* surprise *par* la porte du jardin, laissée ouverte *par* le concierge. »

674. - ANALYSE : Dites quelle est la fonction des mots en italique : « *Certains se* figurent *que* l'esprit humain est illimité : *quelle* erreur ! »

CHAPITRE VII

Le Verbe

Dans les Hautes Montagnes.

On n'entend plus, dans ces lieux escarpés, que le bruit des clochettes que portent les moutons et dont les tintements inégaux produisent des accords imprévus, des gammes fortuites, qui étonnent le voyageur et réjouissent leur berger sauvage et silencieux. Mais, lorsque vient le long mois de septembre, un linceul de neige se déroule de la cime des monts jusqu'à leur base et ne respecte que ce sentier profondément creusé, quelques gorges ouvertes par les torrents et quelques rocs de granit qui allongent leur forme bizarre comme les ossements d'un monde enseveli.

Alfred de VIGNY, *Cinq-Mars*.

675. - Discernez, dans le texte de Vigny, les **verbes** et leurs sujets. Écrivez, dans une 1ʳᵉ colonne, les sujets ; — dans une 2ʳ colonne, les verbes qui y correspondent.

676. - Remplacez par un verbe simple les **locutions verbales**.

a) 1. Je *fais venir* un ami. — 2. J'ai *à cœur* de vous remercier. — 3. L'armée *tint tête* à l'ennemi et *fit preuve* d'un grand courage. — 4. *Mettez fin* à toutes ces querelles. — 5. Cette conduite vous *fait honneur*. — 6. On *fait grâce* au condamné.

b) 1. Je vous *sais gré* de vos bontés. — 2. Il *fait montre de* ses talents. — 3. *J'ai envie de* partir. — 4. Il ne faut *faire tort* à personne. — 5. Vous *courez risque* de tout perdre. — 6. Il *y a lieu* de sévir. — 7. Il *prend garde* de tomber. — 8. Je vous *rends grâce* de votre obligeance.

677. - Faites entrer chacune dans une petite phrase :

2 locutions verbales avec *faire ;* — 2 locutions verbales avec *avoir ;* — 2 locutions verbales avec *rendre ;* — 2 locutions verbales avec *donner.*

ESPÈCES DE VERBES

678. - Soulignez les verbes **copules**.

1. L'absence est le plus grand des maux. (La Font.) — 2. Chaque saison a ses charmes; quelle est celle qui vous semble la plus agréable? — 3. Les Huns parurent effroyables aux barbares eux-mêmes. (Chateaubriand.) — 4. Tel

était riche qui se trouve pauvre tout d'un coup. — 5. Vous jouissez d'une bonne
santé; puissiez-vous rester toujours bien portants! — 6. Mon imagination
m'emporte; je deviens parfois le personnage dont je lis les aventures. — 7.
Des poètes ont vécu pauvres et sont morts ignorés. — 8. Nous demeurerons
fermes quand l'adversité nous accablera.

679. - Inventez de courtes phrases où vous emploierez comme verbes **copules** :

sembler — paraître — aller — arriver — entrer — partir.

680. - Distinguez, parmi les verbes en italique, les verbes **transitifs** d'avec les
verbes **intransitifs** ; rangez dans une 1ʳᵉ colonne les transitifs (avec, au
bout d'une flèche, leur complément d'object direct), — et dans une 2ᵉ colonne,
les intransitifs.

A l'Usine.

Là, j'*ai admiré* véritablement l'industrie. C'est un beau et prodigieux
spectacle, qui, la nuit, semble *emprunter* à la tristesse solennelle de l'heure
quelque chose de surnaturel. Les roues, les scies, les chaudières, les lami-
noirs, les cylindres, les balanciers, tous ces monstres de cuivre, de tôle
et d'airain que nous *nommons* des machines et que la vapeur fait *vivre*
d'une vie effrayante et terrible, *mugissent, sifflent, grincent, râlent, reni-*
flent, aboient, glapissent, déchirent le bronze, *tordent* le fer, *mâchent*
le granit, et, par moments, au milieu des ouvriers noirs et enfumés qui
les *harcèlent, hurlent* avec douleur dans l'atmosphère ardente de l'usine.

Victor HUGO.

681. - VOCABULAIRE : 1. Qu'est-ce qu'un événement *fortuit ?* — qu'un homme
ingambe ?

2. De quel nom général appelle-t-on le médecin qui traite les maladies
des *yeux* (lat. *oculus,* œil) ? — les maladies du *cœur* (gr. *kardia,* cœur) ?
— les maladies des *enfants* (gr. *pais, paidos,* enfant ; *iatros,* médecin) ?
— les maladies *nerveuses* (gr. *neuron,* nerf) ? — les maladies de la *peau*
(gr. *derma, dermatos,* peau) ? — les maladies *mentales* (gr. *psukhê,* âme) ?

682. - ORTHOGRAPHE : Notez dans le carnet d'orthographe : *psychologie, poète,*
solennel, atmosphère.

683. - LANGAGE : Ne dites pas : « *débuter* le concert par … » (*débuter* est intransitif) ;
dites : « *commencer* le concert par … ». — Inventez deux phrases où vous
emploierez *débuter par* (sans complément d'objet direct).

684. - PHRASÉOLOGIE : Condensez la phrase : « On a quelques raisons de penser qu'il s'entend avec l'ennemi » (employez : *soupçonner d'intelligence* ...).

685. - CONJUGAISON : Conjuguez au futur antérieur passif : *servir.*

---

686. - Écrivez, dans une 1ʳᵉ colonne les phrases dont le verbe est **transitif,** — dans une 2ᵉ colonne, celles dont le verbe est **intransitif.**

1. Ce mur penche. — 2. Nous ne manquons pas à nos promesses. — 3. Mon travail avance. — 4. Cette porte ouvre sur la rue. — 5. Ouvrons notre cœur aux malheureux. — 6. Baisse la tête, fier Sicambre. — 7. J'ai avancé ma besogne. — 8. Il manquera son train. — 9. Le baromètre baisse. — 10. Consultez un avocat. — 11. Vous racontez vos voyages. — 12. Le feu prend mal. — 13. Les médecins consultent sur sa maladie. — 14. Tu racontes avec agrément. — 15. Penchez le corps en avant. — 16. Le soir tombe.

687. - Rangez dans une 1ʳᵉ colonne les verbes **transitifs directs,** — et dans une 2ᵉ colonne, les **transitifs indirects.** Dans chaque cas, écrivez, au bout d'une flèche, le complément d'objet, soit direct, soit indirect.

a) 1. Le travail ennoblit la vie. — 2. La nouveauté plaît à chacun. — 3. Une mère use toujours d'indulgence. — 4. Ne remets pas ton travail au lendemain. — 5. Un bon citoyen obéit à la loi. — 6. Je ne trahirai pas ma patrie. — 7. La neige couvrait le sol. — 8. Certains sports ne conviennent pas aux gens délicats.

b) 1. Votre persévérance me réjouit. — 2. Cela me déplaît. — 3. Que dites-vous? — 4. Nous renonçons à partir. — 5. Je doute qu'il réussisse. — 6. Mon frère me ressemble. — 7. Nous y penserons. — 8. Je vous attendais. — 9. Les fautes que vous avez faites. — 10. L'aigle et le chat-huant leurs querelles cessèrent. (La Font.)

688. - Soulignez d'un trait les verbes **transitifs** (directs ou indirects) ; de deux traits les verbes **intransitifs.**

a) 1. Honorons nos parents. — 2. La lune brille au firmament. — 3. Le sage réfléchit avant d'agir. — 4. Les chiens aboient, la caravane passe. — 5. Qui jouit d'une bonne santé possède un trésor. — 6. Le printemps vient: mille fleurs éclosent, les oiseaux modulent leurs chansons. — 7. Rien ne pèse tant qu'un secret. (La Font.) — 8. Nous combattrons le bon combat.

b) 1. Pierre qui roule n'amasse pas mousse. — 2. Il y a des gens qui ne vivent pas leur existence; ils la dorment. — 3. On pardonne au coupable repentant. — 4. L'oncle protestait pour la forme, ramassait une écorce de pin, lui donnait, en quelques coups de canif, l'aspect d'une barque. (Fr. Mauriac.) — 5. Je tournai à gauche et j'entrai dans la foule qui défilait au bord de la mer. (J.-P. Sartre.) — 6. La Chatte, au bord d'une flaque, cueille des gouttes d'eau dans le creux de sa petite main de chat et les regarde ruisseler. (Colette.) — 7. Je me rappelle que vous êtes déjà venu chez nous.

689. - Inventez de courtes phrases où chacun des verbes suivants sera employé d'abord comme **transitif,** puis comme **intransitif :**

comprendre — rafraîchir — remuer — éclairer.

VERBES PRONOMINAUX

Villages alsaciens.

Comment s'appelaient-ils tous ces jolis villages alsaciens que nous rencontrions espacés au bord des routes? Je ne me rappelle plus aucun nom maintenant, mais ils se ressemblent tous si bien, surtout dans le Haut-Rhin, qu'après en avoir tant traversé à différentes heures, il me semble que je n'en ai vu qu'un: la grande rue, les petits vitraux encadrés de plomb, enguirlandés de houblon et de roses, les portes à claire-voie où les vieux s'appuyaient en fumant leurs grosses pipes, où les femmes se penchaient pour appeler les enfants sur la route... Le matin, quand nous passions, tout cela dormait. À peine entendions-nous remuer la paille des étables ou le souffle haletant des chiens sous les portes. Deux lieues plus loin, le village s'éveillait.

Alphonse DAUDET, Contes du lundi. (Fasquelle, édit.).

690. - Soulignez, dans le texte ci-dessus, les verbes **pronominaux** et mettez chacun d'eux à la 2ᵉ personne du pluriel du présent de l'indicatif.

691. - Discernez les verbes **pronominaux ;** rangez-les en 4 colonnes, selon leur sens : 1⁰ sens réfléchi ; 2⁰ sens réciproque ; 3⁰ pronom sans fonction logique ; 4⁰ sens passif.

1. Le renard et le bouc se désaltérèrent dans le puits. — 2. Se vaincre soi-même est un beau triomphe. — 3. Les membres d'une même famille doivent s'entraider. — 4. Rien ne se perd dans une entreprise bien dirigée. — 5. Dans plusieurs régions les patois se meurent. — 6. Ils se sont promis mutuellement assistance. — 7. Il est bon de savoir se taire. — 8. Si une difficulté se rencontre, vous saurez la vaincre. — 9. L'ivrogne se nuit gravement. — 10. Quand j'ai remporté un succès, une joie douce se lit dans les yeux de mes parents. — 11. Rien ne sert de nous disputer, mon ami. — 12. Je me souviens de vos bontés.

692. - Analysez les pronoms en italique.

N.B. — Dans les verbes pronominaux dont le pronom conjoint est « sans fonction logique » et aussi dans les pronominaux passifs, le pronom ne joue aucun rôle de complément; on se contentera donc de dire alors qu'il est un « élément du verbe pronominal ».

1. Deux pigeons s'aimaient d'amour tendre. (La Font.) — 2. Les oiseaux *se* parlaient dans les nids. (Hugo.) — 3. Prends ton luth! prends ton luth! je ne peux plus *me* taire. (Musset.) — 4. Je *m'*enfonce dans ce paysage! je *m'*oblige à le comprendre. (M. Barrès.) — 5. Quelque chose comme le bonheur *se* lisait dans ses traits. (J. Green.) — 6. Nous *nous* parlions quelquefois, mais pour *nous* quereller. (Marivaux.) — 7. Bien des heures chargées d'événements notables en apparence s'oublient assez vite. (G. Duhamel.) — 8. Jérôme s'essuya le front avec le revers de la main. (H. Troyat.)

693. - Soulignez les verbes **pronominaux** ; analysez, dans chaque cas, le pronom conjoint.

a) 1. Un baudet chargé de reliques S'imagina qu'on l'adorait. (La Font.) — 2. La paix se conclut donc. (Id.) — 3. Si tu te persuades qu'on peut s'enrichir sans travailler, tu t'abuses. — 4. En s'imposant l'obligation de glorifier ses grands hommes, une nation se glorifie elle-même. — 5. Le bien ou le mal se moissonne selon qu'on sème le bien ou le mal. — 6. Les fleurs qui la nuit se parent, se lissent, Si l'enfant reste éveillé, N'oseront pas s'habiller. (Marie Noël.)

b) 1. Les jours se suivent et ne se ressemblent pas. — 2. Perdus dans l'obscurité, nous nous appelions, nous nous cherchions anxieusement. — 3. Je m'aperçois à l'instant que ce portrait de notre père est le portrait d'un homme jeune. (A. France.) — 4. Elle réfléchissait, se disait que chaque être porte en soi un monde. (É. Henriot.) — 5. Des oignons que trie le jardinier s'envole un papillon de couleur fauve. (G. Duhamel.) — 6. Donne-toi la peine d'examiner ce que cachent les apparences. — 7. Lorsqu'ils se virent mutuellement, ils marchèrent l'un vers l'autre, se reconnurent pour frères et se donnèrent la main. (Vigny.)

694. - Inventez sur chacun des thèmes suivants une petite phrase où vous emploierez :

a) *Un verbe pronominal réfléchi:* 1. Le mendiant. — 2. Le chien.

b) *Un verbe pronominal réciproque:* 1. Les vrais amis. — 2. Les oiseaux dans les branches.

c) *Un verbe pronominal avec pronom sans fonction logique:* 1. L'hirondelle. — 2. Le vent.

d) *Un verbe pronominal de sens passif:* 1. La louange. — 2. Le malheur.

---

695. - VOCABULAIRE : 1. Qu'est-ce qu'une *solution de continuité* ? Expliquez le sens par la racine latine *solvĕre* = délier, dissoudre.

2. Racine latine : *vorare* = manger. Quels sont les mots signifiant : qui mange de la *chair ?* — des *fruits ?* — de l'*herbe ?* — des *insectes ?* — *toutes sortes* d'aliments ?

696. - ORTHOGRAPHE : Notez dans le carnet d'orthographe : *souffler, boursoufler ; sonner, sonore ; honneur, honorable ; trappe, attraper ; agrandir, aggraver.*

697. - PRONONCIATION : Prononcez bien : *linceul* [lin-seul, et non : lin-seuy'], *détritus* [faites entendre l's], *stagnant* [stagh-nan, et non : sta-gnan], *magnat* [magh'-na, et non : ma-gna], *inexpugnable* [i-neks-pugh'-nabl', et non : i-neks-pu-gnabl'].

698. - LANGAGE : Ne dites pas : « J'ai lu cela *sur* le journal » ; dites : « ... *dans* le journal ». Inventez une phrase où vous emploierez la construction correcte.

699. - ANALYSE : Dites quelle est la fonction des mots en italique : « Je *me* jure d'être plus sage. » — « Donne-*toi* la peine de réfléchir. » — « Couvrons-*nous* de flanelle. »

VERBES IMPERSONNELS

L'abbé Chichambre sermonne les dénicheurs.

Mes enfants, nous disait-il, vous pensez bien que ce n'est pas simplement pour se donner un divertissement agréable que saint François d'Assise a parlé aux pinsons et aux bergeronnettes. Si le paradis est un jardin, il y pousse des arbres; et s'il y pousse des arbres, comment voulez-vous qu'il n'y vienne pas des oiseaux? Alors est-ce que vous vous voyez là-haut en train de dénicher des roitelets à la barbe des anges? Quel affreux scandale! Saint Pierre aurait tôt fait de vous lancer, la tête en bas, les pieds en l'air, dans le trou le plus noir du purgatoire. S'il en est ainsi, pourquoi donc voulez-vous qu'un crime qui, au ciel, paraîtrait abominable, devienne un péché gros comme le doigt, sous prétexte que vous habitez à Peïrouré sous les platanes?

Il n'y avait rien à répondre à cette question éloquente.

Henri BOSCO, L'Âne Culotte. © Éditions Gallimard.

700. - Relevez, dans le texte d'Henri Bosco, les verbes **impersonnels** ; soulignez d'un trait les sujets apparents, et de deux traits les sujets réels.

701. - Discernez les verbes **impersonnels**. Rangez dans trois colonnes : 1° les sujets apparents ; 2° les verbes impersonnels ; 3° les sujets réels.

    a) 1. Il faut de la persévérance pour réussir. — 2. Il pleut de grosses gouttes. — 3. Il importe que vous agissiez avec méthode. — 4. Est-il venu beaucoup de monde? — 5. Ne convient-il pas de battre le fer quand il est chaud? — 6. Il faisait un brouillard à couper au couteau. — 7. Il y a des problèmes difficiles à résoudre. — 8. Il me vient une idée.

b) 1. Il lui fallut à jeun retourner au logis. (La Font.) — 2. Il est aux bois des fleurs sauvages. (A. France.) — 3. Il traînait par les bois une bruine incolore. (M. Genevoix.) — 4. J'écoute si d'en haut il tombe quelque bruit. (Hugo.) — 5. Il soufflait par là-dessus un air sec, hilarant. (A. Gide.) — 6. Il restait çà et là des brins de feuilles et de fleurs qui roulaient. (R. Bazin.) — 7. Vous ferez ce qu'il vous plaira. — 8. Je vois ce qu'il me reste à faire. — 9. Je pense aux efforts qu'il a fallu pour percer le tunnel sous le mont Blanc.

702. - Mettez dans une 1re colonne les verbes **impersonnels** (avec leur sujet apparent), — et dans 3 colonnes distinctes leurs **sujets réels** suivant qu'ils sont : 1° des noms ou des pronoms ; 2° des infinitifs (avec ou sans préposition) ; 3° des subordonnées introduites par **que.**

1. Il faisait un temps splendide. — 2. Il n'est rien arrivé de fâcheux. — 3. Il faut que l'on soit sage avec mesure. — 4. Il convenait de respecter l'autorité. — 5. Il ne sert à rien de courir: il faut partir à point. — 6. N'arrive-t-il pas qu'un lourd silence annonce l'orage de la colère? — 7. Il sied que vous répondiez avec déférence à un supérieur. — 8. Manque-t-il quelque chose à votre bonheur?

703. - Rangez en deux colonnes les verbes **impersonnels** : 1° proprement dits ; 2° pris impersonnellement.

1. Il faut de la variété dans nos occupations. — 2. Quand il pleut, nous avons la ressource de lire. — 3. Il convient que l'on rende à César ce qui est à César. — 4. Il monte du sol une rosée qui noie les contours du paysage comme s'il bruinait. — 5. Dans les mois d'été, il circule parfois des souffles lourds, puis subitement il vente, il éclaire, il tonne. — 6. Vous plairait-il de répéter ces paroles? — 7. Il importe que vous fassiez cette démarche. — 8. Qu'adviendra-t-il de tout cela? — 9. Il me revient que vous avez mené votre équipe à la victoire.

704. - Modifiez la tournure des phrases en mettant à la forme **impersonnelle** les verbes en italique.

1. A travers le feuillage *descendent* des coulées de lumière. — 2. Des souffles légers *circulent* dans l'air frais du matin. — 3. Une paix profonde *s'étend* sur le village. — 4. De la montagne *sortent* plusieurs ruisseaux. — 5. Une envie me *prit* d'explorer les pièces de cette maison abandonnée. — 6. Des rafales de neige glacée *s'abattaient* sur la ville. — 7. Mille articles *se vendent* dans les grands magasins. — 8. Si quelque espoir nous *reste*, pourquoi sombrerions-nous dans le désespoir? — 9. Une bonne nouvelle nous *arrive*.

705. - Inventez de courtes phrases où vous emploierez impersonnellement les verbes:

1. Importer. — 2. Tomber. — 3. Venir. — 4. Suffire. — 5. Exister.

706. - Inventez de courtes phrases où vous emploierez impersonnellement les verbes suivants, avec, pour sujet réel : 1° un nom ; 2° une proposition introduite par **que** :

1. Arriver. — 2. Falloir. — 3. Se trouver. — 4. Résulter.

707. - Tournez par le **passif impersonnel** les phrases suivantes :

1. On répète bien des niaiseries. — 2. On distribue chaque jour quantité d'imprimés publicitaires. — 3. De grosses difficultés se sont rencontrées. — 4. Mille choses inutiles sont vendues. — 5. Des associations se sont formées. — 6. On engagea une vive discussion. — 7. On rappelle que les guichets seront fermés à 18 heures.

708. - Inventez de courtes phrases où vous emploierez **impersonnellement au sens passif** :

1. Se raconter. — 2. S'imprimer. — 3. Se confirmer. — 4. Se répandre.

709. - Faites entrer chacun des verbes suivants dans deux phrases en l'employant : 1° comme verbe **personnel** ; 2° comme verbe **impersonnel**.

1. Venir. — 2. S'élever. — 3. Monter. — 4. Se passer.

---

710. - VOCABULAIRE : 1. Que signifie « venir à *résipiscence* » (attention à l'orthographe !) ? [racine lat. *sapère*, être sage, avisé].

2. Par quels noms exprime-t-on : l'action de *réduire ?* — de *souder ?* — de *guérir ?* — de *patiner ?* — de *livrer ?* — de *délivrer ?*

711. - ORTHOGRAPHE : Notez dans le carnet d'orthographe et mettez en rouge le trait d'union : *grand-mère, à grand-peine, j'ai grand-peur, la grand-messe, la grand-rue.*

712. - LANGAGE : 1. Ne dites pas : « Il est assez grand *que* pour comprendre cela » ; « Il est trop petit *que* pour faire ce voyage ». Le *que* est là très incorrect. — Inventez deux phrases où vous emploierez : 1° assez...pour ..., 2° trop... pour ... (suivis d'un infinitif).

2. Canadianismes : « Une auto *convertible* » [pour : « ... *décapotable* »], — « *slacker* un employé » [pour : « *renvoyer, mettre à pied, congédier...* »]. — « *à* pied levé » [pour : « *au* pied levé » = à l'improviste, sans préparation]. — Employez, chacune dans une phrase, les expressions françaises.

713. - PHRASÉOLOGIE : « Parce qu'il a manqué de soins, ce vieillard est mort misérablement. » « Comme je n'ai pas été prévenu à temps, je n'ai pu assister à la réunion. » — Tournez chacune de ces phrases par *faute de*.

714. - CONJUGAISON : Conjuguez au présent du subjonctif : *valoir*.

FORMES DU VERBE

La Fenaison.

La fenaison *concorde* avec le solstice, avec la nuit la plus brève, avec l'instant parfait où l'année, lancée de tout son élan, *semble ignorer* encore qu'il *faudra redescendre*. Journées de travail qui *commencent* avec la lumière et ne *s'achèvent* qu'avec elle. Tout ce qui peut *manier* une fourche ou un râteau est requis pour *aider* au travail des machines. Doubles rations; fortes paies; chaque heure est précieuse. Car le foin n'est vraiment *sauvé* que lorsque, mis en meules, il n'*offre* plus à la pluie que des dos glissants.

Jean SCHLUMBERGER, *Saint-Saturnin.* © Éditions Gallimard.

715. - Pour les verbes en italique dans le texte ci-dessus : 1° séparez du **radical** la **désinence** ; 2° indiquez la **personne** et le **nombre**.

716. - Séparez du **radical** la **désinence**.

    1. Je marche. — 2. Nous marcherions. — 3. Marchant. — 4. Ils ont marché. — 5. Tu marcheras. — 6. Nous marchâmes. — 7. Vous marcheriez. — 8. Je grandis. — 9. Ils grandirent. — 10. Que je punisse. — 11. Il apercevra. — 12. Prenons. — 13. Vous perdrez.

717. - En variant les **désinences,** donnez, pour chacun des radicaux suivants, trois formes verbales :

    1. Plant... — 2. Trouv... — 3. Dorm... — 4. Sent... — 5. Suiv...

718. - Indiquez, pour chaque forme verbale, la **personne** et le **nombre**.

    a) 1. Vous parlez. — 2. Je vois. — 3. Il sème. — 4. Que tu lises. — 5. On croirait. — 6. Le soleil brille. — 7. Ô soleil, brille sur les champs! — 8. Mon ami travaille. — 9. Mon ami, travaille!

    b) 1. Qui veut peut. — 2. Poète, qui chantes la gloire de la patrie, tu me plais. — 3. Je t'avertis. — 4. Tous me comprendront. — 5. Corrige-toi.

VOIX DU VERBE

Une Belle Coupe de cheveux.

Il fut donc installé sur une chaise surmontée d'une petite caisse. On lui mit la serviette au cou, exactement comme chez le coiffeur. J'avais été chargé d'aller voler à la cuisine une casserole d'une taille convenable, et pour plus de sûreté, j'en avais pris deux.

Je lui mis la plus juste comme chapeau et j'en tins le manche : pendant ce temps, avec une paire de ciseaux, mon père trancha les boucles au ras du bord ; ce fut fait avec une rapidité magique, mais le résultat ne fut pas très satisfaisant, car, ôtée la casserole, la chevelure du patient apparut curieusement crénelée. Comme il réclamait le miroir, mon père s'écria : « Pas encore ! »

Il tira alors de sa poche une tondeuse toute neuve, et dégagea la nuque fort habilement, comme pour un condamné à mort, sur la couverture en couleurs du « Petit Journal ». Puis avec un peigne et des ciseaux, il tenta d'égaliser les cheveux sur les deux côtés de la tête. Il y réussit assez bien, mais après un si grand nombre de corrections qu'elles ramenèrent leur longueur à zéro. Paul se mira, et s'admira, quoiqu'il ne lui restât plus qu'une frange sur le front.

Marcel PAGNOL, Le Temps des secrets. (Pastorelly, édit.).

719. - Dans le texte ci-dessus discernez les formes **actives** des verbes et les formes **passives**. Rangez-les en deux colonnes.

720. - Rangez en deux colonnes les formes verbales : 1° voix active ; 2° voix passive.

a) 1. Je réfléchis avant d'agir. — 2. Je choisis mes amis. — 3. Tu seras félicité par tes parents. — 4. Nous sommes tombés en panne. — 5. La boussole a été inventée par les Chinois. — 6. De prodigieux progrès ont été faits en astronautique. — 7. Quand on a une fois trompé, on risque de n'être plus cru de personne. — 8. Le travail éloigne de nous l'ennui, le vice et le besoin. — 9. Le secret se saura bientôt. — 10. Combien de marins sont morts dans les nuits sombres ! — 11. La nuit étant venue, nous avons été forcés de faire halte. — 12. Soyez remercié des bienfaits dont j'ai été comblé ! — 13. J'ai été mal compris. — 14. Il se débite mille sottises.

b) 1. Tu seras châtié de ta témérité ! (La Font.) — 2. Le turco fut réveillé par une fusillade terrible. (A. Daudet.) — 3. Aimez qu'on vous conseille et non pas qu'on vous loue. (Boileau.) — 4. Le printemps courait dans les bois. Chaque matin je constatais son passage dans les allées. (H. Bordeaux.) — 5. Des appels furent sifflés à mi-voix par les pinsons. (C. Lemonnier.) — 6. Aucun juge par vous ne sera visité ? (Molière.) — 7. Ses premiers tableaux de fleurs se vendirent bien. (H. de Régnier.)

721. - Tournez par le **passif** les phrases suivantes et soulignez chaque fois le complément d'agent.

a) 1. Le soleil réchauffe la terre. — 2. Les excès usent la santé. — 3. L'espérance soutient le malheureux. — 4. Le chat attrape la souris. — 5. Une petite pluie abat le grand vent. — 6. Le mécanicien conduit la locomotive. — 7. Qui nous ramènera ? — 8. Quelle équipe a gagné le match ?

b) 1. Le travail accroîtra notre valeur individuelle. — 2. Notre mère a entouré notre enfance de tendres soins. — 3. Le mensonge avilit notre dignité d'homme. — 4. La postérité louera les grands hommes. — 5. Les citoyens romains regardaient le commerce et les arts comme des occupations d'esclaves. — 6. L'expérience nous instruit. — 7. Le loup mangea la chèvre de monsieur Seguin. — 8. Vous me repêcherez, disait le carpeau. — 9. Les mères détestent les guerres.

722. - En prenant comme compléments d'agent les expressions suivantes, inventez de courtes phrases où le verbe sera au **passif** :

1. Par le professeur. — 2. Par les gens de bien. — 3. Par l'orage. — 4. Par nous-mêmes. — 5. De tout le monde.

723. - Distinguez parmi les phrases suivantes celles qui admettent le tour **passif** :

1. La passion altère nos jugements. — 2. Les jours de l'homme passent comme l'ombre. — 3. Les empires s'écroulent les uns après les autres. — 4. La peste ravagea cette région. — 5. Je me souviens de cette aventure. — 6. Personne n'aime les orgueilleux. — 7. Votre simplicité me plaît. — 8. A ce signal chacun se tut. — 9. On vous pardonnera.

724. - Tournez par le **passif** les phrases qui sont à l'**actif** et vice versa.

a) 1. La diversité des opinions produit des discussions. — 2. Le rat de ville invita le rat des champs. — 3. Le brouet fut servi sur une assiette par la cigogne. — 4. Le chêne fut déraciné par la tempête. — 5. C'est la cendre des morts qui créa la patrie. (Lamartine.) — 6. On parlera longtemps de cette aventure.

b) 1. Jamais il ne se sera vu pareil spectacle. — 2. Certains personnages que leurs contemporains avaient proclamés grands hommes, la postérité les remettra à leur vrai rang. — 3. Il sera perçu une taxe de dix francs. — 4. On assomme le pauvre loup. — 5. Pourquoi cet homme a-t-il été condamné? — 6. On nous exhorte à imiter les beaux exemples.

---

725. - VOCABULAIRE : 1. Que signifient les locutions *payer en monnaie de singe* et *rendre à quelqu'un la monnaie de sa pièce ?*

2. Donnez les dérivés en *-ure* se rapportant à : *blesser, cheveu, os, muscle, couper, nourrir, gager.*

726. - ORTHOGRAPHE : Notez dans le carnet d'orthographe : *casserole, châtiment, excessif, exhorter, exaucer, exhausser, exhiber.*

727. - LANGAGE : On peut dire : « Appelez le *médecin* » ou « ... le *docteur* ». — Inventez deux phrases où vous emploierez : 1° médecin ; 2° docteur.

728. - CONJUGAISON : Conjuguez à l'imparfait du subjonctif : *promettre.*

729. - PONCTUATION : Mettez la ponctuation : *Hélas mon pauvre argent mon pauvre argent mon cher ami on m'a privé de toi et puisque tu m'es enlevé j'ai perdu mon support ma consolation ma joie*

MODES ET TEMPS

Le Chef de famille mobilisé.

Il *était* donc mobilisé, et son départ allait *bouleverser* tout son ménage. Que ferait Léonie, sa femme? Que *deviendrait*-elle, lui *parti?* Ah! qu'il *eût voulu* préparer, pour elle, tout l'ouvrage qu'elle aurait à faire, pour qu'elle n'*eût* aucun souci, aucun embarras et qu'elle pût continuer sa petite vie tranquille! *En attendant,* il rentra les fagots, répara la porte du clapier, *nettoya* l'étable de la chèvre. Mais que de besognes encore il laisserait à faire à Léonie! Les pommes de terre à arracher, la buanderie à reblanchir, la cuisine à retapisser, les châssis de l'étage à repeindre...

Il scia un petit tas de bûches, revissa les charnières de la porte du potager, raffermit le pied branlant du lit du petit Gaston.

— Tu sais, Léonie, ne te *fatigue* pas trop, cherche une bonne âme qui *vienne* t'aider pour la lessive. Et *veille* bien à ce que Gaston n'*aille* pas jouer près de l'étang...

730. - Prenez, dans le texte ci-dessus, les verbes en italique et indiquez, pour chacun d'eux : le **mode,** le **temps** — et quand il y a lieu, la **personne.**

731. - Indiquez pour les formes verbales suivantes : le **mode,** le **temps,** et quand il y a lieu, la **personne** :

　　1. Je travaille. — 2. Je partirais. — 3. Que je réfléchisse. — 4. Venir. — 5. Prenons. — 6. Que je portasse. — 7. J'ai trouvé. — 8. J'aurais réussi. — 9. Tu auras gagné. — 10. Quand nous eûmes terminé. — 11. Ils eussent mérité. — 12. En forgeant. — 13. Qu'il marchât.

732. - Indiquez, le **mode,** le **temps** et, quand il y a lieu, la **personne** des verbes.

　　a) 1. Chacun récoltera ce qu'il aura semé. — 2. On nous avait annoncé que nous rencontrerions des difficultés. — 3. Quand la pluie eut cessé, nous continuâmes la promenade commencée. — 4. Je me réjouissais que vous fussiez revenu à la santé. — 5. Comment douterais-je de vos bonnes intentions? — 6. Il ne faudrait pas que l'on refusât de donner son superflu aux pauvres. — 7. Chassons le naturel, il reviendra au galop. — 8. Regardez le soleil se couchant sur la mer. — 9. Je vous ai dit que je viendrais.

b) 1. Une souris tomba du bec d'un chat-huant: Je ne l'eusse pas ramassée. (La Font.) — 2. Lorsqu'il eut achevé sa dix-septième année, je résolus de l'employer à mon service. (J. Green.) — 3. Avant que de sa lèvre il eût touché la coupe, Un cosaque survint. (Hugo.) — 4. Quand vous commanderez, vous serez obéi. (Racine.) — 5. Pour qu'on vous obéisse, obéissez aux lois. (Voltaire.) — 6. On le lui fit bien voir. (La Font.) — 7. Que vouliez-vous qu'il fît contre trois? (Corneille.)

733. - Mettez aux différents **modes,** et dans chacun aux divers **temps,** les expressions suivantes :

1. Tu ouvres la porte. — 2. Nous lisons un livre. — 3. Vous prenez courage.

734. - Analysez les formes verbales suivantes (mode, temps, personne, nombre, voix) :

a) 1. Tu commences. — 2. Vous êtes conduits. — 3. Nous prîmes. — 4. Avançons. — 5. Nous aurions chanté. — 6. Avoir terminé.

b) 1. En travaillant. — 2. J'eusse préféré. — 3. Que nous exercions. — 4. Ayons placé. — 5. Que tu gagnasses. — 6. Vous finiriez.

c) 1. Que vous eussiez été repoussés. — 2. Nous avions été félicités. — 3. Dès qu'il eut remarqué. — 4. Il eût signalé. — 5. Tu avais contrôlé. — 6. Nous serions venus.

735. - Rangez en trois colonnes les formes verbales : 1° temps simples ; 2° temps composés ; 3° temps surcomposés.

1. Il comprend. — 2. J'ai vu. — 3. Ils ont montré. — 4. Quand j'ai eu terminé. — 5. Que nous rendions. — 6. Tu auras ouvert. — 7. Tu féliciteras.— 8. Il a été blâmé. — 9. Dès qu'il a eu fini. — 10. Vous planterez. — 11. Quand j'ai eu aperçu. — 12. Quand ils ont eu regardé.

---

736. - VOCABULAIRE : 1. Donnez 7 verbes composés de *courir*.
2. Remplacez *court* par un synonyme dans : « Cet ambitieux *court* les honneurs » ; — « Un bruit *court* dans la ville » ; —« Il *court* un grand danger ».

737. - ORTHOGRAPHE : Notez dans le carnet d'orthographe : *faîne* (fruit du hêtre), *bâillement, contrecoup, baïonnette, trombone.*

738. - PRONONCIATION : Prononcez bien : *indemnité* [in-dèm ...], *hennir* [hèn ...], *déjà* [dé-ja, et non : d'ja], *ingrédient* [in-gré-dyan, et non : in-gré-dyin].

739. - LANGAGE : Ne dites pas : « la lettre *vous* adressée », « les documents *lui* transmis », etc. — Dites :... *à vous* adressée », « *à lui* transmis » etc. — Inventez deux phrases où vous emploierez les tours corrects.

740. - ANALYSE : Analysez les mots en italique : « *Quand* un inconnu flatte nos manies, nous *le* considérons *comme un ami.* »

VERBES AUXILIAIRES

Plaintes d'une vieille Fée.

Le siècle a marché. Les chemins de fer sont venus. On a creusé des tunnels, comblé les étangs, et fait tant de coupes d'arbres que bientôt nous n'avons plus su où nous mettre. Peu à peu les paysans n'ont plus cru à nous. Le soir, quand nous frappions à ses volets, Robin disait : « C'est le vent » et se rendormait. Les femmes venaient faire la lessive dans nos étangs. Dès lors ç'a été fini pour nous. Comme nous ne vivions que de la croyance populaire, en la perdant, nous avons tout perdu. La vertu de nos baguettes s'est évanouie, et de puissantes reines que nous étions, nous nous sommes trouvées de vieilles femmes, ridées, méchantes comme des fées qu'on oublie, avec cela notre pain à gagner et des mains qui ne savaient rien faire.

Alphonse DAUDET, Contes du lundi. (Fasquelle, édit.).

741. - Relevez, dans le texte ci-dessus, les verbes à un temps composé ; dans chacun d'eux, soulignez en rouge l'**auxiliaire**.

742. - Soulignez tous les **auxiliaires**.

a) 1. Nous avons trouvé un protecteur. — 2. Christophe Colomb a découvert l'Amérique. — 3. Je suis venu, j'ai vu, j'ai vaincu, disait César. — 4. Quand les chats furent partis, les sortis dansèrent. — 5. Il avait semé le vent : comment n'aurait-il pas récolté la tempête ? — 6. Nous étions sortis bien avant que vous arriviez.

b) 1. Heureux ceux qui sont morts dans une juste guerre. (Ch. Péguy.) — 2. Une personne charitable, que j'ai intéressée à votre position, m'a remis pour vous une somme de cinquante francs qui sera affectée au payement de l'amende à laquelle vous avez été condamné. (A. France.) — 3. Après avoir suivi ces gamins, je m'engageai dans le bois. (H. Bordeaux.) — 4. Mon Dieu, j'aurais pour vous travaillé des images, et les tendres enfants, au retour de l'école, se seraient extasiés devant les rois mages qui auraient apporté l'encens, l'ivoire et l'or. (Fr. Jammes.)

743. - Soulignez les formes du verbe **être** seulement quand elles sont auxiliaires. [N.B. : Dans les formes passives, **être** n'est pas auxiliaire.]

1. Certains personnages, qui avaient été fort riches, sont morts dans la misère. — 2. Oh ! combien de marins qui étaient partis joyeux ont été engloutis par les flots ! — 3. C'est l'automne : les hirondelles sont parties ces jours derniers. — 4. Les plaisanteries les plus courtes sont les meilleures. — 5. Oh !

demain c'est la grande chose! De quoi demain sera-t-il fait? (Hugo.) — 6. Quand nous sommes convenus d'une chose, nous ne nous dédisons pas: nous sommes gens de parole. — 7. Une porte céda et je fus jeté dans la galerie des machines. (P. Morand.)

744. - Rangez en deux colonnes les formes verbales en italique : 1° avec **être,** verbe auxiliaire ; 2° avec **être,** non auxiliaire.

1. Quand ma tante *est* entrée, je me *suis* jeté à son cou. — 2. Nous *étions* restés longtemps sans nouvelles d'un oncle qui *était* en Amérique. — 3. Si nous *sommes* tombés dans une erreur, nous la corrigerons. — 4. Chacun *fut* se coucher. (Mérimée.) — 5. Ravaillac, le meurtrier d'Henri IV, *a été* écartelé. — 6. Non, l'avenir n'*est* à personne. (Hugo.) — 7. Moi aussi je *suis* allé là où vous *avez été*. (Alain-Fournier.) — 8. Une tortue *était* à la tête légère. (La Font.) — 9. L'ignorance toujours *est* prête à s'admirer. (Boileau.)

745. - Soulignez les verbes qui, suivis d'un infinitif, servent d'**auxiliaires ;** dites quelle nuance de temps ou quel aspect du développement de l'action ils expriment.

1. Je vais réfléchir avant de prendre ma décision. — 2. Ce n'est pas quand on est sur le point de partir qu'on fait ses préparatifs. — 3. L'horizon s'abaisse : un orage est près d'éclater. — 4. Nous venons d'échapper à un accident. — 5. Le soleil paraissait répandre sur les feuillages une poussière dorée. — 6. Vous devez avoir fait une erreur. — 7. Tu as manqué de tomber. — 8. Quand nous sommes en train de calculer, le tapage nous dérange. — 9. Il vient d'apercevoir un petit bois de chênes verts qui semble lui faire signe. (A. Daudet.) — 10. Si une complication vient à se produire, appelez-moi.

----

746. - VOCABULAIRE : 1. Ne confondez pas *recouvrir* et *recouvrer*. Employez ce dernier verbe dans une courte phrase.

2. Donnez 6 verbes composés de *dire*.

747. - ORTHOGRAPHE : Notez dans le carnet d'orthographe : *occurrence, concurrence, accommoder, barrette, flottille.*

748. - LANGAGE : 1. Ne dites pas : « Vous aurez *meilleur temps* de prendre le train de 8 heures » (helvétisme) — ni : « Vous *serez mieux* de ... » (français de Bruxelles). Dites : « Vous *aurez avantage* à ... ».

2. Des Canadiens disent : « Il est *sur* un comité » [pour : « ... est d'un comité, ... *fait partie* d'un comité, ... est *membre* d'un comité ». — Employez dans une petite phrase l'une des expressions correctes.

749. - PHRASÉOLOGIE : « Les commandes pleuvaient à l'abbaye *que* c'était une bénédiction. » (A. Daudet.) — En imitant cette construction, achevez la phrase : « J'étais dans une colère ... ».

750. - CONJUGAISON : Conjuguez au futur simple : *recueillir ;* — à l'indicatif présent : *dire* et *prédire.*

EMPLOI DES AUXILIAIRES

751. - Rangez en deux colonnes les verbes conjugués : 1° avec **avoir** : 2° avec **être.**

1. L'astronautique a fait d'étonnants progrès. — 2. J'espère que vous serez reçu à l'examen. — 3. Nous sommes arrivés à temps. — 4. Combien en a-t-on vus Qui du soir au matin sont pauvres devenus! (La Font.) — 5. Il y a des bourdons... On ne sait pas s'ils sont nés de ces derniers jours ou s'ils sortent du vieil arbre où l'an dernier ils avaient établi leur nid. (G. Chérau.) — 6. Quand ils eurent fini de clore et de murer On mit l'aïeul au centre. (Hugo.) — 7. Où donc le vieux qui venait de Blandas s'est-il coupé deux doigts sous une pierre? (A. Chamson.) — 8. Ce coucher de soleil était un des plus beaux spectacles que nous eussions vus.

752. - Mettez à la forme indiquée les verbes en italique.

a) 1. Nous nous félicitons de [*trouver*, infin. passé] un conseiller qui nous [*parler*, passé comp.] sagement. — 2. Les beaux jours [*revenir*, plus-que-parfait]: les lilas [*gonfler*, plus-que-parf.] leurs bourgeons, les narcisses [*ouvrir*, plus-que-parf.] leurs corolles jaunes. — 3. Souvent les meilleures résolutions [*échouer*, passé comp.] faute de persévérance. — 4. Dès que nous [*apprendre*, passé antér.] la nouvelle, nous [*rentrer*, passé comp.] à la maison. — 5. L'imagination de Jules Verne nous [*représenter*, passé comp.] des inventions que la science moderne [*réaliser*, passé comp.].

b) 1. Combien de marins qui [*partir*, plus-que-parf.] pleins d'espoir [*ne pas revenir*, passé comp.]! — 2. De quelle puissance sont pourvus ces engins qui [*se lancer*, passé comp.] à la conquête de l'espace! — 3. « Tomber de Charybde en Scylla »: cela se dit de quelqu'un qui [*sortir*, passé comp.] d'un danger et qui [*tomber*, passé comp.] dans un autre. — 4. Jamais l'idée ne nous [*venir*, passé comp.] de vous désobliger. — 5. Quelle joie nous [*éprouver*, passé comp.] quand nous [*revoir*, passé comp.] la maison natale!

753. - Inventez deux courtes phrases où le verbe, au passé composé, sera employé avec l'auxiliaire **avoir**, — et deux phrases où il sera employé avec l'auxiliaire **être.**

754. - Mettez à la forme indiquée les verbes en italique.

S'élever par la volonté.

Beaucoup de ceux qui [*arriver*, passé comp.] aux plus hauts degrés du savoir [*naître*, passé comp.] dans des positions sociales où l'on [*ne pas s'attendre*, condit. passé 1ʳᵉ f.] à trouver une excellence quelconque. Malgré les circonstances défavorables contre lesquelles ils [*lutter*, passé comp.], ces hommes éminents [*se faire*, passé comp.], par leur seule volonté, une réputation que toutes les richesses [*ne jamais pouvoir*, condit. passé 2ᵉ f.] payer. La richesse [*pouvoir*, condit. pass. 1ʳᵉ f.] être même un obstacle plus grand que la pauvreté dans laquelle ils [*naître*, indic. plus-que-parf.].

755. - Mettez à la forme indiquée les verbes en italique [Attention ! Si le verbe exprime l'**action** : auxiliaire **avoir** ; — s'il exprime l'**état** : auxiliaire **être**].

a) 1. La vie est chère ! Voyez, par exemple, comme le café [*augmenter*, passé comp.] maintenant ! — 2. Au cours de ces dernières années, la vie [*augmenter*, passé comp.] dans de notables proportions. — 3. Que de martyrs, condamnés pour diverses causes, [*expirer*, passé comp.] dans les supplices ! — 4. Des gens négligents ne songent à remplir des formalités que quand les délais [*expirer*, passé comp.] depuis longtemps. — 5. Souvent les meilleures résolutions [*échouer*, passé comp.] faute de persévérance. — 6. Votre entreprise [*échouer*, indic. plus-que-parf.] depuis longtemps, et vous croyiez encore au succès !

b) 1. Ce n'est pas quand le danger [*passer*, passé comp.] depuis plusieurs heures qu'il faut chercher à s'en garder. — 2. Des bonheurs qu'on croyait durables [*passer*, passé comp.] comme des éclairs. — 3. Depuis ce matin, l'aspect du ciel [*changer*, passé comp.] trois ou quatre fois. — 4. Notre ami, après une absence de quelques années, est revenu ; comme il [*changer*, passé comp.] à présent ! Lui aussi se dit sans doute que nous [*changer*, passé comp.] pendant son absence. — 5. Quelle inondation ! voyez comme la rivière [*croître*, passé comp.] ! — 6. Toujours les désirs des avares [*croître*, passé comp.] avec leur fortune.

---

756. - VOCABULAIRE : Les petits amas de poussière d'aspect cotonneux qui s'accumulent sous les meubles s'appellent *chatons* ou *moutons* (en Suisse : des *minons* ou des *mougnons*). — Employez chacun dans une phrase : *chatons* et *moutons* (de poussière).

757. - ORTHOGRAPHE : Notez dans le carnet d'orthographe : *allons-nous-en, va-t'en, symptôme, trapu, le vernis, un meuble verni*.

758. - PRONONCIATION : Prononcez bien : *digestion* [di-jès-tyon, et non : di-jès-yon], *congestion* [kon-jès-tyon, et non : kon-jès-yon], *exemple* [ègh-zanpl', et non : ek-sanpl'].

759. - LANGAGE : 1. On peut dire : *comme de juste*. — Employez cette expression dans une phrase de votre invention.

2. « Avoir facile (ou : difficile, dur, etc.) de faire telle chose » : tours incorrects. Ne dites pas : « Vous *aurez facile* de le faire » ; — « On *a dur* de vivre aujourd'hui ». — Dites : « *Il vous sera facile* de le faire » ou : « Vous le *ferez facilement* ». — Inventez deux phrases où vous emploierez les tours corrects.

760. - ANALYSE : Dans les phrases suivantes, les mots en italique sont des *compléments*. Dites quelle est la nature de chacun d'eux (complément déterminatif, — d'objet, — d'agent, etc.) : La naïveté de l'*enfance me* plaît. — Ce vase est plein d'*eau*. — Rappelle-*toi* mes *bienfaits*. — Il travaille *durement* pour *vivre*. — L'hypocrite n'est estimé de *personne*.

LA CONJUGAISON

Ruse de perdrix.

Quand la perdrix
Voit ses petits
En danger, et n'ayant qu'une plume nouvelle
Qui ne peut fuir encor par les airs le trépas,
Elle fait la blessée et va traînant de l'aile,
Attirant le chasseur et le chien sur ses pas,
Détourne le danger, sauve ainsi sa famille ;
Et puis quand le chasseur croit que son chien la pille,
Elle lui dit adieu, prend sa volée, et rit
De l'homme qui, confus, des yeux en vain la suit.

LA FONTAINE.

---

761. - Prenez, dans le texte ci-dessus, tous les verbes ; mettez-les : 1° à l'infinitif ; 2° au présent de l'indicatif (1re personne), — et disposez-les en 4 colonnes : verbes en **-er** ; en **-ir** ; en **-oir** ; en **-re**.

Modèle: planter, je plante | finir, je finis | voir, je vois | rendre, je rends.

762. - Rangez les verbes suivants en deux colonnes suivant qu'ils allongent ou non leur radical à certains temps par **-iss-** ; — mettez chacun d'eux à la 1re personne du pluriel de l'indicatif présent.

Modèle: sentir, nous sentons | guérir, nous guérissons.

a) 1. Vêtir. — 2. Durcir. — 3. Fléchir. — 4. Courir. — 5. Cueillir. — 6. Acquérir. — 7. Grossir. — 8. Dormir. — 9. Punir. — 10. Vieillir.

b) 1. Unir. — 2. Ébouir. — 3. Fuir. — 4. Assortir. — 5. Venir. — 6. Sortir. — 7. Ouvrir. — 8. Gémir. — 9. Tenir. — 10. Fléchir.

763. - Rangez les verbes suivants en deux colonnes : 1° conjugaison **vivante** (en -**er** ou en -**ir** avec -**iss**-); — 2° conjugaison **morte** (autres verbes).

a) 1. Chanter. — 2. Finir. — 3. Répandre. — 4. Visiter. — 5. Croître. — 6. Circonvenir. — 7. Vendre. — 8. Oublier. — 9. Valoir. — 10. Bannir. — 11. Alunir. — 12. Paraître. — 13. Étendre. — 14. Téléphoner.

b) 1. Attacher. — 2. Orner. — 3. Défaillir. — 4. Savoir. — 5. Plaire. — 6. Sonner. — 7. Bâtir. — 8. Attendrir. — 9. Cuire. — 10. Convaincre. — 11. Maigrir. — 12. Tressaillir. — 13. Trembler. — 14. Mettre.

CONJUGAISON DES VERBES AVOIR ET ÊTRE

764. - Mettez le verbe **avoir** au mode et au temps indiqués.

1. [*Indic. prés.; subj. prés.*] Rouen, disait Jeanne d'Arc, j'... grand-peur que tu n'... à souffrir de ma mort! — 2. [*Passé comp.*] Cet enthousiasme que vous... au début de l'année scolaire, gardez-le. — 3. [*Subj. imparf.*] Moi, que j'... si peu de courage! — 4. [*Indic. prés.; impér. prés.*] Quand tu... tort, ... le courage de le reconnaître. — 5. [*Subj. imparf.*] L'empereur Caligula souhaitait que le peuple n'... qu'une tête afin de pouvoir l'abattre d'un coup. — 6. [*Impér. prés.*] Mes enfants, ... le culte de l'honneur. — 7. [*Indic. plus-que-parf.; condit. passé*] Si tu... plus de méthode, tu... plus de succès. — 8. [*Partic. passé; passé comp.*] ... moins de peines, ils ... moins de joies.

765. - Mettez le verbe **être** au mode et au temps indiqués.

1. [*Subj. prés.*] Il convient que la puissance d'un prince ne ... formidable qu'aux méchants. — 2. [*Indic. imparf.; passé comp.*] Votre mère ... inquiète quand vous ... malade. — 3. [*Passé simple*] Quand il ... hors du puits, le renard fit au bouc un sermon pour l'exhorter à la patience. — 4. [*Infin. prés.; infin. passé*] On ne peut pas ... et ... — 5. [*Subj. imparf.*] Il ne faudrait pas qu'un chef ... dans l'obligation de s'occuper de cent menues choses. — 6. [*Passé simple*] De tout temps les avares ... les bourreaux d'eux-mêmes. — 7. [*Cond. prés.; indic. imparf.*] Vous ... plus expérimentés si vous ... plus attentifs à suivre les bons conseils. — 8. [*Fut. antér.; fut. simple*] Quand vous ... en butte à toutes sortes de difficultés, vous ... plus aptes à les surmonter.

---

766. - VOCABULAIRE : 1. Donnez 9 verbes composés de *tenir*.

2. Par quel nom exprime-t-on l'action de *percevoir?* — d'*arriver?* — d'*imprimer?* — de *contredire?* — d'*acquérir?*

767. - ORTHOGRAPHE : Notez dans le carnet d'orthographe : *atteindre le but, être en butte à la raillerie, tintamarre, avoir tort.*

768. - PHRASÉOLOGIE : « *Du temps que* je gardais les bêtes sur le Lubéron, je restais des semaines entières sans voir âme qui vive. » (A. Daudet.) — Inventez une phrase commençant par *Du temps que...*

769. - LANGAGE : Le linge de grosse toile dont on se sert pour laver les carrelages, les planchers, etc. s'appelle *serpillière* ou *torchon.* — *Loque à reloqueter, wassingue* (Belgique, France du Nord), *panosse* (Suisse) sont des provincialismes. — Employez dans deux phrases : *torchon* et *serpillière.*

770. - CONJUGAISON : Conjuguez au présent de l'indicatif : *assortir, croître.*

771. - ANALYSE : Dites quelle est la fonction des mots en italique : « Je tiendrai les promesses *que* je *vous* ai faites, *parce que* l'honneur le commande. »

LES FINALES DE CHAQUE PERSONNE

772. - Écrivez la 1re personne du singulier des verbes suivants : 1º à l'indicatif présent ; 2º à l'indicatif imparfait ; 3º au passé simple ; 4º au futur simple ; 5º au conditionnel présent ; 6º au subjonctif présent ; 7º au subjonctif imparfait :

a) 1. Planter. — 3. Couvrir. — 3. Punir. — 4. Prendre.

b) 1. Bêcher. — 2. Bâtir. — 3. Venir. — 4. Dire.

773. - Soulignez les impératifs (2e pers. du sing.) et, dans ces impératifs, entourez d'un cercle la finale **-e.**

Conseils.

Marche deux heures tous les jours; dors sept heures toutes les nuits; couche-toi dès que tu as envie de dormir; lève-toi lorsque tu t'éveilles; travaille dès que tu es levé. Ne mange qu'à ta faim, ne bois qu'à ta soif. Ne parle que lorsqu'il le faut; n'écris que ce que tu peux signer; ne fais que ce que tu peux dire. N'oublie jamais que les autres doivent pouvoir compter sur toi. N'estime l'argent ni plus ni moins qu'il ne vaut; ne crée pas sans bien savoir à quoi tu t'engages, et détruis le moins possible. Pardonne d'avance à tout le monde; ne méprise pas les hommes; ne les hais pas et ne les raille pas.

D'après Alexandre Dumas fils.

774. - Mettez à la 2e personne du singulier de l'impératif présent les verbes en italique.

1. [*Honorer*] tes parents; [*assister*]-les dans leurs nécessités. — 2. [*Articuler*] bien quand tu parles. — 3. [*Préférer*] l'utile à l'agréable. — 4. [*Fermer*] les yeux, disait Joubert, et tu verras. — 5. En toutes choses, [*considérer*] la fin. — 6. En avril [*ne pas ôter*] un fil. — 7. [*S'aider*], le ciel t'aidera. — 8. [*Savoir*] discerner le vrai du faux.

775. - Mettez à la 2e personne du singulier les phrases suivantes :

1. Voilà de beaux fruits: mangeons-en quelques-uns. — 2. Cherchons notre bonheur dans le bonheur d'autrui. — 3. Sachons être prudents, quand nous sommes au volant de notre voiture. — 4. Ne vous imaginez pas qu'il existe des méthodes faciles pour apprendre les choses difficiles. — 5. Vous aimez les poètes? Nommez-en un que vous aimez particulièrement. — 6. Constituons-nous une bibliothèque; ouvrons-en les rayons aux livres solides; plaçons-y surtout des chefs-d'œuvre de notre littérature. — 7. Ce site est charmant: plantons-y notre tente. — 8. Allez-vous-en; retournez-vous-en d'où vous venez.

776. - Dans les verbes en italique, remplacez les trois points par l'une des finales **-e** ou **-es.**

1. Tu *admir*... le lever du soleil. — 2. Mon ami, *admir*... les chefs-d'œuvre de l'art. — 3. *Frapp*..., et l'on t'ouvrira. — 4. Pourquoi *cherch*...-tu midi à quatorze heures? — 5. C'est toi-même qui *ouvr*... les portes de ton avenir. — 6. *Ouvr*... ton cœur à la pitié. — 7. *Fortifi*... tes muscles par le sport! — 8. Par une bonne pratique du sport, tu *fortifi*... aussi ton caractère. — 9. Pâle étoile du soir, qui *brill*... au fond du ciel, *vers*... ta clarté dans mon cœur!

777. - Remplacez les trois points par l'une des finales **-e** ou **-es.**

INDICATIF	IMPÉRATIF
Tu *ferm*... la porte.	Paul, *ferm*... la porte!
Tu *avanc*... prudemment.	*Avanc*... prudemment.
Trouv...-tu la solution?	*Trouv*...-moi la solution.
Tu *jou*... de la guitare.	*Jou*... un air de guitare.
C'est toi qui *commenc*...	*Commenc*... bien ta journée!
Te voilà encore qui *pleur*...	Allons! ne *pleur*... plus.

778. - Mettez à la 2e personne du singulier de l'impératif présent les verbes en italique.

a) 1. Ne [*se moquer*] pas des malheureux; [*soulager*] leurs maux. — 2. [*Aller*] toujours le droit chemin. — 3. [*S'en aller*], chétif insecte, excrément de la terre! (La Font.) — 4. [*Savoir*] diviser la difficulté: tu la résoudras plus facilement. — 5. [*Vouloir*] bien m'envoyer les documents dont je t'ai parlé. — 6. [*Mesurer*] tes forces avant de te lancer dans cette entreprise. — 7. [*Payer*] tes dettes: tu t'enrichiras. — 8. Ne [*jouer*] pas avec le feu.

b) 1. Avant de t'engager dans une affaire, [*peser*]-en la difficulté. — 2. [*Coordonner*] tes efforts et [*recueillir*]-en patiemment les fruits. — 3. La solitude est la patrie des forts: [*aller*] y puiser des énergies nouvelles. — 4. La Suisse est un pays charmant: [*aller*]-y aux prochaines vacances. — 5. J'arriverai à temps; [*compter*]-y. — 6. [*Se proposer*] un idéal élevé et [*consacrer*]-y toutes tes forces. — 7. Le temps, c'est de l'argent: [*penser*]-y bien. — 8. [*Aimer*] ta maison natale, [*goûter*]-en le calme bonheur et [*aller*] y rafraîchir ton âme. — 9. L'affaire n'est pas simple: [*juger*]-en par ce que je vais te dire et [*examiner*] en toute objectivité les renseignements que voici.

779. - Donnez, pour les verbes suivants, la 3ᵉ personne du singulier : 1° de l'indicatif présent ; 2° du subjonctif présent ; 3° du passé simple ; 4° du futur simple. [à disposer en 4 colonnes.]

    a) 1. Chanter. — 2. Grandir. — 3. Assaillir. — 4. Résoudre. — 5. Vaincre.
    b) 1. Bénir. — 2. Avoir. — 3. Peindre. — 4. Définir. — 5. Corrompre.

780. - Donnez, pour les verbes suivants, les trois personnes du pluriel : 1° de l'indicatif présent ; 2° du passé simple ; 3° du conditionnel présent :

    a) 1. Présenter. — 2. Venir. — 3. Dire. — 4. Faire. — 5. Plaindre.
    b) 1. Aller. — 2. Contredire. — 3. Conclure. — 4. Déplaire. — 5. Absoudre.

781. - Pour chacun des verbes suivants, donnez, dans une 1ʳᵉ colonne, la 2ᵉ personne du singulier du passé simple ; — et vis-à-vis, dans une 2ᵉ colonne, la 1ʳᵉ personne du singulier du subjonctif imparfait (addition de **-se**) :

    Modèle: Tu voulus | Que je voulusse.

    a) 1. Mesurer. — 2. Être. — 3. Prendre. — 4. Avoir. — 5. Cueillir.
    b) 1. Parler. — 2. Ouvrir. — 3. Voir. — 4. Mettre. — 5. Tendre.

782. - Remplacez les trois points par l'une des finales **-a** ou **-ât** ; **-it** ou **ît** ; **-ut** ou **ût**.

    1. Il est entré sans qu'on le *remarqu*... — 2. On *remarqu*... qu'il était étrangement accoutré. — 3. Il faudrait que chacun *donn*... de son superflu. — 4. Il se repentait: on lui *pardonn*... sa faute. — 5. Ainsi *fin*... la comédie. — 6. On craignait que l'aventure ne *fin*... tragiquement. — 7. On nous *reç*... avec joie. — 8. Il fallait qu'on le *reç*... dignement.

––––––––––

783. - VOCABULAIRE : 1. Donnez 6 mots de la famille de *roi* (lat. *rex, regis*). — 2. Remplacez les trois points par un sujet convenable (cris d'animaux) : ...*beugle* ; ... *barrit* ; ... *grommelle* ; ... *croasse* ; ... *coasse* ; ... *glapit* ; ... *brame* ; ... *caquette.*

784. - ORTHOGRAPHE : Notez dans le carnet d'orthographe : *succinct, phtisie, parlote, pantoufle, les journaux.*

785. - LANGAGE : Ne dites pas : « Elle est *perclue* d'une jambe », ni : « La lettre *inclue* dans le paquet ». Dites : « ... *percluse* ..., *incluse* ... ». Notez bien qu'on dit : « elle est *exclue* » ; « l'affaire est *conclue* ». — Employez chacun dans une phrase : 1° *percluse* ; 2° *incluse* ; 3° *exclue* ; 4° *conclue.*

786. - PHRASÉOLOGIE : Mettez à leur place, dans une phrase claire et harmonieuse, les éléments suivants : *J'ai reçu — un portefeuille — de ma tante — en cuir de porc — hier.*

787. - CONJUGAISON : Conjuguez au passé composé, forme interrogative : *se méprendre.*

788. - PONCTUATION : Mettez la ponctuation : *Genève le 26 janvier 1968 Monsieur Je vous ai fait savoir par ma lettre du 21 janvier qu'il me serait impossible en raison de circonstances imprévues de vous envoyer le rapport que vous m'avez demandé*

REMARQUES SUR LA CONJUGAISON DE CERTAINS VERBES

1. VERBES EN -er.

789. - Mettez à la 1re personne du pluriel de l'indicatif présent les expressions suivantes :

a) 1. Lancer un navire. — 2. Rincer un verre. — 3. Amorcer la conversation. — 4. Déplacer un meuble. — 5. Percer un trou. — 6. Effacer une ligne.

b) 1. Déloger l'ennemi. — 2. Ranger ses livres. — 3. Obliger un ami. — 4. Ne pas négliger son écriture. — 5. Interroger un accusé. — 6. Songer à l'avenir.

c) 1. Renoncer à partir. — 2. Changer d'opinion. — 3. Allonger une robe. — 4. Plonger dans la piscine. — 5. Bien placer le ballon. — 6. Avancer sa besogne.

790. - Mettez à la 1re personne du singulier de l'indicatif imparfait :

a) 1. Nuancer sa pensée. — 2. Se bercer d'illusions. — 3. Exercer sa mémoire. — 4. Prononcer clairement. — 5. Acquiescer à une demande.

b) 1. Rédiger un rapport. — 2. Protéger les faibles. — 3. Infliger un blâme. — 4. Ériger un monument. — 5. Voyager en avion.

c) 1. Prolonger son voyage. — 2. Remplacer son collègue. — 3. Ne pas ménager ses efforts. — 4. Se décharger d'un souci. — 5. Recommencer son travail. — 6. Enfoncer un clou.

791. - Mettez à la forme indiquée les verbes en italique (verbes en **-cer** ou en **-ger**).

a) 1. Nous [*remplacer*, ind. prés.] le terme impropre par le terme propre. — 2. [*Ne pas forcer*, impér. prés., 1re pers. du plur.] notre talent. — 3. Le loup se [*forger*, indic. imparf.] une félicité qui le [*plonger*, indic. imparf.] dans une grande joie. — 4. Cet homme était fort doux: il ne [*dévisager*, indic. imparf.] jamais personne. — 5. Quand j'avais dit un mot trop rude, mon père [*froncer*, indic. imparf.] les sourcils.

b) 1. Par le travail, nous [*abréger*, indic. prés.] nos journées, mais nous [*allonger*, indic. prés.] notre vie. — 2. En [*s'enfoncer*, partic. prés.] dans de profondes rêveries, le poète goûte un plaisir délicat. — 3. Déjà le soleil [*lancer*, indic. imparf.] ses premiers feux; une lumière dorée [*percer*, indic. imparf.] l'épaisseur des feuillages. — 4. Tout à coup la lune [*émerger*, passé simple] des nuages et [*glacer*, passé simple] les toits d'une lueur bleuâtre. — 5. En nous [*exercer*, partic. prés.] à bien penser, nous nous [*exercer*, indic. prés.] à bien parler et à bien écrire. — 6. Soyez bénis, chariots délabrés, dont les chaînes nous [*balancer*, indic. imparf.] doucement! (E. Moselly.)

792. - Mettez à la 1re personne du singulier de l'indicatif présent les expressions suivantes :

1. Mener sa barque. — 2. Semer le blé. — 3. Achever sa tâche. — 4. Peser ses mots. — 5. Égrener des épis. — 6. Élever des poulets. — 7. Promener son petit frère. — 8. Relever la tête.

793. - Mettez à la forme indiquée les verbes en italique (verbes ayant un **e** muet à l'avant-dernière syllabe).

a) 1. Qui [*semer*, indic. prés.] le vent récolte la tempête. — 2. Fuyez le jeu d'argent: il vous [*mener*, condit. prés.] peut-être au déshonneur. — 3. Les petites joies quotidiennes sont les fleurs qui [*parsemer*, indic. prés.] le chemin de la vie. — 4. Quand je [*lever*, indic. prés.] les yeux vers la voûte étoilée, je rêve à l'infini. — 5. [*Soulever*, fut. simple]-tu bien ce fardeau? — 6. Aimeriez-vous faire un voyage qui vous [*emmener*, condit. prés.] dans l'espace?

b) 1. Si le malheur t'abat, [*relever*, impér. prés.]-toi et garde l'espérance. — 2. Voilà une évidence qui [*crever*, indic. prés.] les yeux. — 3. Allons! que l'on [*achever*, subj. prés.] promptement cette besogne! — 4. Si tu étais sage, tu [*peser*, condit. prés.] les conséquences de tes actes. — 5. Des dépenses inconsidérées [*grever*, fut. simple] le budget d'une famille. — 6. Voyons, hippogriffe de mes rêves, [*promener*, impér. prés.]-moi dans les pays lointains!

794. - Mettez aux 3 personnes du singulier de l'indicatif présent les verbes suivants (verbes en **-eler, -eter**) [à disposer en 4 colonnes] :

1. Appeler. — 2. Renouveler. — 3. Feuilleter. — 4. Jeter.

795. - Écrivez à la 1re personne du singulier et à la 1re personne du pluriel de l'indicatif présent les expressions suivantes :

1. Épousseter une commode. — 2. Carreler une cuisine. — 3. Cacheter une lettre. — 4. Ficeler un paquet. — 5. Haleter d'émotion. — 6. Ciseler ses phrases. — 7. Déceler un défaut. — 8. Crocheter une serrure.

796. - Mettez à la forme indiquée les verbes en italique (verbes en **-eler, -eter**).

1. Quand les nuages [*s'amonceler*, indic. prés.] et que les éclairs [*jeter*, indic. prés.] leurs lueurs sauvages, bien des personnes sont prises d'une grande crainte. — 2. Si tu [*acheter*, indic. prés.] le superflu, tu vendras le nécessaire. — 3. Tu ne [*fureter*, fut. simple] plus dans cette armoire. — 4. Revoici mars: il ne [*geler*, indic. prés.] plus ; les oiseaux [*voleter*, indic. prés.], joyeux, dans les branches ; tout [*appeler*, indic. prés.] le renouveau. — 5. Modérez votre allure; autrement vous [*haleter*, fut. simple] et votre visage [*ruisseler*, fut. simple] de sueur. — 6. Nous n'aimons pas qu'on nous [*harceler*, subj. prés.] de questions. — 7. Quand le soleil est à son levant ou à son couchant, l'ombre [*se projeter*, indic. prés.] au loin.

797. - Même exercice (verbes en **-eler, -eter**).

1. Je vous [*rappeler*, fut. simple] les promesses que vous m'avez faites. — 2. Nous [*modeler*, fut. simple] notre conduite sur celle des gens de bien. — 3. Harpagon, l'avare de Molière, parle d'un traître dont les yeux [*fureter*, indic. prés.] de tous les côtés. — 4. Je revois encore grand-mère qui [*feuilleter*, indic. prés.] avec moi le grand livre d'images. — 5. Il y a des paysages qui ont, à certaines heures, un charme qui nous [*ensorceler*, indic. prés.]. — 6. Si l'on vous chargeait de remettre à votre père un paquet cacheté, le [*décacheter*, condit. prés.]-vous? — 7. Les petites besognes ménagères même doivent être faites avec soin: voyez votre mère quand elle [*épousseter*, indic. prés.] les meubles ou quand elle [*peler*, indic. prés.] des pommes.

798. - Donnez, pour les expressions suivantes (verbes ayant un **é** fermé à l'avant-dernière syllabe), la 1ʳᵉ personne du singulier: 1° de l'indicatif présent ; 2° du futur simple ; 3° du conditionnel présent [disposer en 3 colonnes]:

1. Céder un commerce. — 2. Pénétrer dans la forêt. — 3. Régler un différend. — 4. Vénérer ses parents. — 5. Suggérer une solution. — 6. Accélérer l'allure. — 7. Rémunérer un ouvrier.

---

799. - VOCABULAIRE: 1. Comment appelle-t-on: 1° les 3 os principaux du bras ; — 2° les 3 os principaux de la jambe? [Voyez dans le dictionnaire: planche « Anatomie de l'Homme ».]

2. Dites à quelle partie du corps (tête? tronc? bras? jambe?) appartiennent : la *clavicule*, le *sternum*, la *rotule*, l'*omoplate*, l'*arcade sourcilière*, l'*aorte*, le *biceps*, la *tempe*, la *cheville*.

800. - ORTHOGRAPHE: Écrivez les mots suivants, en mettant en rouge les accents: *trêve, fraîche, chaîne, événement, traître, châtiment, jeûner*.

801. - PRONONCIATION: Prononcez bien, sans faire entendre l'*l* final: *fusil, chenil, fournil, gentil, nombril, outil, sourcil, persil*.

802. - LANGAGE : Ne dites pas : « J'habite au *plain-pied* » (helvétisme). Dites : « ... au *rez-de-chaussée* ». — Inventez une phrase où vous emploierez l'expression correcte.

803. - ANALYSE: Dites quelle est la fonction des mots en italique: Appliquez-*vous* à *supporter* les défauts des autres, *quels* qu'ils soient.

---

804. - Mettez à la 1re personne du singulier: 1° du futur simple; 2° du conditionnel présent les expressions suivantes (verbes ayant un **é** fermé à l'avant-dernière syllabe):

1. Libérer sa conscience. — 2. Alléguer des raisons. — 3. Compléter la somme. — 4. Créer des difficultés. — 5. Suppléer ce qui manque.

805. - Mettez à la forme indiquée les verbes en italique (verbes ayant un **é** fermé à l'avant-dernière syllabe).

a) 1. L'homme droit ne [*révéler*, indic. prés.] pas le secret qu'on lui a confié; il ne le [*révéler*, condit. prés.] pour rien au monde. — 2. J'espère que vous [*agréer*, fut. simple] mes hommages. — 3. Le blé [*dégénérer*, indic. prés.] dans un mauvais terrain. — 4. Tu ne [*maugréer*, fut. simple] pas si je dois te reprendre. — 5. Si l'on veut que cette entreprise [*prospérer*, subj. prés.], on [*procéder*, fut. simple] par étapes. — 6. Le soleil [*pénétrer*, indic. prés.] dans la profondeur des feuillages et [*sécher*, indic. prés.] l'humidité de la nuit. — 7. Quelle paix [*régner*, condit. prés.] sur la terre si tous les hommes s'aimaient comme des frères !

b) 1. En toutes choses, nous [*considérer*, fut. simple] la fin. — 2. Un profane [*interpréter*, cond. prés.] mal les hurlements qui accueillent la présentation des boxeurs sur le ring. (A. Camus.) — 3. Souvent notre imagination [*exagérer*, indic. prés.] nos joies et nos peines. — 4. Tant que les générations [*succéder*, fut. simple] aux générations, des maux variés [*assiéger*, fut. simple] l'humanité mais les âmes fortes ne [*céder*, fut. simple] jamais au désespoir. — 5. Tu ne [*régler*, fut. simple] pas invariablement le présent sur le passé: parfois les circonstances te [*suggérer*, fut. simple] le parti à prendre. — 6. Une légère indisposition [*altérer*, indic. prés.] nos jugements. — 7. L'allure [*s'accélérer*, indic. prés.]; le ronflement plus aigu des rouages [*révéler*, indic. prés.] une ivresse croissante. (M. Maeterlinck.)

806. - Mettez à la 1re personne du singulier de l'indicatif présent et du futur simple [2 colonnes] les expressions suivantes (verbes en **-yer**).

1. Appuyer une requête. — 2. Octroyer un avantage. — 3. Nettoyer ses chaussures. — 4. Employer le mot propre. — 5. Essuyer les vitres. — 6. Ne rudoyer personne. — 7. Ne pas grasseyer. — 8. Essayer une voiture. — 9. Déblayer le terrain. — 10. Balayer la cuisine.

807. - Mettez à la forme indiquée les verbes en italique (verbes en **-yer**).

a) 1. On ne [*s'appuyer*, indic. prés.] bien que sur ce qui résiste. — 2. Celui qui [*essayer*, condit. prés.] d'abord de bien penser serait plus apte à bien agir.

— 3. Quiconque [*s'employer*, fut. simple] à faire son travail avec goût ne [*s'ennuyer*, fut. simple] jamais. — 4. La lumière que le soleil nous [*envoyer*, indic. prés.] nous arrive en huit minutes. — 5. Quelle féerie quand le printemps [*déployer*, indic. prés.] toute sa verdure et toutes ses couleurs! — 6. On doit toujours aimer sa patrie, même quand on y [*essuyer*, indic. prés.] certaines injustices.

b) 1. Les couleurs des solennels palais bolonais [*rougeoyer*, indic. prés.] comme de la braise. (J.-L. Vaudoyer.) — 2. Des chaises sont brandies, la police [*se frayer*, indic. prés.] un chemin. (A. Camus.) — 3. Oh! ne vous mettez pas en peine, il vous [*payer*, fut. simple] le mieux du monde. (Molière.) — 4. Puis il [*envoyer*, indic. prés.] les administrés au diable, et la muse des comices agricoles n'a plus qu'à se voiler la face. (A. Daudet.) — 5. M. Seguin était ravi. « Enfin, pensait le pauvre homme, en voilà une qui ne [*s'ennuyer*, fut. simple] pas chez moi! » (Id.) — 6. S'il te venait une maladie, Monsieur te [*payer*, condit. prés.] quand même. (A. Chamson.) — 7. Elle [*essuyer*, indic. prés.] aux roseaux ses pieds que l'étang mouille. (Hugo.) — 8. Ses yeux injectés de sang [*flamboyer*, indic. prés.] comme des rubis. (L. Pergaud.)

---

808. - VOCABULAIRE: 1. Comment appelle-t-on un polygone ayant: 4 angles et 4 côtés? — 6 angles et 6 côtés? — 7 angles et 7 côtés? — 8 angles et 8 côtés? — 10 angles et 10 côtés?

2. Donnez les noms des 5 variétés du polygone à 4 côtés.

809. - ORTHOGRAPHE: Notez dans le carnet d'orthographe: *pyramide, physique, hygiène, cataclysme, anonyme.*

810. - PHRASÉOLOGIE: « *N'était* le mouvement léger de sa jambe levée, on croirait qu'il somnole. » (É. Estaunié.) — Inventez une phrase où la condition sera exprimée par *n'était ...* ou par *n'eût été ...*

811. - LANGAGE: *Pallier,* c'est proprement « couvrir comme d'un manteau » (lat. *pallium*). On dit : « *pallier* un mal, un défaut, etc. » et non: « pallier *à* un mal, *à* un défaut, etc. » — Inventez une phrase où vous emploierez la construction correcte.

812. - ANALYSE : Analysez les mots en italique: « Je *te* reconnais, ô *cloche* fidèle *Qui* me saluas *quand* j'ouvris les yeux. » (Fr. Fabié.)

813. - PONCTUATION: Mettez la ponctuation: *La nuit était admirable calme chaude ardemment étoilée comme une nuit de canicule*

---

814. - Inventez de courtes phrases où vous ferez entre les verbes suivants (avec changement d'*y* en *i*).

a) 1. Employer. — 2. Égayer. — 3. Essayer. — 4. Broyer.

b) 1. Effrayer. — 2. Appuyer. — 3. Chatoyer. — 4. Payer.

815. - Mettez au présent de l'indicatif les verbes en italique (verbes en -yer).

Matin d'automne.

C'est un lourd matin d'automne. Le brouillard [*noyer*] l'horizon et [*délayer*] ses teintes indécises. Les branches [*ployer*], dirait-on, sous les écharpes de brume qui les chargent et qui [*s'appuyer*] de tout leur poids.

Mais bientôt un pâle soleil [*délayer*] le ciel et [*rayer*] les arbres de quelques traits hésitants. La lumière paraît bouder; on dirait qu'elle [*s'ennuyer*] de traîner sur un paysage aussi froid. Cependant un vent aigre [*balayer*] la colline et [*nettoyer*] l'air; il [*essuyer*] même l'humidité des feuillages et [*envoyer*] partout son souffle un peu tiède. Subitement la lumière [*déployer*] sa draperie; il semble que les arbres [*flamboyer*] et leurs cimes [*ondoyer*] doucement.

816. - Mettez à la forme indiquée les verbes en italique.

a) 1. Il faut que nous [*plier*, subj. prés.] sous les lois de la nécessité. — 2. Si vous vous [*confier*, indic. imparf.] à vos parents, vous seriez à l'abri de bien des dangers. — 3. Du vaisseau qui nous emportait nous [*voir*, indic. imparf.] fuir le rivage. — 4. Quand vous [*croire*, indic. imparf.] qu'on pouvait juger les gens sur la mine, vous ne vous [*défier*, indic. imparf.] pas des artifices de l'hypocrisie. — 5. Bien que vous [*voir*, subj. prés.] la difficulté de l'entreprise, il ne faut pas que vous [*craindre*, subj. prés.] un échec. — 6. Si vous [*travailler*, indic. imparf.] avec persévérance, vous arriveriez au succès.

b) 1. Quelque question que nous [*étudier*, indic. imparf.], soyons méthodiques. — 2. Le temps trop précieux pour que nous l'[*employer*, subj. prés.] à des bagatelles ou que nous le [*gaspiller*, indic. imparf.]. — 3. Si vous [*gagner*, indic. imparf.] le gros lot, qu'en feriez-vous? — 4. Il est bon parfois que nous nous [*oublier*, subj. prés.] pour penser aux autres. — 5. Je serais heureux si vous m'[*envoyer*, indic. imparf.] une lettre dès que vous serez arrivé. — 6. Vous seriez cruel si vous [*rire*, indic. imparf.] d'une personne contrefaite. — 7. Voilà tout. Vous [*jouer*, indic. imparf.] et vous [*croire*, indic. imparf.] bien faire. (Hugo.)

817. - Écrivez à la 1re personne du pluriel de l'indicatif imparfait et du subjonctif présent les expressions suivantes [2 colonnes]:

1. Défier un adversaire. — 2. Peindre un paysage. — 3. Crier à l'aide. — 4. Confier un secret. — 5. Étudier sa leçon. — 6. Soigner son style.

818. Exercice récapitulatif sur les remarques concernant les verbes en -er: mettez à la forme indiquée les verbes en italique.

a) 1. Le sage n'[*appeler*, indic. prés.] pas tristesses les petites fatigues de la journée. — 2. Tu n'[*alléguer*, fut. simple] pas de vaines excuses. — 3. Le soleil [*percer*, partic. prés.] les nuages, [*jeter*, indic. imparf.] des rayons obliques et l'ombre des peupliers [*s'allonger*, indic. imparf.] sur la plaine. — 4. Les citoyens romains considéraient le commerce et les arts comme des occupations d'esclaves et ils ne les [*exercer*, indic. imparf.] pas. — 5. Tu [*essayer*, indic. prés.] de te distraire et tu gaspilles des journées que tu [*employer*, cond. prés.] mieux en les consacrant à l'étude.

b) 1. Et ces flammes dansaient, [*changer, s'élancer*, indic. imparf.] toujours plus hautes et plus gaies. (P. Loti.) — 2. L'avion avait gagné d'un seul coup, à la seconde même où il [*émerger*, indic. imparf.], un calme qui semblait extraordinaire. (Saint-Exupéry.) — 3. Il rassembla ses forces, [*se lancer*, passé simple] et [*s'allonger*, passé simple] par terre. (R. Rolland.) — 4. Alors ils [*amener*, indic. prés.] l'agneau sans mère à la brebis sans petit. (J. de Pesquidoux.) — 5. Puis il [*envoyer*, indic. prés.] les administrés au diable, et la muse des comices agricoles n'a plus qu'à se voiler la face. (A. Daudet.) — 6. De temps en temps, ce gros homme enlevait sa casquette et [*s'éponger*, indic. imparf.] le front. (H. Bosco.) — 7. Je me disais que nous [*atteindre*, indic. imparf.] aux jours les plus longs de l'année. (M. Barrès.) — 8. Les habitants de ces lieux, nous ne les [*envier*, indic. imparf.] pas. (P. Vialar.)

---

819. - VOCABULAIRE : Racine grecque : *metron* = mesure. Comment appelez-vous l'instrument servant à marquer: la température (gr. *thermos,* chaud)? — la pression de l'air (gr. *baros,* pesanteur)? — l'heure, le temps (gr. *khronos,* temps)? — la vitesse du vent (gr. *anemos,* vent)? — l'humidité de l'air (gr. *hugros,* humide)? — la quantité de pluie tombée (lat. *pluvia,* pluie)?

820. - ORTHOGRAPHE : Notez dans le carnet d'orthographe : *hypocrite, amphitryon, acolyte, accalmie, par acquit de conscience, ce médecin a de l'acquis.*

821. - LANGAGE: Ne dites pas: « J'ai mal la tête, les dents, etc. »; — dites: « J'ai mal à la tête, *aux* dents, etc. ». — Inventez une phrase où vous emploierez la construction correcte.

822. - CONJUGAISON : Conjuguez au conditionnel passé 2e forme : *conduire.*

823. - ANALYSE : Dites quelle est la fonction des mots en italique: « Les consolations *qu'*il *m'*eût fallu, je ne *les* ai pas trouvées. »

824. - PONCTUATION : Mettez la ponctuation voulue aux endroits marqués par des traits verticaux : *Hélas | si j'avais su | Mais que ferai-je | maintenant que le malheur m'a frappé |*

---

2. VERBES EN -ir.

825. - Dans les expressions suivantes, écrivez, selon le cas, **béni** ou **bénit,** et faites l'accord:

1. De l'eau *bén...* — 2. Des cierges *bén...* — 3. Des nations *bén...* de Dieu. — 4. Un donneur d'eau *bén...* — 5. C'est pain *bén...* — 6. L'heure *bén...* du

crépuscule. — 7. Le mariage sera *bén*... — 8. Des drapeaux *bén*... par l'évêque. — 9. Un rameau *bén*...

826. - Remplacez les trois points par la finale convenable (*béni* ou *bénit*) et faites l'accord.

a) 1. Dans certaines régions, le dimanche des Rameaux, les croyants piquent une branche *bén*... sur la tombe de leurs morts. — 2. Après que le prêtre eut *bén*... les cierges, la procession défila dans l'église. — 3. Je me rappelle les jours *bén*... de ma première enfance. — 4. Le prêtre a *bén*... les drapeaux; il a distribué des médailles *bén*... — 5. C'est l'évêque qui a *bén*... le mariage. — 6. Oh! les journées *bén*... que j'ai passées dans cet asile de paix! — 7. Terre des aïeux, terre *bén*..., nous saurons te défendre.

b) 1. Un curé catholique avait *bén*... le mariage. (A. Maurois.) — 2. Au mur blanchi à la chaux, sous un rameau de buis *bén*..., un coffre-fort était scellé. (A. France.) — 3. C'est une famille *bén*... de Dieu. (La Varende.) — 4. Oh! de délicieuses vieilles gens, certes, à jamais *bén*... dans mon souvenir. (É. Henriot.) — 5. Une petite fille de deux ans et demi avait au cou une médaille *bén*... (H. Taine.) — 6. J'ai été *bén*... par l'évêque et très glorieux confesseur Cyprien. (L. Bertrand.) — 7. A peine si, au sortir de l'École, notre double mariage *bén*... par le pasteur Vautier, nous partions tous les quatre en voyage (A. Gide.) — 8. « Soyez donc en paix, ma fille » lui dis-je. Et je l'ai *bén*... (G. Bernanos.) — 9. Elle a un chapelet *bén*... accroché à son étagère. (Musset.) — 10. Il est une voix des fontaines quand il est midi, lorsque la cloche *bén*... reprend, poudrée de beau temps comme une campanule. (Fr. Jammes.) — 11. *Bén*... soient leurs troupeaux paissant dans les cytises! (Hugo.)

827. - Mettez à la forme indiquée les verbes en italique (verbes en -**ir**).

1. Quel beau spectacle que celui des cerisiers [*fleurir*, partic. prés.] au printemps! — 2. [*Haïr*, impér. prés. 2ᵉ pers. du sing.] toujours le mensonge. — 3. Le poète Ronsard [*fleurir*, indic. imparf.] en France à la fin du seizième siècle. — 4. Partout les bruyères [*fleurir*, indic. imparf.] sur les collines. — 5. Tu [*haïr*, indic. prés.] le mal autant que nous le [*haïr*, indic. prés.] tous. — 6. Quand on jouit d'une santé [*fleurir*, adj. verbal], on possède un véritable trésor.

3. VERBES EN -oir ET EN -re.

828. - Remplacez les trois points par la finale convenable: -**u** ou -**û**, et faites l'accord.

a) 1. Le respect est *d*... à la vieillesse. — 2. Les savants de notre siècle ont prodigieusement *accr*... le patrimoine des connaissances scientifiques. — 3. D'une invincible horreur je sens mon âme *ém*... (Voltaire.) — 4. Les mauvaises herbes qui ont *recr*... dans un parterre sont soigneusement extirpées par le bon jardinier. — 5. Une faveur qui avait *cr*... rapidement est tombée tout d'un coup: elle n'était pas *d*... à un mérite réel. — 6. On n'estime guère ceux qui sont *m*... par l'intérêt.

b) 1. Nous fêtons papa, qui a été *prom*... au grade de colonel. — 2. Il y a des gens égoïstes, qui se persuadent que tout leur est *d*... — 3. La rivière a *cr*... rapidement; elle n'a *décr*... que lentement. — 4. Vous persuaderez-vous que rien n'est *red*... à votre mère quand vous lui avez montré un peu d'affection? — 5. L'avare est content quand son bien s'est *accr*... par quelque sordide économie. — 6. Un esprit *m*... par une passion violente n'est guère apte à juger sainement. — 7. Rien n'est plus *d*... à la vanité que la risée. (Pascal.) — 8. Les arbres avaient *cr*... dans le jardin. (É. Henriot.)

829. - Écrivez 3 personnes du singulier de l'indicatif présent les expressions suivantes:

> *Modèle:* Je crains, tu crains, il craint le pire.

1. Atteindre le but. — 2. Éteindre le feu. — 3. Absoudre l'accusé. — 4. Résoudre de partir. — 5. Plaindre les malheureux. — 6. Dissoudre l'assemblée.

830. - Mettez à la forme indiquée les verbes en italique (verbes en **-indre** et en **-soudre**).

a) 1. On n' [*enfreindre*, indic. prés.] pas impunément les lois de la nature. — 2. L'amour maternel nous [*absoudre*, indic. prés.] volontiers de nos fautes. — 3. Voici l'aube: la lumière [*poindre*, indic. prés.] là-bas et blanchit la colline. — 4. Tu [*résoudre*, indic. prés.] de devenir un homme. — 5. Après la mort d'Alexandre, son empire fut [*dissoudre*, part. passé]. — 6. Tu [*se plaindre*, indic. prés.] de ta condition, mais je [*craindre*, indic. prés.] qu'une autre condition ne te rende pas plus heureux. — 7. Certaines personnes, à quatre-vingts ans, ont encore une ardeur qui ne [*s'éteindre*, indic. prés.] pas.

b) 1. Et le cœur [*se dissoudre*, indic. présent] dans l'âme ainsi troublée. (Fr. Jammes.) — 2. Je [*craindre*, indic. prés.] Dieu, cher Abner, et n'ai point d'autre crainte. (Racine.) — 3. La majeure partie des grands écrivains de France ont [*peindre*, part. passé] les mœurs de leur temps. (G. Duhamel.) — 4. La puissante lumière de l'été s'empare, pour de tels jeux, du moindre objet, l'exhume, le glorifie ou le [*dissoudre*, indic. prés.]. (Colette.) — 5. Quand on se porte bien, on admire comment on pourrait faire si l'on était malade; quand on l'est, on prend médecine gaîment: le mal y [*résoudre*, indic. prés.] (Pascal.) — 6. Alors le grand caïd [*se résoudre*, indic. prés.] à céder. (P. Loti.) — 7. Il [*absoudre*, indic. prés.] pour la terre et j'[*absoudre*, indic. prés.] pour le ciel. (Hugo.) — 8. L'histoire ne [*résoudre*, indic. prés.] pas les questions, elle nous apprend à les examiner. (Fustel de Coulanges.)

831. - VOCABULAIRE : Racine latine : *color, coloris* = couleur ; — racine grecque : *khrôma* = couleur. — Donnez 7 mots où se retrouve la racine latine, — et 4 mots où se retrouve la racine grecque.

832. - ORTHOGRAPHE : Notez dans le carnet d'orthographe : *auxiliaire, araignée, pseudonyme, un lapereau, un levraut.*

833. - PHRASÉOLOGIE : Complétez par un terme de comparaison : *hardi* comme ...; *rouge* comme ...; *pâle* comme ...; *gai* comme ...; *bavard* comme ...; *muet* comme ...; *bon* comme ... [Choisir : un poisson, un lion, une pie, le bon pain, un linge, une pivoine, un pinson.]

834. - LANGAGE : Des Canadiens disent : « *A date,* nous n'avons rien découvert » pour : « *Jusqu'ici, jusqu'à ce jour, jusqu'à aujourd'hui* ... ». — Inventez une phrase où vous emploierez une des locutions correctes.

835. - CONJUGAISON : Conjuguez au futur antérieur, forme négative: *sortir.*

---

836. - Mettez à la forme indiquée les verbes en italique (**battre, mettre,** verbes en **-dre, vaincre, rompre**).

1. [*Battre,* impér. prés., 2ᵉ pers. du sing.], le fer quand il est chaud; ne [*remettre,* impér. prés. 2ᵉ pers. du sing.] pas à demain ce que tu peux faire aujourd'hui. — 2. Si tu [*commettre,* indic. prés.] une mauvaise action, tu [*soumettre,* indic. prés.] ton âme à un honteux esclavage. — 3. Si je [*combattre,* indic. prés.] mes mauvais penchants, si je [*tendre,* indic. prés.] au bien, si je [*se vaincre,* indic. prés.] moi-même, je serai un homme. — 4. Ce bosquet [*rompre,* indic. prés.] l'uniformité du paysage. — 5. Votre argument ne me [*convaincre,* indic. prés.] guère. — 6. Si tu [*prétendre,* indic. prés.] raisonner droit, [*prendre,* impér. prés.] une connaissance exacte des faits. — 7. Ne [*vendre,* impér. prés. 2ᵉ pers. du sing.] pas la peau de l'ours avant d'avoir tué l'animal. — 8. Celui qui [*vaincre,* indic. prés.] sans péril triomphe sans gloire.

837. - Mettez les verbes suivants (en **-aître, -oître**) à la forme demandée [attention à l'accent circonflexe !]

a) A l'*indicatif présent :* 1. Il [*naître*]. — 2. Tu [*connaître*]. — 3. Je [*paraître*]. — 4. J'[*accroître*]. — 5. Il [*accroître*]. — 6. Tu [*croître*] en sagesse. — 7. Il [*croître*]. — 8. Ils [*apparaître*]. — 9. Tu [*reparaître*]. — 10. Il [*croître*] en vertu.

b) Au *futur simple :* 1. Je [*paraître*]. — 2. Nous [*reconnaître*]. — 3. Il [*croître*]. — 4. Je [*disparaître*]. — 5. Tu [*renaître*]. — 6. Il [*se repaître*]. — 7. Je [*connaître*].

838. - Conjuguez au passé simple:

1. *Croître* en âge. — 2. *Croître* comme un champignon. — 3. *Accroître* sa fortune.

839. - Mettez à la forme indiquée les verbes en italique (verbes en **-aître, -oître, -ire**).

a) 1. A l'œuvre on [*connaître,* indic. prés.] l'artisan. — 2. On [*naître,* indic. prés.] poète, on devient orateur. — 3. César [*réduire,* passé simple] la Gaule après huit années de luttes. — 4. Au XVIᵉ siècle, notre vocabulaire [*s'accroître,* passé simple] d'un grand nombre de termes italiens. — 5. Caton demandait sans cesse qu'on [*détruire,* subj. imparf.] Carthage. — 6. Plus tu [*accroître,* fut. simple] ton capital de connaissances, plus tu augmenteras tes chances de réussir. — 7. On ne [*croître,* indic. prés.] pas nécessairement en sagesse parce qu'on [*croître,* indic. prés.] en âge.

b) 1. Le cœur a ses raisons, que la raison ne [*connaître,* indic. prés.] point. (Pascal.) — 2. Sans cesse en [*écrire,* partic. prés.] variez vos discours. (Boileau.) — 3. Il me [*paraître*, indic. prés.] que la promenade est précisément un besoin des Français. (Montesquieu.) — 4. Le bois qui, dans le même terrain, [*croître*, indic. prés.] le plus vite est le plus fort; celui qui a [*croître*, partic. passé] lentement est plus faible que l'autre. (Buffon.) — 5. La civilisation moderne, par les inventions et les machines, [*accroître*, indic. prés.] le temps des loisirs. (A. Maurois.) — 6. Un éléphant [*reconnaître*, indic. prés.] son maître au bout de dix ans. (Voltaire.)

840. - Exercice récapitulatif (conjugaison de certains verbes). [Ce texte peut servir comme **dictée.**]

Ne nous décourageons pas.

Ne nous [*découráger*, impér. prés., 1re p. pl.] pas si nos efforts ne nous [*amener*, indic. prés.] pas là où nous [*croire*, ind. imparf.] arriver. Nous [*connaître*, fut. s.] encore, [*espérer*, impér. prés., 1re pers. pl.]-le, des jours [*bénir*, part. pas.], illuminés de joie.

Vous avez des défauts; si quelque obstacle surgit, votre vigueur [*chanceler*, ind. prés.], votre énergie [*se dissoudre*, indic. prés.]; ce qui est difficile vous [*effrayer*, ind. prés.]. Dites-vous bien que le succès [*s'acheter*, indic. prés.] au prix d'efforts persévérants: qui sait vouloir [*vaincre*, indic. prés.] les plus grands obstacles.

En se [*décourager*, part. prés.], on ne [*résoudre*, indic. prés.] rien, et celui qui n'[*essayer*, indic. prés.] pas d'avancer n'arrivera jamais au but. Si votre insuccès n'est *devoir*, part. passé] à aucun mauvais vouloir, ne [*désespérer*, impér. prés., 2e p. plur.] pas! En vous [*forcer*, part. prés.] à l'action, vos forces [*renaître*, fut. simple.].

---

841. - VOCABULAIRE : 1. Rangez dans l'ordre alphabétique : *Fleming, Branly, Archimède, Lavoisier, Watt, Davis, Edison, Lumière, Pasteur.*

   2. Remplacez *épais* par son contraire dans : drap *épais ;* — cheveux *épais ;* — liqueur *épaisse ;* — esprit *épais ;* — nuit *épaisse.*

842. - ORTHOGRAPHE : Notez dans le carnet d'orthographe : 1° verbes en -**oter** : *buvoter, capoter, piloter, dorloter, ligoter ;* — 2° verbes en -**otter** : *ballotter, carotter, décrotter, grelotter, marmotter.*

843. - PHRASÉOLOGIE : « Il se passait de manteau, *fier qu'il était* de sa poitrine large. » (H. Duvernois.) — Imitez ce tour en modifiant la phrase « Il était heureux de son succès et distribuait à la ronde de solides poignées de main. »

844. - LANGAGE : On peut dire : « être propre sur soi » (= être bien lavé, habillé proprement). — Inventez une phrase où vous emploierez cette expression.

845. - PONCTUATION : Mettez, aux endroits marqués par un trait vertical, les signes de pontuation convenables : *Le bon élève* | *par son mérite* | *par son application* | *se concilie la bienveillance de ses maîtres* | *la bonne opinion que ses professeurs ont de lui* | *il tient à honneur de ne pas la démentir* |

CONJUGAISON PASSIVE

846. - Analysez les **formes passives** (mode, temps, personne, nombre).

a) 1. Ils sont protégés. — 2. Tu étais blâmé. — 3. Que nous soyons aidés. — 4. Tu aurais été admis. — 5. Qu'il eût été accompagné. — 6. Devant être loué. — 7. J'eus été conduit. — 8. Que tu fusses ramené. — 9. Que tu aies été instruit. — 10. Avoir été trompé.

b) 1. Il fut pris en flagrant délit. — 2. Nos efforts ont été couronnés de succès. — 3. Nous sommes partis plus tôt qu'il n'avait été prévu, afin de ne pas être empêchés par le mauvais temps. — 4. Que de soins vous ont été prodigués par votre mère! — 5. Le refrain a été repris en chœur. — 6. Dès que le signal eut été donné, nous sommes entrés. — 7. Quand votre jugement aura été bien formé, vous apprécierez plus sainement les choses. — 8. Après avoir été séduit par les apparences, tu serais entraîné à prendre le faux pour le vrai. — 9. S'ils eussent été conseillés, ils ne seraient pas allés à la ruine.

847. - Donnez, dans la **conjugaison passive,** les formes indiquées entre crochets.

a) 1. [*Indic. imparf., 1ʳᵉ p. pl.*] Être élevé dignement. — 2. [*Fut. simple, 2ᵉ p. s.*] Être récompensé selon ses mérites. — 3. [*Subj. prés., 3ᵉ p. s.*] Être vivement remercié. — 4. [*Passé simple, 2ᵉ p. pl.*] Être loué par les gens de bien. — 5. [*Impér. pr., 2ᵉ p. s.*] Être pardonné à cause de sa sincérité. — 6. [*Indic. imparf., 2ᵉ p. pl.*] Être sévèrement repris. — 7. [*Subj. imparf., 3ᵉ p. s.*] Être apprécié à sa juste valeur.

b) 1. [*Passé comp., 1ʳᵉ p. s.*] Être odieusement trompé. — 2. [*Cond. passé, 3ᵉ p. s.*] Être traité avec honneur. — 3. [*Subj. passé, 2ᵉ p. pl.*] Être approuvé sans réserve. — 4. [*Infin. passé*] Être condamné sans appel. — 5. [*Fut. antér., 1ʳᵉ p. s.*] Être cru sur parole. — 6. [*Cond. passé, 2ᵉ f., 3ᵉ p. pl.*] Être reconnu à son accent. — 7. [*Fut. antér., 2ᵉ p. s.*] Être mis au rang des héros.

848. - Mettez au **passif** et à la forme indiquée les expressions suivantes :

a) 1. [*Indic. imparf., 1ʳᵉ p. s.*] Féliciter solennellement. — 2. [*Cond. prés., 3ᵉ p. s.*] Choisir pour arbitre. — 3. [*Subj. prés., 2ᵉ p. pl.*] Rappeler au devoir. — 4. [*Impér. prés., 2ᵉ p. pl.*] Remercier chaleureusement. — 5. [*Partic. passé sing.*] Trouver innocent. — 6. [*Passé simple, 3ᵉ p. s.*] Porter aux nues. — 7. [*Subj. imparf., 3ᵉ p. pl.*] Contraindre de partir.

b) 1. [*Passé comp., 1ʳᵉ p. s.*] Absoudre à l'unanimité. — 2. [*Indic. p.-q.-parf., 2ᵉ p. pl.*] Obéir ponctuellement. — 3. [*Subj. passé, 3ᵉ p. pl.*] Soumettre à une épreuve. — 4. [*Part. passé pl.*] Déclarer innocent. — 5. [*Subj. p.-q.-parf., 2ᵉ p.*]

s.] Juger avec bienveillance. — 6. [*Cond. passé, 2ᵉ f., 1ʳᵉ p. s.*] Proposer pour un emploi. — 7. [*Passé antér., 1ʳᵉ p. pl.*] Délivrer de l'oppression. — 8. [*Subj. passé, 2ᵉ p. s.*] Récompenser largement.

CONJUGAISON PRONOMINALE

849. - Analysez les formes de la **conjugaison pronominale** (mode, temps, personne, nombre).

a) 1. Gardons-nous. — 2. Il s'évanouira. — 3. Nous nous repentirons. — 4. Qu'ils s'emparent. — 5. Tu te reposas. — 6. En s'enorgueillissant. — 7. Vous vous êtes plaints. — 8. Qu'il se fût persuadé. — 9. Je me serai trompé. — 10. Il se serait consolé.

b) 1. Je voudrais que chacun de vous s'appliquât à devenir meilleur. — 2. En se plaignant on se console. — 3. Souviens-toi de te méfier. — 4. A peine se furent-ils aperçus de leur erreur qu'ils se repentirent de leur légèreté. — 5. Que tu te sois mis dans ton tort, la chose est évidente. — 6. J'aurais souhaité qu'ils se fussent abstenus de toute critique.

850. - Employez à la forme indiquée les expressions suivantes :

a) 1. [*Indic. pr., 2ᵉ p. s.*] Ne pas se moquer des misérables. — 2. [*Subj. pr., 3ᵉ p. s.*] Se dévouer sans compter. — 3. [*Subj. pr., 3ᵉ p. s.*] Ne pas s'arroger des droits excessifs. — 4. [*Indic. p.-q.-parf., 1ʳᵉ p. pl.*] S'acquitter de son devoir. — 5. [*Fut. ant., 2ᵉ p. pl.*] S'exercer à la patience. — 6. [*Cond. passé, 2ᵉ p. pl.*] Se rappeler une histoire. — 7. [*Cond. passé, 2ᵉ f., 1ʳᵉ p. s.*] Ne pas se décourager.

b) 1. [*Passé simple, 1ʳᵉ p. pl.*] S'en aller promptement. — 2. [*Subj. imparf., 3ᵉ p. s.*] Se détourner de son chemin. — 3. [*Passé comp., 3ᵉ p. pl.*] Se démettre de ses fonctions. — 4. [*Infin. passé*] Se permettre d'intervenir. — 5. [*Indic. imparf., 1ʳᵉ p. pl.*] S'exagérer la difficulté. — 6. [*Passé simple, 3ᵉ p. pl.*] Se cantonner dans l'expectative. — 7. [*Passé comp., 3ᵉ p. s.*] S'adonner à la peinture.

---

851. - VOCABULAIRE : Expliquez : *se cantonner dans l'expectative ; — s'arroger des droits ; — un travail ardu ; — un brandon de discorde.*

852. - ORTHOGRAPHE : Notez dans le carnet d'orthographe : *orgueil, recueil, accueil, cercueil.*

853. - PHRASÉOLOGIE : « Si je vous châtie, *c'est que* je veux votre bien. » — Imitez cette construction en modifiant la phrase : « J'insiste, parce que les circonstances sont graves. »

854. - LANGAGE : Ne dites pas : « Cette viande est *digeste* » ; — dites : « ... *digestible* ». Employez dans deux courtes phrases : 1° *digestible* ; 1° *indigeste*.

855. - ANALYSE : Analysez les mots en italique : « *Voici,* au détour du chemin, la forge du village; entrons-*y* et observons-*en* les particularités. »

CONJUGAISON IMPERSONNELLE

856. - Donnez, dans la **conjugaison impersonnelle,** tous les temps des verbes suivants :

1. Pleuvoir. — 2. Falloir. — 3. Geler. — 4. Arriver. — 5. Se rencontrer.

857. - Mettez à la forme indiquée les verbes en italique.

1. Il [*falloir,* condit. prés.] que chacun eût une devise. — 2. Garde-toi de te mettre en colère quand il [*convenir,* indic. prés.] de garder ton calme. — 3. Il ne [*seoir,* cond. prés.] pas que vous adoptiez des façons arrogantes. — 4. Il [*se faire,* passé simple] alors un grand silence. — 5. Il [*ne pas dire,* fut. simple, passif impers.] que je vous refuserai ce service. — 6. Il [*se débiter,* passé comp.] bien des paroles inutiles dans cette réunion. — 7. Quand même il [*pleuvoir,* condit. prés.] des hallebardes, je partirai! — 8. A certaines époques troublées, il [*surgir,* passé comp.] des personnages clairvoyants qui ont su tirer leur patrie de l'ornière.

CONJUGAISON INTERROGATIVE

858. - Mettez à la forme interrogative, de deux manières quand c'est possible, les formes verbales suivantes :

Modèle: J'aime: *aimé-je? — est-ce que j'aime?*

a) 1. Je travaille. — 2. Je rêve. — 3. Il parlera. — 4. Tu mettrais. — 5. On commence.

b) 1. Je dis. — 2. On verra. — 3. Je cours. — 4. Je m'endors. — 5. Il avance. — 6. Elle écouta.

859. - Mettez les phrases suivantes à la forme interrogative positive (2 manières) :

Modèle: Tu avances: *Avances-tu? — Est-ce que tu avances?*

a) 1. Tu marches posément. — 2. Nous n'avons rien à nous reprocher. — 3. Les savants atteindront les dernières limites de la science. — 4. Je sais ce que l'avenir me réserve. — 5. Je dois croire ce que vous avancez. — 6. Vous oserez dire toute la vérité.

b) 1. On devra se conformer à votre avis. — 2. Nous avons quelque moyen de nous tirer de ce mauvais pas. — 3. La peur se corrige. — 4. Nous avons contemplé le ciel étoilé. — 5. J'aurais pu croire une telle affirmation.

860. - VOCABULAIRE : Rapprochez deux à deux les mots suivants, selon leur synonymie (ou leur voisinage de sens) : *devin, savant, tolérer, différend, génie,
duper ; — docte, talent, permettre, prophète, tromper, querelle.*

861. - ORTHOGRAPHE : Notez dans le carnet d'orthographe : *solennel, paraphe* ou
parafe, chrestomathie, anthologie, saccharine.

862. - LANGAGE : Ne confondez pas : *galoche* = chaussure à semelle de bois —
et *caoutchouc* = chaussure en caoutchouc. — Inventez deux phrases pour
faire sentir la distinction.

863. - CONJUGAISON : Conjuguez au futur simple passif, forme négative : *exclure.*

864. - ANALYSE : Dites quelle est la fonction des mots en italique : « Conformément
à la *prudence*, nous ne remettrons pas au *lendemain quelque chose* que nous
pouvons faire le *jour* même. »

---

865. - Mettez les phrases suivantes à la forme interrogative négative (2 manières) :

Modèle : L'homme est mortel ; *L'homme n'est-il pas mortel ? Est-ce que l'homme
n'est pas mortel ?*

1. Le chien est semblable au loup. — 2. Les hommes sont tous frères. —
3. La science humaine est toujours courte par quelque endroit. — 4. Tu dois
te connaître toi-même. — 5. La patrie est notre mère commune. — 6. Quiconque a des droits a aussi des devoirs. — 7. Prévenir vaut mieux que guérir.
— 8. Nos connaissances sont une vraie richesse.

VERBES IRRÉGULIERS

866. - Mettez à la forme demandée les verbes suivants :

[Gr. § 349 : de **abattre à attraire**.]

a) 1. *Aller*, subj. prés., 3ᵉ p. s. — 2. *Asseoir*, fut. s., 3ᵉ p. pl. — 3. *S'abstenir*,
passé s., 3ᵉ p. s. — 4. *Acquérir*, fut. s., 1ʳᵉ p. s. — 5. *Apparaître*, cond. pr., 3ᵉ
p. s. — 6. *Absoudre*, subj. pr., 3ᵉ p. s.

b) 1. *Attendre*, passé comp., 3ᵉ p. pl. — 2. *S'en aller*, impér. pr., 2ᵉ p. s. —
3. *Accueillir*, fut. s., 1ʳᵉ p. pl. — 4. *Accroître*, indic. pr., 3ᵉ p. s. — 5. *Asseoir*,
subj. pr., 1ʳᵉ p. pl. — 6. *Acquérir*, subj. pr., 1ʳᵉ p. s.

867. - Mettez à la forme indiquée les verbes en italique.

[Gr. § 349: de **abattre à attraire**.]

a) 1. Nous [*absoudre*, indic. prés.] le coupable, mais pour que nous l'[*absoudre*, subj. prés.], il faut qu'il se repente. — 2. Quand le coupable a été [*ab-*

soudre, part. passé], les reproches de sa conscience ne l'[*assaillir*, indic. prés.] plus. — 3. Dans le doute, tu [*s'abstenir*, fut. s.]. — 4. En quelque endroit que nous [*aller*, subj. prés.], nous portons avec nous notre ennui. — 5. Nous [*ne pas asseoir*, fut. s.] notre jugement sur de simples présomptions. — 6, Dans peu d'années, ce terrain [*acquérir*, fut. s.] de la valeur. — 7. [*S'en aller*, impér. prés., 2ᵉ p. s.], chétif insecte! (La Fontaine.) .

b) 1. Il faut que l'on [*acquérir*, subj. pr.] assez de force d'âme pour se vaincre soi-même. — 2. Quand le malheur t'[*assaillir*, fut. s.], garde l'espérance. — 3. Si un malheureux sollicite notre aide, nous l'[*accueillir*, fut. s.] avec bonté. — 4. L'avare [*acquérir*, fut. s.] constamment de nouveaux biens, mais son avidité [*s'accroître*, fut. s.] avec sa richesse. — 5. Il convient que nous [*aller*, subj. prés.] des choses simples aux choses difficiles. — 6. Si tu [*s'astreindre*, indic. imparf.] à faire de nouveaux efforts, tu [*aller*, cond. prés.] de progrès en progrès.

868. - Mettez à la forme indiquée les verbes en italique.

[Gr. § 349 : de **battre** à **coudre**.]

a) 1. [*Battre*, impér. prés., 2ᵉ p. s.] le fer quand il est chaud et [*ne pas compromettre*, id.] le succès de ton entreprise. — 2. Comment jugerait-on sainement quand on [*bouillir*, indic. prés.] de colère? — 3. Il importe que l'on [*combattre*, subj. prés.] les premiers mouvements de la colère. — 4. Il se trouvera toujours des ânes qui [*braire*, fut. s.] contre la science. — 5. La science [*conquérir*, passé comp.] bien des domaines, elle en [*conquérir*, fut. s.] encore de nouveaux. — 6. Nous [*connaître*, indic. prés.]-nous bien nous-mêmes? — 7. Je ne [*conclure*, fut. s.] pas sans avoir mûrement réfléchi.

b) 1. L'égoïste ne pense qu'à soi: peu lui [*chaloir*, indic. prés.] le bonheur de son entourage. — 2. Une difficulté vous arrête-t-elle? [*circonscrire*, impér. prés., 2ᵉ p. pl.]-la exactement. — 3. [*Conduire*, impér. prés., 2ᵉ p. pl.] par ordre vos pensées: vous [*conclure*, fut. s.] avec plus de certitude. — 4. Serait-ce un bien que nous [*connaître*, subj. prés.] l'avenir? — 5. Dans les discussions, ne [*contredire*, impér. prés., 2ᵉ p. pl.] pas brutalement: on [*convaincre*, indic. prés.] mieux par la douceur que par la violence. — 6. La brise [*bruire*, indic. imparf.] dans les peupliers.

869. - Mettez à la forme demandée les expressions suivantes :

1. *Bouillir* d'impatience [indic. imparf., 1ʳᵉ p. pl.]. — 2. *Clore* la lettre [indic. pr., 3ᵉ p. s.]. — 3. Se *conquérir* soi-même [subj. prés., 3ᵉ p. s.]. — 4. *Conclure* sans délai [condit. pr., 1ʳᵉ p. s.]. — 5. *Coudre* à la machine [passé simple, 1ʳᵉ p. s.]. — 6. *Contredire* ce témoignage [indic. prés., 2ᵉ p. pl.]. — 7. *Connaître* le bonheur [fut. simple, 2ᵉ p. pl.]. — 8. *Se complaire* en soi-même [indic. prés., 3ᵉ p. s.]. — 9. *Convaincre* un contradicteur [indic. prés., 3ᵉ p. s.]. — 10. *Boire* le calice jusqu'à la lie [subj. prés., 1ʳᵉ p. pl.].

870. - Mettez à la forme indiquée les verbes en italique.

[Gr. § 349 : de **abattre** à **coudre**.]

Bonjour, Printemps!

Déjà une brise plus tiède [*bruire*, indic. pr.] dans les jeunes feuillages et des courants nouveaux [*conduire*, indic. pr.] les mystérieuses impulsions du printemps. Mille oiseaux [*accueillir*, indic. pr.] les présages des beaux jours; ils [*battre*, indic. pr.] des ailes en [*attendre*, part. pr.] que le doux flux de l'air [*accourir*, subj. pr.] de l'horizon et que le soleil [*boire*, subj. pr.] les dernières humeurs de l'hiver.

Tout les [*convaincre*, indic. prés.] que d'heureux moments [*apparaître*, fut. s.] sans tarder. Ils [*confondre*, indic. pr.] leurs ramages et [*apprendre*, indic. pr.] de joyeuses ritournelles; dans peu de jours, ils [*acquérir*, fut. s.] toute leur maîtrise: ils [*accroître*, fut. s.] d'autant leur répertoire et [*concourir*, fut. s.] dans le festival des mélodies renouvelées. Ils [*aller*, indic. pr.] et viennent dans les branchages et [*bouillir*, indic. pr.] d'impatience en songeant aux nids qu'ils [*construire*, fut. s.] bientôt avec amour.

---

871. - VOCABULAIRE : 1. Ne confondez pas le nom *différend* et l'adjectif *différent*. — Employez chacun de ces mots dans une courte phrase.

    2. Cherchez dans le dictionnaire le sens de *errements* [pas de rapport étymologique avec *erreur* !]. — Employez le mot dans une courte phrase.

872. - ORTHOGRAPHE : Notez dans le carnet d'orthographe : *flux, reflux, il vainc, il convainc, je conclurai, cet homme fut un martyr, souffrir un dur martyre.*

873. - PHRASÉOLOGIE : « Tu n'as pas faim, *que* tu ne finis pas tes huîtres ? » (P. Bourget.) — Inventez une phrase interrogative où vous imiterez cette construction.

874. - LANGAGE : On peut dire : « *faire confiance à* quelqu'un ». — Employez cette locution dans deux phrases de votre invention.

875. - ANALYSE : Dites quelle est la fonction des mots en italique : « J'aime *à* regarder, dans mon *jardin*, l'abeille, *butineuse* infatigable. »

876. - PONCTUATION : Mettez, aux endroit smarqués par un trait vertical, les signes de ponctuation convenables : | *Je me verrai trahir* | *mettre en pièces* | *voler* | *sans que je sois* | *Morbleu* | *je ne veux point parler* | *disait le misanthrope* |

---

877. - Mettez à la forme indiquée les verbes en italique.

[Gr. § 349 : de **courir** à **dormir**.]

    a) 1. L'homme droit ne [*se départir*, indic. prés.] jamais de son devoir. — 2. Si vous vous [*dédire*, indic. prés.], comment inspirerez-vous encore la confiance? — 3. J'aime à contempler l'ombre qui [*croître*, indic. prés.] et remplit peu à peu la vallée. — 4. Nous ne [*courir*, fut. s.] pas deux lièvres à la fois. — 5. Il ne faudrait pas qu'un homme bien portant [*dormir*, subj. imparf.] plus de huit heures par jour. — 6. Plus d'un ambitieux se [*dire*, indic. prés.]: je [*courir*, fut. s.] la carrière des honneurs et on me [*couvrir*, fut. s.] de gloire, je [*cueillir*, fut. s.] de beaux lauriers. — 7. Tu [*déchoir*, cond. prés.] si tu manquais à la parole donnée.

b) 1. Nous [*craindre*, indic. imparf.] d'être surpris par l'orage. — 2. Jamais aucun homme sensé ne [*disconvenir*, passé s.] que l'ordre vaut mieux que le désordre. — 3. Comportez-vous de façon qu'on ne [*devoir*, subj. prés.] pas vous reprendre sévèrement. — 4. Si vous ne [*dire*, indic. prés.] que la moitié de la vérité, vous ne [*devoir*, fut. s.] pas vous étonner qu'on en [*déduire*, subj. prés.] que vous êtes un demi-menteur. — 5. En avril, si nous en [*croire*, indic. imparf.] le dicton, nous ne nous [*découvrir*, condit. prés.] pas d'un fil. — 6. Mauvaise herbe [*croître*, indic. prés.] toujours. — 7. On [*dissoudre*, passé comp.] l'assemblée; elle n'a été [*dissoudre*, part. passé] qu'après une longue délibération.

878. - Mettez à la forme demandée les expressions suivantes :

[Gr. § 349 : de **courir** à **dormir**.]

1. *Conquérir* l'espace [fut. s., 3ᵉ p. pl.]. — 2. *Croire* au succès [indic. imparf., 1ʳᵉ p. pl.]. — 3. *Dire* la vérité [subj. prés., 3ᵉ p. s.]. — 4. *Devenir* sage [passé s., 1ʳᵉ p. pl.]. — 5. *Déchoir* de son rang [indic. prés., 1ʳᵉ p. pl.]. — 6. *Croître* en vertu [passé s., 3ᵉ p. pl.]. — 7. *Défaillir* de terreur [indic. imparf., 1ʳᵉ p. pl.]. — 8. *Se départir* de son arrogance [indic. prés., 3ᵉ p. s.].

879. - Mettez à la forme indiquée les verbes en italique.

[Gr. § 349 : de **abattre** à **dormir**.]

Les Petites Vanités.

Les petites vanités [*croître*, ind. pr.] à mesure que la valeur réelle [*décroître*, ind. pr.]; elles [*apparaître*, ind. pr.] d'ordinaire chez les gens qui jamais n'[*acquérir*, fut. s.] aucune des qualités solides qui [*convenir*, pass. s.] de tout temps aux hommes d'élite. Ah! si ces gens ne [*bouillir*, ind. imparf.] pas d'une sorte d'impatience de paraître, on n'[*apercevoir*, condit. pr.] peut-être pas leur médiocrité; un peu de modestie [*concourir*, condit. pr.] même à leur donner un certain charme.

Mais hélas! souvent la médiocrité [*se complaire*, ind. pr.] dans l'admiration d'elle-même et [*se convaincre*, ind. pr.] qu'il est légitime qu'elle [*acquérir*, sub. pr.] une réputation.

880. - Mettez à la forme indiquée les verbes en italique.

[Gr. § 349 : de **s'ébattre** à **fuir**.]

a) 1. Quoi que nous [*écrire*, subj. prés.], il faut que nous [*fuir*, subj. prés.] la bassesse. — 2. Nous [*enclore*, indic. prés.] dans notre cœur le souvenir de vos bienfaits. — 3. [*Faire*, impér. prés., 2ᵉ p. pl.] votre devoir: ainsi vous ne [*faillir*, fut. s.] pas à l'honneur. — 4. Que le vrai héros ne [*s'endormir*, subj. prés.] pas sur ses lauriers. — 5. Les savants d'aujourd'hui [*envoyer*, indic. prés.] dans l'espace des fusées fantastiques. — 6. Comment [*émouvoir*, condit. prés.]-vous si vous n'êtes pas vous-même [*émouvoir*, part. pass.]?

b) 1. Si quelque honneur vous [*échoir*, indic. prés.], ne vous enflez pas d'orgueil; pensez qu'il [*échoir*, cond. prés.] peut-être avec plus de raison à tel de vos subordonnés. — 2. Quand un commerçant [*faillir*, indic. prés.], l'administration de ses biens lui est ôtée. — 3. Qu'il [*falloir*, subj. prés.] se défier des flatteurs, on en convient, mais on ne les [*fuir*, indic. prés.] guère. — 4. Ne [*faire*, impér. prés., 2ᵉ p. pl.] pas à autrui ce que vous ne voudriez pas qu'on vous [*faire*, subj. imparf.] à vous-mêmes. — 5. Quand tu [*envoyer*, fut. s.] une lettre, tu la reliras avant de la mettre à la poste.

881. - Mettez à la forme demandée les expressions suivantes :

[Gr. § 349 : de **s'ébattre à fuir**.]

1. Ne pas *faillir* à sa promesse [fut. s., 1ʳᵉ p. s.]. — 2. *Éconduire* un importun [indic. imparf., 1ʳᵉ p. s.]. — 3. *Entrevoir* la vérité [indic. imparf., 1ʳᵉ p. pl.]. — 4. *S'enfuir* au plus vite [pass. s., 3ᵉ p. pl.]. — 5. *Élire* un président [passé s., 3ᵉ p. pl.]. — 6. *S'enquérir* de la vérité d'un fait [fut. s., 1ʳᵉ p. s.]. — 7. *Entrouvrir* la porte [passé s., 1ʳᵉ p. s.]. — 8. *Feindre* l'étonnement [indic. imparf., 1ʳᵉ p. pl.]. — 9. *Encourir* le mépris public [condit. prés., 1ʳᵉ p. pl.]. — 10. *Fleurir* sa boutonnière [indic. imparf., 1ʳᵉ p. s.]

---

882. - VOCABULAIRE : Les mois du calendrier républicain portaient les noms suivants (inventés par le poète Fabre d'Églantine) : pour le printemps : *germinal, floréal, prairial ;* — pour l'été : *messidor, thermidor, fructidor ;* — pour l'automne : *vendémiaire, brumaire, frimaire ;* — pour l'hiver : *nivôse, ventôse, pluviôse.* — Expliquez le sens de chacun de ces noms [racines : lat. *messis,* moisson ; gr. *thermos,* chaud ; gr. *dôron,* don, présent ; lat. *vindemia,* vendange ; lat. *nix, nivis,* neige ; lat. *pluvia,* pluie].

883. - ORTHOGRAPHE : Notez dans le carnet d'orthographe : 1° avec deux **p** : *apparaître, appartenir, applaudir, approfondir ;* — 2° avec un seul **p** : *apaiser, apercevoir, aplanir, aplatir, apitoyer.*

884. - PHRASÉOLOGIE : « *Vaillant comme il était* (ou : ... comme il l'était), il repoussa tous les assauts. » — Inventez une phrase où vous imiterez cette tournure.

885. - LANGAGE : Ne dites ni « *magasiner* » (courant au Canada) ni « faire du *shopping* » ; dites : « faire des emplettes », « courir les magasins ». — Employez dans une phrase de votre invention une des expressions correctes.

886. - ANALYSE : Dites si la forme du verbe *être* en italique est : 1° verbe copule ; 2° verbe auxiliaire; 3° verbe intransitif : « Le vice *est* odieux. — Vous *avez été* à Rome. — Que la lumière *soit* ! — Nous *étions* partis à temps. »

887. - Mettez à la forme indiquée les verbes en italique.

[Gr. § 349 : de **geindre** à **paître**.]

a) 1. Vous ne [*médire*, indic. prés.] de personne. — 2. Nous ne [*haïr*, indic. prés.] rien de ce qui est estimable. — 3. Les fortunes et les renommées [*naître*, indic. prés.] d'un instant et [*mourir*, indic. prés.] d'un instant. (A. Maurois.) — 4. Que de trésors [*gésir*, indic. prés.] au fond des mers! — 5. Que de gens [*nuire*, passé s.] à leur santé en vivant dans la mollesse! — 6. D'un bout du monde à l'autre on [*mentir*, indic. prés.] et l'on [*mentir*, passé s.]; nos neveux [*mentir*, fut. s.] comme ont fait nos ancêtres. (Voltaire.) — 7. Balzac s'amusait de ce proverbe: « Dis-moi qui tu hantes, je te dirai qui tu [*haïr*, indic. prés.]. »

b) 1. Un peu plus de modestie ne [*messeoir*, cond. prés.] pas. — 2. Certains fermiers [*moudre*, indic. prés.] eux-mêmes les graines destinées à la nourriture de leur bétail. — 3. En avril, sur le bord des sentiers [*gésir*, indic. prés.] la taupe éventrée par la bêche du paysan. (J.-H. Fabre.) — 4. Vous avez peur que je ne [*mourir*, subj. prés.] de joie. (Mme de Sévigné.) — 5. Nous nous [*mouvoir*, indic. prés.] dans la sphère de nos espoirs et de nos illusions. — 6. Les envieux [*mourir*, fut. s.], mais non jamais l'envie. (Molière.) — 7. J'aime à voir les troupeaux [*paître*, part. pr.] sur la colline.

888. - Mettez à la forme demandée les expressions suivantes :

[Gr. § 349 : de **geindre** à **paître**.]

1. *Moudre* son blé [indic. prés., 3ᵉ p. pl.]. — 2. *Interdire* le passage [indic. prés., 2ᵉ p. pl.]. — 3. *Luire* dans l'obscurité [passé s., 3ᵉ p. pl.]. — 4. *Maintenir* l'ordre [subj. prés., 3ᵉ p. s.]. — 5. Ne pas *méconnaître* le mérite [fut. s., 1ʳᵉ p. s.]. — 6. Ne pas *maudire* sa destinée [indic. prés., 1ʳᵉ p. pl.]. — 7. *Lire* le journal [passé s., 1ʳᵉ p. s.].

889. - Mettez à la forme indiquée les verbes en italique.

[Gr. § 349 : de **paraître** à **reparaître**.]

a) 1. Dès que le jour [*poindre*, indic. prés.], les oiseaux commencent leurs concerts. — 2. L'homme sage ne [*se repaître*, indic. prés.] pas de folles imaginations. — 3. Il ne faut pas que la faveur [*prévaloir*, subj. prés.] sur le mérite. — 4. La Suisse me [*plaire*, indic. prés.] beaucoup; je [*prévoir*, fut. s.], pour les prochaines vacances, un séjour dans le Valais. — 5. Comme notre expérience est étroite, nous [*recourir*, fut. s.] à celle de nos parents. — 6. Si vous [*prédire*, indic. prés.] ce qui se produira, [*prendre*, impér. prés.] soin de bien réfléchir.

b) 1. Je vous remercie, mesdames, de me faciliter ma tâche en donnant l'hospitalité à ces naufragés; la municipalité [*pourvoir*, fut. s.] à leur logement. (L. Descaves.) — 2. Le chien [*percevoir*, indic. prés.] des odeurs que nous ne [*pouvoir*, indic. prés.] percevoir. — 3. Il faut que tu [*reconquérir*, subj. prés.] ta propre estime. — 4. [*Plaire*, subj. imparf.] à Dieu que l'histoire parlât davantage des hommes de génie! (D'Alembert.) — 5. L'ambitieux souhaite que les honneurs [*pleuvoir*, subj. prés.] sur lui.

890. - Mettez à la forme demandée les verbes suivants :

[Gr. § 349 : de **paraître** à **reparaître**.]

a) *A la 3ᵉ pers. du sing. de l'indic. prés.:* 1. Plaire. — 2. Prévaloir. — 3. Poindre. — 4. Renvoyer. — 5. Recueillir. — 6. Se rasseoir.

b) *A la 3ᵉ pers. du sing. du passé simple :* 1. Reparaître. — 2. Reluire. — 3. Proscrire. — 4. Recoudre. — 5. Recourir. — 6. Prévoir.

c) *A la 3ᵉ pers. du futur simple :* 1. Parcourir. — 2. Pourvoir. — 3. Prévaloir. — 4. Prévoir. — 5. Recourir. — 6. Recoudre.

891. - Mettez à la forme indiquée les verbes en italique.

[Gr. § 349 : de **repartir** à **subvenir**.]

a) 1. Lorsqu'un balcon [*saillir*, indic. prés.] exagérément sur le mur, l'harmonie de la façade en est gâtée. — 2. Une broderie bleue [*ressortir*, indic. prés.] bien sur un fond gris. — 3. Des raisons littéraires n'ont pas grand-chose à voir avec des questions qui [*ressortir*, indic. prés.] à la politique. — 4. La science ne [*résoudre*, ind. prés.] pas tous les problèmes. — 5. Des eaux vives [*saillir*, indic. prés.] de la fente de ce rocher. — 6. Je me [*ressouvenir*, indic. prés.] avec plaisir de mon voyage au Québec.

b) 1. Je ne [*savoir*, subj. prés.] pas qu'il existe des méthodes faciles pour apprendre les choses difficiles. — 2. La justice demande qu'on [*répartir*, subj. prés.] équitablement les impôts entre les citoyens. — 3. Si quelqu'un vous [*repartir*, indic. prés.] par des injures, gardez-vous de répliquer sur le même ton. — 4. Quand la nécessité [*requérir*, indic. prés.] que vous [*restreindre*, subj. prés.] votre train de vie, [*savoir*, impér. prés., 2ᵉ p. pl.] vous imposer des sacrifices. — 5. Il faudra que nous [*repeindre*, subj. prés.] nos portes et que nous [*revêtir*, subj. prés.] nos allées d'une couche de gravier. — 6. Les façons hautaines ne [*seoir*, indic. prés.] à personne.

892. - Mettez à la forme demandée les expressions suivantes :

[Gr. § 349 : de **repartir** à **subvenir**.]

1. *Secourir* les indigents [fut. s., 1ʳᵉ p. pl.]. — 2. *Se souvenir* de se méfier [impér. prés., 2ᵉ p. s.]. — 3. *Ressentir* une grande joie [indic. prés., 2ᵉ p. s.]. — 4. *Résoudre* le problème [indic. prés., 3ᵉ p. s.]. — 5. *Se servir* d'une équerre [subj. prés., 3ᵉ p. s.]. — 6. *Rire* sous cape [indic. imparf., 1ᵉʳ p. pl.].

893. - Mettez à la forme indiquée les verbes en italique.

[Gr. § 349 : de **suffire** à **vouloir**.]

a) 1. Que nous ne [*valoir*, subj. prés.] que par nos qualités réelles et que les qualités de notre cœur [*valoir*, subj. prés.] mieux que celles de notre esprit, on ne le contestera guère. — 2. Si la culpabilité de l'accusé restait douteuse, le tribunal [*surseoir*, cond. prés.] à l'exécution de l'arrêt. — 3. Il faut que les passions [*se taire*, subj. prés.] si l'on [*vouloir*, indic. prés.] entendre la voix de la vérité. — 4. Les grands écrivains [*se survivre*, passé simple] toujours dans leurs chefs-d'œuvre. — 5. Un travail acharné [*vaincre*, indic. prés.] les plus grandes difficultés.

b) 1. Pour réussir, il [*suffire*, cond. prés.] souvent de vouloir: [*vouloir*, impér. prés., 1ʳᵉ p. pl.] donc et nous [*voir*, fut. s.] le succès couronner nos efforts. — 2. Que nous le [*vouloir*, subj. prés.] ou non nos actes nous [*suivre*, fut. s.]. — 3. Des voitures roulaient sur le quai à leurs pieds sans qu'ils les [*voir*, subj. imparf.]. (Maupassant.) — 4. Les parents de Pierrot [*venir*, indic. imparf.] de rentrer des champs; la femme [*traire,* indic. imparf.] les vaches, l'homme rangeait les outils dans la grange. (J. Lemaitre.) — 5. En revoyant la maison natale, nous [*tressaillir,* fut. s.] d'allégresse.

894. - Mettez à la forme demandée les expressions suivantes :

[Gr. § 349 : de **suffire** à **vouloir.**]

1. *Suivre* le bon chemin [impér. prés., 1ʳᵉ p. pl.]. — 2. *Valoir* quelque chose [subj. prés., 1ʳᵉ p. pl.]. — 3. *Vêtir* les indigents [indic. imparf., 3ᵉ p. s.]. — 4. *Vivre* des jours d'angoisse [passé s., 3ᵉ p. pl.]. — 5. *Voir* bien clair [subj. prés., 1ʳᵉ p. pl.]. — 6. *Surseoir* à l'exécution [fut. s., 1ʳᵉ p. pl.]. — 7. *Tressaillir* de bonheur [cond. prés., 2ᵉ p. s.]. — 8. *Vaincre* sa timidité [indic. prés., 3ᵉ p. s.].

---

895. - VOCABULAIRE : Cherchez dans le dictionnaire le sens de l'ancien verbe *férir.* — Employez dans une courte phrase l'expression *sans coup férir.*

896. - ORTHOGRAPHE : 1. Notez dans le carnet d'orthographe : *gymnastique, théâtre, exigeant, attraper, combatif.*

2. Devant un *h* muet, l'élision et la liaison se font; devant un *h* aspiré, non. Remplacez les trois points par *le,* ou *la,* ou *l' :* ... hélice, ... hareng, ... Hollandais, ... hypocrisie, ... huître, ... haricot, ... hernie, ... honneur, ... horloge, ... hutte.

897. - PHRASÉOLOGIE : « On lui lia les pieds, on *vous* le suspendit. » (La Font.) — Introduisez, dans la phrase suivante, comme dans l'exemple de La Fontaine, un *vous* explétif : « Tout ce monde-là avait des mines hâves et des yeux agrandis par la fièvre. »

898. - LANGAGE : Ne dites ni : « Il fait *de son nez* » ni : « Il fait *de sa poire* » ; (belgicismes) ; dites : « Il fait *de l'embarras, des embarras, ses embarras* » ou : « Il *se donne de grands airs* ». — Employez dans deux phrases de votre invention les locutions correctes.

899. - CONJUGAISON : Conjuguez au futur simple, forme interrogative : *tressaillir.*

900. - PONCTUATION : Mettez, aux endroits marqués par un trait vertical, les signes de ponctuation voulus: *Il faut | autant qu'on peut | comme dit le fabuliste | obliger tout le monde | on a souvent besoin d'un plus petit que soi |*

VERBES IRRÉGULIERS : RÉCAPITULATION

901. - Mettez à la forme indiquée les verbes en italique.

a) 1. L'accent d'un homme sincère [*émouvoir,* fut. s.] toujours notre âme. — 2. Dans l'air du soir, les marronniers [*bruire,* indic. imparf.] doucement. — 3. Si nous [*voir,* indic. imparf.] bien les événements présents, nous [*prévoir,* condit. prés.] mieux l'avenir. — 4. Il y a des difficultés qu'on ne [*vaincre*, indic. prés.] qu'au prix d'une énergie extrême. — 5. Que vous le [*vouloir*, subj. prés.] ou non, je [*faire*, fut. s.] ce que j'ai promis.

b) 1. Quelque bien qu'on nous [*dire*, subj. prés.] de nous, on ne nous apprend rien de nouveau. (La Rochefoucauld.) — 2. Vers cinquante ou soixante ans, vous [*acquérir*, fut. s.] cet aspect vigoureux et fruste des vieux rochers [*battre*, part. passé] par la tempête. (A. Maurois.) — 3. Le bois de la porte [*se dissoudre*, indic. prés.] en poussière. (Th. Gautier.) — 4. La feuillée [*bruire*, indic. imparf.] comme une mer lointaine. (A. Lafon.) — 5. Nous [*s'asseoir*, pass. s.] dans la pièce qu'un crucifix, une Vierge coloriée, deux lits, deux couchettes et un portrait de Louis-Philippe meublaient seuls. (Fr. Jammes.) — 6. [*Permettre*, impér. prés., 2ᵉ p. s.]-moi d'attendre ici; je ne [*s'asseoir*, fut. s.] même pas.

902. - Mettez à la forme indiquée les verbes en italique.

Aimer sa profession.

Ne [*médire*, impér. pr., 2ᵉ p. pl.] pas de votre profession et ne la [*maudire*, impér. pr., 2ᵉ p. pl.] jamais. Est-il vrai, pour un homme qui [*comprendre*, cond. pr.] bien l'échelle des mérites et qui [*faire*, cond. pr.] toutes choses avec conscience que telle profession [*valoir*, subj. pr.] mieux que telle autre? Toutes les professions, qu'on [*vouloir*, subj. pr.] bien le reconnaître, sont égales; il n'est pas admissible que l'une, au point de vue moral, [*prévaloir*, subj. pr.] sur l'autre: la société a un égal besoin d'elles toutes et on [*prévoir*, cond. pr.] un désordre funeste si elles ne [*concourir*, indic. imparf.] harmonieusement au bien-être général.

Chérissez votre profession: c'est elle qui [*vaincre*, ind. pr.] les difficultés quotidiennes, c'est elle qui [*pourvoir*, fut. s.] à vos besoins.

---

903. - VOCABULAIRE : Cherchez dans le dictionnaire le sens de la locution *il y a anguille sous roche.* — Employez-la dans une phrase.

904. - ORTHOGRAPHE : Notez dans le carnet d'orthographe : *profession, des chefs-d'œuvre, des hors-d'œuvre, un contrecoup, philosophe.*

905. - LANGAGE: Ne dites ni « *aboutonner* » ni « *raboutonner* »; —dites: « *boutonner* », « *reboutonner* » (par exemple : son manteau). — Employez le verbe correct dans une courte phrase.

906. - PRONONCIATION : Gardez-vous de faire entendre deux *l* dans : *Je l'ai vu, tu l'as dit, nous l'aurons, vous l'avez,* etc.

907. - CONJUGAISON : Conjuguez au présent du subjonctif : *courir ;* — *conquérir.*

908. - Employez dans de petites phrases les expressions suivantes :

1. *Rompre* ses engagements [passé s., 3ᵉ p. pl.]. — 2. *Refaire* une promenade [subj. prés., 2ᵉ p. pl.]. — 3. *Bouillir* de colère [indic. imparf., 1ʳᵉ p. pl.]. — 4. *Acquérir* de l'expérience [subj. prés., 2ᵉ p. s.]. — 5. Ne pas *en vouloir* à tout le monde [impér. prés., 2ᵉ p. pl.]. — 6. *Prévoir* le danger [cond. prés., 1ʳᵉ p. pl.].

909. - Mettez à la forme indiquée les verbes en italique.

a) 1. Un danger que nous [*courir*, cond. prés.] [*suffire*, id.] parfois pour que nous [*se résoudre*, subj. prés.] à changer de conduite. — 2. Les idées qui forment antithèse [*ressortir*, indic. prés.] mieux par leur opposition. — 3. Certains poèmes [*ressortir*, indic. prés.] à la musique. — 4. Pour que nous [*valoir*, subj. prés.] quelque chose, il faut que nous possédions un caractère ferme. — 5. Si nous [*repartir*, indic. prés.] de mauvaises raisons, nous donnons barres sur nous à l'adversaire.

b) 1. Voyez si vous [*rompre*, fut. s.] ces dards liés ensemble. (La Font.) — 2. Je ne saurais voir d'honnêtes pères chagrinés par leurs enfants que cela ne m'[*émouvoir*, subj. prés.]. (Molière.) — 3. Je [*résoudre*, passé s.] d'écrire la relation de tout ce qui m'était arrivé dans le courant de mon enfance. (J. Green.) — 4. Pour le repas du soir, de grandes marmites de soupe [*cuire*, indic. imparf.] à petit feu devant la porte. (A. Chamson.) — 5. Entre eux, la conversation [*se réduire*, indic. imparf.] ordinairement à peu de chose. (Balzac.) — 6. Il [*s'endormir*, indic. imparf.] tout aussitôt, sombrait dans un sommeil velouteux et profond. (M. Genevoix.)

910. - Mettez à la forme indiquée les verbes en italique.

a) 1. On ne [*savoir*, cond. prés.] rien prouver si les mots dont on [*se servir*, indic. prés.] ne sont pas clairement définis. — 2. Le sage ne [*se départir*, indic. prés.] jamais d'une grande prudence; il [*s'abstenir*, indic. prés.] de toute critique inconsidérée. — 3. Est-il un trésor qui [*valoir*, subj. prés.] une bonne santé? — 4. Il n'y a guère de mots qui [*équivaloir*, subj. prés.] exactement l'un à l'autre, cherchez le mot propre qui [*convenir*, subj. prés.] bien à l'idée à exprimer. — 5. Il ne convient pas que notre amour-propre et notre humeur [*prévaloir*, subj. prés.] sur nos lumières naturelles.

b) 1. Ils [*vivre*, passé s.] seuls, l'un devant l'autre, dans la maison (A. Chamson.) — 2. Le jour [*naître*, indic. imparf.], les étoiles s'éteignaient. (Maupassant.) — 3. Entre Chalifour et le dur métal, il semblait qu'un pacte eût été [*conclure*, part. passé]. (G. Duhamel.) — 4. Les fermes basses, accroupies comme des poules couveuses et largement adhérentes à la terre de leurs clos, [*ouvrir*, passé s.] tous les volets de leurs petites fenêtres. (R. Martin du Gard.) — 5. Le chef ne doit pas tolérer que chaque service [*acquérir*, subj. prés.] un esprit de caste. (A. Maurois.) — 6. Avant de sortir, on avait [*éteindre*, part. passé] le feu dans la cheminée de la salle à manger. (J.-P. Sartre.)

911. - Mettez à la forme indiquée les verbes en italique.

Dans les Pyrénées.

Quelle vue! Tout ce qui est humain [*disparaître*, ind. pr.]; villages, enclos, cultures ne [*saillir*, ind. pr.] pas plus que des ouvrages de fourmis. Les seuls êtres ici sont les montagnes; nos routes y [*coudre*, passé comp.] comme d'étroits galons que l'œil [*percevoir*, ind. pr.] à peine et que peut-être la nature, pour peu qu'elle [*s'émouvoir*, subj. pr.], [*découdre*, fut. s.] tout à l'heure.

Le poète [*voir*, cond. pr.], dans ce paysage prodigieux, une assemblée de divinités qui [*s'asseoir*, cond. passé] en amphithéâtre et qui [*tenir*, cond. pr.] conseil sous la coupole embrasée du ciel. Devant ce prestigieux spectacle, toutes nos réflexions [*défaillir*, ind. pr.] sous la sensation de l'immense: croupes monstrueuses qui s'étalent, gigantesques échines qui [*se tordre*, ind. pr.], flancs labourés qui [*fuir*, ind. pr.] et [*descendre*, ind. pr.] à pic jusqu'en des fonds qui tremblent un peu, sans qu'on les [*voir*, subj. pr.] nettement, et où [*se dissoudre*, ind. pr.] une vapeur légère. Les chaînes [*se poursuivre*, ind. pr.] comme des vagues et la monstrueuse houle de granit [*mordre*, ind. pr.] dans le ciel aux quatre coins de l'horizon.

D'après Hippolyte TAINE, *Voyage aux Pyrénées.*
(Hachette, éditeur).

***

912. - VOCABULAIRE : Quels sont les mots en -*aire* correspondant à : *premier, île* (lat. *insula*), *seul, planète, louer, signer, léguer, homme?*

913. - ORTHOGRAPHE : Notez dans le carnet d'orthographe : *orthodoxe, amour-propre, adhérer, une fourmi, amphithéâtre.*

914. - LANGAGE : Les écoliers belges disent : « Tu es une vilaine *raccusette* », (liégeois : *racuzète-potêye*), et les écoliers de la Suisse romande : « un *rapportapet* », « un *redipet* ». — Le mot français est *rapporteur.* Employez-le dans une phrase.

915. - ANALYSE : Analysez les mots en italique : « On *vous* répète *constamment, mes enfants, que* l'ordre est excellent. »

916. - PONCTUATION : Mettez, aux endroits marqués par un trait vertical, les signes deponctuation voulus : *Si tu veux qu'un homme ait à manger pour un jour | dit un proverbe chinois | donne-lui un poisson | si tu veux qu'il ait à manger tous les jours | apprends-lui à pêcher |*

917. - Mettez à la forme indiquée les verbes en italique.

a) 1. Certaines conversations [*coudre*, indic. prés.] ensemble des bribes d'idées ou d'opinions entendues çà et là. — 2. Il ne faut pas s'étonner que l'on [*exclure*, subj. prés.] de la société des honnêtes gens celui qui [*ne pas craindre*, passé comp.] de violer la foi jurée. — 3. Nous ne [*courir*, fut. s.] pas deux lièvres à la fois. — 4. Est-il honorable que tu [*recourir*, subj. prés.] à la ruse pour arriver à tes fins? — 5. Vous [*recueillir*, fut. s.] peu de fruit de votre travail si vous n'êtes pas persévérant. — 6. Comment [*renvoyer*, cond. prés.]-nous à demain cette affaire si sérieuse?

b) 1. Il n'est pas d'absurdité ni de contradiction auxquelles la passion ne [*pouvoir*, subj. prés.] conduire un homme. (A. Maurois.) — 2. Vers midi, les gendarmes [*paraître*, passé s.] et [*ouvrir*, passé s.] la porte avec précaution. (Maupassant.) — 3. Nous [*sortir*, passé s.]; tout le village était dans les rues; un grand coup de bise avait balayé le ciel, et le soleil [*reluire*, indic. imparf.] joyeusement sur les toits rouges mouillés de pluie. (A. Daudet.) — 4. Et ce que Dieu [*mettre*, passé comp.] de paternel dans les entrailles de tout homme [*s'émouvoir*, passé comp.] et [*tressaillir*, passé comp.] en moi. (Vigny.) — 5. N'y a-t-il personne qui [*vouloir*, subj. prés.] me ressusciter en me [*rendre*, part. prés.] mon cher argent? (Molière.)

918. - Mettez à la forme indiquée les verbes en italique.

a) 1. Les Nerviens [*envoyer*, passé s.] des députés à César; celui-ci [*pourvoir*, passé s.] à la conservation des vaincus et [*défendre*, passé s.] que les autres peuples leur [*nuire*, subj. imparf.]. — 2. La mollesse [*dissoudre*, indic. prés.] les forces vives d'un État et [*corrompre*, indic. prés.] ses plus belles énergies. — 3. Les Aduatiques [*rire*, passé s.] des tours que les Romains avaient [*construire*, part. passé] pour attaquer leur forteresse. — 4. Un homme prudent [*prévoir*, fut. s.] les difficultés. — 5. Charlemagne [*ceindre*, passé s.] la couronne de fer des rois lombards. — 6. Il ne faut pas que la coutume [*prévaloir*, subj. prés.] sur la raison.

b) 1. Durant les huit ans qu'il resta à Paris, du vivant de son père, ces six louis lui [*suffire*, passé s.]. — 2. Christiane, son ennui [*dissoudre*, part. passé], reprenait doucement confiance. (E. Jaloux.) — 3. A chaque demi-heure on [*tressaillir*, indic. prés.] en entendant la cloche qui vibre. (P. Loti.) — 4. Un si juste intérêt [*s'accroître*, passé s.] avec le temps. (Voltaire.) — 5. Que veux-tu donc m'offrir qui [*valoir*, subj. prés.] ma montagne? (Hugo.) — 6. Nous descendons vers Nazareth, à la recherche d'un menuisier qui [*savoir*, subj. prés.] nous faire une caisse. (P. Loti.)

919. - Mettez à la forme indiquée les verbes en italique.

a) 1. Il n'y a pas d'homme si riche qu'il ne [*devoir*, subj. prés.] recourir à un autre; il n'y a pas d'homme si pauvre qu'il ne [*pouvoir*, subj. prés.] être utile à autrui. — 2. Si vous [*médire*, indic. prés.], vous [*encourir*, fut. s.] le blâme des gens de bien. — 3. Vous [*maudire*, indic. prés.] ce qui vous [*nuire*, indic. prés.]; ne [*convenir*, cond. prés.]-il pas que vous [*maudire*, subj. prés.] plutôt votre inaptitude à tirer parti des événements? — 4. Il n'est aucune œuvre humaine que le temps ne [*dissoudre*, subj. prés.] — 5. L'idée que l'autorité [*pouvoir*, subj. imparf.] se construire par en bas ne serait pas entrée dans la tête de nos grands-parents. (Ch. Maurras.)

b) 1. Il [*vêtir*, passé s.] alors, chaussa, nourrit la pauvre fille. (Balzac.) — 2. ce préjugé [*gésir*, indic. imparf.] chez ces filles de petits bourgeois aussi profondément que chez d'authentiques duchesses! (R. Boylesve.) — 3. Nous formions un petit groupe dans l'ombre au milieu de la foule qui parlait, marchait et [*bruire*, indic. imparf.] doucement. (Vigny.) — 4. Il semble que mon cœur [*vouloir*, subj. prés.] se fendre par la moitié. (Mme de Sévigné.) — 5. Nous [*se taire*, passé s.] un long instant, car j'étais saisi par l'émouvante simplicité du paysage. (M. Barrès.)

920. - Faites entrer dans de courtes phrases les expressions suivantes :

1. *Découvrir* [passé comp., 1re p. s.] les beautés de la Suisse. — 2. *Se départir* [indic. prés., 1re p. s.] de son sérieux. — 3. *Pourvoir* [cond. prés., 3e p. s.] à tout. — 4. *Émouvoir* [fut. s., 3e p. s.] toute âme sensible. — 5. *Envoyer* [indic. prés., 1re p. s.] la balle.

---

921. - VOCABULAIRE : 1. De chacun des mots *abondance, laconique, polythéisme, nain, homogène,* rapprochez son antonyme, en choisissant parmi : *géant, hétérogène, disette, prolixe, monothéisme.*

2. Cherchez dans le dictionnaire le sens de l'expression familière *la croix et la bannière,* telle qu'on la trouve dans « Il a fallu, pour le décider, *la croix et la bannière* ». — Employez, dans une phrase de votre invention, cette expression familière.

922. - ORTHOGRAPHE: Notez dans le carnet d'orthographe: *authentique, ressusciter, mollesse, raffiner, une demi-heure.*

923. - PHRASÉOLOGIE : Bruits. Remplacez les trois points par l'infinitif convenable : « J'entendais le vent ... dans la cheminée, la pluie ... sur les vitres, le tonnerre ... par roulements subits, et, dans la cour, le chien faire ... lugubrement sa chaîne. » [Choisir : *grincer, gronder, tambouriner, mugir.*]

924. - LANGAGE : « Quelle *drache!* » « Il *drache* » (belgicismes) ; une *drinchée* (provincialisme français) ; une *rincée* (provincialisme suisse). — Le mot français est *averse ;* employez-le dans une courte phrase.

925. - CONJUGAISON : Conjuguez à l'imparfait de l'indicatif, forme pronominale : *revêtir.*

926. - ANALYSE : Dites quelle est la fonction des mots en italique : « Si tu *te* tournes vers tes propres misères, *te* restera-t-*il* assez de cœur pour compatir aux *douleurs* d'autrui ? »

---

927. - Mettez à la forme indiquée les verbes en italique.

a) 1. C'est dans la patience que vous [*conquérir*, fut. s.] la maîtrise de vous-mêmes. — 2. Saint Louis [*défendre*, passé s.] que l'on [*mettre*, subj. imparf.] rien de riche et de précieux sur son tombeau. — 3. Que nul d'entre vous n'[*enfreindre*, subj. prés.] les règles de la civilité. — 4. Rome [*empreindre*, passé comp.] sur tous ses monuments un caractère de grandeur. — 5. En [*résoudre*, part. prés.] de petites difficultés, nous [*apprendre*, indic. prés.] à en résoudre de grandes.

b) 1. La prudence est un don de Dieu, qui [*départir*, indic. prés.] ses grâces à qui il lui [*plaire*, indic. prés.]. (Bourdaloue.) — 2. Un héritage m'[*échoir*, passé s.] à point nommé. (L. Veuillot.) — 3. Des boiseries acajou [*ressortir*, indic. prés.] vivement sur le fond neutre de cette tenture. (A. Billy.) — 4. Les fortunes et les renommées qui [*naître*, indic. prés.] d'un instant [*mourir*, indic. prés.] d'un instant. (A. Maurois.) — 5. Dans dix ans, Vial, on [*cueillir*, fut. s.] de belles mandarines sur ce petit arbre. (Colette.)

928. - Mettez à la forme indiquée les verbes en italique.

Le Jardin après la pluie.

Il [*pleuvoir*, passé comp.] en grosses averses sur le jardin. Les feuillages [*luire*, ind. prés.] joyeusement, maintenant que l'eau [*dissoudre*, passé comp.] toutes les poussières et [*empreindre*, part. passé] sur la verdure une fraîcheur qui la [*revêtir*, ind. prés.] d'une éclatante lumière.

Que le jardin est beau à voir et à respirer! Tout y [*tressaillir*, ind. prés.] d'une joie qui [*se résoudre*, ind. pr.] en une sorte de volupté végétale. Tout [*sourire*, ind. pr.], tout [*renaître*, ind. pr.]. Tant d'exhalaisons parfumées [*se répandre*, passé comp.] qu'elles [*bruire*, ind. pr.] comme de vaporeux murmures.

L'herbe [*atteindre*, passé comp.] une magnificence incomparable; elle [*croître*, passé comp.] curieusement et [*vêtir*, ind. pr.] à présent les pelouses d'un velours vert qui est pour les yeux une douce caresse. Les fleurs qui, tout à l'heure encore, [*défaillir*, ind. imparf.] sous la chaleur [*revivre*, ind. pr.] toutes joyeuses et [*se teindre*, ind. pr.] de couleurs délicieusement ravivées.

---

929. - VOCABULAIRE : Ne confondez pas les paronymes : *éruption* et *irruption ;* — *lacune* et *lagune ;* — *conjecture* et *conjoncture*. — Employez chacun de ces mots dans une courte phrase.

930. - ORTHOGRAPHE : Notez dans le carnet d'orthographe : *maîtriser, déshériter, exhalaison, éperdument, acacia*.

931. - PHRASÉOLOGIE : « La fenêtre est ouverte, mais les volets sont clos, et les rideaux fermés. J'écarte *les rideaux,* je repousse *les volets* et le soleil entre. » — Pour éviter la répétition, remplacez par un pronom démonstratif les mots en italique.

932. - LANGAGE : On dit, en Suisse : « la *fourre* d'un oreiller » pour « la *taie* ». — Employez ce dernier nom dans une courte phrase.

933. - ANALYSE : Encadrez les groupes : 1º du sujet ; 2º du complément circon-stanciel. Dans chaque groupe soulignez le centre : « *Les très vieilles gens du village nous ont raconté que, dans les forêts de l'Ardenne, vivait, à une époque reculée, une race encore à demi sauvage.* »

SYNTAXE DES MODES ET DES TEMPS

INDICATIF

Un Sauvetage.

Avant-hier, me promenant au bord du fleuve, je suivais de l'œil un batelet qui voulait passer sous la dernière arche du pont. Tout à coup ce batelet *chavire:* le batelier essayait de nager, mais il s'y prenait mal; encore quelques maladresses, pensai-je, et il se *noie.* L'idée me vint de me jeter à l'eau, mais il faisait un froid piquant; j'*ai* des rhumatismes, objectai-je intérieurement.

Soudain j'*entends* un cri du batelier: « Au secours, je *péris!* » Je re-double le pas. Tout à coup je m'*arrête:* Si tu ne *portes* secours à cet homme, pensai-je, dans un quart d'heure, il *est* noyé. J'hésitais. Mais une voix cria en moi-même: « Tu *es* un lâche! » Aussitôt je me *jette* à l'eau et je *sauve* l'homme.

D'après STENDHAL.

934. - Dites quelle est, dans le texte ci-dessus, la valeur des **présents** en italique.

935. - Inventez, pour chaque cas, une phrase où le **présent** de l'indicatif marquera : 1º un fait habituel; 2º un fait situé dans un passé récent; 3º un fait situé dans un futur proche ; 4º un fait futur, conséquence infaillible d'un autre ; 5º un « présent historique » ; 6º un futur après « si ».

936. - Expliquez la valeur du **présent.**

1. Le Canada *produit* beaucoup de blé. — 2. Courage! dans une heure, nous *sommes* hors de danger! — 3. Mon père ne pourra vous recevoir: il *sort* à l'instant. — 4. A l'œuvre on *connaît* l'artisan. (La Font.) — 5. Mais hier il m'*aborde* et, me serrant la main: Ah! Monsieur, m'a-t-il dit, je vous *attends* demain. (Boileau.) — 6. Si vous *travaillez* bien, vous réussirez à l'examen. — 7. Un seul faux pas, et tu *tombes* dans le précipice!

937. - Sur une ligne horizontale figurant l'écoulement du temps, marquez par P le moment présent ; puis situez graphiquement par un trait ondulé le fait exprimé par le **présent** en italique des phrases suivantes :

1. La Suisse *plaît* aux touristes. — 2. Attendez-moi ici: je *reviens* dans deux minutes. — 3. Je *descends* au prochain arrêt. — 4. La nuit, tous les chats *sont* gris. — 5. Si tu *apportes* ton appareil photographique, nous ferons demain de belles photos. — 6. Quel homme ! hier, il me *promet* de venir, et aujourd'hui le voilà loin d'ici ! — 7. Tout dormait ; tout à coup, on *frappe* à la porte.

---

938. - VOCABULAIRE : 1. Comment appelle-t-on le bord relevé d'une rivière? — le point de jonction de deux cours d'eau? — la chute d'un fleuve se précipitant d'un lieu très élevé?

2. Donnez 3 synonymes de : *tout à coup* ; 2 de : *porter secours.*

939. - ORTHOGRAPHE : Notez dans le carnet d'orthographe : *rhumatisme ; tout à coup, tout à fait, tout à l'heure ; photographie; je secourrai.*

940. - CONJUGAISON : *Essayer :* ind. pr., 1re p. s. ; — *nager :* ind. pr., 1re p. pl. ; — *noyer :* fut. s., 1re p. s.; — *jeter :* fut. s., 1re p. s.; — *accourir :* cond. pr., 1re p. s.; — *travailler :* ind. imparf., 1re p. pl.

941. - LANGAGE : Ne dites pas : « présenter un examen »; — dites : « *se* présenter *à* un examen ». — Employez dans une courte phrase le tour correct.

942. - ANALYSE : Quelle est la fonction de chacun des deux « me » dans : « L'idée *me* vint de *me* jeter à l'eau »? — de « froid » dans: « Il faisait un *froid* piquant »?

943. - PONCTUATION : Mettez la ponctuation : *Le renard dit au bouc Que ferons-nous compère — Rien ne sert de courir il faut partir à point*

---

944. - Expliquez la valeur de l'**imparfait** de l'indicatif.

1. Le rat de ville et le rat des champs *se régalaient;* tout à coup ils entendirent du bruit à la porte de la salle. — 2. Un malheureux *appelait* tous les jours la Mort à son secours. — 3. Nous *achevions* à peine notre promenade qu'il se mit à pleuvoir. — 4. Je *venais* vous demander la place du premier mou-

tardier qui vient de mourir. (A. Daudet.) — 5. Une terrible nouvelle circula : dans quelques heures, Annibal *entrait* dans la ville. — 6. Si vous aviez ajouté un mot, il vous *renvoyait*. — 7. En pleine prospérité, au moment même de sa plus haute gloire, brusquement il *mourait*. — 8. Quand son fils *était* là, elle *s'habillait* avec recherche. (A. Chamson.)

945. - Inventez, pour chaque cas, une phrase où l'*imparfait* de l'indicatif marquera : 1° un fait habituel dans le passé ; 2° un futur proche ; 3° la conséquence infaillible d'un fait ; 4° une action présente qu'on semble rejeter dans le passé ; 5° un fait présent après *si*.

946. - Justifiez l'emploi du **passé simple** et du **passé composé.**

1. Quand l'hiver *arriva*, la cigale *alla* crier famine chez la fourmi. — 2. Qui ne sait se borner ne *sut* jamais écrire. (Boileau.) — 3. Attendez-moi : dans quelques minutes, j'*ai fini* ma besogne. — 4. C'est par le travail que l'homme *a dompté* les forces aveugles de la nature. — 5. Hélas ! on voit que de tout temps Les petits *ont pâti* des sottises des grands. (La Font.) — 6. Quand j'*ai fait* une faute d'orthographe, je la corrige. — 7. Si, dans huit jours, vous *avez pris* une décision, veuillez m'en informer. — 8. Souvenez-vous bien Qu'un dîner réchauffé ne *valut* jamais rien. (Boileau.)

947. - Inventez sur chacun des thèmes suivants une petite phrase en faisant, soit du **passé simple,** soit du **passé composé,** un des emplois particuliers que signale la grammaire :

1. Le mois de mai. — 2. Les fables de La Fontaine. — 3. Les lointains voyages. — 4. Les sports.

948. - Justifiez l'emploi du **passé antérieur** et du **plus-que-parfait** de l'indicatif.

1. Quand l'orateur *eut obtenu* le silence, il commença son discours. — 2. Quand ils *eurent fini* de clore et de murer, On mit l'aïeul au centre en une tour de pierre. (Hugo.) — 3. Bonjour, monsieur. J'*étais entré* pour vous apporter ma facture. — 4. Si l'on *avait dit* à nos arrière-grands-pères qu'on atterrirait sur la Lune, ils ne l'auraient pas cru. — 5. Ah ! si vous m'*aviez averti*, j'aurais pris mes précautions. — 6. J'avais donc mon petit coin de jardin à cultiver ; en une demi-heure, j'*eus bêché* mon terrain. — 7. Quand il *avait fini* son tour d'horizon, chaque fois il haussait les épaules et se remettait en marche. (A. Chamson.)

949. - Expliquez la valeur des divers temps **futurs.**

1. L'âge *mûrira* votre jugement. — 2. En commençant cette causerie, je ré-*clamerai* votre indulgence. — 3. Tu *mesureras* tous les gestes et tu *retiendras* beaucoup de tes élans. (G. Duhamel.) — 4. On *sera* ridicule, et je n'*oserai* rire ! (Boileau.) — 5. On frappe : ce *sera* sans doute la voisine. — 6. Je t'avais écrit que je *partirais* de bonne heure ; j'arrive un peu tard : tu me *pardonneras*. — 7. En te quittant ce matin, je me suis dit que tu *aurais terminé* le travail avant midi. — 8. Ah ! mon pauvre ami ! le funeste incendie ! en quelques heures tu

auras vu périr le fruit de plusieurs années de travail! — 9. J'*aurai laissé* mes lunettes en haut. Courez vite me les chercher. (R. Boylesve.) — 10. Le bien d'autrui tu ne *prendras*.

950. - Pour chaque phrase, situez graphiquement le temps des verbes en italique.

Modèle : Je *savais* que tu *aurais pris* une décision avant mon retour.

```
                                                      Présent
───────────|───────────|───────────|───────────|────────→
        savais      aurais pris              retour
```

1. Quand vous *aurez déclaré* vos intentions, je vous *donnerai* quelques avis. — 2. Il *est* midi : hier pourtant, vous m'*avez promis* que vous *arriveriez* à onze heures. — 3. Ah! je *suis* content de vous voir; votre frère m'a *dit* ce matin que vous *partirez* demain quand vous *aurez obtenu* votre passeport.

---

951. - VOCABULAIRE : Par quel nom général désigne-t-on celui qui fabrique ou vend : des *tonneaux? —* des *drogues? —* des *parfums? —* des *chapeaux?* — des *chaudrons* et des ustensiles de cuisine ?

952. - ORTHOGRAPHE : Notez dans le carnet d'orthographe : *atterrir, lymphatique, apathique, lunetier, une jaquette.*

953. - PHRASÉOLOGIE : Au lieu de *faire,* verbe vague et général, mettez devant chacun des compléments d'objet directs *un sillon, un trou, une question, une intrigue, une médaille, un problème, une tente,* l'un des verbes précis : *nouer, dresser, tracer, poser, résoudre, frapper, percer.*

954. - LANGAGE : Ne dites pas : « Comme cet enfant est *jouette!* » (belgicisme); — dites : « Cet enfant ne pense qu'à jouer ». — Employez la bonne expression dans une courte phrase.

955. - ANALYSE : Dites quelle est la fonction des mots en italique : « *Comme* il serait triste de vivre *dans* une société d'*où* serait bannie toute *charité!* »

CONDITIONNEL

Si nous avions une maison rustique...

L'exercice et la vie active nous *feraient* un nouvel estomac et de nouveaux goûts. Tous nos repas *seraient* des festins, où l'abondance *plairait* plus que la délicatesse. La gaieté, les travaux rustiques, les folâtres jeux sont les premiers cuisiniers du monde, et les ragoûts fins sont bien ridicules à des gens en haleine depuis le lever du soleil.

Le service n'*aurait* pas plus d'ordre que d'élégance; la salle à manger *serait* partout, dans le jardin, dans un bateau, sous un arbre; quelquefois au loin, près d'une source vive, sur l'herbe verdoyante et fraîche, sous des touffes d'aunes et de coudriers, une longue procession de gais convives *porterait* en chantant l'apprêt du festin; on *aurait* le gazon pour table et pour chaises, les bords de la fontaine *serviraient* de buffet, et le dessert *pendrait* aux arbres.

Jean-Jacques ROUSSEAU.

956. - Dites de quelle condition, dans le texte de Rousseau, dépendent les faits exprimés par les verbes au conditionnel. — Si nous situons les faits dans la réalité, comment modifierons-nous les deux premières phrases?

957. - Dites si le conditionnel marque le **potentiel** ou l'**irréel**.

    1. Si vous trouviez sur le trottoir un portefeuille, qu'en *feriez*-vous? — 2. Si ces pierres parlaient, elles nous *raconteraient* des choses étonnantes. — 3. Si j'étais hirondelle, je *volerais* vers vous à tire-d'aile. — 4. Si vous articuliez plus nettement, on vous *comprendrait* mieux. — 5. Si vous veniez en Suisse à la saison d'hiver, quelles belles parties de ski nous *ferions!*

958. - Expliquez la valeur du **conditionnel**.

    1. Ne forçons point notre talent; Nous ne *ferions* rien avec grâce. (La Font.) — 2. Mes amis, écoutez-moi: je *voudrais* vous raconter une belle histoire. — 3. Comment! vous *renieriez* votre promesse? — 4. *Auriez*-vous la bonté de m'accompagner? — 5. On voit sur la forêt comme de longs voiles qui *flotteraient*. — 6. Des marins phéniciens, entraînés par les tempêtes, *auraient abordé* en Amérique.

959. - Inventez, sur chacun des thèmes suivants, une petite phrase, en faisant du conditionnel, soit l'emploi général, soit un des emplois particuliers que signale la grammaire :

    1. Nos progrès. — 2. Connaître l'avenir. — 3. Trahir sa patrie. — 4. La cloche du soir. — 5. La patience.

960. - Remplacez le conditionnel passé 1re forme par le conditionnel passé 2e forme, et vice versa.

    1. Je n'*aurais* jamais *cru* qu'une telle aventure pût m'arriver. — 2. Si vous fussiez tombé, on s'en *serait pris* à moi. — 3. Qui *eût imaginé* un si beau résultat? — 4. Si tu avais présenté ta requête dans les délais prescrits, on l'*aurait examinée*. — 5. Cet homme avait semé le vent: comment n'*aurait*-il pas récolté la tempête? — 6. Une souris tomba du bec d'un chat-huant: Je ne l'*eusse* pas *ramassée*. (La Font.)

IMPÉRATIF

Conseils de T. Déome.

Appréciez ce que vous avez au lieu de vous morfondre à propos de ce que vous n'avez pas. Si votre soupe vous plaît et vous rassasie, ne louchez pas vers l'assiette du voisin qui mange plus gras. C'est peut-être de ça qu'il mourra et bien avant vous. Ne vous plaignez pas trop vite, ne vous vantez jamais, parce que vous ferez peut-être mal à plus malheureux que vous.

Faites taire la rancune, le ressentiment, l'esprit de vengeance, parce que tout cela ronge son homme. Et si le bon Dieu vous a mis un grain de folie dans la cervelle, dites-vous que c'est un bienfait précieux et qu'il faut en avoir soin.

Simplifiez tout, votre genre de vie, vos problèmes, vos désirs. L'homme qui n'a pas atteint cette simplicité à l'âge mûr n'est pas digne de vivre, encore moins de mourir, parce qu'il a raté les leçons de la vie.

Arthur MASSON, *Toine, chef de tribu.* (Vanderlinden, édit.).

961. - Mettez à la 2e personne du singulier le texte d'Arthur Masson (en supposant qu'on parle à un seul personnage, qu'on tutoie).

962. - Justifiez l'emploi de l'**impératif.**

1. Vingt fois sur le métier *remettez* votre ouvrage. (Boileau.) — 2. *Frappe,* mais *écoute,* disait Thémistocle à Eurybiade. — 3. *Dis*-moi qui tu hantes, je te dirai qui tu es. — 4. *Donne*-lui tout de même à boire, dit mon père. (Hugo.) — 5. *Parlez* au diable, *employez* la magie, Vous ne détournerez nul être de sa fin. (La Font.) — 6. *Ferme* les yeux, et tu verras. (Joubert.) — 7. Vous qui pleurez, *venez* à ce Dieu, car il pleure. (Hugo.) — 8. Le héron eût pu faire un excellent repas: carpes, brochets, tanches s'offraient à lui. *Attendons,* se dit-il.

---

963. - VOCABULAIRE : 1. Rangez dans l'ordre alphabétique : *merveille, méridien, hiver, abeille, hibou, merle, absolu, hideux.*

2. Cherchez dans le dictionnaire le sens de : *loucher, myope, presbyte, yeux vairons, cécité, daltonien.*

964. - ORTHOGRAPHE : Notez dans le carnet d'orthographe : *arôme, atome, vengeance, exigence, le bon Dieu, poème, carême.*

965. - PHRASÉOLOGIE : Allégez les phrases suivantes par l'emploi du tour impératif : « Vous aurez beau vouloir chasser le naturel, il reviendra au galop. » — « Pourvu que tu fasses de nouveaux efforts, tu réussiras. »

966. - LANGAGE : Ne dites pas : « Ce plat me *goûte* ! »; — dites : « ... est à mon goût », ou « ... me plaît », ou « Je le goûte ». Employez chacune dans une courte phrase les expressions correctes.

967. - CONJUGAISON : Conjuguez à l'imparfait du subjonctif : *vivre*.

968. - ANALYSE : Analysez les mots en italique : « Dis-moi *qui* tu hantes, je *te* dirai *qui* tu es. »

SUBJONCTIF

969. - Dites ce que le **subjonctif** exprime dans chacune des phrases suivantes (subjonctif indépendant) :

1. Gardes, qu'on *obéisse* aux ordres de ma mère. (Racine.) — 2. Que tout s'*épanouisse* en sourire vermeil! Que l'homme *ait* le repos et le bœuf le sommeil! (Hugo.) — 3. Moi, héron, que je *fasse* Une si pauvre chère! Et pour qui me prend-on? (La Font.) — 4. Va, le Ciel te *confonde*, animal importun! (Id.) — 5. Que le passant *consente* à s'arrêter et M. Krauset poursuit son discours sur le même ton lamentable. (G. Duhamel.) — 6. Que la science moderne *ait fait* des progrès merveilleux, elle n'en est pas moins limitée dans ses moyens. — 7. *Veuillent* les immortels, conducteurs de ma langue, Que je ne dise rien qui doive être repris! (La Font.) — 8. Je ne *sache* pas qu'on puisse apprendre les choses difficiles sans efforts persévérants. — 9. Je dirai à celui qui éternue: Dieu vous *bénisse* ! (Beaumarchais.)

970. - Inventez, sur chacun des thèmes suivants, une phrase où vous emploierez un **subjonctif indépendant** :

1. Le prix du temps. — 2. La bonne humeur. — 3. Oublier les injures. — 4. L'héroïsme obscur.

971. - Justifiez l'emploi du **subjonctif** dans la proposition subordonnée.

[Gr. § 364]

a) 1. Il importe que chacun *fasse* son devoir. — 2. Il est impossible que vous *accomplissiez* de grandes choses si vous n'avez pas d'idéal. — 3. Est-il certain que la fortune *fasse* le bonheur? — 4. Il n'est pas sûr que nous *disions* des choses solides, quand nous voulons en dire d'extraordinaires.

b) 1. Je désire que vous *acquériez* des habitudes d'ordre et de ponctualité. — 2. Croyez-vous qu'on *puisse* être toujours juste si l'on ignore la pitié? —

3. Nous ne doutons pas qu'il ne *faille* se défier des flatteurs. — 4. Obéis si tu veux qu'on t'*obéisse* un jour. — 5. Les Romains ne voulaient point de victoire qui *coûtassent* trop de sang.

972. - Même exercice.

a) 1. Notre dignité commande que nous *gardions* la maîtrise de nous-mêmes. — 2. Certaines gens sont prêts à tout sacrifier, pourvu qu'ils *satisfassent* leur ambition. — 3. Quelque savant que l'on *soit,* on a toujours quelque chose à apprendre. — 4. Si on nous décerne une louange sans que nous la *méritions,* considérons-la comme un blâme. — 5. Je cherche une maison qui *ait* un grand jardin.

b) 1. Ce qui n'empêche pas que, par la force des choses, une hiérarchie nouvelle *se soit créée.* (P. Vialar.) — 2. Écoutez ce récit avant que je *réponde.* (La Font.) — 3. Que le vent lui *manquât,* il risquait de tomber dans le gouffre. (L. Martin-Chauffier.) — 4. Le seul visiteur qui *prenne* jamais la peine d'aller à Ferrière. c'est moi. (J. Green.) — 5. Il ne douta pas que ce ne *fût* une cigogne. (Flaubert.) — 6. Que de tels bienfaits *pussent* être méconnus, cela est difficile à croire. (Hugo.)

973. - Justifiez l'emploi du **subjonctif.**

1. Quelque haute que *paraisse* la sagesse humaine, elle est toujours courte par quelque endroit. — 2. Où voyez-vous que l'aumône *ait appauvri* personne? — 3. Il n'y a pas de nuage si noir qu'on n'*y aperçoive* une bordure d'argent. — 4. Réfléchissez, ne *fût*-ce qu'un instant. — 5. Qu'on lui *ferme* la porte au nez, Il reviendra par les fenêtres. (La Font.) — 6. Il convient que la justice *soit* forte et que la force *soit* juste. — 7. Les optimistes sont à peu près les seuls qui *fassent* quelque chose en ce monde. — 8. *Dût* votre amour-propre en souffrir, reconnaissez votre erreur.

974. - Inventez sur chacune des données suivantes une phrase où vous emploierez **un subjonctif subordonné :**

a) *Après une forme impersonnelle:* 1. La persévérance. — 2. Joies du printemps. — 3. Prévoir les difficultés.

b) *Après un verbe d'opinion, de déclaration, de perception:* 1. La fuite du temps. — 2. Les exploits des cosmonautes. — 3. Un séjour en Suisse.

c) *Après un verbe de volonté, de doute, de sentiment:* 1. Un idéal. — 2. Progrès dans les études. — 3. Le ciel étoilé.

d) *Après* QUE *dans la subordonnée complément d'objet en tête de la phrase:* 1. La reconnaissance. — 2. Importance de l'ordre. — 3. Union, principe de force.

975. - Faites, sur chacun des thèmes suivants, une phrase où l'on ait un **subjonctif subordonné :**

a) *Dans la subordonnée attribut, ou en apposition, ou complément d'agent, ou complément d'adjectif:* 1. Le travail méthodique. — 2. L'argent. — 3. De bons conseils.

b) *Dans la subordonnée relative:* 1. Charmes de l'hiver. — 2. Les cerisiers en fleurs. — 3. Les apparences.

c) *Dans la subordonnée complément circonstanciel:* 1. L'instruction. — 2. Les bons livres. — 3. Le travail des champs. — 4. Les hirondelles. — 5. Les sports.

976. - Mettez au mode convenable (indicatif ou subjonctif) les verbes en italique.

a) 1. J'espère que vous [*être*, fut.] toujours attentif à mes conseils. — 2. Je n'ignore pas que rien de grand ne [*s'accomplir*, prés.] sans de longs efforts. — 3. Se connaître soi-même vaut mieux que connaître l'univers; non pas qu'il [*falloir*, prés.] blâmer la science, mais saurons-nous jamais le tout de toutes choses? — 4. Je souhaite que tu [*faire*, prés.] de beaux progrès. — 5. La mouche du coche prétend qu'elle [*agir*, prés.] seule. — 6. Si vous me faites ce plaisir, je prétends que vous m'en [*faire*, prés.] un autre.

b) 1. Rompez tout pacte avec les fourbes, de peur que vous ne [*devenir*, prés.] semblable à eux. — 2. Il est indubitable que la liberté [*être*, prés.] incompatible avec la faiblesse. — 3. L'honnête homme qui dit oui ou non mérite qu'on le [*croire*, prés.]. — 4. Nous voulons qu'on [*reprendre*, prés.] sévèrement les autres et nous ne supportons pas qu'on nous [*reprendre*, prés.] nous-mêmes. — 5. N'est-il pas certain que le tout [*être*, prés.] plus grand que chacune de ses parties?

977. - Même exercice.

a) 1. Il est rare que nous [*user*, prés.] de la même mesure pour nous et pour les autres. — 2. La modestie n'empêche pas que nous ne [*sentir*, prés.] nos mérites. — 3. Il est clair que la science humaine [*être*, prés.] bornée; s'ensuit-il de là qu'il [*falloir*, prés.] la mépriser? — 4. Il faut nous persuader que bien écrire [*être*, prés.] un art. — 5. Que la vie ne [*être*, prés.] pas tout roses, nous le savons. — 6. C'est une dure loi, mais une loi suprême Qu'il nous [*falloir*, prés.] du malheur recevoir le baptême. (Musset.)

b) 1. Puisque vous vous doutez que des difficultés [*surgir*, fut.], il convient que vous [*acquérir*, prés.] assez de force pour les vaincre. — 2. Quoi que vous [*écrire*, prés.], évitez la bassesse. (Boileau.) — 3. Cherchez un homme qui [*être*, prés.] vraiment content de son sort: vous ne le découvrirez pas. — 4. Prenez garde, en traduisant un auteur, que vous [*saisir*, prés.] bien le sens de sa pensée. — 5. Prenez garde que vous n'[*être*, prés.[, comme dit Pascal, ni ange ni bête.

978. - VOCABULAIRE : 1. Expliquez la locution *tirer les vers du nez à quelqu'un.* — Employez-la dans une courte phrase.

2. Remplacez par leur contraire chacun des mots en italique : Un homme *orgueilleux;* un personnage *sympathique; élargir* un passage; le *revers* d'une médaille; une joie *durable.*

979. - ORTHOGRAPHE : Notez dans le carnet d'orthographe : *crème, crémerie, se casser une côte, la cote de la Bourse, un bohème* (vagabond), *la Bohême.*

980. - PHRASÉOLOGIE : « Que de tels bienfaits puissent être méconnus, cela est difficile à croire. » (Hugo.) — En imitant cette tournure, modifiez la phrase : *Il est certain qu'un travail opiniâtre peut vous conduire au succès* (attention à l'emploi du subjonctif !).

981. - LANGAGE: On peut dire: « Cet enfant est *souffreteux* » (= de santé débile). — Inventez une phrase où vous emploierez *souffreteux*.

982. - CONJUGAISON : Conjuguez à l'imparfait du subjonctif, voix passive : *suivre*.

983. - ANALYSE : Analysez les mots en italique : « Je n'ignore pas que *rien* de *grand* ne s'accomplit sans de longs *efforts*. »

INFINITIF

À l'École ménagère.

Elles apprenaient diverses choses. Et lesquelles? Celles-ci: laver, fourbir, polir, brosser, encaustiquer, repasser, tresser, dresser, trousser, cuire, infuser, confire, larder, fumer, saler, ébouillanter, râper, farcir. Et, sans doute, encore ceci: mettre à la broche, passer au four, rouler dans la farine, jeter dans la friture, tremper dans le bouillon, faire sauter à la poêle. Et qu'apprenaient-elles encore, Dieu du ciel? — Le français, l'anglais, le calcul, la géographie, à faire un lit, à emmailloter un marmot, à recevoir des hôtes, à décorer un logis.

Georges DUHAMEL. (Mercure de France, édit.).

984. - En mettant à l'imparfait de l'indicatif les **infinitifs** du texte de Duhamel, complétez : « Les élèves de cette école ménagère lavaient ...; elles mettaient ...; elles ... »

985. - Dites quelle est la valeur des **infinitifs** en italique et remplacez chacun d'eux par une forme personnelle.

1. Car que *faire* en un gîte, à moins que l'on ne songe? (La Font.) — 2. Moi, *trahir* mon pays! comment avez-vous pu le penser? — 3. Ne pas *se pencher* au dehors. — 4. Comment *payer* nos parents des peines que nous leur avons coûtées? — 5. Le lièvre passa près d'un étang; grenouilles aussitôt de *sauter* dans l'eau.

986. - Changez, par l'emploi de l'**infinitif,** la tournure des phrases suivantes :

1. Moi, *j'oublierais* vos bienfaits! — 2. Pourquoi *désirons-nous* un changement de condition? La condition que vous enviez a, comme la nôtre, ses

inconvénients. — 3. Ah! mon Dieu! où *irai-je?* où *courrai-je?* disait l'avare à qui l'on avait dérobé sa cassette. — 4. A midi, nous faisons halte à la lisière d'un bosquet. Et chacun *s'assied* sur le gazon et *déballe* ses provisions. — 5. Ma mère, sur le seuil, me fait des recommandations: *sois* bien prudent en traversant la rue!

987. - Indiquez la fonction des **infinitifs** en italique.

1. *Demander* des conseils est une façon de *plaire*. — 2. *Aimer* à *lire* permet d'*échanger* des heures d'ennui contre des heures délicieuses. — 3. Il est utile de *relire* une lettre qu'on a écrite avant de la *mettre* sous enveloppe. — 4. Gardons-nous de *juger* les gens sur l'apparence. — 5. *Vivre,* c'est *lutter.* — 6. Nous sommes heureux de vous *rendre* ce service.

988. - VOCABULAIRE : Cherchez dans le dictionnaire le sens de : *inéluctable, indubitable, inexpugnable, inexorable, imperturbable.*

989. - ORTHOGRAPHE : Notez dans le carnet d'orthographe : *emmailloter, courir, courrier, ciguë, une lame aiguë, un fusilier marin.*

990. - PHRASÉOLOGIE : « Hélas! par tout pays, toujours la même vie : *Convoiter, regretter, prendre* et *tendre* la main. » (Musset.) — Inventez une phrase où, comme dans cet exemple, vous emploierez une série d'infinitifs apposés.

991. - LANGAGE : Ne dites pas : « Venez *une fois* ici! », « Laisse-moi *une fois* regarder » (germanismes) ; — dites : « Venez *un peu* ici! » ou « Venez *donc* ici! », etc. — Employez les expressions correctes dans deux phrases de votre invention.

992. - PRONONCIATION: Prononcez sans faire entendre le *c* final: *broc, cric, accroc, escroc, des entrelacs, clerc, porc, marc, la place Saint-Marc* (à Venise).

993. - PONCTUATION : Mettez la ponctuation : *O nuit désastreuse ô nuit effroyable où retentit tout à coup comme un éclat de tonnerre cette étonnante nouvelle Madame se meurt Madame est morte Qui de nous ne se sentit frappé à ce coup comme si quelque tragique accident avait désolé sa famille* Bossuet

PARTICIPE PRÉSENT

Marché pittoresque.

Comme les choses bonnes à manger peuvent être aussi belles à voir! Fruits croulants, vrombissants de guêpes, couleur d'ambre, de sang, d'émeraude; poissons glissants, vernis et souples; boucheries échantillonnant tous les roses, les vermillons, les laques, les garances; légumes mats, faisant alterner avec ses vigueurs les tons froids, les verts bleutés et pâles, les blancs compacts de ce qui a mûri sous la terre... Il y a l'étal des fleurs inutiles, charmantes seulement d'être exquises, à côté des choses qui servent; fanfares rutilant encore dans la pénombre, sous les bâches, hors des pots d'argile et de zinc. Et les étoffes, dont le bariolage irradie la bimbeloterie des bazars...

Émile HENRIOT, *Rencontres en Ile-de-France*. (Hachette, éditeur).

994. - Considérez, dans le texte d'Émile Henriot, les formes en **-ant**; rangez-les (chaque fois avec le nom auquel elles se rapportent) en deux colonnes : 1° participes présents ; 2° adjectifs verbaux.

995. - Dites si les formes en **-ant** sont des **participes présents** ou des **adjectifs verbaux** ; à quel signe les reconnaissez-vous?

a) 1. Comment se fierait-on à un homme *changeant?* — 2. Déjà le premier coq, *lançant* un *vibrant* cocorico, salue le jour *naissant*. — 3. On aime un caractère ferme, n'*hésitant* jamais à obéir au devoir. — 4. Ce n'est pas en *gémissant* qu'il faut affronter les difficultés. — 5. Un silence *apaisant* descend sur la vallée, *enveloppant* toutes choses d'un voile de douceur.

b) 1. Le coche de la fable gravissait un chemin *montant*. — 2. Dieu *aidant,* nous sortirons d'embarras. — 3. L'égoïste, ne *pensant* qu'à son bien-être ou à son intérêt, se *repliant* constamment sur lui-même, s'aliène les sympathies. — 4. Un bon livre, en nous *enseignant* un idéal, peut allumer en nous le désir *brûlant* de devenir meilleurs. — 5. Un homme avide de louanges, *affectant* une modestie outrée, ajoute l'orgueil à l'hypocrisie.

996. - Faites entrer chacun dans une petite phrase le **participe présent** et l'**adjectif verbal** correspondant aux verbes suivants :

a) 1. Adhérer. — 2. Communiquer. — 3. Convaincre. — 4. Différer. — 5. Équivaloir.

b) 1. Exceller. — 2. Fatiguer. — 3. Intriguer. — 4. Provoquer. — 5. Négliger.

997. - Employez, selon le sens, le **participe présent** ou l'**adjectif verbal** correspondant aux verbes en italique.

a) 1. Ne nous croyons pas [*exceller*] en toute choses. — 2. Dans le paysage chargé de neige, tout est ouaté; les bruits même sont [*différer*] des bruits ordinaires. — 3. On n'aime pas les personnages infatués d'eux-mêmes, [*fatiguer*] la compagnie du récit de leurs exploits. — 4. Même les travaux [*fatiguer*] deviennent agréables quand on les accomplit avec cœur. — 5. Certains gens d'affaires, [*différer*] toujours de mettre à jour leur compatibilité, aboutissent à la faillite.

b) 1. En vous [*communiquer*] ces renseignements, j'espère vous être utile. — 2. Dans des vases [*communiquer*], toutes les surfaces libres d'un liquide sont dans un même plan horizontal. — 3. Une parole [*provoquer*] engendre parfois de terribles querelles. — 4. C'est une odieuse politique que celle qui intervient dans un État voisin en y [*provoquer*] des troubles et en [*intriguer*]. — 5. Mettons-nous en garde contre les menées des personnages [*intriguer*].

998. - Complétez par la finale **-ant** les formes en italique, et faites bien l'accord quand il y a lieu.

Choisir nos livres.

La conversation avec des amis *sach*... beaucoup de choses et s'*offr*... complaisamment à vous en faire part a certes des agréments bien *séduis*... Eh bien! quelques bons conseils *aid*..., nous pouvons tous avoir de tels amis en *choisiss*... de bons livres.

Ces amis, se *prêt*... à tous nos désirs, *partage*... notre vie quotidienne, *calm*... nos peines et *dilat*... nos joies, apporteront à notre âme les aliments *nourriss*... ou les charmes *apais*... qu'elle souhaite. Ce sont des amis sûrs, éclairés, *oblige*..., ne *refus*... jamais leurs services, toujours *complais*..., *souffr*... nos critiques, nos caprices, nos infidélités même, en *attend*... que nous revenions à eux.

999. - En consultant le sens, employez le **participe présent** ou l'**adjectif verbal** correspondant aux verbes en italique.

a) 1. Les Phéniciens, en [*exceller*] dans la navigation, restèrent longtemps le principal peuple marchand du monde; [*négliger*] la culture intellectuelle et artistique, ils s'occupaient surtout de travaux d'utilité publique. — 2. Les élèves [*négliger*] perdent un temps précieux. — 3. On a vu fleurir à toutes les époques des modes [*extravaguer*]. — 4. Certains personnages, en [*bouffonner*] et en [*extravaguer*] ne sont que ridicules. — 5. En se [*fatiguer*] avec excès, on nuit à sa santé; évitons donc les besognes exagérément [*fatiguer*].

b) 1. Des efforts [*violer*] ne prouvent pas toujours une force véritable. — 2. Les Romains, [*violer*] eux-mêmes la foi jurée, reprochaient aux Carthaginois leur « foi punique ». — 3. Dans les compagnies de transport par avion, le personnel [*naviguer*] est choisi avec grand soin. — 4. Les Phéniciens, [*naviguer*] jusque dans la mer du Nord, tenaient secrètes les routes découvertes par leurs vaisseaux. — 5. Tel professeur est [*exiger*], mais en [*exiger*] de vous beaucoup de travail, il n'a en vue que vos progrès.

1000. - Complétez, en faisant l'accord quand il y a lieu, les **participes présents** et les **adjectifs verbaux**.

a) 1. Les bœufs *mugiss*... et les brebis *bêl*... venaient en foule, *quitt*... les gras pâturages et ne *pouv*... trouver assez d'étables pour être mis à couvert. (Fénelon.) — 2. Le soleil descend entre les nuages *flott*... à l'horizon; bientôt l'ombre *s'épaississ*... étend sur la vallée ses plis *mouv*... — 3. L'exemple des grands hommes est comme une lumière *éclat*..., *éclair*... notre chemin. — 4. *Confi*... dans leur forteresse, les Aduatiques poussaient des clameurs *mépris*... en *regard*... les Romains approcher leurs machines de siège. — 5. Que les bénéfices soient équitablement répartis entre les *ay*... droit.

b) 1. La route s'étalait nue et *grésill*..., au soleil. (H. Troyat.) — 2. Ses cheveux étaient blonds et souples, jetés en arrière, *brill*... soyeusement sous la lumière du lustre. (Vercors.) — 3. Les prés étaient devenus si *brill*... qu'on eût dit qu'il était tombé de la neige. (R. Bazin.) — 4. Il se récréait à humer la brise du soir, en compagnie de quelques serins qu'il élevait, *becquet*..., *volet*... à ses côtés. (Töppfer.) — 5. Les diadèmes vont sur ma tête *pleuv*... (La Font.) — 6. Alors, retentit le bruit saccadé des voitures *saut*... sur les plaques *tourn*... (J.-K. Huysmans.)

1001. - Complétez les **participes présents** et les **adjectifs verbaux**; faites l'accord quand il y a lieu.

a) 1. Quelle variété *charm*... dans le chant du rossignol! Tantôt ce sont des modulations *languiss*..., tantôt ce sont des airs *précipit*... les notes comme une cascade *éparpill*... des gouttes irisées. — 2. Les circonstances *aid*..., nous parviendrons au succès, si du moins nous sommes méthodiques et *persévér*... — 3. Si vos frères sont tombés dans une faute, ce n'est pas en les *accabl*... que vous les corrigerez; une parole *encourage*... fera plus qu'une raillerie *mord*... — 4. Que de soi-*dis*... savants ne possèdent qu'une demi-science! — 5. Des faits *précéd*... d'autres faits n'en sont pas nécessairement les causes.

b) 1. Il réveilla ses fils *dorm*..., sa femme lasse Et se remit à fuir sinistr dans l'espace. (Hugo.) — 2. Voici maintenant les cimetières *s'étage*... au flanc de la montagne. (P. Loti.) — 3. Il est de clairs matins, de roses se *coiff*... (A. Samain.) — 4. Nous avancions par habitude, *patin*... dans la glaise, *gliss*... dans les ornières. (R. Dorgelès.) — 5. Un cercle de petites vieilles *médis*... tricotaient à l'aise sur la pierre froide du foyer. (H. Troyat.)

1002. - Même exercice.

a) 1. Notre vie ressemble à ces bâtisses fragiles étayées dans le ciel par des arcs-*bout*... — 2. Le maître se plaît à encourager les élèves *persévér*... courageusement dans leurs efforts. — 3. Des brises *err*... flottent doucement, *caress*... les haies et les buissons. — 4. Il y a des gens imbus d'eux-mêmes, ne *dout*... de rien et *ay*... sur toutes choses des opinions *tranch*... — 5. Que de gens voient les événements en *déform*... leurs contours ou comme s'ils les regardaient à travers des verres *grossiss*...!

b) 1. La pleine lumière de juillet, *tomb*... à midi sur les campagnes, répand une chaleur *accabl*... — 2. Une bonne ménagère, s'*occup*... diligemment des soins de sa maison, ne doit pas regarder ses travaux comme *humili*... et serviles. — 3. Voici la pluie *frapp*... mes vitres à petits coups rapides et *ruissel*... sur les tuiles. — 4. Défiez-vous des beaux parleurs *promett*... toujours, mais ne *ten*... pas leurs promesses. — 5. Quand, dans une discussion, les opinions se font *tranch*..., c'est le moment de dire des paroles *apais*...

1003. - VOCABULAIRE : Expliquez: « une *tierce* personne », « une loi *somptuaire* », « *tancer* un écolier », « un vieillard *morose* », « un vase *étanche* ».

1004. - ORTHOGRAPHE : Notez dans le carnet d'orthographe : *ledit immeuble, poser une brique de chant, bâtisse, occuper, un dilemme.*

1005. - PHRASÉOLOGIE : « Après sa vigne de Château-Neuf, *ce que* le pape aimait le plus au monde, *c'était* sa mule. » (A. Daudet.) — Inventez une phrase où vous mettrez en relief, au moyen de *ce que ..., c'est ...,* un complément d'objet direct.

1006. - LANGAGE : Ne dites pas : « Vous n'êtes pas sans *ignorer que* ... » si vous voulez exprimer l'idée de « vous *savez* bien que... » ; — dites : « Vous n'êtes pas sans *savoir* que... » — Employez ce dernier tour dans une phrase de votre invention.

1007. - CONJUGAISON : Conjuguez au passé simple : *croître ;* — *acquérir.*

1008. - ANALYSE : Dites quelle est la fonction des mots en italique : « *Il* est de clairs *matins,* de *roses* se coiffant. »

PARTICIPE PASSÉ

1. PARTICIPE SANS AUXILIAIRE

La Cour du vieux château.

La voiture entra dans une grande cour presque carrée et *fermée* par les rives abruptes des étangs. Ces berges sauvages, *baignées* par des eaux *couvertes* de grandes taches vertes, avaient pour tout ornement des arbres aquatiques *dépouillés* de feuilles, dont les troncs *rabougris,* les têtes énormes et chenues, *élevées* au-dessus des roseaux et des broussailles, ressemblaient à des marmousets grotesques. Ces haies disgracieuses parurent s'animer et parler quand les grenouilles les désertèrent en coassant, et que des poules d'eau, *réveillées* par le bruit de la voiture, volèrent en barbotant sur la surface des étangs. La cour *entourée* d'herbes hautes et *flétries*, d'ajoncs, d'arbustes nains ou parasites, excluait toute idée d'ordre et de splendeur.

Honoré de BALZAC, *Les Chouans.*

1009. - Dites avec quel mot s'accorde, dans le texte de Balzac, chacun des **participes passés** en italique.

Modèle: PARTICIPES PASSÉS | ACCORD AVEC:
                        fermée | cour

1010. - Justifiez l'accord des **participes passés**.

1. Les bienfaits *reprochés* sont des bienfaits *perdus.* — 2. Une heure *consacrée* à un travail *soutenu* vaut mieux qu'une journée *passée* dans l'oisiveté. — 3. Voici le mois de mai: que de corolles *épanouies!* que de parfums *répandus* dans l'air *attiédi!* que de mélodies *répétées* cent fois dans les buissons *habillés* de verdure nouvelle! — 4. Il faut, dans bien des circonstances, une patience et un courage toujours *renouvelés.* — 5. Quel beau spectacle qu'un père et une mère *entourés* de l'affection de leurs enfants! — 6. J'éprouvais chaque soir une joie, un enivrement *renouvelé* en feuilletant mon livre d'images.

1011. - Accordez, s'il y a lieu, les **participes passés** en italique.

a) 1. O vallons [*aimé*] de mon enfance! Je me plais à me rappeler vos sites [*baigné*] de douceur et [*paré*] de grâces aussi [*varié*] que les journées de chaque saison. — 2. La terre [*abandonné*] à sa fertilité naturelle et [*couvert*] de forêts immenses offre, dans certaines régions peu [*exploré*], des tableaux [*empreint*] d'une grandeur imposante. — 3. Certaines gens, [*absorbé*] par leurs affaires ou [*entraîné*] par les plaisirs, négligent de descendre en eux-mêmes. — 4. Y a-t-il des gens si [*éclairé*] que rien n'échappe à leur intelligence? — 5. Un jour, une heure, une minute même, [*donné*] au bien ou au mal, décide parfois de toute une vie.

b) 1. Toutes les voiles [*ouvert*] tombaient [*collé*] aux mâts comme des ballons vides. (Vigny.) — 2. Sur le rectangle obscur du tableau, voici qu'il distingue des lignes blanches, [*tracé*] à la craie d'une écriture bien [*moulé*]. (M. Genevoix.) — 3. Voilà le Roi et le ministre cruellement [*embarrassé*]. (Saint-Simon.) — 4. On avait, suivant la couleur et la forme [*consacré*], apporté à Aziyadé son café turc dans une tasse bleue [*posé*] sur un pied de cuivre. (P. Loti.) 5. [*Renversé*] dans son fauteuil, tante Liline tamponna de son mouchoir ses yeux sans larmes. (Ph. Hériat.)

1012. - Inventez, sur chacun des thèmes suivants, une phrase contenant un ou plusieurs **participes passés sans auxiliaire :**

1. Les nuages. — 2. La maison paternelle. — 3. Les cosmonautes. — 4. Mes livres.

1013. - Faites l'accord des **participes passés** en italique.

L'Hiver et le Printemps.

L'hiver, saison [*engourdi*], est le temps où la nature, comme [*frappé*] de paralysie, s'enferme dans la mélancolie. Les insectes [*caché*] dans le sol, les végétaux [*dépouillé*] de leur verdure, les oiseaux [*réduit*] à un régime de famine ou [*relégué*] dans des régions lointaines, les habitants des eaux [*renfermé*] dans des prisons de glace: tout présente les images de la langueur.

Mais voici avril et ses brises [*attiédi*]; les eaux vives courent, [*mêlé*] de lumière et de frissons; les oiseaux [*réjoui*] poussent à l'envi des appels et des roulades cent fois [*répété*]; partout les branches, [*couvert*] d'une verdure nouvelle, s'agitent doucement sous les effluves [*embaumé*] de la jeune saison.

1014. - VOCABULAIRE : Expliquez les locutions *prendre langue avec quelqu'un, avoir une dent contre quelqu'un.* — Employez chacune d'elles dans une courte phrase.

1015. - ORTHOGRAPHE : Notez dans le carnet d'orthographe : *paralysie, hypocrisie, mythologie, philosophie, à l'envi.*

1016. - PHRASÉOLOGIE : « Faites fermer les volets et les rideaux *pour que* la lumière *ne* vous gêne *pas.* » (J. Romains.) — Inventez une phrase avec une subordonnée introduite par *pour que* et où les éléments *ne ... pas* seront mis à leur juste place.

1017. - LANGAGE : Ne dites pas : « Le voici (ou le voilà) *qu'il* vient » ; — dites : « ... *qui* vient ». — Employez le tour correct dans une courte phrase.

1018. - PRONONCIATION : Prononcez l'*f* dans *serf,* — mais non dans *cerf, nerf.*

1019. - ANALYSE : Dites quelle est la fonction des mots en italique : « *Il* y eut de tout *temps, hélas*! des *traîtres* prêts à vendre leur maître pour *trente* deniers. »

---

2. PARTICIPE AVEC ÊTRE

Si...

Ah! si nous étions *sortis* de notre apathie; si nous étions *partis* à point et si nous étions toujours *arrivés* au moment de commencer le travail; si notre énergie fût *demeurée* persévérante; si nos efforts avaient été bien *réglés* par la méthode; si notre volonté eût été mieux *tendue;* si nous étions *restés* constamment attentifs au but à atteindre, sans que ni la vanité ni le caprice fussent jamais *intervenus* pour nous le faire perdre de vue; si nous étions plus souvent *rentrés* en nous-mêmes; si les bonnes résolutions et les fermes propos étaient *éclos* dans notre âme et que nos erreurs eussent été soigneusement *corrigées;* si nous avions été mieux *armés* contre les vaines distractions... ah! nous serions *parvenus* à de remarquables succès.

1020. - Dites avec quel sujet s'accorde chacun des **participes passés** en italique dans le texte ci-dessous.

Modèle:	PARTICIPES PASSÉS	ACCORD AVEC :
	sortis	nous

1021. - Justifiez l'accord des **participes passés** (2 colonnes comme dans l'exercice précédent).

1. Ne sommes-nous pas *remplis* d'une douce joie quand nous revoyons, après une longue absence les lieux où sont *restés* ceux que nous aimons? — 2. Bienheureux ceux qui ont faim et soif de la justice, car ils seront *rassasiés*. — 3. Quand ils sont *arrivés* là où ils voulaient parvenir, les ambitieux sont *dévorés* du désir de monter plus haut encore. — 4. Notre expérience étant *limitée*, il convient que nous soyons *dirigés* par ceux qui sont sages et prévoyants. — 5. Quand les chats sont *partis*, les souris dansent.

1022. - Accordez, quand il y a lieu, les **participes passés**.

a) 1. Bien des difficultés seraient [*résolu*] si nous étions méthodiques. — 2. Bien des souvenirs émouvants s'attachent aux lieux où nous sommes [*né*]. — 3. Quand le renard et le bouc furent [*descendu*] dans le puits, ils se désaltérèrent. — 4. Après être [*convenu*] de nos torts, il faut encore que nous nous tirions du désordre où nous sommes [*tombé*]. — 5. Le jour paraît; déjà la colline et le bosquet là-bas sont [*sorti*] de la pénombre.

b) 1. Ta tombe et ton berceau sont [*couvert*] d'un nuage. (Lamartine.) — 2. Des villages, des villes entières, étaient [*laissé*] sous la garde de la foi publique. (Michelet.) — 3. Ce pas et cette voix me sont bien [*connu*]. (A. Daudet.) — 4. Craignant d'être [*submergé*], nous nous hâtâmes de gagner le bord du fleuve. (Chateaubriand.) — 5. Le café et les liqueurs furent [*servi*] au grand salon. (J. Romains.) — 6. A peine fis-je attention que ma main et le bas de ma manche étaient tout [*souillé*] du sang coagulé du chevreuil égorgé. (M. Constantin-Weyer.)

1023. - VOCABULAIRE : 1. Donnez 8 mots de la famille de *chaud* (lat. *calor, caloris*, chaleur).

2. Racine grecque : *thermos* = chaud. — Expliquez, par cette racine : *eaux thermales, thermidor, thermomètre, régions isothermes, thermostat, thermos* (bouteille).

1024. - ORTHOGRAPHE : Notez dans le carnet d'orthographe : *langage, apathie, rassasier, paroxysme, hémorragie.*

1025. - LANGAGE : « En *définitif* » a pu se dire autrefois au sens de « finalement » ou de « décidément ». Dans l'usage actuel, on dit : « en *définitive* ». — Employez cette dernière expression dans deux phrases de votre invention.

1026. - PRONONCIATION : Le groupe *-aon* se prononce *an* dans : *paon, faon, taon; Laon.*

1027. - ANALYSE : Dites quelle est la fonction des mots en italique : « Nous revoyons *volontiers,* après une longue *absence,* les lieux *où* sont restés *ceux* que nous aimons. »

---

3. PARTICIPE AVEC **AVOIR**

Règle générale.

Un Village désert.

Le village désert se cache dans un repli de la vallée. Depuis longtemps la rivière ne l'a plus *égayé* et le moulin qui avait *broyé* pour lui tant de froment n'a plus *tourné;* voici sa grande roue que les ans ont étrangement *fracassée;* il a *perdu* la plupart de ses pales, que le flot a *emportées* on ne sait où. Des araignées y ont *accroché* leurs toiles. Une chouette y a *élu* domicile. Voici la route caillouteuse qu'a *suivie* si souvent la charrette du meunier...

Là-bas une pauvre toiture que la pluie a *trouée* montre une charpente que les vents sauvages ont *disloquée*. Je saute les haies et je m'engage dans une lande hérissée d'ajoncs. Voici la ruelle qu'on a *pavée* de longues pierres plates et qui se traîne entre quelques maisons que la misère a complètement *ruinées;* leurs fenêtres sans vitres sont tristes comme des yeux qu'on aurait *crevés*. Le village a *perdu* son regard. Oh! ces pauvres volets que la bourrasque a *arrachés!* et ces chevrons vermoulus, pareils à des vertèbres qu'auraient *décharnées* de funestes maladies!

D'après Charles SYLVESTRE, *Le Voyage rustique.*
Librairie Plon, tous droits réservés.

1028. - Mettez dans une colonne, au milieu de votre page, les **participes passés** (en italique) du texte ci-dessus ; dans deux autres colonnes, l'une à gauche, l'autre à droite, notez leurs compléments d'objet directs, selon leur place relativement aux participes (dans la colonne de droite, notez par un zéro l'absence de complément d'objet direct).

Modèle: Les maisons que la bourrasque a *ruinées...;* les araignées ont *suspendu* leurs toiles...; les murs ont *résisté.*

OBJETS DIRECTS AVANT	PARTICIPES PASSÉS (avec leur auxiliaire)	OBJETS DIRECTS APRÈS (ou absents)
que	a ruinées ont suspendu ont résisté	leurs toiles 0

1029. - Même exercice ; même disposition en trois colonnes.

a) 1. Nous sommes heureux quand nous avons *fait* des progrès. — 2. Des bons livres que nous avons *lus* nous avons *retiré* un grand profit. — 3. Je n'ai pas toujours *retenu* toutes les choses que j'ai *étudiées.* — 4. Les leçons que vous avez bien *suivies,* vous les saurez à peu près quand vous les aurez *relues* attentivement. — 5. Nous avons toujours *marché* dans la voie de l'honneur. — 6. Si tu avais *suivi* les bons conseils que t'ont *donnés* les personnes expérimentées, tu aurais *acquis* d'excellentes qualités.

b) 1. Les petits États ont toujours plus facilement *prospéré* que les grands. — 2. Chers amis, on vous a *avertis* des dangers que vous n'aviez pas *aperçus.* Ces dangers, les avez-vous *évités?* — 3. Quelle tâche mon père m'a *imposée* si je veux mériter jamais les hommages qu'on rend à sa mémoire! (Diderot.) — 4. L'avare a-t-il jamais *joui* des trésors qu'il a *accumulés?* — 5. Nous nous persuadons plus facilement par les raisons que nous avons *trouvées* nous-mêmes que par celles que d'autres nous ont *données.* — 6. Après qu'ils eurent bien *réfléchi,* ils ont *décidé* d'agir.

1030. - Justifiez l'accord des **participes passés** [3 formules possibles : 1° ... **a pour objet direct** ... (genre et nombre) placé avant lui ; donc s'accorde avec ce mot ; — 2° ...a pour objet direct..., placé après lui ; donc invariable ; — 3° ... n'a pas d'objet direct ; donc invariable].

1. Choisissons bien nos amis, mais quand nous les avons *choisis,* restons-leur fidèles. — 2. Héros de notre pays! nous ne vous avons pas assez *admirés* et nous n'avons pas assez *célébré* vos vertus. — 3. Chose curieuse: les bonheurs que nous avons *partagés* avec autrui, nous les avons *doublés.* — 4. N'admettons pas sans examen toutes les choses qu'on nous a *rapportées.* — 5. A force de jouer avec les rochers, la terrible mer les a *réduits* en poudre légère. (L. Veuillot.) — 6. Je vous répète là les mots que m'a *dits* Pierre. (J. Aicard.)

1031. - Accordez, quand il y a lieu, les **participes passés** en italique.

a) 1. De tous les pays que j'ai [*visité*], la Suisse m'a [*paru*] le plus pittoresque. — 2. Certaines gens s'imaginent que les maux qu'ils ont [*enduré*] étaient les plus cruels qu'on eût jamais [*souffert*]. — 3. Si vous avez [*donné*] une aumône à de pauvres gens, vous les avez [*aidé*] sans doute, mais si vous leur avez [*dit*] de bonnes paroles, vous les avez peut-être [*consolé*]. — 4. Je vous rapporte les livres et les revues que vous m'avez [*prêté*]. — 5. Avez-vous [*suivi*] les conseils que je vous ai [*donné*]? — 6. Les chrysanthèmes que vous avez [*apporté*], je les ai [*déposé*] sur la tombe de mes grands-parents.

b) 1. Tous les présents d'avril, je les ai [*dissipé*], Et je n'ai pas [*cueilli*] la grappe de l'automne, Et mes riches épis, d'autres les ont [*coupé*]. (J. Moréas.) — 2. Laisse-la s'élargir, cette sainte blessure Que les noirs séraphins t'ont [*fait*] au fond du cœur. (Musset.) — 3. Oh! si sa mère n'avait pas [*eu*] tant de chagrin, comme il l'aurait [*remercié*]. (A. Daudet.) — 4. Une odeur de gazon écrasé traîne sur la pelouse, non fauchée, épaisse, que les jeux, comme une lourde grêle, ont [*versé*] en tous sens. (Colette.) — 5. Je ne puis contempler sans admiration ces merveilleuses découvertes qu'a [*fait*] la science pour pénétrer la nature. (Bossuet.)

1032. - Même exercice.

1. L'expérience que nous avons [*acquis*] résulte, pour une part, des erreurs que nous avons [*commis*]. — 2. Ah! que de prières j'ai [*adressé*] au ciel pour la conservation d'une vie si chère! (Musset.) — 3. L'averse ayant [*cessé*], nous nous séparâmes. (H. Bosco.) — 4. Venez voir des boucles et des éventails que mesdemoiselles vos nièces ont [*trouvé*] très jolis. (A. France.) — 5. Les choses que l'on sait le mieux sont celles qu'on n'a pas [*appris*]. (Vauvenargues.) — 6. La beauté, le charme du printemps, jamais je ne l'ai mieux [*goûté*] que dans ma région natale.

1033. - Composez sur chacun des thèmes suivants, une phrase contenant un **participe passé** avec **avoir**.

1. Les plaisirs de l'hiver. — 2. Le crépuscule à la campagne. — 3. Les fleurs. — 4. Mes livres d'images.

1034. - VOCABULAIRE : Racine latine : *caput, capitis* = tête. Donnez 6 mots français où se retrouve cette racine.

1035. - ORTHOGRAPHE : Notez dans le carnet d'orthographe : *un chrysanthème, rhumatisme, rhétorique, rhubarbe, rhinocéros, catarrhe.*

1036. - PRONONCIATION : Le groupe -*en*- se prononce *in* dans : *agenda, Agen, benzine, Brassens, pensum, mémento, pentagone, rhododendron, mentor, appendice.*

1037. - LANGAGE : Ne dites pas : « Il ne *décesse* pas de parler » ; — dites : « il ne *cesse* pas ... ». — Employez dans une courte phrase l'expression correcte.

1038. - CONJUGAISON : Conjuguez au présent du subjonctif : *absoudre.*

1039. - ANALYSE : Dites quelle est la fonction des mots en italique : « *Les* boucles que vous *m*'avez offertes, je *les* ai trouvées fort *jolies*. »

Règles particulières.

1040. - Accordez, s'il y a lieu, les **participes passés** en italique. (**Attendu, non compris,** etc.; **ci-annexé, ci-joint, ci-inclus.**)

a) 1. Un jour viendra où nous perdrons tout, nos seuls mérites [*excepté*]. — 2. L'adversité, dit le poète, peut tout chasser d'une âme, [*excepté*] la bonté. — 3. On a dû renoncer à cette entreprise, [*attendu*] les difficultés financières auxquelles on s'est heurté. — 4. [*Vu*] les bons antécédents de l'accusé, on lui a pardonné sa faute. — 5. [*Passé*] ces délais, aucune réclamation ne sera admise. — 6. Lisez la lettre [*ci-inclus*] et les pièces [*ci-annexé*].

b) 1. La devanture, à cause de son manque de largeur, ne pouvait admettre que deux fenêtres de front et une chambre par étage, [*y compris*] la cage de l'escalier. (Th. Gautier.) — 2. [*Supposé*] même sa conversion, il désespère de sa persévérance. (Bourdaloue.) — 3. Tout dormait dans la maison, [*excepté*] ma grand-mère. (Chateaubriand.) — 4. Veuillez me retourner les documents [*ci-joint*]. — 5. Vous trouverez [*ci-joint*] copie du jugement. — 6. [*Ci-inclus*] les pièces que vous m'avez demandées.

1041. - Même exercice. (**Attendu, non compris,** etc.; **ci-annexé, ci-joint, ci-inclus.**)

a) 1. [*Excepté*] de la loi commune, les grands hommes continuent de vivre dans la mémoire de la postérité. — 2. Ce vieillard a cinquante mille francs de revenus, [*non compris*] une petite pension. — 3. [*Entendu*] toutes les parties, le tribunal a décidé que l'affaire serait jugée séance tenante. — 4. [*Ci-inclus*] les factures relatives à votre dernière commande; [*étant donné*] la tendance à la hausse, il serait prudent, croyons-nous, de constituer un stock. — 5. [*Vu*] la difficulté de réussir, il importe de mettre de notre côté le plus de chances de succès possible.

b) 1. [*Étant donné*] l'urgence, je vous envoie par exprès le texte de mon discours. — 2. [*Supposé*] une brusque rupture des négociations, que ferons-nous? — 3. [*Ouï*] les témoins, le tribunal se retirera pour délibérer. — 4. Je vous envoie [*ci-inclus*] une lettre de votre père. — 5. [*Passé*] la Toussaint, il ne faut plus guère attendre de journées de soleil. — 6. Il est des hommes qui semblent avoir tout prévu, leur mort [*excepté*]. — 7. [*Non compris*] au compte précédent, ces sommes ont dû figurer dans les relevés que vous trouverez [*ci-joint*].

1042. - Accordez, quand il y a lieu, les **participes passés** en italique. (**Coûté, valu,** etc.; P.P. des verbes impersonnels.)

a) 1. Cette maison ne vaut pas les huit cent mille francs qu'elle a [*coûté*]. — 2. Vous rendez-vous compte des peines que vous avez [*coûté*] à vos parents? — 3. Ne nous enorgueillissons pas des marques d'honneur que nos travaux nous ont [*valu*]. — 4. Que d'années de travail il a [*fallu*] à certains savants, pour voir aboutir leurs recherches! — 5. Au nombre des plus grands bienfaiteurs de l'humanité qu'il y ait jamais [*eu*] il faut placer Pasteur.

b) 1. Je lui gardais rancune des mauvais instants que la solitude et ma timidité m'avaient [*coûté*]. (E. Jaloux.) — 2. C'est une haute leçon d'honneur, de devoir et de discipline que m'a [*valu*] cette visite. (É. Henriot.) — 3. Les événements que je cherchais ne vinrent pas aussi grands qu'il me les eût [*fallu*]. (Vigny.) — 4. Ces raisons, les avez-vous bien [*pesé*]? — 5. Que de soins m'eût [*coûté*] cette tête charmante! (Racine.) — 6. Pendant les heures qu'a [*duré*] notre souffrance, nous avons gardé notre courage.

1043. - Même exercice. (**Coûté, valu,** etc. ; P.P. des verbes impersonnels.)

a) 1. Chacun de nous se vantait des dangers qu'il avait [*couru*]. (Erckmann-Chatrian.) — 2. Dante est un des plus grands poètes qu'il y ait jamais [*eu*]. — 3. Ah! les beaux génies qu'il a [*paru*] dans la Grèce antique! — 4. Après les trois heures que nous avions [*marché*], nous nous sentions un peu fatigués. — 5. Que de guerres durant les cinquante-quatre ans que Louis XIV a [*régné*]! — 6. Depuis sa maladie, cette personne ne pèse plus les quatre-vingts kilos qu'elle a [*pesé*].

b) 1. De combien de vicissitudes ont été remplis les quatre-vingts ans que cet homme a [*vécu*]! — 2. Les huit heures que nous avons [*dormi*] ont réparé nos forces épuisées par une longue marche et par la chaleur torride qu'il a [*fait*] toute la journée. — 3. Ces caisses, les a-t-on bien [*pesé*]? — 4. C'était énorme pour ton père qui n'avait pas encore la situation que son travail lui a [*valu*] plus tard. (J. Green.) — 5. Cette journée du 9 juin, je l'ai [*vécu*] dans la détresse. (H. Bordeaux.)

1044. - Faites entrer le **participe passé** de chacun des verbes suivants dans deux phrases, en le prenant : 1° au sens intransitif ; 2° au sens transitif (**Coûté, valu,** etc.) :

1. Vivre. — 2. Courir. — 3. Peser. — 4. Valoir. — 5. Coûter.

1045. - VOCABULAIRE : 1. Cherchez dans le dictionnaire le sens de *vicissitude*, — de *torride,* — de *morigéner*.

2. Avec les noms suivants formez des dérivés indiquant le contenu : *bouche, poing, four, charrette, panier.*

1046. - ORTHOGRAPHE : Notez dans le carnet d'orthographe : *emmitoufler, travail fatigant, en se fatiguant, jeûner, déjeuner, un jeune enfant, rompre le jeûne.*

1047. - PRONONCIATION : « Qu'ils *soient,* qu'ils *aient,* qu'ils *voient,* ils *croient* » : prononcez bien : *swa, è, vwa, crwa* — et non : *sway', èy', vway', crway'.*

1048. - LANGAGE : Ne dites pas : « La marchandise sera livrée *endéans* les huit jours » (belgicisme). — Dites : « ... *dans l'intervalle de* ... », ou : « ... *dans le délai de* ... », ou simplement : « ... *dans les* huit jours ». — Employez dans une phrase de votre invention l'une des expressions correctes.

1049. - CONJUGAISON : Conjuguez au futur simple : *courir — bouillir d'impatience.*

1050. - PONCTUATION : Mettez la ponctuation dans : *Soudain ma tante pâlissant dit d'une voix altérée Mon sac Louis n'as-tu pas vu mon sac*

1051. - Justifiez l'accord ou l'invariabilité des **participes passés** en italique. (**Dit, dû**, etc. ; P.P. précédé de l', ou d'un collectif, ou d'un adverbe de quantité.)

1. L'entreprise n'a pas été aussi difficile qu'on l'avait *dit;* elle a été pourtant moins facile que nous ne l'avions *pensé.* — 2. Nous avons fait tous les efforts que nous avons *pu,* mais nous n'avons pas obtenu les résultats qu'on aurait *cru.* — 3. Ah! que de bonnes actions nous n'avons pas *faites!* et combien de choses inutiles nous avons *accomplies!* — 4. Combien les astronomes modernes ont *découvert* d'astres dont les anciens n'ont jamais soupçonné l'existence! — 5. La géométrie est-elle aussi rebutante que quelques élèves l'ont *prétendu?* — 6. Je vis s'abattre une bande d'étourneaux que mon coup de fusil eut bientôt *dispersée.* — 7. Le jardinier me présenta une corbeille de poires qu'il avait *cueillies* une à une.

1052. - Accordez, quand il y a lieu, les **participes passés** en italique. (**Dit, dû**, etc. ; P.P. précédé de l', ou d'un collectif, ou d'un adverbe de quantité.)

a) 1. L'étude de la grammaire est-elle aussi difficile que vous l'aviez [*cru*]? — 2. Que d'énergie vous avez [*dépensé*] en pure perte et que d'échecs vous avez [*subi*] par votre propre faute! — 3. Une pile de livres que j'avais maladroitement [*dressé*] dans un coin s'écroula tout à coup. — 4. Ma passion de la lecture est plus forte encore que vous ne l'aviez [*pensé*]: voyez, dans le coin de ma chambre, cette pile de livres que j'ai [*lu*] en quelques semaines. — 5. Autant de résolutions nous avons [*pris*], autant de victoires nous avons [*remporté*] sur notre apathie. — 6. Il n'a pas obtenu la place qu'il avait [*annoncé*] qu'il obtiendrait.

b) 1. Le grand nombre de fautes que vous avez [*fait*] dans votre dictée me donne à penser que vous n'avez pas eu, en écrivant, toute l'attention que j'aurais [*cru*]. — 2. Le peu de joies que nous avons [*goûté*] ne doit pas nous faire sombrer dans le désespoir. — 3. Il est impossible de trouver de la main-d'œuvre dans cette ville, à cause du peu d'habitants que les bombardements y ont [*laissé*] — 4. C'est le peu d'efforts que vous avez [*fait*] qui a causé votre échec. — 5. C'est le peu d'efforts que vous avez [*fait*] qui expliquent votre succès. — 6. Voici deux livres qu'on m'a [*assuré*] qui vous plairaient.

1053. - VOCABULAIRE : 1. Donnez 5 mots français en *-phone* (gr. *phônê* = voix, son).
2. Donnez 5 homonymes de *lait.*

1054. - ORTHOGRAPHE : Notez dans le carnet d'orthographe : *apathie, sympathie, beaucoup d'avantages, travaillons davantage, un fa dièse.*

1055. - LANGAGE : Ne dites pas : « Frottez, pour que ça *blinque!* » (belgicisme ; néerlandais *blinken* = briller) ; dites : « ... pour que ça *brille!* » ou : « ... pour que ça *reluise!* ». — Employez les verbes corrects dans deux petites phrases.

1056. - CONJUGAISON : Conjuguez au présent du subjonctif : *valoir.*

1057. - ANALYSE : Dites quelle est la fonction des mots en italique : « Après les cinq heures *que* j'avais marché, je *me* sentais très *fatigué.* »

1058. - PONCTUATION : Mettez la ponctuation : *Une femme m'ouvrit à qui je racontai que je m'étais perdu que d'être sans argent ne m'empêchait pas d'avoir faim et que peut-être on serait assez bon pour me donner à manger et à boire après quoi je regagnerais mon wagon remisé* André Gide

---

1059. - Justifiez l'accord ou l'invariabilité des **participes passés** en italique. (P.P. suivi d'un infinitif.)

> *Modèle: a)* « Les arbres que j'ai *vus* grandir. » — A la question « j'ai vu quoi ? » on peut répondre : j'ai vu *que* (= les arbres) grandissant; le participe s'accorde.
>
> *b)* « Les arbres que j'ai *vu* abattre. » — A la question « j'ai vu quoi ? » on ne peut pas répondre: j'ai vu que (= les arbres) abattant; le participe est invariable.

a) 1. Les artistes que j'ai *entendus* chanter. — 2. Les personnes que j'ai *vues* venir. — 3. Les romances que j'ai *entendu* applaudir. — 4. Les occasions que nous avons *laissées* échapper. — 5. Les fautes que vous avez *vu* commettre. — 6. Les habitudes que nous avons *laissées* s'invétérer.

b) 1. Nos amis, nous les avons *vus* partir. — 2. Elle s'est *laissée* mourir. — 3. Ces violonistes, je les ai *écoutés* jouer. — 4. Les ouvriers que j'ai *envoyé* chercher. — 5. La matière que j'ai *cherché* à pétrir. — 6. Elle s'est *laissé* surprendre. — 7. L'émotion que j'ai *sentie* grandir. — 8. Les maçons que j'ai *regardés* travailler. — 9. La méthode que j'ai *préféré* suivre.

1060. - Accordez, quand il y a lieu, les **participes passés** en italique. (P.P. suivi d'un infinitif.)

a) 1. Tous ces arbres, que j'avais [*vu*] reverdir au printemps, je les ai [*vu*] abattre. — 2. Il y a des mélodies que nous avons [*entendu*] chanter des dizaines de fois sans jamais nous lasser. — 3. Une colère sourde que j'avais [*senti*] monter en moi obscurcissait mon jugement, mais je ne l'ai pas [*laissé*] éclater. — 4. Voici la première hirondelle; l'avez-vous [*vu*] tourner autour du clocher? — 5. Ma mère est rentrée; je l'ai [*entendu*] marcher.

b) 1. J'admire les vapeurs légères que le matin d'avril a [*fait*] descendre dans la vallée. — 2. Les fautes que nous avons [*laissé*] commettre nous sont imputables pour une part. — 3. Ceux qui meurent dans la maison qui les a [*vu*] naître meurent là plus doucement qu'ils ne mourraient ailleurs. — 4. Un grand-père s'émeut de tout ce qui atteint ses petits-enfants: il s'attriste quand il les a [*vu*] pleurer ou quand il les a [*entendu*] gronder. — 5. Qu'ils étaient vifs, les pinsons que j'ai [*regardé*] construire leur nid !

1061. - Même exercice. (P.P. suivi d'un infinitif.)

a) 1. Nous n'avons pas obtenu tous les avantages que nous aurions [*souhaité*] obtenir. — 2. Nos parents nous ont toujours [*exhorté*] à bien faire. —

3. Savez-vous la leçon que je vous ai [*donné*] à étudier? — 4. Ces braves gens que vous avez [*regardé*] faire, ayez le courage de les imiter. — 5. Ah! les beaux enthousiasmes de la jeunesse! Si vous les avez [*senti*] vibrer en vous, tournez-les vers une noble cause. — 6. Certains hommes tombent d'une haute situa·tion par les mêmes défauts qui les y avaient [*fait*] monter.

b) 1. Ceux qui meurent à l'ombre des arbres qui les ont [*vu*] naître sont-ils donc si à plaindre? (Chateaubriand.) — 2. Je les ai [*entendu*] tous témoi-gner pour la patrie. (Michelet.) — 3. Tous ces gens qu'il avait [*vu*] passer étaient rangés autour du chœur. (A. Daudet.) — 4. Délivrez les malheureux que j'ai [*laissé*] soupçonner. (Id.) — 5. C'était donc vrai ces choses qu'il n'a-vait pas [*voulu*] entendre. (Fr. Jammes.) — 6. Cela m'a rappelé tous les miens que j'ai [*vu*] mourir. (J. et J. Tharaud.)

1062. - Même exercice. (P.P. suivi d'un infinitif.)

a) 1. Même les difficultés qu'on nous a [*appris*] à résoudre nous laissent parfois dans l'embarras. — 2. Les démarches que vous avez [*tenté*] de faire sont restées sans résultat. — 3. Le renard et le bouc se sont [*laissé*] glisser au fond du puits. — 4. Les peines que nous avons [*eu*] à endurer ont affermi notre courage. — 5. Ah! les braves gens! Les vertus qu'on les a [*vu*] pratiquer leur valent l'estime de tous.

b) 1. Tes enthousiasmes, ma vaillante mère, tu les a [*fait*] passer en moi. (L. Pasteur.) — 2. Vous rappelez-vous la première lettre que vous avez [*eu*] à écrire? — 3. Cette personne est charitable: je l'ai [*vu*] faire l'aumône. — 4. Cette personne, je lui ai [*vu*] faire l'aumône. — 5. Avez-vous suivi la voie qu'on vous a [*affirmé*] être la meilleure? — 6. J'ai rendu à cet homme les hon-neurs que j'ai [*estimé*] devoir à la vertu.

1063. - Accordez, s'il y a lieu, les participes passés en italique. (P.P. précédé de en.)

a) 1. Des joies, qui n'en a pas [*goûté*]? Des souffrances, qui n'en a pas [*enduré*]? — 2. Des efforts persévérants, en avez-vous [*fait*]? — 3. Des projets, nous en avons tant [*formé*]! mais combien en avons-nous [*exécuté*]? — 4. Le vent est un être fantasque: il aime les aventures et il en a [*eu*] beaucoup; il est de tous les pays: combien n'en a-t-il pas [*visité*]? — 5. La lecture est utile: songez aux profits que vous en avez [*retiré*]. — 6. Autant de batailles il a livrées, autant il en a [*gagné*]. — 7. La crainte qu'ils éprouvaient, un peu de réflexion les en a [*libéré*].

b) 1. C'est une auberge quelconque, telle que tout le monde en a [*vu*] dans les pays déshérités. (P. Mille.) — 2. Que de pélicans! grands dieux! En ai-je [*dessiné*]! (E. Pérochon.) — 3. J'ai peu d'aventures à vous raconter, mais j'en ai [*entendu*] beaucoup. (Vigny.) — 4. Et des mouches! des mouches! jamais je n'en avais tant [*vu*]. (A. Daudet.) — 5. Des hommes admirables! Il y en a. J'en ai [*connu*]. (G. Duhamel.) — 6. Vous me parlez de vos peines; en en avez-vous [*connu*] de bien véritables? (H. Becque.) — 7. Des chardons bleus... j'en ai [*vu*] dans un vase de cuivre chez Mme Dalleray. (Colette.) — 8. D'économies, il n'en avait pas [*fait*] non plus. (P. Loti.)

1064. - VOCABULAIRE : Rapprochez par couples, dans la série suivante, les mots synonymes ou approchants : *vivacité, lourd, monceau, précision, respect ;* — *promptitude, justesse, vénération, pesant, tas.*

1065. - ORTHOGRAPHE : Ecrivez bien : 1° avec un **h** : *exhaler, exhausser, exhorter, exhiber, exhumer ;* — 2° sans **h** : *exaucer, exalter, exiger, exorbitant, exubérant.*

1066. - PRONONCIATION : Articulez bien les consonnes finales dans : *votre pantoufle* [et non : *vot' pantouf'*], *autre chose* [et non : *aut' chôss'*], *cuivre rouge* [et non : *cuîf roûch'*].

1067. - LANGAGE : Ne dites ni « J'ai trouvé *porte* de bois » (belgicisme) ni « ... *nez* de bois » (helvétisme) ; — dites : « J'ai trouvé *visage* de bois » ou : « ... *porte close* » (la porte était fermée, ou : il n'y avait personne à la maison). — Employez, chacune dans une courte phrase, les deux expressions correctes.

1068. - CONJUGAISON : Conjuguez au futur antérieur, forme pronominale : *tromper.*

1069. - ANALYSE : Analysez les mots en italique : « La lecture est *très* utile ; songez aux *profits* que vous *en* avez retirés. »

1070. - Dites quel est le complément d'objet direct du **participe passé** (P.P. des verbes pronominaux.)

Modèle : *a)* « Elle s'est *lavée* ». — Elle a lavé qui ? — *se* = c. d'obj. direct.
b) « Elle s'est *lavé* les mains ». — Elle a lavé quoi ? — les mains = c. d'objet direct.

1. Ils se sont *blessés* à la jambe. — 2. Elles se sont *couvertes* de gloire. — 3. Elles se sont *couvert* la tête. — 4. Ils se sont *donné* de la peine. — 5. Ils se sont *donnés* tout entiers à leur travail. — 6. Elles se sont *frotté* le visage. — 7. Ils se sont *accoutumés* à cette besogne. — 8. Elle s'est *coupée* au doigt. — 9. Elle s'est *coupé* les ongles. — 10. Elles se sont *promis* de s'écrire.

1071. - Justifiez l'accord ou l'invariabilité des **participes passés** en italique (P.P. des verbes pronominaux.)

a) 1. Ils se sont *redressés.* — 2. Ils se sont *heurtés* à mille difficultés. — 3. Ces hommes s'étaient *livrés* au jeu. — 4. Ils s'étaient *livré* une guerre cruelle. — 5. Ils se sont *querellés*, ils se sont *dit* des gros mots, puis ils se sont *réconciliés.* — 6. Cette besogne, je me la suis *imposée.* — 7. Ils se sont *confié* mutuellement leurs peines. — 8. Voilà la tâche que je me suis *assignée.* — 9. Ils se sont *nui* à eux-mêmes. — 10. Que de choses ils se sont *imaginées !* — 11. Ils se sont *imaginé* qu'on les persécutait.

b) 1. Les grands hommes se sont toujours *survécu* à eux-mêmes. — 2. Rarement deux enfants se sont *ressemblé* comme ces deux-là. — 3. Ma joie s'est *évanouie* tout d'un coup. — 4. Ils se sont *ri* de la difficulté. — 5. Ces personnes se sont *plaintes* de votre négligence. — 6. Ils se sont *doutés* de quelque chose — 7. Ma mère s'est toujours *plu* dans son foyer. — 8. Songez aux buts qu'ils s'étaient *fixés* et aux résultats qu'ils se sont *efforcés* d'obtenir. — 9. Ces meubles se sont *vendus* fort cher.

1072. - Indiquez la fonction du pronom de forme réfléchie. (P.P. des verbes pronominaux.)

Modèles:		
a) Ils *se* sont évanouis		*se:* sans fonction.
b) Ils *se* sont regardés		*se:* c. d'obj. dir.
c) Ils *se* sont souri		*se:* c. d'obj. indir.

1. Elles *se* sont téléphoné. — 2. Nous *nous* sommes habillés. — 3. Vous *vous* êtes serré la main. — 4. Ils *se* sont enfuis. — 5. Elles *s'*étaient rencontrées. — 6. Les oiseaux *se* sont envolés. — 7. Nous *nous* sommes croisé les bras. — 8. Vous *vous* êtes frayé un chemin. — 9. Ils *se* sont blessés. — 10. Elles *se* sont aperçues de leur erreur.

1073. - Accordez, quand il y a lieu, les **participes passés** en italique. (P.P. des verbes pronominaux.)

a) 1. Vos parents se sont [*imposé*] pour vous bien des sacrifices. — 2. Tous ceux qui se sont [*élevé*] dans l'ordre moral se sont constamment [*tenu*] dans la voie de l'honneur. — 3. Les sages se sont-ils [*demandé*] quels profits matériels ils retireraient de la peine qu'ils se sont [*donné*] pour faire le bien? — 4. Les buissons se sont [*habillé*] d'une fraîche verdure, les corolles se sont [*ouvert*], les oiseaux se sont [*donné*] la joie de chanter le renouveau. — 5. Ils s'étaient [*juré*] de vaincre ou de mourir.

b) 1. Mes amis, ne vous laissez pas entraîner hors de la voie que vous vous êtes [*tracé*]. — 2. La gloire dont certains personnages se sont [*enorgueilli*] doit se mesurer aux moyens dont ils se sont [*servi*] pour l'acquérir. — 3. Admirons ceux qui se sont [*donné*] pour tâche de faire triompher la vérité. — 4. Les croisés se sont [*emparé*] de Jérusalem le 15 juillet 1099. — 5. Beaucoup de gens seraient devenus sages s'ils ne s'étaient [*imaginé*] qu'ils l'étaient déjà.

1074. - Même exercice. (P.P. des verbes pronominaux.)

a) 1. Presque tous les siècles se sont [*plaint*] d'avoir vu l'iniquité triomphante. (Bossuet.) — 2. On a vu des ambitieux qui s'étaient [*proposé*] de conquérir le monde. — 3. La langue latine s'est [*parlé*] autrefois en Gaule. — 4. La physionomie que le fourbe s'est [*composé*] le trahit quelquefois. — 5. Parfois les événements ont ôté à certains personnages les droits qu'ils s'étaient [*arrogé*] et les honneurs dans lesquels ils s'étaient [*complu*]. -- 6. Des vagues de crainte et d'espoir se sont [*succédé*] dans notre âme. — 7. Les ivrognes se sont [*nui*] gravement à eux-mêmes et se sont [*ôté*] l'estime de leur entourage.

b) 1. Nous nous sommes [*donné*] pour tâche d'expliquer le monde. (G. Duhamel.) — 2. Trois médecins se sont [*succédé*] à Yonville sans pouvoir y réussir. (Flaubert.) — 3. Quelques enfants des environs étaient venus, s'étaient [*mêlé*] aux travailleurs. (A. Gide.) — 4. Tous les oiseaux de la terre semblent s'être [*donné*] rendez-vous dans le delta. (P. Morand.) — 5. Les jours se sont [*enfui*] d'un vol mystérieux. (Th. de Banville.) — 6. Elle devint triste,

de même que tout à l'heure elle s'était [*senti*] heureuse. (J. Green.) — 7. En
se quittant, ils s'étaient [*donné*] une solide poignée de main. (V. Larbaud.)

1075. - Employez chacun dans une phrase (avec un sujet pluriel ou féminin) le
participe passé des verbes suivants : (P.P. des verbes pronominaux.)

1. Se réjouir. — 2. Se plaire. — 3. Se succéder. — 4. Se rire de. — 5. Se
tromper.

1076. - VOCABULAIRE : Que signifie « une condition *sine qua non* »? Employez
cette locution dans une petite phrase.

1077. - ORTHOGRAPHE : Notez dans le carnet d'orthographe : *poignée de main,
corolle, physionomie, un rendez-vous, entracte, échauffourée.*

1078. - PHRASEOLOGIE : « Son âge? Il ne le savait point. » (J. Giraudoux.) —
Modifiez, selon cette tournure, la phrase « Personne ne savait de quoi vivait
cet étrange personnage. »

1079. - LANGAGE : « Tenir (ou laisser) quelqu'un *le bec dans l'eau* » = ... dans
l'attente, dans l'incertitude. Ne dites pas « avoir (ou être) le bec dans l'eau »
pour exprimer l'idée de « rester à quia, ne savoir que répondre ». Inventez
une phrase où vous emploierez correctement « laisser quelqu'un *le bec
dans l'eau* ».

1080. - PONCTUATION : Mettez la ponctuation : *Maman m'a dit Christine il fait froid
boutonne ton manteau veux-tu*

PARTICIPE PASSÉ : RÉCAPITULATION

La Gelée.

J'ai souvent [*épié*] la gelée. Ses artifices, je les aurais [*observé*], fût-ce
la nuit, à l'aide d'une lanterne que j'aurais [*promené*] le long des mares
ou des étangs; j'aurais [*voulu*] surprendre comment elle s'y était [*pris*],
comment elle avait [*établi*] cette nappe de glace que j'avais [*vu*] épouser
exactement la forme des bords; j'aurais [*examiné*] ces roseaux et ces
touffes d'herbe qu'elle avait si artistement [*serti*].

Mais les secrets de la gelée, je ne les ai pas [*percé*]. L'aube s'est [*levé*],
d'une couleur particulière, jaune soufre ou vert émeraude, et les détails que
j'ai [*distingué*], je ne me les suis pas [*expliqué*], l'œuvre du froid étant déjà
[*terminé*].

Si les souffles du vent se sont [*mêlé*] de l'aider, la glace s'est [*ridé*] comme
eux. Les regards des étoiles se sont [*posé*] sur la surface [*poli*], mais quand

les nuages les ont [*intercepté*], l'œuvre du gel s'est [*trouvé*] moins bonne. Si la neige s'est [*avisé*] d'intervenir, elle a [*gâté*] la consistance cristalline que la glace aurait [*pris*].

D'après Marie GEVERS, *Plaisirs des météores*. (Stock, édit.).

1081. - Dans le texte ci-dessus, accordez, quand il y a lieu, les **participes passés**.

1082. - Accordez, quand il y a lieu, les **participes passés**.

a) 1. Que de bonnes heures j'ai [*passé*] tête à tête avec mes auteurs [*préféré*]! — 2. Nous nous sommes parfois [*exagéré*] certaines difficultés; elles auraient été facilement [*résolu*] si nous nous étions [*donné*] la peine de les examiner. — 3. Bossuet a [*créé*] une langue que lui seul a [*parlé*]. — 4. Des personnages qui s'étaient [*érigé*] en détenteurs de la vérité ont été [*convaincu*] d'erreur. — 5. Est-il sage de tant déplorer les biens matériels que nous avons [*perdu*]?

b) 1. Les hommes meurent d'ordinaire comme ils ont [*vécu*]. — 2. Aimons le bien, le vrai, le juste et restons-y constamment [*attaché*]. — 3. Que de merveilles le microscope a [*révélé*] aux yeux des naturalistes et des biologistes! — 4. Le peu de patience que vous avez [*montré*], chers amis, vous a [*empêché*] d'attendre l'occasion favorable. — 5. [*Passé*] la Chandeleur, l'hiver finit ou prend vigueur, si l'on en croit le dicton. — 6. Nous nous sommes [*parlé*].

1083. - Même exercice.

a) 1. Les hommes se sont parfois [*imaginé*] qu'ils s'étaient [*rendu*] maîtres des événements, alors qu'ils étaient [*entraîné*] par eux. — 2. Les choses que nous avons [*appris*] à faire dans notre enfance nous semblent toujours faciles. — 3. Bien des gens se sont [*laissé*] prendre à des apparences séduisantes; des personnages, qu'ils avaient [*cru*] savants n'étaient que de prétentieux bavards. — 4. Étant [*donné*] l'heure tardive, nous avons [*fait*] halte; après les dix heures que nous avions [*marché*], il fallait prendre du repos. — 5. Combien de petites victoires nous aurions [*remporté*] si nous avions [*fait*] tous les efforts que nous aurions [*dû*]!

b) 1. Ceux qui se sont [*opposé*] à une habitude naissante l'ont facilement [*déraciné*]. — 2. Je vous renvoie [*ci-joint*] les documents que vous m'avez [*prêté*]. — 3. Que de renseignements j'ai [*tiré*] des livres que vous m'avez [*donné*] à lire! — 4. Un livre, une page, une phrase que nous avons [*lu*], c'est assez parfois pour nous faire abandonner la voie que nous avions [*commencé*] à suivre. — 5. Le peu d'assurance que vous avez [*montré*] a [*produit*] la plus fâcheuse impression. — 6. Voilà les questions que je me suis [*posé*].

1084. - VOCABULAIRE : 1. Expliquez par la racine latine *munus, muneris* (= cadeau, présent) les mots *rémunérer, munificence ;* — et par la racine latine *numerus* (= nombre) : *énumérer*.

2. Quel est le sens de « Il n'y a pas péril *en la demeure* »? [Voir le dictionnaire au mot *demeure*.]

1085. - ORTHOGRAPHE : Notez dans le carnet d'orthographe : 1° mots en **-cieux** : *pernicieux tendancieux, fallacieux, consciencieux, astucieux;* — 2° mots en **-tieux** : *ambitieux, facétieux, minutieux, superstitieux, prétentieux.*

1086. - PRONONCIATION : Prononcez bien : *tuyau* [twi-yô], *tuyère* [twi-yèr'], *bruyant* [brwi-yan], *Guyane* [gwi-yan'], *la Guyenne* [gwi-yèn'].

1087. - LANGAGE : On peut dire *par contre* au sens « en compensation, en revanche ». — Inventez une phrase où vous emploieriez cette locution.

1088. - ANALYSE : Dites quelle est la fonction des mots en italique : « Les hommes *se* sont parfois imaginé qu'ils *s'*étaient rendus *maîtres* des événements. »

Au Cimetière du village.

Ils dorment leur dernier sommeil, [*entouré*] de pieux souvenirs, les morts qu'on a [*enterré*] dans ce petit cimetière. Les chers morts! C'étaient tous de bonnes gens; la vie tout unie qu'ils ont [*mené*] au village s'est [*écoulé*] dans le monotone accomplissement des tâches dont ils avaient été [*chargé*]. Des figures familières, ils n'en ont [*connu*] qu'un petit nombre; leurs ambitions, simples et [*mesuré*] comme leurs moyens généralement, ne les ont pas [*entraîné*] à d'audacieuses entreprises; ils se sont [*satisfait*] des humbles devoirs quotidiens dont ils s'étaient [*fait*] une règle de vie. Leurs jours se sont [*succédé*] tranquilles et se sont tous [*ressemblé*], dans ces paysages agrestes, à l'ombre des arbres qu'ils ont [*vu*] refleurir à chaque printemps, dans ces champs qu'ils ont [*cultivé*] avec amour. C'est dans ce village qu'ils sont [*né*], qu'ils ont [*aimé*], qu'ils ont [*peiné*], pieusement [*attaché*] aux lieux qui les avaient [*vu*] naître. Et c'est ici qu'ils reposent, dans ce champ de silence et de paix où leurs familles les ont religieusement [*couché*].

1089. - Dans le texte ci-dessus, accordez, quand il y a lieu, les **participes passés**.

1090. - Accordez, quand il y a lieu, les **participes passés**.

a) 1. Certains personnages se sont [*prévalu*] de leurs vastes connaissances; ils ont [*étudié*] mille choses et les ont [*scruté*]; ils ont [*exploré*] tout, leur conscience [*excepté*]. — 2. [*Ci-inclus*] les pièces que vous m'avez [*réclamé*]. — 3. Plusieurs se sont [*demandé*] comment cette mère de famille s'y est [*pris*] pour habiller si proprement les cinq enfants qu'elle a [*eu*] à élever. — 4. L'estime qu'une bonne conduite nous a [*valu*] est un bien précieux. — 5. Que de battements d'ailes! on dirait que toutes les mouettes du littoral se sont [*donné*] rendez-vous sur la plage. — 6. Combien n'en a-t-on pas [*vu*] négliger la pratique des petits devoirs quotidiens!

b) 1. J'en ai tant [*vu*], de ces reniements, si tu savais! (A. Billy.) — 2. Vers ces pâles lueurs éparses dans la forêt, il avait [*couru*] tout le jour. L'une après l'autre, il les avait [*vu*] s'éteindre. (M. Genevoix.) — 3. Elle n'accueillit pas cet espoir avec autant de joie qu'il l'avait [*imaginé*]. (Flaubert.) — 4. Que d'économies et de souffrances il lui avait [*fallu*] pour assurer le repos de sa vieillesse! (Erckmann-Chatrian.) — 5. Un jour qu'elle s'était [*piqué*] le doigt avec une aiguille, elle a été [*hanté*], durant un mois, par l'idée qu'elle allait avoir le tétanos. (P. Mille.)

1091. - Même exercice.

a) 1. Certaines choses que nous avions longtemps [*désiré*] ne nous ont pas [*procuré*], quand nous les avons [*obtenu*], toute la joie que nous avions [*pensé*]. — 2. Étant [*donné*] la nécessité d'une culture générale, vous vous appliquerez à l'étude des diverses branches du programme. — 3. On vous décernera les éloges que votre conduite vous aura [*valu*]. — 4. Y a-t-il des enfants qui sont [*resté*] insensibles aux larmes qu'ils ont [*vu*] couler des yeux de leur mère? — 5. Vous trouverez [*ci-joint*] copie des factures que vous avez [*égaré*].

b) 1. Les vieilles gens sont naturellement [*porté*] à trouver préférables aux méthodes récentes celles qu'on leur a [*appris*] à suivre dans leur jeune âge. — 2. Souvent les événements ont [*démenti*] des prévisions que notre naïveté avait [*cru*] infaillibles: les faits que nous avions [*dit*] qui arriveraient ne se sont pas [*produit*] et il s'en est [*passé*] d'autres que nous n'avions pas [*prévu*]. — 3. Que de victoires Napoléon a [*remporté*] pendant les vingt ans que ses armées ont [*parcouru*] l'Europe! — 4. Honneur aux hommes d'État qui se sont [*donné*] pour mission de faire régner un ordre et une paix [*fondé*] sur la justice!

1092. - VOCABULAIRE : 1. Que signifie l'expression *grosso-modo* (du lat. scolastique)? — Employez-la dans une courte phrase.

2. Remplacez par un adjectif en **-ible** ou en **-able** : *qu'on peut montrer* (lat. *ostendĕre,* montrer) ; *qu'on ne peut désarmer par des prières* (lat. *orare,* prier) ; — *auquel on ne peut toucher* (lat. *tangĕre,* toucher) ; — *qu'on ne peut raconter* (lat. *narrare,* raconter) ; — *qu'on ne peut blesser* (lat. *vulnerare,* blesser) ; — *qu'on peut manger* (lat. *comedĕre,* manger).

1093. - LANGAGE : Ne dites pas : «louer un *quartier* de quatre *places*» (belgicisme) ; — dites : « un *appartement* de quatre *pièces* ». — Inventez une phrase où *pièce* (partie d'un logement) sera employé correctement.

1094. - PHRASÉOLOGIE : On dit : *cruel* comme ... ; — *laid* comme ... ; — *rapide* comme ... ; — *paresseux* comme ... ; — *fier* comme ... ; — *effronté* comme ... ; — *malheureux* comme ... ; — *lent* comme ... [Choisir le terme de comparaison parmi : *le vent, Artaban, un tigre, une tortue, les pierres, une couleuvre, un page, un pou.*]

1095. - CONJUGAISON : Conjuguez au futur simple : *prévoir.*

1096. - PONCTUATION : Mettez la ponctuation voulue aux endroits marqués par un trait vertical : *Si l'on dit du mal de toi et qu'il soit véritable | corrige-toi | si ce sont des mensonges | ne vaut-il pas mieux que tu te contentes d'en rire |*

Mon Beau Village.

J'aime ce coin de terre où je suis né; j'aime les visages familiers de ces bonnes gens que j'ai [*vu*], depuis mon enfance, vivre ici cette vie simple qu'ils y ont toujours [*vécu*]. Nous sommes, eux et moi, comme d'une même famille. De nombreux événements se sont [*succédé*] où nous avons été [*mêlé*] et où je retrouve les joies et les malheurs que nous avons [*éprouvé*] ensemble.

Des ancêtres communs ont [*passé*] là comme nous y passons. Ils se sont [*survécu*] en nous; les usages et les traditions que nous nous sommes [*plu*] à suivre, ce sont eux qui nous les ont [*laissé*] avec les souvenirs et les croyances qu'ils nous ont [*légué*]. Nous labourons les champs qu'ils ont [*labouré*], les maisons qu'ils ont [*bâti*] nous abritent; voici les arbres qu'ils ont [*planté*], voici l'église où ils se sont [*recueilli*], et voici le cimetière où notre piété filiale les a religieusement [*couché*].

1097. - Dans le texte qui précède, accordez quand il y a lieu, les **participes passés.**

1098. - Accordez, quand il y a lieu, les **participes passés.**

a) 1. Gloire à ceux qui se sont [*fait*] les défenseurs de la justice et de la vérité! — 2. Ces arbres-ci ont [*donné*] des fruits; ceux-là n'en ont pas [*donné*]: ils seront [*abattu*] et [*jeté*] au feu. — 3. Comme s'ils s'étaient [*donné*] le mot, les moineaux se sont [*abattu*] sur les semis que j'ai [*fait*]. — 4. Le peu de persévérance que vous avez [*montré*] m'afflige. — 5. Toutes les occasions de vous instruire que vous a [*offert*] la vie quotidienne, ne les avez-vous pas trop souvent [*laissé*] passer?

b) 1. [*Ci-inclus*] les pièces que vous avez [*souhaité*] recevoir. — 2. Les personnes de la réunion, [*y compris*] les dames et les enfants, formaient une sorte de procession à bannières. (M. Bedel.) — 3. [*Passé*] la Toussaint, la flamme paraît naturelle et cesse d'émouvoir. (H. Lavedan.) — 4. Mais de pressentiments funèbres, ils n'en avaient jamais [*eu*]. (H. Bordeaux.) — 5. Quand tu nous auras tous [*entendu*] exposer et défendre notre opinion, tu choisiras paisiblement la tienne. (Maupassant.) — 6. Nous nous étions [*exagéré*] les dangers d'une désertion. (M. Barrès.)

1099. - Même exercice.

a) 1. La nuit vient : une à une les rumeurs se sont [*tu*]; je contemple en rêvant les étoiles que j'ai [*regardé*] s'allumer dans le ciel pur. — 2. Depuis des milliers d'années, des générations se sont [*succédé*] sur la terre ; elles se sont toutes [*proposé*] la conquête du bonheur. — 3. Quelle somme de travail il a [*fallu*] pour édifier les pyramides d'Égypte ! — 4. La machine arithmétique qu'avait [*imaginé*] Pascal a [*émerveillé*] les savants de l'époque ; combien plus admirables sont les ordinateurs électroniques qu'ont [*inventé*] les savants de notre temps ! — 5. Cette fable que j'ai [*récité*] un jour pour la fête de ma grand-mère, je me la suis [*rappelé*] avec émotion.

b) 1. Elle frappa des pieds une ou deux fois et pénétra au salon après s'être [*essuyé*] les chaussures. (J. Green.) — 2. Combes habitait encore dans la bergerie que lui avait [*laissé*] son père. (A. Chamson.) — 3. Deux femmes montaient l'escalier en courant. On les avait [*laissé*] entrer, quoique l'heure des visites fût [*passé*]. (A. Daudet.) — 4. Les ouvrières de madame Clémence, après s'être [*lavé*] les mains dans une antichambre près du bureau de la caissière, entrèrent dans la salle à manger. (R. Bazin.) — 5. La Suisse s'est [*donné*] des institutions excellentes et elle s'y tient avec beaucoup de bon sens. (G. Duhamel.) — 6. Les quatre coups de fusil s'étaient [*succédé*] avec une rapidité incroyable. (Mérimée.)

Nos amis, les Livres.

Quelle belle et bonne compagnie que celle des livres, ces amis sûrs, complaisants, qui ne se sont jamais [*indigné*] quand nous les avons [*négligé*], qui ne se sont jamais [*cru*] [*blessé*] si, d'aventure, nous les avons [*contredit*] ! Nos critiques, notre paresse, nos caprices, ils les ont patiemment [*souffert*]. Certes, de tels amis, on n'en a, dans la vie, [*rencontré*] que bien peu.

Les livres sont un capital inestimable. Que de travaux, que de recherches n'ont-ils pas [*coûté*] ! Ils ont [*attesté*], quand nous les avons [*interrogé*], que les vérités ne se sont [*fait*] jour que lentement, que bien souvent les erreurs qu'on a [*eu*] à déraciner ont [*reparu*] après qu'on les a [*eu*] [*extirpé*]. Oui, toutes les peines que se sont [*imposé*] leurs auteurs pour nous inculquer toutes ces vérités qu'ils ont [*creusé*], [*rendu*] lumineuses et [*offert*] à notre soif de savoir, valent bien que nous rendions aux livres, nous aussi, le culte que les esprits d'élite se sont toujours [*plu*] à leur rendre.

1100. - Dans le texte ci-dessus, accordez, s'il y a lieu, les **participes passés**.

1101. - Accordez, quand il y a lieu, les **participes passés**.

a) 1. [*Vu*] les difficultés du voyage, nous avons [*décidé*] d'ajourner la visite que nous vous avions [*promis*]. — 2. Autant de démarches nous avons [*fait*], autant de rebuffades nous avons [*essuyé*]. — 3. Que d'injustices se sont [*com-

mis] que la justice humaine n'a pas [*puni*]! — 4. Quel est le chasseur qui a [*tué*] tous les lièvres qu'il a [*couru*]? — 5. La gloire est la dette de l'humanité envers le génie, c'est le prix des services qu'elle reconnaît en avoir [*reçu*].

b) 1. Nous avons [*survécu*] à trop d'arbres pour ne pas nous être [*aperçu*] que les sites meurent comme les hommes. (Fr. Mauriac.) — 2. Des années entières s'étaient [*passé*] et je les avais [*vécu*] comme si mon oncle devait vivre éternellement. (J. Green.) — 3. Les deux femmes se rapprochaient à nouveau et reprenaient la vieille amitié qu'avaient [*lié*] leurs espérances communes. (A. Chamson.) — 4. Les visions qui s'étaient [*succédé*] pendant mon sommeil m'avaient [*réduit*] à un tel désespoir que je pouvais à peine parler. (Nerval.) — 5. C'était pour Jean, cette réflexion explicative, la seule qu'on eût jamais [*entendu*] sortir de sa bouche. (P. Loti.) — 6. Elle s'était [*arrogé*] le droit de tout dire. (H. Bosco.)

1102. - VOCABULAIRE : Par quels noms exprime-t-on la qualité de celui qui est : *franc? — exact? — gentil? — fat? — humble? — balourd? — badaud? — hébété?*

1103. - ORTHOGRAPHE : Notez dans le carnet d'orthographe en mettant en rouge les accents : *goûter, bâillement, je revêts, poète, empiétement, il pêche à la ligne, il pêche contre le bon sens.*

1104. - LANGAGE : Ne dites pas : « Qu'est-ce là *pour* un homme? » (germanisme) ; dites : « Quel homme est-ce là? » ou : « Qu'est-ce que cet homme? » ou : « Quel genre d'homme est-ce? » — Employez chacun dans une courte phrase les tours corrects.

1105. - CONJUGAISON : Conjuguez au conditionnel présent: *surseoir.*

1106. - ANALYSE : Dites quelle est la fonction des mots en italique : « Les vieilles gens trouvent *préférables* aux *méthodes* récentes celles qu'on *leur* a appris à suivre dans leur jeune *âge.* »

1107. - Accordez, quand il y a lieu, les **participes passés.**

Joies du travail.

Sans doute il est des travaux pénibles, mais la joie de la réussite n'a-t-elle pas [*compensé*] les douleurs que nos efforts nous ont [*coûté*] et ne nous les a-t-elle pas [*fait*] oublier? Le savant se souvient-il encore des dangers qu'il a [*couru*], des difficultés qu'il a [*rencontré*], des veilles qu'il a [*passé*], lorsque la vérité s'est soudain [*révélé*] à son esprit? L'artiste pense-t-il encore aux tourments qu'il a [*subi*], aux dépits que lui ont [*cau-*

sé] ses échecs, aux angoisses qu'il a [*éprouvé*] quand enfin s'est [*dressé*] devant lui l'œuvre qu'il avait [*rêvé*]?

Oui, le travail nous rend au centuple les plaisirs que nous lui avons [*sacrifié*]. Lorsque tous ces oisifs qu'on a [*vu*] languir d'ennui se seront [*fait*] une loi de travailler et qu'ils se seront [*donné*] de la peine, ils verront leur ennui se tourner en plaisir.

D'après E. RAYOT, *Leçons de morale pratique.*
(Éditions de la Pensée moderne, « Collection Mellottée »).

1108. - Accordez, quand il y a lieu, les **participes passés.**

Au bord du bassin.

Un jour Marcel avait [*découvert*] le bassin; son imagination s'en était [*emparé*] et en avait [*fait*] une mer intérieure. Après bien des pourparlers, nous étions [*convenu*] que les marches d'escalier descendant dans l'eau seraient [*réputé*] sa propriété personnelle.

Souvent nous nous sommes [*rassemblé*] au bord de cette mer mystérieuse et les heures que nous avons [*passé*] à en explorer les eaux nous ont [*émerveillé*]. Les insectes que nous avons [*regardé*] flotter à la surface paraissaient [*fait*] d'une brindille horizontale qu'on eût [*cru*] [*posé*] sur six minces pattes. Ils ressemblaient à des bâtons d'écriture qui se seraient [*échappé*] des cahiers de l'école.

Ah! leurs notions de système métrique, ils ne les avaient pas [*oublié*]: lorsque nous les avions malicieusement [*poursuivi*], ils savaient compter les centimètres qu'ils avaient [*parcouru*] à la surface de l'eau. Même les tempêtes que nous avions parfois [*soulevé*] autour d'eux pour les noyer les ont [*laissé*] patiner sur la portion d'eau calme qui leur était [*resté*].

D'après Valery LARBAUD, *Enfantines.* © Éditions Gallimard.

CONSTRUCTION DU PARTICIPE ET DU GÉRONDIF

1109. - Transformez les phrases suivantes de telle sorte que, dans chaque cas, le **participe** ou le **gérondif** se rapporte au sujet du verbe principal :

Modèle: Je compte sur votre bonne visite; croyez à ma bien vive sympathie. — *Comptant* sur votre bonne visite, *je* vous prie de croire à ma bien vive sympathie.

a) 1. J'espère que vous accueillerez favorablement ma demande; daignez agréer l'assurance de mon profond respect. *Espérant* que... — 2. Vous avez examiné cette affaire à la hâte: je ne pense pas que vous ayez pu en démêler la complexité. *Ayant examiné...* — 3. Je souhaite gagner le gros lot d'un million: faites-moi donc parvenir un carnet de dix billets de votre tombola. *Souhaitant...* — 4. Comme j'ai été reçu à mon examen, mes parents m'ont offert une guitare. *Ayant été reçu...* — 5. Tu travailles sans méthode; il me semble que tu ne saurais réussir. *Travaillant...* — 6. J'ai reçu une tuile sur la tête; mon médecin m'a mis en observation. *Ayant reçu...*

b) 1. Tandis qu'il disait ces mots, des sanglots entrecoupaient sa voix. *En disant...* — 2. Parce que nous sommes absorbés par les soucis matériels, notre perfectionnement moral ne nous occupe guère. *Absorbés...* — 3. J'avais oublié mon livre; mon mari m'a prêté le sien. *Ayant oublié...* — 4. Quand vous entrerez dans la vie, bien des difficultés vont se dresser devant vous. *En entrant...* — 5. Si vous êtes armés d'une volonté puissante, bien des difficultés seront aplanies. *Armés...* — 6. Nous nous occupons trop des devoirs des autres, et nos propres devoirs se trouvent négligés. *Trop occupés...*

1110. - Complétez les phrases suivantes :

a) 1. Ayant peu d'expérience, ... — 2. Comprenant l'importance de l'étude, ... — 3. En voyant une telle misère, ... — 4. Méprisé de tout le monde, ... — 5. Entouré de tant de soins, ...

b) 1. Espérant que vous ne refuserez pas d'examiner ma requête, ... — 2. Ayant reçu votre précieux encouragement, ... — 3. Ne pouvant me rendre à votre aimable invitation, ... — 4. Étant empêché de participer à la cérémonie, ... — 5. Ayant couru deux lièvres à la fois, ...

1111. - VOCABULAIRE : Dessinez et coloriez un croquis représentant théoriquement une fleur (de poirier, par exemple) et indiquez-y : le *pédoncule,* le *calice* et ses *sépales,* la *corolle* et ses *pétales,* le *style,* le *stigmate,* les *étamines.*

1112. - OTHOGRAPHE : Notez dans le carnet d'orthographe : *quant à moi, quand j'y pense, asphyxie, arithmétique, bafouer.*

1113. - PRONONCIATION : Faites bien entendre l'*l* dans: *escalier* [es-ka-lyé et, non : ès-ka-yé], *milieu* [mi-lyeu, et non : mi-yeu], *bilieux* [bi-lyeu, et non : bi-yeu], cavalier [ka-va-lyé, et non : ka-va-yé], *million* [mi-lyon, et non : mi-yon].

1114. - LANGAGE : Ne dites pas « tirer son plan » (belgicisme) ; — dites : « s'en tirer » ou « se tirer d'affaire ». — Employez chacune dans une phrase les expressions correctes.

1115. - ANALYSE : Dites quelle est la fonction des mots en italique : « *Parce que* nous sommes absorbés *par* les *soins* matériels, notre perfectionnement moral ne nous préoccupe guère. »

1116. - PONCTUATION : Mettez aux endroits marqués par un trait vertical, les signes de ponctuation voulus : *Si nous en croyons l'épitaphe que La Fontaine composa pour lui-même | le fabuliste faisait de son temps deux parts | l'une | il la passait à dormir | l'autre | à ne rien faire |*

PROPOSITIONS PARTICIPES

1117. - Soulignez en rouge les sujets des **propositions participes** ; en bleu les sujets des propositions principales.

1. La lumière baissant toujours, nous avons interrompu nos recherches. — 2. Un rocher barrant le passage, les explorateurs ont rebroussé chemin. — 3. L'air devenu serein, le pigeon continua son voyage. — 4. Le moissonneur, la journée terminée, contemple les gerbes dressées sur le champ. — 5. Avril venu, la verdure nouvelle déploie sa fraîcheur.

1118. - Cherchez les sujets des formes verbales en italique; soulignez en rouge ceux qui appartiennent à une **proposition participe,** en bleu ceux qui se rapportent à une proposition principale.

1. Les circonstances *aidant,* vos efforts, je l'espère, seront couronnés de succès. — 2. Les enfants parurent, *ouvrant* la marche, mais une grosse averse *tombant* brusquement, le cortège se disloqua. — 3. *Ayant levé* la tête, Caïn vit un œil grand ouvert dans les ténèbres. — 4. L'âge *venant,* vous apprendrez à bien juger les hommes et les événements. — 5. Le héron, *ayant vu* dans la rivière des tanches, dédaigna ce mets; les tanches *rebutées,* il trouva des goujons: il les dédaigna encore. La faim le *prenant,* il fut tout heureux de rencontrer un limaçon.

1119. - Remplacez par une **proposition participe** les mots en italique.

a) 1. *Quand les chats sont partis,* les souris dansent. — 2. *Dès que la bise fut venue,* la cigale se trouva fort dépourvue. — 3. *Si les circonstances vous aident,* vos projets pourront réussir. — 4. *Comme l'habitude est en germe dans le premier acte,* il importe d'éviter une première faute. — 5. *Quand le printemps est revenu,* tout chante dans la nature. — 6. *Après la prise de la ville,* on fit le siège des maisons.

b) 1. *Lorsque la tempête fut apaisée,* Panurge retrouva tout son courage. — 2. *Le soir approchait:* nous cherchâmes un asile pour la nuit. — 3. Un homme exerce généralement une bonne influence quand il est instruit et vertueux; *après avoir admis ce principe,* vous ne pouvez manquer de faire des efforts pour vous instruire et pour devenir meilleurs. — 4. *Comme l'avenir ne nous appartient pas,* nous ne formerons pas de projets inconsidérés. — 5. *Parce que notre amour-propre est susceptible,* nous réagissons vivement quand on critique notre conduite.

1120. - Dites si les participes en italique appartiennent ou non à des **propositions participes.**

1. Le temps *s'enfuyant* rapidement, nous emploierons de notre mieux toutes nos journées. — 2. Le temps, *s'enfuyant* rapidement, emporte beaucoup de nos projets. — 3. La crainte le *tenaillant,* l'avare mène une existence bien triste. — 4. César *ayant rallié* ses soldats, la bataille bientôt changea de face. — 5. Les cloches du village, *carillonnant* à toute volée, disent la joie de Pâques. — 6. Quelque diable me *poussant,* dit l'âne, je tondis de ce pré la largeur de ma langue. — 7. La cigale *ayant chanté* tout l'été, n'avait rien amassé; la bise *venue,* elle souffrit cruellement de la faim. — 8. Les premiers feux du jour *étant tombés,* tous les paysans vaquaient à leurs cultures. (Ph. Hériat.)

1121. - Remplacez les trois points par une **proposition participe.**

1. Le merle, ... jette du haut d'un marronnier son sifflement joyeux. — 2. ..., nous nous garderons de porter des jugements téméraires. — 3. ..., je ne manquerai pas de relire attentivement mon texte. — 4. ..., le cultivateur se hâte de rentrer sa moisson. — 5. ..., les oiseaux migrateurs s'en vont vers les régions chaudes. — 6. Tout est encore assoupi dans la forêt, mais, ..., mille rumeurs circulent dans les branches.

1122. - VOCABULAIRE : Que signifie l'expression *prendre quelqu'un sans vert?* (Voir le dictionnaire.) — Employez-la dans une courte phrase.

1123. - ORTHOGRAPHE : Notez dans le carnet d'orthographe : 1° mots en -**cable** : *applicable, explicable, implacable, impraticable, inextricable ;* — 2° mots en -**quable** : *critiquable, inattaquable, remarquable, immanquable, risquable.*

1124. - PHRASÉOLOGIE : « Personne, *que je sache,* n'a téléphoné ce matin. » — Employez, dans une phrase négative, *que je sache* (tour au moyen duquel on indique que, si le fait énoncé n'est pas réel, on l'ignore).

1125. - LANGAGE : Ne dites pas : « Tu arrives trop de bonne heure » ; — dites : « .. *de trop bonne heure* ». — Employez, dans une phrase de votre invention, la construction correcte.

1126. - CONJUGAISON : Conjuguez au futur simple : *assaillir.*

1127. - ANALYSE : Dites quelle est la fonction des mots en italique : « *Partout,* affirment les *moralistes,* il y a *place* pour l'héroïsme, *car* partout il y a place pour le devoir. »

ACCORD DU VERBE

RÈGLES GÉNÉRALES

Pas de chance !

La chance ? *disait* une bonne vieille, elle ne me connaît pas. Vous la *connaissez*, vous ?

Vint le jour des Rois. Je *pétrirai* une galette, pensa la vieille, avec une fève. Puisque je la mangerai seule, cette galette, je serai reine! Ainsi, dame Chance, tu me *favoriseras* enfin. Nous *verrons* bien.

La galette cuite, la vieille en fit quatre parts. Elle en *mangea* une: pas de fève! puis une seconde: pas de fève encore! — J'y pense, se dit-elle: la reine, le jour des Rois, boit pour fêter son avènement. *Allons* à la cave chercher un bol de lait.

Quand elle entra, le chat du voisin *mangeait* un quartier de la galette. Tout à coup, sous la dent de l'animal, un craquement: la fève! La vieille offrit au chat le bol de lait: « *Lape,* Minet, le roi boit! » Je le *vois* bien: pour moi, je n'aurai jamais de chance...

Elle donna au chat le dernier quartier de galette.

D'après Lina ROTH, *Les Loisirs de l'enfant*. (Cep beaujolais, édit.).

1128. - Expliquez, dans le texte ci-dessus, l'**accord des verbes** en italique.

Modèle: SUJETS	VERBES
une bonne vieille: 3ᵉ p. sg.	disait

1129. - Justifiez l'**accord des verbes** en italique.

1. Quiconque ne *sait* pas souffrir n'a pas un grand cœur. — 2. Qui *dénombrerait* les étoiles du ciel? — 3. Que de satisfactions nous *procure* le travail! — 4. Dans l'air attiédi *flottent* mille senteurs exquises. — 5. *Coulez,* ruisseaux murmurants; brises légères, *errez* dans la vallée. — 6. Vos parents et moi-même ne *désirons* que votre bonheur. — 7. Tes amis et toi *pourrez* vous joindre à nous pour une promenade au bois. — 8. Vous et vos pareils *méritez* de graves reproches.

1130. - Inventez de petites phrases en prenant pour sujets les expressions suivantes :

1. Les flatteurs. — 2. Aucun de nous. — 3. La patience et la persévérance. — 4. Ma famille et moi-même. — 5. Ton frère et toi.

1131. - Faites l'**accord des verbes** en italique.

a) 1. Les yeux [*être*, ind. pr.] le miroir de l'âme. — 2. Dans le lointain [*vibrer*, ind. imparf.] les appels de la cloche du soir; déjà [*s'allumer*, id.] les premières étoiles. — 3. Dans quelques semaines [*revenir*, fut. s.] les beaux jours; mes frères et moi [*former*, ind. pr.] déjà des projets d'excursions. — 4. Ô mère! mon frère, ma sœur et moi t'[*aimer*, ind. pr.] tendrement. Toi seule [*savoir*, id.] nous consoler. — 5. Que [*dire*, ind. pr.] les voix du soir quand [*s'étendre*, [id.] dans la vallée la brume et l'ombre des collines?

b) 1. Mes chiens et moi [*être*, passé s.] des êtres nouveaux, capables de franchir en moins de deux heures la distance qui nous séparait du bois. (M. Constantin-Weyer.) — 2. Les tiens et toi [*pouvoir*, ind. pr.) vaquer, Sans nulle crainte à vos affaires. (La Font.) — 3. Je t'adresse donc ce récit, tel que Denis, Daniel et moi l'[*entendre*, passé s.] (A. Gide.) — 4. A la barbe de neige [*s'ajouter*, ind. imparf.] le parchemin de la peau, la maigreur des mains, les rides de la face. (Cl. Farrère.) — 5. Toi seule [*être*, ind. prés.] mon trésor et toi seule [*être*, id.] mon bien. (Hugo.) — 6. Mes grands-parents repartis, [*rester*, ind. imparf.] seulement avec nous Millie et mon père. (Alain-Fournier.)

1132. - VOCABULAIRE : Quels sont les adjectifs en -**u** signifiant : en forme de *fourche?* — qui a beaucoup de *feuilles?* — couvert de *mousse?* — qui a beaucoup de *branches?* — qui a de grosses *joues?* — *blanchi* par la vieillesse (lat. *canus,* blanc)? — qui a beaucoup de *grains?* — qui a un gros *ventre?*

1133. - ORTHOGRAPHE : Notez dans le carnet d'orthographe : *excursion, chemineau* (vagabond), *cheminot* (employé de chemin de fer), *agrafe, mufle.*

1134. - LANGAGE : On peut dire : *se changer* ou *changer,* au sens de « changer de linge, d'habits ». — Employez *changer,* en ce sens, dans une courte phrase.

1135. - CONJUGAISON : Conjuguez au présent de l'indicatif : *prédire.*

1136. - ANALYSE : Dites quelle est la fonction des mots en italique : « A *tous les cœurs* bien nés *que* la patrie est *chère!* »

1137. - PONCTUATION : Mettez aux endroits marqués par un trait vertical, les signes de ponctuation voulus : *Ce que nous savons* | *c'est une goutte d'eau* | *ce que nous ignorons* | *c'est l'océan* |

COLLECTIF OU ADVERBE DE QUANTITÉ SUJET

1138. - Faites l'**accord des verbes** en italique.

a) *Le collectif frappe le plus l'esprit :*

1. Un triangle de canards sauvages [*pointer*, ind. pr.] vers le sud. — 2. La multitude des étoiles [*étonner*, ind. pr.] notre imagination. — 3. Une énorme

masse de nuages violacés [*encombrer*, ind. imparf.] l'horizon. — 4. Une longue file de curieux [*onduler*, ind. imparf.] dans la rue. — 5. Attention! cette pile de livres [*s'écrouler*, fut. s.] si vous y ajoutez quelques volumes. — 6. Ma collection de timbres-poste [*s'enrichir*, passé comp.] grâce à votre aimable envoi.

b) *Le complément du collectif frappe le plus l'esprit:*

1. Une foule de gens ne [*faire*, ind. pr.] réflexion sur rien. — 2. Un grand nombre d'amis [*féliciter*, passé comp.] le lauréat. — 3. Une série de difficultés, les unes graves, les autres légères, [*retarder*, passé comp.] l'achèvement des travaux. — 4. Une quantité de correspondants me [*demander*, ind. prés.] d'expliquer ma pensée. — 5. Une foule de souvenirs [*se succéder*, ind. pr.] dans ma mémoire. — 6. Une multitude de sauterelles [*ravager*, passé s.] toute la région. — 7. Quantité de témoins [*déposer*, passé comp.] en faveur de l'accusé.

1139. - Soulignez en rouge l'élément qui commande l'**accord du verbe.**

1. Le peu d'efforts que vous faites *mérite* une punition. — 2. Le peu d'efforts que vous faites *méritent* une récompense. — 3. Toute une peuplade de hautes coupoles à l'abandon se *tient* encore debout. (P. Loti.) — 5. Tant d'éclairs m'*éblouissent*. (Fénelon.) — 5. Le trop d'expédients *peut* gâter une affaire. (La Font.) — 6. Une bande d'enfants *s'agitaient* autour d'elles. (J. et J. Tharaud.) — 7. Un groupe d'hommes *est* occupé à abattre un vieil olivier gris. (P. Loti.)

1140. - Accordez les verbes en italique.

a) 1. Une longue file de voitures [*onduler*, ind. imparf.] dans l'avenue. — 2. Un rideau de peupliers [*masquer*, ind. pr.] de ce côté le paysage. — 3. Combien de livres [*paraître*, ind. pr.] chaque année! — 4. Un essaim d'abeilles [*se suspendre*, passé comp.] à une branche du pommier. — 5. La plupart des enfants [*aimer*, ind. pr.] beaucoup les histoires. — 6. Beaucoup de gens [*laisser*, ind. pr.] échapper de belles occasions d'agir.

b) 1. La plupart des grands hommes [*s'enorgueillir*, passé comp.] d'être bons patriotes. (Cl. Farrère.) — 2. Trop de choses m'[*échapper*, ind. imparf.] dans la vie de mon ami. (G. Duhamel.) — 3. Tout à coup un groupe de maisons blanches [*se dégager*, passé s.] de la poussière de la route. (P. Loti.) — 4. Plus d'un [*montrer*, ind. imparf.] avec orgueil sa vieille médaille. (Flaubert.) — 5. Une foule de ménagères [*se bousculer*, ind. imparf.] autour des étalages. (H. Troyat.) — 6. Tant de coups successifs [*sembler*, ind. imparf.] avoir brisé la vigueur du vieux. (R. Bazin.)

1141. - Faites l'**accord des verbes** en italique.

a) 1. La plupart des hommes [*employer*, ind. pr.] la meilleure partie de leur vie à rendre l'autre misérable. (La Bruyère.) — 2. La plupart se [*faire*, ind. prés.] des illusions jusque dans la vieillesse. — 3. Plus d'un flatteur se [*donner*, ind. pr.] mutuellement des louanges excessives. — 4. Moins de deux semaines [*se passer*, ind. p.-q.-parf.] et déjà le petit malade se promenait dans le jardin; un groupe de camarades [*venir*, ind. imparf.] l'un après l'autre lui tenir compagnie. — 5. Beaucoup ne [*remarquer*, ind. pr.] pas qu'une quantité de petits bonheurs [*être*, ind. pr.] tous les jours à leur portée. — 6. Déjà plus d'une feuille sèche [*parsemer*, ind. pr.] les gazons jaunis. (Th. Gautier.)

b) 1. La moitié des députés [*voter*, passé comp.] pour le projet, l'autre moitié [*voter*, id.] contre. — 2. Plus d'un roman, plus d'un film qu'un certain engouement porte aux nues [*tomber*, fut. s.] dans l'oubli. — 3. Une foule de gens [*estimer*, ind. pr.] que le bonheur est dans la richesse. — 4. Quelle foule de pensées agréables et tristes [*se presser*, ind. pr.] à la fois dans mon cerveau! (X. de Maistre.) — 5. Plus d'un [*se rappeler*, passé s.] des matinées pareilles. (Flaubert.) — 6. Mon père prononce peu de paroles; ce peu de paroles [*marquer*, ind. pr.] un caractère taciturne.

1142. - Même exercice.

a) 1. Une douzaine de chefs [*être accroupi*, ind. pr.], dans leur beurnouss, tout autour de la salle. (A. Daudet.) — 2. La plupart [*discerner*, ind. pr.] mal le véritable mérite. — 3. Plus d'un [*oublier*, ind. pr.] que nos actes nous suivent. — 4. Les Suisses eurent trois ou quatre soldats tués ou blessés; ce peu de morts [*se changer*, passé comp.] en une effroyable tuerie. (Chateaubriand.) — 5. Le peu de dents que j'avais [*être parti*, ind. pr.]. (Voltaire.)

b) 1. La plupart [*se laisser*, ind. pr.] séduire par de belles apparences; le sage sait qu'une foule de choses [*briller*, ind. pr.] qui ne sont pas de l'or. — 2. Tant d'occasions de s'instruire [*se présenter*, ind. pr.] au cours d'un voyage à l'étranger! — 3. Plus d'un long jour [*s'écouler*, passé comp.] depuis. (G. Duhamel.) — 4. Peu d'efforts [*suffire*, ind. pr.], dans bien des cas, pour se tirer d'une situation difficile. — 5. Une file d'hommes [*attendre*, ind. imparf.] sur des chaises, l'air ennuyé. (É. Zola.) — 6. Le peu de cheveux qu'il avait [*être*, ind. imparf.] gris. (Hugo.) — 7. Moins de deux ans [*suffire*, fut. s.] pour achever cette entreprise.

1143. - VOCABULAIRE : Donnez les mots en -*aire* correspondant à : *œil* (lat. *oculus*) ; — *oreille* (lat. *auricula,* petite oreille) ; — *anneau* (lat. *annulus*) ; — *lettre* (lat. *epistola*) ; — *angle* (lat. *angulus*) ; — *étoile* (lat. *stella*) ; — *cuisine* (lat. *culina*).

1144. - ORTHOGRAPHE : Notez dans le carnet d'orthographe : *exceller, excéder, excepter, exciter.*

1145. - PHRASÉOLOGIE : « *Vienne* encore un procès, et je suis achevé. » (Corneille.) — Modifiez selon ce tour, la phrase « S'il vient la moindre disgrâce, cet homme restera seul. »

1146. - LANGAGE : 1. On peut dire : « acheter *à* bon marché » ou « acheter bon marché ». — Employez chacune de ces constructions dans une courte phrase.
2. Germanisme (helvétisme) : « Un *hydrant* » [pour : « une *bouche d'incendie*, une *prise d'incendie* »]. — Employez dans une courte phrase l'une des expressions françaises.

1147. - ANALYSE : Analysez les mots en italique : « *Quand* pars-tu ? — *Demain*. »

SUJET DES VERBES IMPERSONNELS — PRONOM **CE** SUJET

Un Ami des oiseaux.

Le père Pol! Il *faudrait* des pages pour le décrire en détail. C'*est* un vieux monsieur vêtu d'un pardessus un peu long, où ce *sont* les poches rebondies qui retiennent l'attention. Il est timide; *survient*-il des groupes de flâneurs, il s'efface modestement.

D'où vient-il? comment gagne-t-il sa vie? que fait-il quand il *arrive* des jours difficiles? Ce *sont* des questions qu'on se pose. On ne sait bien qu'une chose: il nourrit les oiseaux.

Les oiseaux! ce *sont* les oiseaux qu'il aime et ce *sont* eux qui le connaissent le mieux. Par dizaines ils accourent vers lui, qui sourit quand de la bande sémillante il *monte* des cris de joie. Le brave homme leur parle, les couve d'un regard attendri. Il a ses préférés: les plus intelligents et les plus doux; ce *sont* ceux-là qui se perchent sur son épaule, sur son chapeau. Quels sont ses meilleurs amis, si ce n'*est* ces petits favoris? Oui, c'*est* à eux qu'il doit ses petits bonheurs quotidiens.

D'après Francis de MIOMANDRE, *Voyages d'un sédentaire*. (Émile-Paul, édit.).

1148. - Soulignez en rouge, dans le texte ci-dessus, l'élément qui commande l'accord de chacun des verbes en italique.

1149. - Expliquez l'**accord des verbes** en italique.

     1. Il *vient* des appels de cloche dans l'air frais du matin. — 2. C'*étaient* des hommes géants sur des chevaux colosses. (Hugo.) — 3. Il y *a* deux tropiques: le tropique du Capricorne et le tropique du Cancer. — 4. Ce *sont* les tonneaux vides qui font le plus de bruit. — 5. Ma mère n'a plus de famille, si ce n'*est* des cousins éloignés. — 6. Il *se présente* des circonstances où il nous *faut* des consolateurs. — 7. Ce *furent* de magnifiques orateurs que Démosthène et Cicéron. — 8. C'*est* la patience et la persévérance qui assurent le succès. — 9. C'*est* dix heures que j'entends sonner.

1150. - Faites l'**accord des verbes** en italique.

     a) 1. Il [*arriver*, passé s.] des visiteurs qu'on n'attendait pas. — 2. Oui, ce [*être*, ind. pr.] des pasteurs Rappelant les troupeaux épars sur les hauteurs. (Vigny.) — 3. Vos maîtres s'appliquent à vous instruire: ce [*être*, ind. pr.] eux qui forment votre esprit et votre cœur. — 4. Tous les jours, il [*survenir*, ind.

imparf.] des troupeaux d'hommes. (Flaubert.) — 5. Il [se trouver, ind. pr.] des gens qui ne sont les amis de personne; il [s'en rencontrer, id.] aussi qui sont les amis de tout le monde. — 6. Il entendit un cri sec auprès de lui: c'[être, ind. imparf.] deux hussards qui tombaient. (Stendhal.)

b) 1. Ayons le culte des valeurs morales; si ce ne [être, ind. pr.] elles, quelles forces sauveront notre civilisation? — 2. Ce [être, ind. pr.] la richesse et les honneurs qui séduisent le plus les hommes. — 3. C'[être, ind. imparf.] bien de chansons qu'alors il s'agissait! (La Font.) — 4. Ce [être, passé s.] le silence et l'immobilité qui la tirèrent de son sommeil. (J. Green.) — 5. Ce [être, ind. pr.] eux, ces jeunes hommes, qui porteraient le choc le plus dur de la guerre. (A. Maurois.) — 6. Jésus leur défend de rien emporter, si ce ne [être, ind. pr.] des sandales et un bâton. (Flaubert.)

1151. - Même exercice.

a) 1. Ce [être, ind. pr.] des illusions perdues qu'est faite l'expérience de beaucoup d'hommes. — 2. Que [être, ind. pr.]-ce que les beaux vers, si ce ne [être, id.] les sons ou les parfums de l'âme? — 3. Les longs vitrages de la gare flambaient; il en [sortir, ind. imparf.] des bruits de ferrailles. (É. Baumann.) — 4. D'où vient votre mérite, si ce ne [être, ind. pr.] de vos bonnes actions? — 5. La dépense est considérable: ce [être, ind. pr.] cent mille francs qu'il va falloir débourser. — 6. [Être, ind. imparf.]-ce deux amis ou deux frères? (Th. Gautier.)

b) 1. Ce [être, ind. pr.] les poètes qui finalement ont raison, parce que c'est l'idéal qui est la vérité. (A. Dumas f.) — 2. Ce [être, ind. pr.] des efforts dé-ployés, non des succès obtenus, qu'on tiendra compte. — 3. Ceux qui vivent, ce [être, ind. pr.] ceux qui luttent. (Hugo.) — 4. Ces personnes, [être, ind. im-parf.]-ce vos tantes? — 5. Mes meilleures joies, c' [être, passé comp.] les vacances que j'ai passées en Suisse. — 6. Écrivez-moi, ne [être, cond. pr.]-ce que quelques mots. — 7. Ce [devoir être, ind. imparf.] des yeux d'infirme. (J. Cocteau.) — 8. Oui, ce [être, ind. pr.] là des affaires sérieuses; c' [être, ind. pr.] d'elles que nous avons à parler.

1152. - VOCABULAIRE : 1. Donnez 8 mots de la famille de *peuple* (radicaux : *peupl, publ, popul*).

2. Cherchez dans le dictionnaire le sens de *sémillant*, de *inéluctable*. — Employez chacun de ces mots dans une petite phrase.

1153. - ORTHOGRAPHE : Notez dans le carnet d'orthographe : *les fonts baptismaux, le fond d'un puits, un bon fonds de santé.*

1154. - PRONONCIATION : Faites bien entendre l'*n* dans : *opinion* [ne pas pro-noncer : o-pi-gnon], *cordonnier* [ne pas prononcer : kor-do-gné], *véniel* [ne pas prononcer : vé-gnel], *printanier* [ne pas prononcer : prin-ta-gné], *panier* [ne pas prononcer: pa-gné], *dernier* [ne pas prononcer: dèr-gné].

1155. - LANGAGE : On peut dire: *voire* (= et même) ou : *voire même*. — Employez chacune de ces expressions dans une phrase de votre invention.

1156. - PHRASÉOLOGIE : « Jamais *on n'aura vu* un réveillon pareil! » — Modifiez la phrase en employant le tour impersonnel passif.

PRONOM QUI SUJET

Piqûre d'églantier.

À ce point de ses réflexions, Emmanuel éprouvait une cruelle piqûre au bras gauche. C'était un églantier qui *poussait* là, au bord de la haie, et qui *venait* de lui marquer sa présence. « Pourquoi, disait Emmanuel avec l'accent du reproche, pourquoi me piques-tu, moi qui ne t'*ai* rien *fait,* moi qui même *admirais* encore, la semaine passée, tes belles petites fleurs plus délicates que des porcelaines de rêve? »

— Excuse-moi, maître, disait l'églantier en jouant la confusion, mais moi, je ne bouge pas. C'est toi qui te *déplaces,* c'est toi qui *es venu* t'aventurer dans mon espace vital. Si le créateur m'a donné des épines, c'est quand même pour faire respecter mon domaine...

Georges DUHAMEL, *Les Voyageurs de « l'Espérance »*. (Gedalge, édit.).

1157. - Expliquez, dans le texte ci-dessus, l'**accord des verbes** en italique.

Modèle: SUJETS ET ANTÉCÉDENTS	VERBES
toi qui: 2ᵉ p. sg.	parles
nous qui: 1ʳᵉ p. pl.	écoutons

1158. - Remplacez les trois points par la forme verbale convenable.

1. Je suis le chef; c'est moi qui ... le chef. — 2. Tu es responsable; c'est toi qui ... responsable. — 3. Nous ferons ce travail; c'est nous qui ... ce travail. — 4. Vous prendrez la photo; c'est vous qui ... la photo. — 5. Je parlerai au professeur; c'est moi qui... au professeur. — 6. Mon frère et moi partirons les premiers; c'est mon frère et moi qui ... les premiers. — 7. Tu chantes le mieux; c'est toi qui ... le mieux. — 8. Tu ouvriras la porte; c'est toi qui ... la porte.

1159. - Faites l'**accord des verbes** en italique.

1. C'est moi qui [*être*, ind. pr.] le capitaine de l'équipe. — 2. C'est toi qui [*donner*, fut. s.] le signal du départ. — 3. C'est nous qui [*régler*, fut. s.] cette affaire. — 4. C'était moi qui [*porter*, ind. imparf.] le drapeau. — 5. C'est vous qui [*trouver*, passé comp.] la bonne réponse. — 6. Toi qui [*parler*, ind. pr.] si bien, as-tu pesé tes mots? — 7. A moi qui [*être*, ind. pr.] innocent, on a fait cent reproches.

1160. - Accordez les verbes en italique.

a) 1. Étoile du soir, qui [*briller,* ind. pr.] au firmament, que regardes-tu ?
— 2. Vous qui [*pleurer,* ind. pr.], venez à ce Dieu, car il pleure. (Hugo.) —
3. Toi qui [*regarder,* ind. pr.] l'avenir avec confiance, forme bien ton caractère.
— 4. Nous qui [*être,* ind. pr.] raisonnables, nous réfléchirons avant d'agir.
— 5. Une foule de gens, qui ne [*faire,* ind. pr.] réflexion sur rien, s'étonnent
de la quantité de soucis qui les [*accabler,* ind. pr.]. — 6. Ce n'est pas toi qui
[*devoir,* ind. imparf.] passer le premier. — 7. Te voilà encore qui [*chercher,*
ind. pr.] à brouiller les cartes !

b) 1. Moi qui [*faire,* ind. pr.] tout pour vous être utile, comment me désin-
téresserais-je de vos progrès ? — 2. Ô fantôme muet, qui vous [*suivre,* ind.
pr.] côte à côte, toi qui [*s'appeler,* ind. pr.] demain, que nous réserves-tu ? —
3. Chère maman, qui [*savoir,* ind. pr.] si bien consoler mes chagrins, je te dois
tout mon amour. — 4. La multitude des étoiles qui [*briller,* ind. pr.] au firmament étonne notre imagination. — 5. Le peu de joies qui me [*venir,* passé
comp.] m'ont rendu le courage. — 6. J'ai une voiture pour eux bien plus
que pour moi qui ne [*s'en servir,* ind. pr.] point. (Chateaubriand.)

1161. - Accordez les verbes en italique.

a) 1. C'est moi qui [*être chargé,* ind. pr.] d'organiser l'excursion. — 2. Cher
ami, qui me [*conseiller,* ind. pr.] toujours si sagement, aie la bonté de me dire
si c'est moi qui [*devoir,* ind. pr.] faire cette démarche. — 3. Que ferez-vous
alors, vierges folles, qui n' [*avoir,* ind. pr.] point d'huile et qui en [*demander,*
id.] aux autres ? (Bossuet.) — 4. Comme tu étais riche et enviable, toi qui
n'[*aspirer,* ind. imparf.] qu'à une chose : bien faire ce que tu faisais ! (G. Duhamel.) — 5. Soyez bénis, vieux puits à la margelle creusée par le frottement
des cordes, qui [*contenir,* ind. imparf.] le ciel immense ! (E. Moselly.) — 6.
Mon Pierre, te voilà encore qui [*aller,* ind. pr.] faire une bêtise ! (R. Bazin.)

b) 1. C'est moi qui [*être,* ind. pr.] Guillot, berger de ce troupeau. (La Font.)
— 2. Il n'y a que vous, ma bonne dame, qui me [*donner,* subj. pr.] encore
mon titre de baron. (H. Becque.) — 3. Oiseau jaloux, et qui [*devoir,* condit.
pr.] te taire, Est-ce à toi d'envier la voix du rossignol ? (La Font.) — 4. C'est
moi qui, sans le savoir, [*ranimer,* passé comp.] de tristes émotions. (R. Martin du Gard.) — 5. Ah ! passe avec le vent, mélancolique feuille, Qui [*donner,*
ind. imparf.] ton ombre au jardin ! (J. Moréas.) — 6. Adieu, Meuse endormeuse et douce à mon enfance, Qui [*demeurer,* ind. pr.] aux prés, où tu coules
tout bas. (Ch. Péguy.)

1162. - Même exercice.

a) 1. Chère maman, je suis loin de toi, mais je te sens avec moi, qui me
[*guider,* ind. pr.] et me [*protéger,* id.]. — 2. Je ne vois que toi et ton frère qui
[*pouvoir,* subj. pr.] exécuter une telle besogne. — 3. Ne sois pas, mon cher
enfant, un de ces ingrats qui [*perdre,* ind. pr.] le souvenir des bienfaits reçus.
— 4. Vous êtes ici plusieurs qui, plus tard, [*occuper,* fut. s.] un rang distingué
dans la société. — 5. La patience est une des qualités qui [*assurer,* ind. pr.]
le succès.

b) 1. Nous sommes des aveugles qui [*marcher*, ind. pr.] en tâtonnant dans le chemin de la vérité. — 2. N'es-tu pas cet élève qui [*désirer*, condit. pr.] subir un examen en vue de passer dans la classe supérieure ? — 3. Te voilà encore qui [*aller*, ind. pr.] poser une question inutile. — 4. Vous êtes le flambeau qui [*faire*, ind. pr.] rayonner une bienfaisante lumière. — 5. Nous sommes deux voyageurs qui [*venir*, ind. pr.] demander l'hospitalité. — 6. Vous êtes le premier qui [*prendre*, subj. pr.] la défense de cet accusé.

1163. - Complétez les phrases suivantes:

1. Vous êtes l'élève qui ... — 2. Vous êtes le seul élève qui ... — 3. Vous êtes deux élèves qui ... — 4. Vous n'êtes pas celui qui ... — 5. Vous êtes un des élèves qui ... — 6. Vous êtes un élève qui ... — 7. Êtes-vous un élève qui ...? — 8. Accompagnez celui des élèves qui ... — 9. Pierre est un des élèves qui ... — 10. Appelez un élève, un de ceux qui ...

1164. - VOCABULAIRE : 1. Rangez dans l'ordre alphabétique les noms des peintres : *Rubens, Raphaël, Vermeer, Ingres, Botticelli, Van Dyck, Picasso, Meissonier, Millet, Memling.*

     2. Donnez 4 verbes de la famille de *tourner.*

1165. - ORTHOGRAPHE : Notez dans le carnet d'orthographe : *le goût, l'égout, avoir du bagou, nous conjuguons, conjugaison.*

1166. - PHRASÉOLOGIE : « Moi, héron, *que je fasse* Une si pauvre chère ? » (La Font.) — Modifiez, selon cette tournure, la phrase suivante : « Je ne puis consentir à ce honteux trafic. »

1167. - LANGAGE : On peut dire : « vivre *de* ses rentes » ou : « ... *sur* ses rentes ». — Employez chacune de ces deux constructions dans une courte phrase.

1168. - ANALYSE : Dites quelle est la fonction des mots en italique : « Chère *maman*, je suis *loin de* toi, mais je te sens *près de* moi, *attentive* à mes soucis. »

PLUSIEURS SUJETS

1169. - Expliquez (oralement ou par écrit), l'**accord des verbes** en italique.

1. La gloire, la fortune, les honneurs, tout *périra* ; nos seuls mérites nous resteront. — 2. Une parole tendre, un geste, un regard *peut* nous rendre du courage. — 3. Souffrir et se taire *est* une grande vertu. — 4. Pensées, sentiments, souhaits, tout l'élan de notre âme *doit* nous faire avancer dans la voie du bien. — 5. Que *pouvait* faire la fermeté, la force d'âme pour endiguer le déferlement de ces puissances aveugles ? — 6. Le cœur autant que la raison *protestent* contre l'avilissement de la dignité humaine. — 7. Pierre ou Robert

sera le capitaine de notre équipe. — 8. Une vague crainte, une angoisse m'*empêchait* de parler.

1170. - Faites l'**accord des verbes** en italique.

a) 1. Chacun, riche, pauvre, savant, ignorant, [*aller*, ind. pr.] du même pas vers la mort. — 2. Pas une phrase amère, pas un reproche, pas un soupir ne [*sortir*, passé s.] de la bouche de ce noble vieillard. — 3. Soulager les malheureux et défendre les opprimés [*conférer*, fut. s.] toujours aux grands cœurs une haute dignité. — 4. Attitudes, manières, démarche, tout en cet homme [*attester*, ind. imparf.] une haute naissance. — 5. L'éclat, le rayonnement du soleil levant [*se réfléchir*, ind. imparf.] dans l'eau claire de l'étang.

b) 1. Ni sa mère ni ses sœurs ne [*pouvoir*, ind. imparf.] être de retour. (H. Troyat.) — 2. Jacques ou Louis [*être*, fut. s.] le premier de la classe. — 3. L'une ou l'autre méthode vous [*permettre*, fut. s.] de vous tirer d'affaire. — 4. Ni vous ni moi ne [*pouvoir*, ind. pr.] approuver une telle conduite. — 5. Mon frère ou moi vous [*conduire*, fut. s.] à la gare. — 6. Il y a là une mission à laquelle ni moi, ni vous, ni lui, ne [*pouvoir se dérober*, ind. pr.] ! (R. Martin du Gard.)

1171. - Expliquez (oralement ou par écrit) l'**accord des verbes** en italique.

1. Le murmure des sources avec le hennissement des licornes se *mêlent* à leurs voix. (Flaubert.) — 2. Et c'est pourquoi ce juste et ce preux s'*est* levé. (Hugo.) — 3. Rome, aussi bien que moi, vous *donne* son suffrage. (Racine.) — 4. Ni les bois ni la plaine Ne *poussaient* un soupir dans les airs. (Vigny.) — 5. L'un et l'autre *trottèrent* pour accomplir ce qu'on leur demandait. (Fr. Jammes.) — 6. L'une et l'autre circonstance ne se *ressemblaient* pas. (J. Romains.) — 7. Mais l'un comme l'autre *évitaient* de parler. (H. Troyat.) — 8. Le manque d'air ici, autant que l'ennui, *fait* bâiller. (A. Gide.) — 9. Charles ou François *sera* président de la République.

1172. - Inventez des phrases où les expressions suivantes soient employées comme sujets :

1. Un arbre, un buisson, un brin d'herbe... — 2. Bien commencer et bien finir... — 3. Aucun philosophe, aucun savant, aucun prince, aucun homme enfin... — 4. Une grâce, une douceur séduisante... — 5. Posséder de grandes richesses et craindre constamment de les perdre...

1173. - Accordez les verbes en italique.

a) 1. Le riche, aussi bien que le pauvre, [*avoir*, ind. pr.] des peines à endurer. — 2. Ni la société ni l'individu ne [*savoir*, cond. pr.] prospérer dans des régions ravagées par des cataclysmes continuels. — 3. Lorsque le chagrin ou le découragement [*s'emparer*, fut. s.] de vous, ne vous laissez pas abattre : l'homme, ainsi que l'arbre, [*pouvoir*, ind. pr.] ordinairement se relever quand la tempête est apaisée. — 4. Ni Jacques ni Paul ne [*être*, fut. s.] le vainqueur du Tour de France. — 5. Le bien ou le mal [*se moissonner*, ind. pr.] selon qu'on sème le bien ou le mal.

b) 1. La douceur, plutôt que les menaces, [*ramener*, fut. s.] dans la bonne voie celui qui s'en est écarté. — 2. Le bonheur ou le conseil d'autrui [*pouvoir*, ind. pr.] préserver de certaines fautes un homme très médiocre. (Fénelon.) — 3. Le timide craint de se mettre en avant ; le pusillanime est démonté par la moindre difficulté ; ni l'un ni l'autre ne [*savoir*, cond. pr.] dominer les événements. — 4. L'honneur, et non les honneurs, [*séduire*, ind. pr.] les âmes nobles. — 5. Ni vous ni moi n' [*avoir*, fut. s.] une existence exempte de soucis.

1174. - Même exercice.

a) 1. Pierre a résolu ce problème par l'arithmétique ; Alain l'a résolu par l'algèbre; l'une et l'autre méthode [*pouvoir*, ind. pr.] se justifier. — 2. La réflexion, plus que les conseils d'autrui, [*aplanir*, passé comp.] la difficulté qui m'arrêtait. — 3. Ni tes parents ni moi-même ne [*savoir*, cond. pr.] approuver ta conduite. — 4. Votre visage, non moins que vos paroles, [*pouvoir*, ind. pr.] révéler vos sentiments. — 5. J'aime le printemps, j'aime l'hiver : l'une et l'autre saison [*se prêter*, ind. pr.] à des sports agréables.

b) 1. Il semble bien que ni eux ni moi ne [*être sincère*, passé s.] en cette occasion. (O. Mirbeau.) — 2. Lorsque le chagrin ou le découragement [*s'approcher*, fut. s.] de vous, pensez au solitaire de la cité d'Aoste. (X. de Maistre.) — 3. Le visage et l'attitude, tout [*exprimer*, ind. imparf.] une volonté tendue. (G. Duhamel.) — 4. Il faut que lui ou moi [*abandonner*, subj. pr.] la ville. (La Bruyère.) — 5. Ni vous ni moi ne [*prétendre*, ind. pr.] faire des économies. (Stendhal.) — 6. Blaise devait songer avec amertume que l'utilité et non la tendresse [*retenir*, ind. imparf.] Jacqueline auprès de lui. (Fr. Mauriac.)

1175. - Inventez de courtes phrases où vous emploierez :

1. Deux sujets joints par *ainsi que*. — 2. Deux sujets joints par *comme*. — 3. Deux sujets joints par *ou*. — 4. Deux sujets joints par *ni*. — 5. Les sujets *l'un et l'autre*. — 6. Les sujets *l'un ou l'autre*.

1176. - Dans les phrases suivantes, faites l'**accord du verbe** de deux manières :

1. Ni l'un ni l'autre ne [*répondre*, passé comp.]. — 2. L'une et l'autre réponse [*être acceptable*, ind. pr.] — 3. Ces appels, ce [*devoir*, ind. pr.] être ceux de nos amis. — 4. L'un et l'autre [*promettre*, passé comp.] de venir. — 5. La richesse, la gloire ? Ni l'une ni l'autre ne [*donner*, ind. pr.] le parfait bonheur. — 6. Les deux personnes que je vois là-bas, ce [*devoir*, ind. pr.] être mon père et mon oncle.

1177. - VOCABULAIRE : Ne confondez pas les paronymes : *allocation* et *allocution ; — vénéneux* et *venimeux ; — éminent* et *imminent.* — Employez chacun de ces mots dans une courte phrase.

1178. - ORTHOGRAPHE : Notez dans le carnet d'orthographe : *une atmosphère, un hémisphère, un planisphère, un caramel, un chrysanthème, un emplâtre.*

1179. - LANGAGE : On peut dire : *vis-à-vis de* au sens de «envers, à l'égard de». — Employez cette locution dans une phrase de votre invention.

1180. - CONJUGAISON : Conjuguez au conditionnel présent : *tressaillir.*

1181. - ANALYSE : Dites quelle est la fonction des mots en italique : « Aussitôt le *jour,* je prendrai *moi-même* des dispositions *pour* le départ. »

1182. - PONCTUATION : Mettez, aux endroits marqués par un trait vertical, les signes de ponctuation voulus : *Pénétrez dans ces forêts américaines aussi vieilles que le monde | quel profond silence dans ces retraites quand les vents reposent | quelles voix inconnues quand les vents viennent à s'élever |*

ACCORD DU VERBE : RÉCAPITULATION

1183. - Accordez les verbes en italique.

Le Concert des cloches campagnardes.

Le concert des cloches campagnardes, un matin de dimanche, [*avoir,* ind. pr.] une gaieté, un entrain qui vous [*dilater,* ind. pr.] le cœur. La vibration de l'airain, comme la musique d'un orgue lointain, [*se répandre,* ind. pr.] dans l'air limpide : il [*venir,* ind. pr.] de droite et de gauche des vagues d'harmonie. Chaque village, chaque bourg [*dire,* ind. pr.] son allégresse et ce [*être,* ind. pr.] des timbres métalliques qui [*s'entrecroiser,* ind. pr.] et [*chanter,* id.] à l'unisson.

Plus d'un tintement [*résonner,* ind. pr.] dans les hauteurs de l'air. Écoutez cette onde de sons timides et veloutés qui [*se mêler,* ind. pr.] dans la brise : ce [*devoir,* ind. pr.] être ceux de la chapelle du monastère dont le modeste clocheton, non moins que la flèche altière du bourg, [*lancer,* ind. pr.] sa joie, que [*rouler,* ind. pr.] les caprices du vent.

L'accord comme la dispersion des sonneries nous [*toucher,* ind. pr.] ; ce clocher à la voix argentine ainsi que cet autre à la voix grave nous [*émouvoir,* ind. pr.], parce que l'un et l'autre [*mêler,* ind. pr.], dans le fond de notre cœur, de mélodieuses résonances.

D'après André THEURIET.

1184. - Accordez les verbes en italique.

   a) 1. La plupart [*croire,* ind. pr.] que le bonheur est dans la richesse. — 2. Légèreté, rapidité, prestesse, riche parure, tout [*appartenir,* ind. pr.] à l'oiseau-mouche. — 3. Ah ! combien [*négliger,* passé comp.] de former leur caractère en même temps que leur esprit ! — 4. Lisez les bons auteurs : ce [*être,* ind.

pr.] eux qui vous aideront le plus à bien écrire. — 5. Il y a un excès de biens et de maux qui [*dépasser*, ind. pr.] notre sensibilité.

b) 1. Douze ans [*être*, ind. pr.] un bel âge ! — 2. Nul penseur, nul artiste, nul écrivain, personne ne [*prétendre*, fut. s.] que la solitude a jamais étouffé le génie. — 3. La moitié de nos soucis [*se dissiper*, cond. pr.] si nous étions maîtres de nous-mêmes. — 4. La force d'âme, comme celle du corps, [*être*, ind. pr.] le fruit de la tempérance. (Marmontel.) — 5. Ce [*être*, passé s.] quatre jours bien longs qu'il eut à passer. (Maupassant.)

1185. - Accordez les verbes en italique.

a) 1. Plus d'un [*s'imaginer*, ind. pr.] que l'argent est le meilleur remède aux maux dont [*souffrir*, ind. pr.] la plupart des hommes. — 2. Cinq heures [*sonner*, ind. pr.] au clocher du village; déjà [*résonner*, ind. pr.], dans la cour de la ferme, les premiers appels. — 3. Ni la calomnie ni la médisance ne [*devoir*, ind. pr.] souiller vos lèvres. — 4. Obtenir un succès et le fonder sur une demi-honnêteté [*répugner*, fut. s.] toujours aux gens d'honneur. — 5. La peur ou le besoin [*causer*, ind. pr.] tous les mouvements de la souris.

b) 1. Une vingtaine de minutes nous [*rester*, ind. imparf.] avant l'heure du cours. (M. Prévost.) — 2. Créature d'un jour qui [*s'agiter*, ind. pr.] une heure, De quoi viens-tu te plaindre et qui te fait gémir ? (Musset.) — 3. La multitude des lois [*être pernicieux*, ind. pr.] : on ne les entend plus, on ne les garde plus. (Fénelon.) — 4. La Finlande, comme la Belgique, [*comporter*, ind. pr.] deux éléments ethniques différents et l'on y parle deux langues : le finnois et le suédois. (G. Duhamel.) — 5. Il n'y a tout de même que vous qui y [*penser*, subj. pas.]. (J. Romains.) — 6. Je croirais volontiers que plus d'un siècle [*se passer*, passé comp.] depuis ce temps-là. (E. Lavisse.)

1186. - Même exercice.

a) 1. Professer une doctrine et en suivre une autre [*être*, ind. pr.] une grande hypocrisie. — 2. Ce [*être* ind. pr.] nous-mêmes qui [*tenir*, ind. pr.] notre avenir dans nos mains. — 3. Bien faire et laisser dire [*supposer*, ind. pr.] une grande fermeté d'âme. — 4. Quatre-vingts ans [*être*, ind. pr.] un âge où l'on a vu passer bien des événements. — 5. Si vous prenez l'un des sentiers qui [*mener*, ind. pr.] au sommet de cette colline, vous découvrirez un beau paysage. — 6. Onze heures et demie [*sonner*, ind. imparf.] à l'hôtel de ville.

b) 1. Adieu, consolatrice de mes beaux jours, toi qui [*partager*, passé s.] mes plaisirs et bien souvent mes douleurs ! (Chateaubriand.) — 2. Je suis sûre que tu y as songé, toi qui [*avoir*, ind. pr.] tant de cœur ? Donner, quel beau mot ! (R. Bazin.) — 3. La littérature, comme tous les beaux-arts, [*devoir*, ind. pr.] traiter du beau, non de l'utile. (L. Veuillot.) — 4. Ne vivre que de son travail et régner sur le plus puissant État du monde [*être*, ind. pr.] choses très opposées. (Pascal.) — 5. Ni vous ni moi ne [*collaborer*, fut. s.] à un crime. (J. Cocteau.)

1187. - Accordez les verbes en italique.

La Forêt s'endort.

La vapeur du crépuscule, non moins que la brume matinale, [*velouter*, ind. pr.] la forêt de teintes adoucies. Plus d'une rumeur indécise [*circuler*, ind. pr.] dans les sentiers, plus d'une vague d'ombre, plus d'un frisson obscur [*s'insinuer*, ind. pr.] entre les arbres, [*monter*, id.] vers les cimes où il [*flotter*, id.] encore des tiédeurs qu'y [*laisser*, passé comp.] le caprice du soleil.

Une bande de corbeaux, un à un, [*regagner*, ind. pr.] l'abri des hautes branches. Cette série d'appels qui [*tomber*, ind. pr.] à intervalles dans le silence, ce [*devoir*, ind. pr.] être les ululements du hibou, cet hôte invisible dont la tristesse, l'anxiété [*s'exhaler*, ind. pr.] avec une résonance si lugubre. Il [*traîner*, ind. pr.] encore çà et là quelques murmures, mais bientôt ce peu de murmures [*s'évanouir*, fut. s.] dans les voiles de la nuit.

1188. - VOCABULAIRE : 1. Qu'est-ce qu'un *lapsus linguae?* Employez cette locution dans une petite phrase.

2. Un *diptyque* (lat. *diptycha,* du grec *diptukha,* tablettes pliées en deux ; racines gr. : *dis,* deux fois, et *ptussô,* je plie) est un tableau formé de deux volets pouvant se rabattre l'un sur l'autre. — Comment appelle-t-on un tableau à trois volets dont les deux extérieurs peuvent se rabattre sur celui du milieu? (gr. *tris,* trois fois) ; — et un tableau d'autel à plusieurs volets? (gr. *polus,* nombreux.)

1189. - ORTHOGRAPHE : Notez dans le carnet d'orthographe : *anthracite, orthodoxe anthrax, léthargie, panthère, antipathie.*

1190. - PHRASÉOLOGIE : « Accepter une telle proposition ? comment l'aurions-nous pu ? » — Imitez ce tour en modifiant la phrase : « Nous n'aurions jamais osé entreprendre ce voyage. »

1191. - LANGAGE : 1. « Passer de *l'*un pays dans l'autre », « lever *l'*une jambe après l'autre » : tour ancien. Dans l'usage actuel, on ne met pas là l'article devant *un(e).* — Employez dans une courte phrase le tour actuel.

2. Un *ardoisier* est celui qui exploite une carrière d'ardoise ou qui y travaille ; — l'ouvrier qui fait les couvertures des maisons (en plaçant des ardoises, des tuiles, etc.) s'appelle *couvreur.* — Employez ce dernier nom dans une courte phrase.

1192. - CONJUGAISON : Conjuguez au futur simple : *acquérir.*

CHAPITRE VIII

L'Adverbe

GÉNÉRALITÉS

Une Pêche miraculeuse.

Or, cet après-midi-là, sans que rien eût permis de le prévoir, mon Molonzef vous fit quelque chose comme une pêche miraculeuse. Il avait plu *un peu* au petit matin. Le vent était nul, le soleil brillait *modérément* et le poisson paraissait *si* vorace qu'il happait sans arrêt les moucherons et insectes innombrables qui venaient s'aventurer à la surface de l'eau.

Molonzef décida donc de pêcher à la mouche artificielle et, du premier coup, vous attrapa un chevesne magnifique. Il crut en deviner tout un banc qui flânait entre deux eaux. Un autre suivit *presque aussitôt,* puis un troisième, long comme son avant-bras, un vrai patriarche de chevesne, avec lequel il dut se battre et travailler de l'épuisette pour l'amener sur la rive.

Et cela continua *si bien* que son filet, *bientôt,* fut *à demi* rempli.

Arthur MASSON, *Toine, chef de tribu.* (Vanderlinden, édit.).

1193. - Dans le texte ci-dessus, analysez les adverbes (ils sont en italique).

> *Modèles : a)* « La rivière coule *lentement.* » — *Lentement :* adv. de manière, complément de *coule.*
> *b)* « Il a plu *hier.* » — *Hier :* adv. de temps, complément de *a plu.*

1194. - Dites de chaque **adverbe** à quelle espèce il appartient.

1. L'air est *très* léger par un matin de mai. C'est *alors* que j'aime à faire une promenade dans la campagne. — 2. Le vrai *quelquefois n'*est *pas* vraisemblable. — 3. Celui qui est résolu à lutter *courageusement* contre les obstacles *souvent* les surmontera. — 4. Ils suivent une *bien* noble maxime ceux qui disent: Travaillons *toujours !* nous aurons notre repos *ailleurs.* — 5. On rencontre *parfois* des intelligences qui, de même que certains arbres, fleurissent *tôt,* mais *ne* portent *pas* de fruits.

1195. - Discernez les **adverbes** et analysez chacun d'eux.

1. Parlez toujours poliment quand vous vous adressez à un supérieur. — 2. Où sont maintenant tous ces grands personnages qui ont étonné longtemps le monde du bruit de leurs exploits ? — 3. Le soleil doucement va plonger dans les flots, dont la surface paraît tout enflammée. — 4. Certaines gens vont

bien loin chercher le bonheur ; ils le trouveraient peut-être s'ils jouissaient tranquillement des petites commodités de la vie ordinaire.

1196. - Discernez les **adverbes de lieu** et précisez s'ils marquent : 1° la situation (le lieu où l'on est) ; — 2° la direction (le lieu où l'on va) ; — 3° l'origine (le lieu d'où l'on vient) ; — 4° le passage (le lieu par où l'on passe).

1. On peut trouver partout des occasions de faire le bien. — 2. Nous irons au bois cet après-midi ; nous goûterons là une paix salutaire. — 3. Où serions-nous mieux qu'au sein de notre famille ? — 4. Nous vivons ici dans une maison où réside la paix ; pourquoi irions-nous là-bas où l'on s'agite tant ? — 5. La belette ne put sortir par le trou ; j'ai pourtant passé par ici, disait-elle. — 6. D'où viens-tu, beau nuage, et où vas-tu ? — 7. Les assiégés, au temps de César, étaient parfois accablés de pierres que lançaient de loin des catapultes.

1197. - Sur chacun des thèmes suivants, inventez une phrase contenant un **adverbe de temps**.

1. Le soir. — 2. Décembre. — 3. L'avare. — 4. Un échec. — 5. La région natale.

1198. - Discernez les **adverbes**; analysez chacun d'eux.

> *Modèles :* « Un homme *très* courageux *ne* désespère *pas ;* il reprend *bientôt* sa tâche. »
>
> 1° *Très* : adv. d'intensité, compl. de *courageux*.
> 2° *Ne pas* : adv. de négation, compl. de *désespère*.
> 3° *Bientôt* : adv. de temps, compl. de *reprend*.

a) 1. L'oisiveté use beaucoup plus que le travail. — 2. Le travail souvent engendre le plaisir. — 3. A tous les cœurs bien nés que la patrie est chère ! — 4. Ces raisins sont trop verts, disait le renard. — 5. Vingt fois sur le métier remettez votre ouvrage ; polissez-le encore ; ajoutez quelquefois et souvent effacez.

b) 1. Qui donne vite donne deux fois. — 2. Ne remets pas à demain ce que tu peux faire aujourd'hui. — 3. Combien aisément nous nous pardonnons à nous-mêmes nos fautes ! — 4. Une leçon bien écoutée est à moitié sue. — 5. Où sont-ils, les marins sombrés dans les nuits noires ? (Hugo.) — 6. Qui va doucement va longtemps. — 7. La paresse va si lentement que la pauvreté l'atteint bientôt.

1199. - Employez chacun dans une courte phrase les **adverbes** suivants :

a) Adverbes *de manière :* 1. Comment. — 2. Mieux. — 3. Doucement.
b) Adverbes *de quantité* ou *d'intensité :* 1. Fort. — 2. Beaucoup. — 3. Très.
c) Adverbes *de temps :* 1. Autrefois. — 2. Toujours. — 3. Longtemps.
d) Adverbes *de lieu :* 1. Ici. — 2. Partout. — 3. Loin.

1200. - Dites si les mots en italique sont adjectifs ou adverbes.

1. Ce bahut coûte *cher.* / Ce meuble est trop *cher.* — 2. Votre devoir est *bon.* / Voilà un bouquet qui sent *bon.* — 3. Il s'élèvera au plus *haut* rang. /

C'est un personnage *haut* placé. — 4. Tu parles trop *bas*. / Vous faites là un *bas* calcul. — 5. Cet homme a toujours été *juste*. / Ce chasseur n'a pas visé *juste*. — 6. Vous n'avez pas vu *clair*. / Voici le *clair* matin.

1201. - Employez comme **adverbes,** chacun dans une courte phrase, les adjectifs suivants :

1. Net	3. Faux	5. Juste	7. Profond
2. Fort	4. Droit	6. Haut	8. Doux

1202. - VOCABULAIRE : 1. Cherchez dans le dictionnaire 5 locutions adverbiales où entre le nom *point ;* notez le sens de chacune d'elles.

    2. Que signifie « *s'aliéner* les sympathies »? — Employez l'expression dans une petite phrase.

1203. - ORTHOGRAPHE : Notez dans le carnet d'orthographe : *bâillonner, hasard, rationnel, rationalisme.*

1204. - PHRASÉOLOGIE : « Nous convînmes qu'il fallait, sur l'heure, porter au moulin Cornille tout ce qu'il y avait de froment dans les maisons ... *Sitôt dit, sitôt fait.*» (A. Daudet.) — Inventez une phrase où vous emploierez *sitôt dit, sitôt fait.*

1205. - LANGAGE : Ne dites pas : « *Tout* quiconque l'a vu... » ; — dites : « Quiconque l'a vu » ou « Tous ceux qui l'ont vu ». — Employez chacun des tours corrects dans une courte phrase.

1206. - CONJUGAISON : Conjuguez au présent du subjonctif : *bouillir.*

1207. - ANALYSE : Indiquez la fonction des mots en italique : « Monsieur Seguin emporta la chèvre *dans* une étable toute noire, *dont* il ferma la porte à double tour.»

ADVERBES EN -MENT

1208. - Dites quels sont les adverbes en -**ment** correspondant aux adjectifs suivants :

a)			
Rapide	Lourd	Haut	Merveilleux
Convenable	Grave	Bas	Faux
Lisible	Fort	Lent	Courageux

b)			
Joli	Gai	Traître	Entier
Exact	Profond	Hardi	Immense
Assidu	Précis	Cru	Impuni

c) Élégant   Excellent   Étonnant   Brillant
     Récent   Pesant   Patient   Méchant
     Savant   Violent   Évident   Apparent

1209. - Remplacez les mots en italique par les adverbes en **-ment** qui y correspondent.

a) 1. La pluie qui tombe [*lent*] du ciel gris frappe mes vitres à petits coups ; elle frappe [*léger*] et pourtant la chute de chaque goutte retentit [*triste*] dans mon cœur. — 2. Il sera [*aisé*] en paix et content celui dont la conscience est [*constant*] pure. — 3. Qui se jugerait [*équitable*] soi-même sentirait qu'il n'a le droit de juger personne [*sévère*]. — 4. Faisons [*gai*] et [*vaillant*] notre devoir.

b) 1. Si vous travaillez [*assidu*] et [*continu*], vous ferez des progrès. — 2. On ne viole pas [*impuni*] les lois de la nature. — 3. Quand on est jeune, on dort [*profond*]. — 4. Cet enfant vient [*gentil*] caresser sa mère et lui raconter [*ingénu*] sa peine. — 5. Il ne faut pas agir [*précipitant*] ni s'attacher [*obstiné*] à une opinion reconnue fausse.

1210. - Remplacez par un adverbe en **-ment** les mots en italique.

a) 1. Réfléchir *d'une manière profonde*. — 2. Répondre *d'une façon polie*. — 3. Vivre *d'une manière conforme* à son état. — 4. Dire une chose *en confidence*. — 5. Parler *d'une manière congrue*. — 6. Voir *d'une manière confuse*. — 7. Défendre *d'une manière expresse*. — 8. Ne pas parler *d'une manière crue*. — 9. Une chose constatée *en due forme*. — 10. Tourner *d'une manière gentille* un compliment.

b) 1. Cela m'a été dit *d'une manière confidentielle*. — 2. S'agiter *d'une façon éperdue*. — 3. S'asseoir *d'une manière commode*. — 4. Raconter *en peu de mots*. — 5. Heurter quelqu'un *avec intention*. — 6. S'en aller *de nuit*. — 7. Mentir *d'une façon effrontée* et *avec connaissance de ce qu'on fait*. — 8. Attaquer *d'une manière résolue*. — 9. Travailler *d'une manière opiniâtre*. — 10. Demander *d'une manière instante*.

1211. - Remplacez chacune des expressions suivantes par un adverbe en **-ment**, que vous joindrez à un infinitif :

a) 1. Avec passion. — 2. Avec diligence. — 3. Sans prudence. — 4. Sans mesure. — 5. En hâte. — 6. Avec véhémence. — 7. Avec fougue. — 8. Avec sobriété. — 9. En même temps. — 10. Sans pitié. — 11. Sans délai. — 12. Sans en avoir conscience.

b) 1. A part l'un et l'autre. — 2. En vain. — 3. Avec éloquence. — 4. Avec bruit. — 5. De nuit. — 6. Par un devoir indispensable. — 7. Avec avidité. — 8. Avec franchise. — 9. En égoïste. — 10. Avec impunité. — 11. Avec impétuosité. — 12. A la dérobée.

1212. - Remplacez les trois points par un adverbe en **-amment** ou en **-emment**, tiré de l'adjectif en italique.

a) 1. [*Apparent*] Le renard vit des raisins mûrs ... — 2. [*Patient*] Supportez ... les défauts des autres. — 3. [*Constant*] Il faut s'acquitter ... des moindres devoirs. — 4. [*Pesant*] On voit s'avancer un chariot ... chargé de foin. — 5. [*Prudent*] Nous n'avancerons que ... dans ces régions inconnues.

b) 1. [*Évident*] L'ordre ... vaut mieux que le désordre. — 2. [*Abondant*] J'aime à respirer les effluves du jardin après qu'il a plu ... — 3. [*Vaillant*] Qui ne défendrait ... la patrie ? — 4. [*Éloquent*] Le singe de la fable parlait ... — 5. [*Récent ; fréquent*] Un avantage ... obtenu nous rend contents ; quand nous en aurons joui ..., il nous laissera presque indifférents.

1213. - De chacun des adjectifs suivants formez un adverbe en **-ment,** que vous emploierez dans une expression :

a) 1. Élégant. — 2. Méchant. — 3. Diligent. — 4. Excellent. — 5. Nonchalant. — 6. Puissant.

b) 1. Ardent. — 2. Savant. — 3. Intelligent. — 4. Indifférent. — 5. Violent. — 6. Incessant.

1214. - VOCABULAIRE : Préfixes *en-, em-.* Quel est le verbe correspondant à *pâte ? —* à *prison ? —* à *racine ? —* à *visage ? —* à *pourpre ? —* à *panache ? —* à *four ? —* à *barque ? —* à *mur ?* [Attention ! devant *b, m, p,* on écrit : *em-.*]

1215. - ORTHOGRAPHE : Notez dans le carnet d'orthographe : *caresser, ingénument, diplôme, çà et là, des on-dit.*

1216. - LANGAGE : Ne dites pas : « *Au* plus je le connais, *au* plus je l'apprécie » (belgicisme). — Dites : « *Plus* je le connais, *plus* je l'apprécie ». — Employez le tour correct dans une petite phrase.

1217. - ANALYSE : Indiquez la fonction des mots en italique : « Anselme, qui menait chaque *matin*, à petits pas, trois ou quatre douzaines de moutons *paître* le chiendent et le serpolet sur les premières pentes des collines, pouvait bien compter *soixante-dix* hivers. »

1218. - PONCTUATION : Mettez, aux endroits marqués par un trait vertical, les signes de ponctuation voulus : *Eh bien | te voilà enfin revenu | quelle bonne nouvelle | Quand donc | mon cher Louis | te reverrai-je |*

DEGRÉS DES ADVERBES

1219. - Mettez au **comparatif** ou au **superlatif,** suivant les indications entre crochets, les adverbes en italique, — et complétez ou modifiez la phrase, quand il y a lieu.

Modèles : a) « Je me lèverai *tôt.* » — Compar. de supériorité : Je me lèverai *plus tôt.*

b) « J'aime *beaucoup* la rose ». — Superl. relat.: C'est la rose que j'aime *le plus*.

1. Cet homme vit *sobrement*. / [Superl. absolu]. — 2. L'expérience nous instruit *bien*. / [Compar. de supér.] — 3. Une aumône soulage *bien* la misère. / [Compar. d'infér.]. — 4. Les patriarches vivaient *longtemps*. / [Superl. abs.]. — 5. Vous êtes arrivé *tard* aujourd'hui. / [Compar. de supér.]. — 6. Il faut défendre *jalousement* votre honneur. / [Compar. de supér.]. — 7. Le bonheur de ses enfants préoccupe *beaucoup* une mère. / [Superl. relat.]. — 8. Nous nous avancerons *loin*. / [Compar. d'égalité.]

EMPLOI DE CERTAINS ADVERBES

1220. - Remplacez les trois points par l'une des expressions entre crochets.

a) [*Plutôt ; plus tôt*] 1. Le travail fait notre félicité ... que notre misère. — 2. On éprouve une peine extrême à déraciner certaines habitudes ; souvent si l'on s'y était opposé ..., on aurait pu les extirper. — 3. ... souffrir que mourir : c'est la devise des hommes. (La Font.) — 4. Si le lièvre s'était décidé ... à prendre son élan, il aurait battu la tortue à la course. — 5. L'ambitieux n'a pas ... obtenu un avantage qu'il en désire un autre.

b) [*Pis ; pire*] 1. Il n'y a ... eau que l'eau qui dort. — 2. Tout va de mal en ..., disent les pessimistes. — 3. C'est bien la ... peine De ne savoir pourquoi Sans amour et sans haine Mon cœur a tant de peine. (Verlaine.) — 4. La concierge disait d'elle ... que pendre. (Zola.) — 5. Cet homme est négligent et, qui ... est, incompétent. — 6. Un coup de langue, dit-on, est parfois ... qu'un coup de lance. — 7. C'est vous-même qui avez pris cette déplorable décision, et c'est tant ... pour vous !

1221. - Même exercice.

a) [*Si ; aussi*] 1. L'écureuil a les ongles ... pointus qu'il grimpe aisément sur les arbres dont l'écorce est fort lisse. — 2. Certes la gloire de Virgile est ... solide que celle de Napoléon. — 3. Il y a des personnes ... légères et ... frivoles qu'elles sont ... éloignées d'avoir de véritables défauts que des qualités solides. (La Rochefoucauld.) — 4. L'âne est ... humble, ... patient que le cheval est fier et impétueux.

b) [*Tant ; autant*] 1. Rien ne réjouit ... le cœur d'une mère que l'affection de ses enfants. — 2. Cet enfant a ... grandi que je le reconnais à peine. — 3. Une guitare me plairait ... qu'un appareil photographique. — 4. Nul fabuliste ne nous charme ... que La Fontaine. — 5. Nous sommes parfois versatiles : ... une chose nous a plu hier, ... elle nous déplaît aujourd'hui. — 6. Il y a ... d'occasions de s'instruire !

1222. - Même exercice.

a) [*Aussi ; autant*] 1. Napoléon fut ... audacieux qu'Annibal ; il a fait ... de bruit que les conquérants de l'antiquité. — 2. Un bon fils se montre ... respectueux que soumis ; il est affectueux ... que docile. — 3. Il y a ... d'éloquence dans le ton de la voix que dans le choix des paroles. — 4. Vous ne travaillez plus ... bien qu'autrefois.

b) [*Si ; tant*] 1. Rien n'est ... rare que l'amitié ; rien n'est ... profané que son nom. — 2. Certains livres que nous avons ... relus et qui étaient ... vantés par nos amis ne nous intéressent plus ; nous estimons que ces ouvrages ne sont pas ... beaux qu'on le prétendait.

c) [*Aussi ; non plus*] 1. Vos parents désirent votre bonheur ; vos maîtres ... — 2. Ne prenez pas ce chemin-ci ; ne prenez pas ... celui-là. — 3. On ne peut pas vivre sans pain ; on ne peut pas ... vivre sans la patrie. (Hugo.) — 4. Ce que tel et tel ont fait, vous pouvez ... le faire. — 5. Vous n'avez pas lu ce livre ? Ni moi ...

1223. - Composez, pour chacun des cas suivants, une phrase où vous emploierez :

1. *Plutôt.* — 2. *Si* marquant l'intensité. — 3. *Si* mis pour *aussi* dans une phrase négative. — 4. *Aussi* joint à un adjectif. — 5. *Plus tôt.* — 6. *Tant* joint à un verbe.

___

1224. - VOCABULAIRE : Donnez 3 homonymes de *cher*. Employez *cher* et ses trois homonymes chacun dans une petite phrase.

1225. - ORTHOGRAPHE : Notez dans le carnet d'orthographe : *les nouveau-nés, les nouveaux venus, des personnages tout-puissants, des personnes toutes-puissantes.*

1226. - PHRASÉOLOGIE : Bruits. Remplacez les trois points par les mots convenables : [Il s'agit du silence de la forêt landaise] « Ni le ... du vent dans les cimes, le ... de la source, le ... de l'oiseau, le ... de la bête en chasse, la ... d'une brebis, l' ... d'un résinier jeté à un autre: tout s'y abîme, aussitôt né, parmi l'immensité des colonnades. » (J. de Pesquidoux.) [Choisir : *appel, chuchotement, halètement, bruit soyeux, cri, sonnaille.*]

1227. - LANGAGE : *Incessamment* peut signifier : 1° sans cesse ; 2° sans délai, au plus tôt. — Inventez une phrase où cet adverbe sera employé dans le premier sens, et une autre phrase où il sera employé dans le second sens.

1228. - CONJUGAISON : Conjuguez au passé simple : *accroître.*

___

1229. - Remplacez les trois points par l'une des expressions entre crochets.

a) [*Beaucoup ; de beaucoup*] 1. Il vaut ... mieux se distinguer par le cœur que par l'esprit. — 2. Les fables de La Fontaine sont ... plus célèbres que ses autres ouvrages. — 3. La renommée de Pierre Corneille est plus grande ... que celle de son frère Thomas. — 4. Un vice naissant est ... plus facile à extirper qu'un vice invétéré. — 5. La baleine et le cachalot sont ... les plus gros des animaux : ils sont ... plus pesants que l'éléphant. — 6. Il s'en faut ... que vous ayez acquitté votre dette.

b) [*Davantage ; plus*] 1. L'amour-propre est ... habile que n'importe quel flatteur. — 2. Pour moi les agréments du printemps sont ... séduisants que ceux de l'hiver. — 3. Les fils du laboureur retournèrent si bien leur champ qu'au bout de l'an il en rapporta ... — 4. On connaît l'homme en général ... aisément qu'on ne connaît un homme en particulier. — 5. Souvent le monde récompense les apparences du mérite ... que le mérite même.

c) [*Jadis ; naguère*] 1. Bruges était ... le premier port de l'Occident. — 2. L'électronique, ... encore hésitante, a fait de surprenants progrès. — 3. La fortune est changeante : tel qui ... était puissant se trouve aujourd'hui sans ressources. — 4. Des cosmonautes ... ont marché dans l'espace. — 5. Les druides ... coupaient le gui, plante sacrée. — 6. Le percement de l'isthme de Suez a eu la même portée que ... la découverte de la route maritime des Indes.

1230. - Inventez de courtes phrases où vous emploierez :

1. Beaucoup. — 2. De beaucoup. — 3. Davantage. — 4. Tout à coup. — 5. Tout d'un coup. — 6. Jadis. — 7. Naguère.

1231. - VOCABULAIRE : Comment s'appelle le végétal qui produit : des *cerises ?* — des *noix ?* — des *raisins ?* — des *oranges ?* — des *coings ?* — des *noisettes ?* — des *châtaignes ?*

1232. - ORTHOGRAPHE : Écrivez bien, avec un **h** : *thésauriser, anthologie, orthographe, philanthrope, labyrinthe, esthétique, posthume.*

1233. - LANGAGE : On peut dire : « J'ai *très faim* », « j'ai *si faim* que ... ». — Employez chacun de ces tours dans une courte phrase.

1234. - CONJUGAISON : Conjuguez à l'imparfait du subjonctif, voix passive, forme négative : *envoyer.*

1235. - ANALYSE : Indiquez la fonction des mots en italique : « D'*où* vient que *l'on* rit si librement au théâtre, et que l'on *a honte* d'y pleurer ? »

ADVERBES DE NÉGATION

Les Fleurs des champs.

Nous aimions bien, quand revenait le mois d'avril, le charme des campagnes. *Nous* n'ignorions rien des champs, des travaux de la terre, de la vie des fermes. *Nous* n'allions guère plus loin que sur les plateaux et à l'orée des bois qui bordaient les routes. *Nous* n'avions pas de meilleure joie que

celle de cueillir de gros bouquets de fleurs printanières : anémones, cou-
cous, pervenches, narcisses, et il y en avait plus que *nous* n'en espérions.
Nous n'avions jamais fini d'en ramasser par brassées. *Nous* n'avions aucun
souci de les arranger; ces fleurs fragiles étaient bientôt toutes fripées.

« Jetez vos fleurs, disait maman: *nous* n'en avons que faire, elles sont
mortes! » — Mais *nous* n'écoutions rien; *nous* n'attendions que le plaisir
de recommencer le lendemain une joyeuse cueillette.

D'après André MAUROIS, *Le Cercle de famille*. (Grasset, édit.).

1236. - Remplacez chaque fois, dans le texte ci-dessus, le pronom **on** par **on**,
et soulignez en rouge la négation **n'**.

1237. - Remplacez, quand il y a lieu, les trois points par **n'**.

> N.B. — Moyen pratique : remplacer *on* par *l'homme* : l'oreille indiquera s'il faut
> ou non mettre *n'* après *on*. Ex.: *On...* est jamais content; — *l'homme n'*est
> jamais content. Donc: On *n'*est jamais content.

a) 1. On ... a souvent besoin que d'un léger encouragement. — 2. On ...
a souvent besoin d'un plus petit que soi. — 3. On ... aperçoit là-bas un petit
toit rouge. — 4. On ... aperçoit ce toit rouge que par un temps bien clair. —
5. On ... pas toujours l'énergie qu'il faudrait pour rester fidèle à une résolution
qu'on ... a prise. — 6. Quand on ... a pas ce qu'on aime, il faut aimer ce qu'on
... a. — 7. On ... arrive au succès qu'au prix de patients efforts. — 8. On ... a
rien sans peine.

b) 1. Désirer plus de bonheur qu'on ... en saurait posséder, c'est se condamner à être malheureux. — 2. Sans un peu de travail, on ... a point de plaisir. — 3. On ... est jamais si bien servi que par soi-même. — 4. On ... est
grand par l'esprit, on ... est sublime que par le cœur. — 5. On ... avance dans
ces régions inconnues avec un ravissement continuel. — 6. On ... avance, dans
ces régions inconnues, qu'avec d'infinies précautions. — 7. On ... a jamais
fini de faire son devoir.

1238. - Même exercice.

a) 1. On ... écrit pour se faire comprendre : quand on ... emploie que des
mots clairs et des phrases nettement construites, on fait comprendre sa pensée. — 2. On ... écrit que pour se faire comprendre. — 3. On ... est pas né
pour la gloire si l'on ... attache pas d'importance au prix du temps. — 4. Voici une vieille lampe à pétrole, comme on ... en trouve plus que dans les ha-
meaux perdus. — 5. Quand on ... écoute d'autre voix que celle de son amour-
propre, on risque de se tromper.

b) 1. On ... est malheureux souvent par sa faute. — 2. On ... est malheureux souvent que parce qu'on ... a pas voulu suivre les bons conseils. — 3.
Quand on ... a beaucoup de science, on ... est modeste généralement ; quand
on ... a que peu de connaissances, on ... essaye parfois de faire croire qu'on
... en possède beaucoup. — 4. On ... a guère vu qu'un chef-d'œuvre ait été
fait sans qu'on ... y ait mis le temps. — 5. Certaines douleurs seraient intolé-
rables si l'on ... avait l'espoir qu'elles cesseront.

NE EXPLÉTIF

1239. - Remplacez les trois points, quand il y a lieu, par **ne,** et joignez-y **pas** là où c'est nécessaire.

a) 1. L'homme oisif a lieu de craindre que sa vieillesse ... soit malheureuse. — 2. Vous manquez d'ordre: je crains que vous ... en éprouviez des désagréments. — 3. L'avare appréhende qu'on ... lui dérobe son trésor. — 4. Si un aveugle conduit un autre aveugle, il est à craindre qu'ils ... tombent tous deux dans le fossé. — 5. Évitez que la colère ... vous aveugle.

b) 1. Je ne crains pas que vous ... oubliiez mes conseils. — 2. Cette mère tremble toujours que son enfant ... ait froid, qu'il ... tombe ou qu'il ... se brûle. — 3. Craignez-vous qu'un échec ... vienne anéantir vos espoirs ? — 4. Je crains que le succès ... récompense vos efforts. — 5. Empêchez que cet enfant ... joue avec des allumettes.

1240. - Même exercice.

a) 1. Je redoute que le secours tant attendu ... arrive. — 2. Toi qui joues avec le feu, n'appréhendes-tu pas qu'il ... te brûle ? — 3. L'honnêteté défend que l'on ... prenne le bien d'autrui. — 4. Ne craignez-vous pas que l'examinateur ... vous estime digne d'être admis dans la classe supérieure ? — 5. Il faut appréhender que les soins matériels ... nous occupent tout entiers.

b) 1. Je nie qu'une prospérité continue ... procure à l'homme le vrai bonheur. — 2. Je ne doute pas que l'imagination ... altère souvent notre jugement. — 3. Nous nous croyons volontiers meilleurs que nous ... sommes. — 4. Doutez-vous que les sens ... abusent la raison par de fausses apparences ? — 5. Il ne tient pas à vous que l'opinion publique, très versatile, ... approuve toujours vos entreprises.

1241. - Même exercice.

a) 1. Bien des gens sont en réalité tout autres qu'ils ... paraissent. — 2. Les abeilles construisent-elles leurs cellules mieux qu'elles ... faisaient au temps de Virgile ? — 3. On ne niera pas qu'il ... soit utile de savoir plusieurs langues étrangères. — 4. Il s'en faut bien que les philosophes ... aient tout expliqué. — 5. Cet élève court à un échec, à moins qu'il ... change de méthode.

b) 1. Ne voyons pas les choses autrement qu'elles ... sont. — 2. Le mourant de la fable se plaignait à la Mort qu'elle le contraignît de partir sans qu'il ... eût fait son testament. — 3. Il ne s'en est guère fallu que Napoléon ... gagnât la bataille de Waterloo. — 4. Je ne puis parler sans que ce bavard ... m'interrompe. — 5. Ne partez pas que vous ... ayez tout remis en ordre.

1242. - Inventez de courtes phrases où, s'il y a lieu, vous emploierez **ne** explétif, en rapport avec les expressions suivantes :

a) 1. Douter que. — 2. Ne pas craindre que. — 3. Nier que. — 4. Avant que. — 5. Ne pas empêcher que.

b) 1. Sans que. — 2. A moins que. — 3. Défendre que. — 4. Doutera-t-on que ...? — 5. Meilleur que. — 6. Avez-vous peur que ...?

1243. - VOCABULAIRE : Quel est le sens de la locution latine *mutatis mutandis?* — Employez-la dans une petite phrase.

1244. - ORTHOGRAPHE : Notez dans le carnet d'orthographe : *des reines-claudes, un point de repère, un repaire de serpents, une vie de rajah, imaginer, immerger.*

1245. - PHRASÉOLOGIE : « Les piécettes d'or fondaient *que* c'était un plaisir. » (A. Daudet.) — Imitez cet emploi de *que* en achevant la phrase : « Je rêvais que j'étais fabuleusement riche: dans mes coffres, les pièces d'or remuées sonnaient *que* ... »

1246. - LANGAGE : 1. On peut dire : « Du temps *où* les bêtes parlaient » ou : « Du temps *que* les bêtes parlaient ». — Employez chacun de ces tours dans une petite phrase.

2. Ne dites pas : « Cela me *stupéfait ;* cela m'a *stupéfait* » [*stupéfaire* n'existe pas] ; — dites : « Cela me *stupéfie ;* cela m'a *stupéfié* ». — Inventez une phrase où *stupéfier* sera à l'indicatif présent, — et une autre où il sera au passé composé.

3. Ne dites pas : « Ça tire » (belgicisme et helvétisme) pour « *il y a un courant d'air* » ou « *il y a un vent coulis* ». — Employez chacune dans une phrase les expressions correctes.

1247.- ANALYSE : Indiquez la fonction des mots en italique : « Il convient que nous usions de *complaisance* envers tous et que nous considérions chacun comme un *frère qu*'il faut aimer. »

CHAPITRE IX

La Préposition

GÉNÉRALITÉS

L'Atelier de bricolage.

Nous scellâmes, *dans* le mur *de* la cave, deux bouts de fer, reliés *par* quatre vis *à* une flageolante table, dont ils assurèrent la stabilité, et qui fut ainsi promue au rang d'établi. Nous y installâmes un étau criard, apaisé *d'*une goutte *d'*huile. Puis nous fîmes le classement de l'outillage : une scie, un marteau, une paire de tenailles, des clous de tailles différentes, mais également tordus *par* de précédentes extractions, des vis, un tournevis, un rabot, un ciseau à bois.

J'admirais ces trésors, ces machines, que le petit Paul n'osait pas toucher, car il croyait *à* la méchanceté active des outils pointus ou tranchants, et faisait peu de différence *entre* une scie et un crocodile.

Marcel PAGNOL, *La Gloire de mon père*. (Pastorelly, édit.).

1248. - Analysez, dans le texte ci-dessus, les **prépositions** en italique. (Dire de chacune d'elles à quoi elle unit le complément qu'elle introduit.)

> *Modèle :* « Nous jouons *dans* le jardin. » *Dans :* prépos. ; unit le compl. circ. de lieu *jardin* à *jouons*.

1249. - Analysez les **prépositions** et les **locutions prépositives** (elles sont en italique).

> 1. J'aime entendre le murmure *de* la brise, le soir, *dans* la campagne. — 2. Quand on court *après* l'esprit, on attrape la sottise. — 3. *Au-delà de* ce bouquet *de* chênes, les collines se profilent *sur* le ciel bleu. — 4. *En face de* ma maison se dresse, *entre* les marronniers et les tilleuls, le clocher *de* la chapelle. — 5. Le soleil descend *derrière* les coteaux. — 6. *De* nos ans passagers le nombre est incertain. (Racine.)

1250. - Discernez les **prépositions** et les **locutions prépositives**. Analysez-les.

> 1. Rendons hommage à ceux qui sont morts pour la patrie. — 2. Il vient, par ma fenêtre ouverte, une douce fraîcheur ; dans le jardin montent, parmi les senteurs mêlées, les premiers effluves de la nuit. — 3. Tout royaume divisé contre lui-même périra. — 4. Au-delà de la simple obligation de bien faire, il y a l'héroïsme. — 5. Durant quatre jours, nous avons vécu dans un brouil-

lard épais. (O. Mirbeau.) — 6. Asseyez-vous près de moi. — 7. Contre nous de la tyrannie l'étendard sanglant est levé.

1251. - Décomposez les articles contractés (préposition + artic!e).

Modèle : La maison *du* voisin / ... *de le* voisin.

1. Le charme *du* printemps. — 2. Nous allons *aux* champs. — 3. Les fleurs *des* bois. — 4. La chute *des* feuilles. — 5. Parler *au* directeur.

1252. - Faites apparaître, par la décomposition, la **préposition** incluse dans les articles contractés, et analysez-la. — Analysez également la préposition **de** servant d'article partitif (ex. : j'ai *de* bons fruits ; il n'a pas *de* courage).

Modèles : a) « La paix *du* cœur » ; *du* = de le ; *de :* prépos., unit le compl. détermin. *cœur* à *paix.*
b) « Il n'a pas *de* courage »; *de:* prép. servant d'art. partitif, se rapporte à *courage.*

1. Entendez-vous l'appel *du* cor, dans la profondeur *des* forêts ? — 2. *Aux* petits *des* oiseaux il donne leur pâture. (Racine.) — 3. Qui donne *au* pauvre prête à Dieu. (Hugo.) — 4. Ils n'ont plus *de* vin. — 5. Qui n'a pas *de* patience éprouvera *de* nombreux mécomptes.

1253. - Discernez les **prépositions vides** et analysez-les.

Modèles : a) « La ville *de* Genève » ; *de:* prép. vide, unit l'apposition *Genève* à *ville.*
b) « Je tiens cet homme *pour* innocent » ; *pour :* prép. vide, unit l'attribut *innocent* à *homme.*

1. Le travail nous rend heureux : tenez cette maxime pour excellente. — 2. L'homme n'aime guère à descendre en lui-même. — 3. Quoi de plus doux que le nom de mère ? — 4. Rien ne sert de courir ; il faut partir à point. (La Font.) — 5. De réfléchir sur notre vie passée peut nous aider à nous connaître. — 6. Bayard reçut le surnom de Chevalier sans peur et sans reproche. — 7. Les habitants de l'île de Madagascar sont des Malgaches.

1254. - Remplacez les trois points par un des présentatifs **voici** ou **voilà**.

1. ... une excellente maxime : Faites bien ce que vous faites. — 2. Vous m'avez fait appeler ? Me ... — 3. L'importance de la faute et les intentions de celui qui l'a commise : ... ce qu'il faut considérer. — 4. Si l'on me demande des raisons, ... ce que je répondrai : « J'ai agi selon ma conscience. » — 5. L'ordre, la méthode, la persévérance : ... trois conditions du succès.

1255. - Dites quels rapports sont exprimés par les prépositions ou les locutions prépositives.

1. L'économie est fille *de* l'ordre. — 2. L'envieux est malheureux *de* son malheur et *de* la félicité *d*'autrui. — 3. Ne parlez pas *contre* votre pensée. — 4. Une grande âme est *au-dessus de* l'injure. — 5. L'avare entasse non *pour* consommer, mais *pour* entasser. — 6. *En* forgeant on devient forgeron. — 7. Clovis a été baptisé *à* Reims *par* saint Remi.

RÉPÉTITION DES PRÉPOSITIONS

1256. - Répétez, quand il y a lieu, la préposition en italique.

1. *Dans* les difficultés et ... les tribulations, nous avons besoin *d'*aide et ... consolation. — 2. Faisons-nous une obligation *d'*écouter et ... suivre les avis de nos maîtres. — 3. Nous persévérerons *contre* vent et ... marée. — 4. *De* ton cœur ou ... toi, lequel est le poète ? (Musset.) — 5. *Entre* l'arbre et ... l'écorce, il ne faut pas mettre le doigt. — 6. Conformez-vous *aux* us et ... coutumes des régions où vous vivez. — 7. Ne perdons pas notre temps *en* allées et ... venues. — 8. Comment un chef *sans* vertu et ... caractère imposerait-il son autorité ?

1257. - VOCABULAIRE : 1. Cherchez dans le dictionnaire le sens de : *s'ébrouer, s'engouer, piaffer, varech, pénurie.*

2. Quel est le contraire de « *au-delà* des Pyrénées »?

1258. - ORTHOGRAPHE : Notez dans le carnet d'orthographe : *sceller, je reste sceptique, une fosse septique, pas grand-chose, un contrordre, un entracte.*

1259. - LANGAGE : Ne dites pas : « Il perd son temps en toutes sortes de *courreries* » (belgicisme) ; — dites : « ... en toutes sortes de *courses* » ou « ... en *allées et venues* ». — Employez ces dernières expressions dans deux petites phrases.

1260. - PHRASÉOLOGIE : Refondez la phrase suivante, pour éviter la cascade des prépositions : « Nous allions, *par* un temps affreux, *par* un chemin raviné *par* l'orage. »

1261. - ANALYSE : Analysez les mots en italique : « Ces gens n'ont pas *de* ressources : la charité *nous* impose le devoir *de leur* venir en aide. »

EMPLOI DE QUELQUES PRÉPOSITIONS

1262. - Remplacez les trois points par la **préposition** convenable.

1. Se proposer ... traiter un sujet ... fond. — 2. Ne pas déroger ... la règle générale. — 3. Chercher ... faire des progrès. — 4. Être sujet ... l'insomnie. — 5. Garder des documents ... clef. — 6. Le son parcourt 337 mètres ... seconde. — 7. Depuis votre départ, je m'ennuie ... vous. — 8. Je cause volontiers ... mon ami. — 9. Il a fait ce travail ... deux heures. — 10. Allez jouer ... la cour. — 11. Emprunter une somme à cinq ... cent. — 12. J'ai lu cette nouvelle ... le journal. — 13. Nous nous sommes rencontrés ... la rue. — 14. Il est fâché

[= en colère] ... moi. — 15. Il est fâché [= brouillé] ... moi. — 16. Revenez ... demain en huit.

1263. - Remplacez les trois points par une **préposition** (dans chaque cas, deux constructions sont possibles).

a) 1. Nous ferons le voyage ... bicyclette. / ... bicyclette. — 2. Je vous félicite ... votre succès. / ... votre succès. — 3. Merci ... vos fleurs. / ... vos fleurs. — 4. Séparons le bon grain ... l'ivraie. / ... l'ivraie. — 5. La clef est ... la porte. / ... la porte. — 6. « Honneur » s'écrit ... deux *n*. / ... deux *n*. — 7. Je m'en réjouis ... avance. / ... avance.

b) 1. J'ai acheté une table ... marbre. / ... marbre. — 2. Vous avez parié ... le mauvais cheval. / ... le mauvais cheval. — 3. Il est blasé ... tout. / ... tout. — 4. Cela ne servirait ... rien. / ... rien. — 5. J'ai déjeuné ... deux œufs. / ... deux œufs. — 6. Vous ferez connaissance ... Pierre. / ... Pierre. — 7. Je me suis mépris ... vos intentions. / ... vos intentions.

1264. - Là où il le faut (mais là seulement!) remplacez les trois points par une **préposition**.

1. Quand vous avez mal ... la tête, vos raisonnements ont moins de clarté. — 2. Je cherche ... mon stylo que j'ai perdu. — 3. Quels progrès la science n'aura-t-elle pas faits dans cinquante ans ? Mais d'ici ... là les hommes seront-ils plus heureux ? — 4. Dans votre chambre, rangez chaque chose ... sa place. — 5. Remettez ce tableau ... place. — 6. La plupart des petits garçons aiment ... jouer ... soldat.

1265. - Dans chaque cas, une seconde construction est possible ; remplacez les trois points par la **préposition** convenable.

1. Nous en reparlerons d'ici quelques jours. / d'ici ... quelques jours. — 2. Ce bahut, je l'ai acheté bon marché. / ... bon marché. — 3. C'est ma faute. / ... ma faute. — 4. Elle a divorcé d'avec lui. / ... lui. — 5. Nous avons des raisons de partir. / ... partir. — 6. Nous sommes jeudi. / ... jeudi. — 7. Il jeta sa casquette à terre. / ... terre. — 8. Son père l'a marié à la fille du voisin. / ... la fille du voisin. — 9. Nous sommes d'accord de tout. / ... tout. — 10. Je vous ai vu hier soir. / ... soir.

1266. - Là où il le faut, remplacez les trois points par une **préposition**.

Les Voyages à pied.

Les randonnées ... bicyclette ou ... auto ont leurs agréments, mais on peut préférer ... aller ... pied. On s'arrête à sa guise, on cause ... chaque campagnard, on marche jusque ... midi. À l'auberge, la table ... chêne est couverte ... une nappe fraîche; on déjeune ... quelques œufs au jambon. On fait jusque ... deux heures un bout de sieste ... un fauteuil sous la charmille; ... nouveau on parcourt la campagne.

Le soir, on rentre, un peu las d'avoir fait une vingtaine de kilomètres ... six ou sept heures, et le lendemain, on est prêt ... partir ... nouveau, car on ne se blase jamais ... cette façon de voyager.

1267. - Employez la **préposition** convenable, là où il la faut.

a) 1. Le directeur s'est fâché ... ses employés; il fera ... demain en huit un examen minutieux de la comptabilité. — 2. Les courtisans aspiraient ... l'honneur d'assister au lever de Louis XIV. — 3. Un bon capitaine associe le courage ... la prudence. — 4. Une petite brouille ne doit pas rompre l'amitié : si votre ami est fâché ... vous, faites les avances et réconciliez-vous avec lui. — 5. Alfred de Musset a écrit : « Rien ne nous rend si grands qu'une grande douleur » ; c'est encore ... Musset qui a dit : « L'homme est un apprenti ; la douleur est son maître. »

b) 1. Quelle besogne vous accompliriez ... huit jours si vous employiez bien toutes vos heures ! — 2. Les travaux d'une femme ... journée ont leur dignité. — 3. Henri VIII divorça ... Catherine d'Aragon. — 4. Le cerf altéré soupire ... l'eau des fontaines. — 5. Remerciez vos maîtres ... leur sollicitude. — 6. Comportez-vous dignement ... la rue.

1268. - Encadrez de rouge **jusque** et la préposition (ou l'adverbe) qui le suit.

1. Les bureaux sont ouverts jusqu'à 18 heures. — 2. Je vous attendrai jusque vers midi. — 3. Poussez ce meuble jusque contre le mur. — 4. Jusqu'alors je n'avais rien remarqué. — 5. Voilà jusqu'où va ma patience. — 6. Jusqu'à quand prolongerez-vous votre séjour ? — 7. Irons-nous jusque-là ? — 8. Il a plu depuis le matin jusqu'à maintenant.

1269. - Remplacez les points par **jusque**, sans omettre d'y joindre **à**, quand cette dernière préposition est requise.

a) 1. Une mère va ... l'extrême limite de l'indulgence ; elle pardonne ... l'ingratitude de ses enfants. — 2. Les albatros ont ... quatre mètres d'envergure. — 3. J'ai différé ... aujourd'hui à vous écrire. — 4. ... quand, Catilina, abuseras-tu de notre patience ? — 5. Je vous ai attendu ... avant-hier ; j'ai même veillé ... fort tard dans la nuit ; je vous attendrai demain ... dix heures.

b) 1. L'homme charitable aime ... ses ennemis. — 2. ... où une volonté énergique ne peut-elle pas aller ? — 3. Napoléon, en 1812, s'avança ... Moscou. Il dut se résoudre à la retraite. Ce fut le désastre : la température descendit ... 28 degrés au-dessous de zéro. Au passage de la Berezina, la Grande Armée perdit ... 35 000 hommes ; elle n'avait pas ... alors subi d'échec aussi cuisant. — 4. Peu d'hommes vivent ... cent ans.

1270. - Inventez de petites phrases où vous emploierez **jusque** ou **jusqu'à**, introduisant les compléments suivants :

1. Maintenant. — 2. Près de dix heures. — 3. Là. — 4. Très loin. — 5. Aujourd'hui. — 6. Après-demain. — 7. Très avant dans la nuit. — 8. Quatre-vingts ans.

1271. - Remplacez les points par **près de** ou par **prêt à** (et accordez l'adjectif *prêt*).

a) 1. L'ignorance toujours est ... s'admirer. (Boileau.) — 2. Ma tante était toujours ... rendre service. — 3. Parfois le succès nous échappe quand nos efforts sont ... aboutir; soyons alors ... faire une nouvelle tentative. — 4. Ma grand-mère est si indulgente qu'elle est toujours ... me pardonner. — 5. Déjà le soleil est ... se lever.

b) 1. J'ai vu le temps où ma jeunesse Sur mes lèvres était sans cesse ... chanter comme un oiseau. (Musset.) — 2. Un courtisan réduit à se nourrir de vérités est bien ... mourir de faim. (Chateaubriand.) — 3. La calomnie, monsieur ! J'ai vu les plus honnêtes gens ... en être accablés. (Beaumarchais.) — 4. La mule était au bas de l'escalier, toute harnachée et ... partir pour la vigne. (A. Daudet.) — 5. Un de ses vœux les plus chers semblait ... se réaliser. (R. Bazin.)

1272. - VOCABULAIRE : Quels sont les noms désignant : l'action de *se venger ?* — d'*attendre ?* — de *dégager ?* — de *bruire ?* — de *réduire ?*

1273. - ORTHOGRAPHE : 1. Notez dans le carnet d'orthographe : *se réconcilier, sourciller, robe de brocart, lancer des brocards à quelqu'un, entrebâiller.*

2. Devant un *h* muet, l'élision et la liaison se font ; devant un *h* aspiré, non. Remplacez les points par *le,* ou *la,* ou *l' :* ... haie, ... homard, ... huissier, ... houppe, ... hommage, ... Hindou, ... hangar, ... hostie, ... heure, ... hallebarde.

1274. - PRONONCIATION : En dépit de l'accent aigu, faites entendre un *è* ouvert dans la seconde syllabe de : *dussé-je, puissé-je, aimé-je, parlé-je,* etc. ; — et de : *événement, abrégement, allégement, empiétement, crémerie, je siégerai,* etc.

1275. - LANGAGE : 1. Ne dites pas : « Ne pas siffloter *en* rue » ; — dites : « ... *dans la* rue ». — Inventez une phrase où vous emploierez la construction correcte.

2. Anglicismes (canadianismes) : « *Plugger* un appareil électrique » [pour : « *brancher* ... »] ; — « le *plug* » [pour : « la *fiche* »] ; — « le *fuse* » [pour : « le *fusible,* le *plomb,* le *coupe-circuit* »] ; — « le *switch* [pour : « l'*interrupteur,* le *commutateur* »]. — Employez dans 4 phrases de votre invention les expressions françaises.

1276. - ANALYSE : Analysez les mots en italique : « *Allons !* Justine, ôtez-*moi* les poussières *dont* cette commode paraît toute *chargée.* »

CHAPITRE X

La Conjonction

Le Jeune Paon.

Quand je suis venu au monde, je n'avais qu'un maigre duvet sur la peau *et* rien ne permettait d'espérer *qu*'il en serait un jour autrement. Ce n'est que peu à peu que je me suis transformé au point d'être où vous me voyez à présent, *et* il m'a fallu des soins.

Je ne pouvais rien faire *sans que* ma mère me reprenne aussitôt: « Ne mange pas de vers de terre, ça empêche la huppe de pousser. Ne saute pas à cloche-pied, tu auras la traîne de travers. Ne mange pas trop. Ne bois pas pendant les repas. Ne marche pas dans les flaques... » C'était sans fin. *Et* je n'avais pas le droit de fréquenter les poulets *ni* les autres espèces du château. *Car* vous savez *que* j'habite ce château qu'on aperçoit là-bas.

Marcel AYMÉ, *Les Contes du chat perché.* © Éditions Gallimard.

1277. - Dans le texte ci-dessus, analysez les **conjonctions** (elles sont en italique).

Modèles : a) « Je lis *et* je médite. » — *Et:* conj. de coordin. ; unit les deux prop. *je lis, je médite.*

b) « Je vois *que* tu lis. » — *Que :* conj. de subord. ; unit la prop. subord. *tu lis* à la base de la phrase *vois.*

1278. - Soulignez de deux traits les conjonctions de **coordination** ; — d'un **trait** les conjonctions de **subordination**.

1. La mouche et la fourmi contestaient de leur prix. (La Font.) — 2. Je pense, donc je suis. — 3. J'espère que vous viendrez bientôt. — 4. Qui veut mourir ou vaincre est vaincu rarement. (Corneille.) — 5. On a perdu bien peu quand on garde l'honneur. (Voltaire.) — 6. Opposez-vous au mal avant qu'il s'enracine.

1279. - Analysez les diverses **conjonctions**.

a) 1. Tout chante lorsque le printemps revient. — 2. Quand on n'a pas ce qu'on aime, il faut aimer ce qu'on a. — 3. Je vois que rien n'échappe à votre vigilance. — 4. Mon verre n'est pas grand, mais je bois dans mon verre. (Musset.) — 5. Tant que tu seras heureux, tu compteras de nombreux amis ; si les temps deviennent sombres, tu seras seul.

b) 1. La lune était sereine et jouait sur les flots. (Hugo.) — 2. Le bon historien n'est d'aucun temps ni d'aucun pays ; quoiqu'il aime sa patrie, il ne la flatte en rien. — 3. Quand les périls sont passés, on les mesure et on les trouve grands. (Vigny.) — 4. A mesure que la voiture avançait, la rue s'élargissait. (Th. Gautier.) — 5. Le cœur d'un homme vierge est un vase profond :

Lorsque la première eau qu'on y verse est impure, La mer y passerait sans laver la souillure, Car l'abîme est immense et la tache est au fond. (Musset.)

1280. - Même exercice.

1. Depuis que l'expérience nous l'enseigne, nous devrions savoir qu'on n'a rien sans peine. — 2. Pendant que je m'ennuyais, le père Gonse me prêta un vieux fusil et me conseilla de me distraire en abattant du gibier, si j'en trouvais. (A. France.) — 3. Nous constatons que bien des gens compromettent leurs entreprises par leur impatience ou par leur étourderie. — 4. Puisque nous sommes tous frères, aidons-nous les uns les autres. — 5. Quand le danger menace ou quand le désordre trouble les esprits, l'homme de caractère garde sa sérénité. — 6. Tout homme est faillible ; or je suis un homme ; donc je suis faillible.

1281. - Composez de courtes phrases dans lesquelles, au moyen des **conjonctions** indiquées, vous insérerez entre eux :

a) *Deux éléments de même fonction dans une proposition :* 1. Et. — 2. Ou. — 3. Ni.

b) *Deux propositions de même nature :* 1. Et. — 2. Ou. — 3. Donc. — 4. Mais.

1282. - Inventez des phrases où vous emploierez les **conjonctions de subordination** suivantes :

a) 1. Que. — 2. Quand. — 3. Avant que. — 4. Si. — 5. Parce que.

b) 1. A condition que. — 2. Bien que. — 3. De crainte que. — 4. Afin que.

1283. - VOCABULAIRE : 1. Par quels noms généraux désigne-t-on : le médecin qui traite les maladies des yeux ? — un petit verre d'optique se plaçant sur un seul œil ? — un coup d'œil jeté furtivement ? — Qu'est-ce qu'un « témoin *oculaire* » ?

2. Cherchez dans le dictionnaire le sens de *épigraphe* et de *épitaphe*.

1284. - ORTHOGRAPHE : Notez dans le carnet d'orthographe : *trembloter, harassé lourdaud, pèlerin, plaidoirie, exceptionnel.*

1285. - PRONONCIATION : Faites entendre le *c* de *donc* quand le mot est en tête d'une phrase ou d'un membre de phrase : « *Donc* nous partons » ; — « Je pense, *donc* je suis » ; — de même quand *donc*, à l'intérieur d'une phrase, est devant une voyelle : « Nous voici *donc* arrivés ». — Ne le faites pas entendre en dehors de ces cas : « Vous voilà *donc !* » ; — « Ouvrez *donc* la porte ! ouvrez *donc !* »

1286. - LANGAGE : Ne dites pas : « Telle chose équivaut telle autre » ; — dites : « ...*à* telle autre ». — Inventez une phrase où vous emploierez la construction correcte.

1287. - CONJUGAISON : Conjuguez au présent du subjonctif : *conquérir.*

1288. - ANALYSE : Indiquez la fonction des mots en italique : « Conduisons-*nous* toujours *en gens* d'honneur. »

1289. - Dites quels rapports sont marqués par les **conjonctions** ou **locutions conjonctives** en italique.

a) 1. Frappe, *mais* écoute. — 2. Il faut vaincre *ou* mourir. — 3. *Si* vous travaillez, vous évitez l'ennui. — 4. *Quand* on veut on peut.

b) 1. Pardonnez *afin qu'*on vous pardonne. — 2. *Comme* je sortais, j'ai rencontré un ami. — 3. Toute profession est honorable, *pourvu qu'*elle soit utile. — 4. L'instruction est indispensable : *donc* instruisez-vous. — 5. *Quoique* mon devoir soit pénible, je l'accomplirai.

1290. - Employez une conjonction exprimant le **rapport** indiqué.

a) 1. L'oisiveté est funeste : [*conséquence*] je l'éviterai. — 2. La peur [*alternative*] le besoin causent tous les mouvements de la souris. — 3. Les richesses [*liaison négative*] les honneurs ne nous rendent heureux. — 4. [*Temps*] le devoir commande, il faut lui obéir. — 5. [*Supposition*] vous faites le bien [*but*] on vous loue, vos actions sont-elles méritoires ?

b) 1. Un charme est au fond des souffrances [*comparaison*] une douleur au fond des plaisirs. (Chateaubriand.) — 2. L'arbuste a sa rosée, [*liaison*] l'aigle a sa pâture. (Musset.) — 3. Pour convaincre, il suffit de parler à l'esprit, [*opposition*] pour persuader, il faut aller jusqu'au cœur. — 4. Un bon chef, [*concession*] il soit sévère, sait être juste. — 5. [*Cause*] vos raisons paraissent bonnes, on s'y rendra.

1291. - Indiquez la nature de **que** (conjonction, pronom relatif ou interrogatif, adverbe de quantité ou d'intensité, adverbe interrogatif).

a) 1. Je souhaite *que* vous persévériez. — 2. Je demande *que* vous graviez sur le marbre les services *que* vous avez reçus et *que* vous écriviez sur le sable ceux *que* vous avez rendus. — 3. *Que* de gens s'ignorent eux-mêmes ! — 4. *Que* ne parliez-vous plus tôt ? — 5. A tous les cœurs bien nés *que* la patrie est chère ! (Voltaire.)

b) 1. Ne partons pas *que* nous n'ayons pris une décision. — 2. Je ne sais plus *que* penser de cette étrange affaire. — 3. Lorsque la bise souffle et *que* les feuilles tombent, le paysage s'empreint de mélancolie. — 4. Concluons *que* la Providence Sait ce *qu'*il nous faut mieux *que* nous. (La Font.) — 5. *Que* sert de dissimuler ?

1292. - Inventez de courtes phrases où vous emploierez **que** :

1. Comme conjonction. — 2. Comme pronom relatif. — 3. Comme pronom interrogatif. — 4. Comme adverbe de quantité. — 5. Comme adverbe interrogatif.

1293. - Indiquez la nature de **si** (conjonction, adverbe de quantité, adverbe d'affirmation, nom).

1. Nous ne ferons rien de grand *si* nous n'avons pas d'idéal. — 2. Rien ne nous rend *si* grands qu'une grande douleur. (Musset.) — 3. Avec un *si* on mettrait Paris dans une bouteille. — 4. Nul ne sait *si* demain lui appartiendra. — 5. Devine, *si* tu peux, et choisis, *si* tu l'oses. (Corneille.) — 6. Il est *si* beau, l'enfant avec son doux sourire. (Hugo.) — 7. *Si* tu sèmes le vent, tu récolteras la tempête. — 8. Qui te rend *si* hardi de troubler mon breuvage ? disait e loup à l'agneau. — Sire, répondit l'agneau, *si* Votre Majesté veut bien considérer que je bois plus de vingt pas au-dessous d'elle, elle comprendra que je ne puis troubler sa boisson. — *Si,* tu la troubles, reprit le loup.

1294. - Remplacez les trois points par **ou** ou bien par **où.**

1. Chacun a son défaut ... toujours il revient. (La Font.) — 2. ... sont-ils, les marins sombrés dans les nuits noires ? (Hugo.) — 3. La peur ... le besoin causent tous les mouvements de la souris. — 4. Notre échec ... notre succès dépend de l'énergie avec laquelle nous aurons fait face aux difficultés. — 5. La flatterie sait nous prendre par ... nous sommes sensibles. — 6. L'onagre ... âne sauvage vit dans les régions du nord de l'Inde.

1295. - VOCABULAIRE : 1. Qu'entend-on par *modus vivendi ?* — Employez cette locution latine dans une petite phrase.

2. Que signifie : « ajourner une réunion *sine die* » ? — Employez cette locution latine dans une courte phrase.

1296. - ORTHOGRAPHE : Notez dans le carnet d'orthographe : *discerner, dissimuler, séance, un soi-disant gentilhomme, bonhomie.*

1297. - LANGAGE : 1. *Arrêter,* avec *de* et un infinitif, peut, en dépit des puristes, s'employer au sens de « cesser de » : « Il n'*arrête* pas de fumer ». — Employez en ce sens *arrêter* dans une courte phrase de votre invention.

2. Des Canadiens disent : « Mettre sur le tourne-disque un *record,* un *long jeu* (calque de l'anglais *long playing*) pour : « ... un *disque,* un *microsillon* (33 tours) ». — Inventez deux phrases où vous emploierez les expressions françaises.

1298. - PHRASÉOLOGIE : « Le vice est odieux ; or le mensonge est un vice ; donc le mensonge est odieux. » — Un tel raisonnement s'appelle *syllogisme.* — Inventez un syllogisme.

1299. - CONJUGAISON : Conjuguez au plus-que-parfait du subjonctif, forme négative : *s'en aller.*

1300. - PONCTUATION : Mettez, aux endroits marqués par un trait vertical, les signes de ponctuation voulus : *Il faut | autant qu'on peut | comme dit le fabuliste | obliger tout le monde | on a souvent besoin d'un plus petit que soi |*

CHAPITRE XI

L'Interjection

Auto-stop.

Qu'est-ce que votre voiture? Ah! ah! c'est une Citroën... Moi, si j'avais une voiture, j'aimerais mieux une Bugatti. Au moins les Bugatti, ça marche. Dame, ça coûte assez cher. Ce n'est pas de la camelote. J'ai un beau-frère qui possède une belle voiture. Lui, c'est une Rolls, pour le moins. Lui, il conduit bien. C'est pas pour dire... Non, ah! Mais il est prudent. Je ne parle pas rapport à ...

Attention! L'auto, ça fait gagner du temps, surtout maintenant qu'on arrive sur le plateau. Mon beau-frère, lui, il va vite. Il est prudent, mais il va vite. C'est un gars qui sait conduire. Qu'est-ce qui fait ce petit bruit-là? Comme c'est drôle, ces voitures d'aujourd'hui: on ne sait pas où mettre ses jambes. Vaut mieux que rien, bien évidemment. Vous êtes sûr de ne pas vous tromper de route? Moi, d'ordinaire, je prends les raccourcis. C'est plus agréable. M'y voilà. Oh! Ne vous donnez pas la peine. Pourvu seulement que je n'oublie rien.

Georges DUHAMEL, *Fables de mon jardin.* (Mercure de France, édit.).

1301. - Dans le texte ci-dessus, soulignez les **interjections.**

1302. - Inventez de courtes phrases où vous emploierez les **interjections** suivantes :

1. Ah ! — 2. Hélas ! — 3. Eh bien ! — 4. Hourra ! — 5. Oh !

1303. - Discernez les **interjections** et les **locutions interjectives** ; dites de chacune d'elles le sentiment qu'elle exprime.

Modèle : Ah ! [admiration] que c'est beau !

a) 1. Oh ! que vous regretterez cette décision ! — 2. Allons ! un peu plus de vigueur, s'il vous plaît. — 3. Eh bien ! qu'attendez-vous ? — 4. Bonté di vine ! tout ce tapage va nous assourdir. — 5. Cette action-là vous honore. Bravo ! — 6. Quoi ! vous oublieriez les bienfaits de vos parents ?

b) 1. O Waterloo ! je pleure et je m'arrête, hélas ! (Hugo.) — 2. Têtebleu ! ce me sont de mortelles blessures De voir qu'avec le vice on garde des mesures. (Molière.) — 3. Sacrebleu ! s'écria-t-il, vous vous êtes mis dans de jolis draps ! (A. France.) — 4. Miséricorde ! si mes paroissiens m'entendaient ! (A. Daudet.) — 5. Dieu ! que le son du cor est triste au fond des bois ! (Vigny.) — 6. Allons, enfants de la patrie, Le jour de gloire est arrivé !

1304. - Remplacez les trois points par l'**interjection** convenable, choisie entre les suivantes :

Miséricorde ! — Fi donc ! — Halte ! — Ouf ! — Hourra ! — Hélas ! — Gare ! — Bravo ! — Motus ! — Holà !

1. ... Le passage est interdit. — 2. ... S'il escalade ce pic, il va se rompre le cou ! — 3. Vous jouez avec le feu : ... les conséquences ! — 4. Soyez discret ! et sur ce que je vous ai dit, ... — 5. ... venez vite à mon secours ! — 6. Il faut bien convenir, ... qu'il reste fort peu d'espoir. — 7. Vous avez manqué à votre promesse, ... — 8. ... Voilà un succès qui vous honore. — 9. ... C'est notre équipe qui l'emporte ! — 10. ... Me voilà enfin débarrassé de ce fardeau !

1305. - VOCABULAIRE : 1. Rapprochez par couples, selon leur synonymie ou leur voisinage de sens, les mots: *bataille, abjection, artifice, combat, limites, ruse, changement, bassesse, bornes, variation.*

2. Que signifie l'interjection *bone Deus ?* Employez-la dans une petite phrase.

1306. - ORTHOGRAPHE : Notez dans le carnet d'orthographe : *raccourcir, roman de cape et d'épée, étymologie, infarctus* (lat. *farcire*, remplir ; aucun rapport avec *fracture*).

1307. - PRONONCIATION : Ne faites pas entendre l'*s* dans *tandis que,* — ni dans *sens*, élément des expressions *sens dessus dessous, sens devant derrière,* — ni dans *ananas, Clarens, Sottens,* marquis de *Carabas, galimatias, rubis, cassis* (rigole).

1308. - LANGAGE : 1. Ne dites pas : « Il n'est pas paresseux ; *que du* contraire » ; — dites : « ...au contraire », ou : « ...bien au contraire », ou : « *tout au* contraire ». — Inventez une phrase où vous emploierez une des expressions correctes.

2. Ne dites pas : « une lettre *express* » ; — dites : « une lettre *exprès* ». — Inventez une phrase où vous emploierez l'expression correcte.

1309. - ANALYSE : Analysez les mots en italique : « *Si* l'on *vous* décerne une louange *sans que* vous la méritiez, considérez-la *comme* un *blâme*. »

CHAPITRE XII

Les Propositions subordonnées

1. SUBORDONNÉES SUJETS

Mes Jouets.

Il me souvient que ma mère passait ses journées dans le petit salon et que je jouais près d'elle, sur le tapis, avec un mouton qui n'avait que trois pieds, après en avoir eu quatre. Cela me plaisait que mon polichinelle remuât les bras désordonnément; il fallait que j'eusse en ce temps-là beaucoup d'imagination, car ce polichinelle et ce mouton me représentaient les personnages divers de mille drames curieux.

Que mon polichinelle eût la tête de travers me remplissait d'inquiétude : il convenait, dans mon esprit, que j'en fisse part à ma mère. Toujours inutilement. D'où vient que les grandes personnes ne comprennent jamais bien les explications des petits enfants?

D'après Anatole FRANCE, *Le Livre de mon ami.* (Calmann-Lévy, édit.).

1310. - Soulignez, dans le texte ci-dessus, les **subordonnées sujets**; marquez-les d'un des signes **sub. s.** [= sujet] ; — **sub. s. r.** [= sujet réel ; dans ce cas, marquez du signe **s. app.** le sujet apparent].

1311. - Même exercice.

    a) 1. Il faut que la vérité triomphe. — 2. Il importe que chacun fasse son devoir. — 3. N'est-il pas imprudent que tu descendes dans ce gouffre ? — 4. Que les cosmonautes marchent dans l'espace ne surprend plus guère aujourd'hui. — 5. D'où vient que nous trouvons la condition d'autrui préférable à la nôtre ?

    b) 1. Que la nature soit un beau livre ouvert, cela a été dit par les poètes. — 2. Que l'on s'honore en reconnaissant son erreur, le fait n'est pas douteux. — 3. Que la force d'âme soit une des garanties du succès, la chose est avérée. — 4. Nous avons trop de désirs : de là vient que nous éprouvons beaucoup de déceptions. — 5. Qui ne dit mot consent.

1312. - Même exercice.

    a) 1. Quiconque ment est indigne de notre estime. — 2. Cela m'étonne que tu ne m'aies pas averti. — 3. Qui n'entend qu'une cloche n'entend qu'un son. — 4. Bien des hommes sont intempérants : de là vient que leur santé est précaire. — 5. A beau mentir qui vient de loin.

b) 1. Un mauvais fils être un bon citoyen, cela n'est pas possible. — 2. Il semble à bien des gens qu'ils ont peu de défauts. — 3. Que ses amis le méconnussent le remplissait d'amertume. (R. Rolland.) — 4. Il faut ici-bas que nous achetions des instants de bonheur par des sacrifices continuels. (Lacordaire.) — 5. Cela ne nous plaît guère qu'on nous reprenne de nos fautes. — 6. Qu'ils continuent de n'être pas d'accord sur des points essentiels rend plus saisissant le point acquis du travail commun. (Fr. Mauriac.)

1313. - Soulignez les **propositions sujets** ; encadrez, dans chaque cas, le verbe principal dont elles sont les sujets.

La Bonne Réputation.

Il est naturel que nos semblables portent des jugements sur notre valeur. De là vient que peu à peu notre réputation se forme autour de nous. C'est assurément un bien que nous jouissions de la considération publique ; à cela s'ajoute que notre influence en sera plus efficace.

Qu'une bonne réputation soit un élément important de notre bonheur est incontestable. Quiconque a vécu probe et honnête trouve dans la bonne réputation une récompense de sa vertu ; il est certain que cette réputation est en outre un refuge dans le malheur. D'autre part, qui a une bonne réputation trouve dans l'estime d'autrui plus de courage pour persévérer dans le chemin de l'honnêteté.

1314. - Modifiez la tournure des phrases suivantes de telle sorte que chacune d'elles présente une **subordonnée sujet** :

1. Chacun a ses peines : cela n'est-il pas vrai ? — 2. Vous perdez en vains bavardages un temps précieux : c'est dommage. — 3. Nous remercions nos bienfaiteurs ; cela convient. — 4. Des apparences séduisantes ne répondent pas toujours à des qualités réelles : la chose est certaine. — 5. Tu remets à plus tard l'accomplissement de ton devoir : cela m'afflige.

1315. - Joignez à chaque verbe principal une **subordonnée sujet** :

1. Il est certain... — 2. Peu importe... — 3. D'où vient...? — 4. ..., cela ne fait pas de doute. — 5. C'est étrange que...

1316. - Justifiez l'emploi du mode.

a) 1. Il est évident que la lecture *enrichit* notre esprit. — 3. Il me semble que l'on ne *peut* concilier ses devoirs avec le goût de la frivolité. — 3. Il est regrettable que tant de gens *soient* ignorants de leurs véritables intérêts. — 4. Il est certain que vous *ferez* plus de progrès si vous travaillez avec méthode. — 5. Il n'est pas sûr que nous *puissions* compter toujours sur les promesses qu'on nous a faites.

b) 1. Que vous *fassiez* si peu d'efforts m'afflige. — 2. Qui se *corrigerait* chaque année d'un défaut serait bientôt parfait. — 3. Se peut-il qu'on *trahisse* sa patrie ? — 4. Il est évident que vous *triompheriez* de bien des difficultés is vous aviez une volonté persévérante. — 5. N'est-il pas incontestable que la paix *vaut* mieux que la guerre ?

1317. - Mettez au mode convenable les verbes en italique.

a) 1. Il faut que nous [*rendre*, prés.] à chacun ce qui lui revient. — 2. Il convient que vous ne [*manquer*, prés.] aucune occasion de vous instruire. — 3. Il est possible que vous [*devenir*, prés.] riche, mais est-il sûr que vous [*être*, prés.] pour cela plus heureux ? — 4. Il semble aux vieilles gens que le monde [*aller*, imparf.] mieux quand ils étaient jeunes. — 5. Que le travail [*être*, prés.] un trésor, le laboureur de la fable le fit voir à ses enfants.

b) 1. N'est-il pas sûr que notre science [*être*, prés.] peu de chose auprès de ce que nous ignorons ? — 2. D'où vient que nous n' [*aimer*, prés.] guère à descendre en nous-mêmes ? — 3. Ce n'est pas toujours un vrai mal que nous [*subir*, prés.] un échec : il arrive que d'un mal [*sortir*, prés.] un grand bien. — 4. Qu'on [*être puni*, prés.] par où l'on a péché, la chose est bien certaine. — 5. Il est rare que nous [*user*, prés.] de la même mesure pour nous et pour les autres.

1318. - Mettez au mode voulu les verbes en italique.

L'Âme des choses familières.

Chers objets familiers! Il nous semble que ce buffet, cette horloge, cette potiche, ce tableau, ce portrait [*avoir*, prés.] une âme. Qu'ils [*avoir*, prés.] une sensibilité et une espèce de langage muet, cela ne nous [*paraître*, prés.] pas si étrange. N'est-il pas naturel qu'ils [*prendre*, passé] les habitudes de la maison? Il n'importe pas peut-être qu'on [*savoir*, prés.] toute leur histoire; il convient cependant qu'on [*se souvenir*, prés.] qu'ils ont été mêlés à nos joies, à nos douleurs, à nos deuils; à cela s'ajoute que quelques-uns d'entre eux [*être*, passé] fidèlement attachés au foyer depuis plusieurs générations; il semble qu'on [*voir*, prés.] dans leurs physionomies les charmes infinis des vieux visages.

1319. - Joignez aux expressions suivantes une **subordonnée sujet** dont le verbe soit au mode indiqué entre crochets :

1. Il semble que ... [*indic.*]. — 2. Il semble que ... [*subj.*] — 3. Il semble que ... [*condit.*]. — 4. Est-il certain que ... [*indic.*]? — 5. Est-il certain que ... [*subj.*]? — 6. Quiconque ... [*indic.*]. — 7. Quiconque ... [*condit.*].

1320. - VOCABULAIRE : Par quel nom désigne-t-on l'état de celui : qui est aveugle (lat. *caecus,* aveugle) ? — qui louche (grec *strabos,* louche) ? — qui a la vue fort courte ? — qui voit mieux de loin que de près ? — qui est sourd ? — qui est muet ? — qui boite (lat. *claudicare,* boiter) ?

1321. - ORTHOGRAPHE : Notez dans le carnet d'orthographe : *concilier, ascenseur, diphtérie, un geste provocant, carotte, carafe, carrosse.*

1322. - LANGAGE : Ne confondez pas : « mettre *à* jour » (par ex. ses comptes) = mettre en règle, au courant ; — et « mettre *au* jour » = produire à la lumière, donner vie, publier. — Employez dans une courte phrase chacune de ces deux expressions.

1323. - PRONONCIATION : Prononcez bien, avec un *o* long et fermé : *drôle, Pentecôte, oscille, diplôme, côté, grosse ;* — avec un *o* bref et ouvert : *robe, symbole, la cote* (de la Bourse), *voter.*

1324. - CONJUGAISON : Conjuguez au présent de l'indicatif : *contredire.*

---

2. SUBORDONNÉES ATTRIBUTS

Des Écoliers distraits.

À l'école, le grand souci de M. Chamarote était que chacun pût définir le carré, le triangle, conjuguer le verbe « coudre », dire par cœur les sous-préfectures de l'Allier, expliquer le décalitre ou la pile électrique. Mais, pour nous, la chose intéressante était, au mois de mai, que les hannetons naissaient familièrement dans les plumiers ; un de nos secrets plaisirs était que le ver à soie filait son cocon dans les ténèbres des pupitres.

Des courants électriques parcouraient les bancs tachés d'encre. On se passait des mots rapidement chuchotés ; l'inconvénient était que M. Chamarote en surprenait parfois le sens et cassait durement le fil de nos intrigues. Quand une abeille, venue du grand mûrier de la cour, entrait étourdiment par la fenêtre, le sentiment général était que l'insecte vrombissant dans le ciel de la classe occupait bien plus agréablement les esprits que la règle de trois ou que le règne de Pépin le Bref.

D'après Henri BOSCO, *L'Âne Culotte.* © Éditions Gallimard.

1325. - Soulignez, dans le texte ci-dessus, les **subordonnées attributs,** encadrez le mot dont elles sont les attributs.

1326. - Même exercice.

a) 1. La plupart désirent faire le bien ; le malheur est qu'ils manquent de volonté. — 2. Quand vous ne discernez pas clairement votre devoir, le mieux est que vous demandiez conseil à vos parents. — 3. Le pigeon de la fable échappa à différents dangers ; le pis du destin fut qu'un vautour le saisit dans ses serres. — 4. Le mal, disait le savetier de la fable, est que dans l'an s'entre-mêlent des jours qu'il faut chômer. — 5. Mon opinion est que vous feriez mieux d'attendre. — 6. La continuelle crainte de ma grand-mère était que nous n'eussions pas assez à manger. (A. Gide.)

b) 1. Cet homme puissant sera-t-il encore demain qui il est aujourd'hui ? — 2. Ma meilleure consolation est que mes enfants sont armés pour la lutte de l'existence. — 3. Votre avenir ? C'est de quoi je me préoccupe. — 4. Entre le ministre et le concierge, accomplissant l'un et l'autre leur devoir, la seule différence est que leurs travaux sont d'importance inégale : le mérite moral de l'un et de l'autre est le même. — 5. Le meilleur élève n'est pas qui vous croyez.

1327. - Justifiez l'emploi du mode dans la subordonnée attribut.

1. Il n'importe pas que nous ayons un haut emploi : l'important est que nous *vivions* en honnêtes gens. — 2. Certaines gens voudraient nous en faire accroire ; souvent la vérité est qu'ils n'*ont* qu'un mince bagage de connaissances. — 3. Mon avis est qu'il *vaut* mieux être que paraître. — 4. Si nous confrontons ensemble l'opinion des pessimistes et celle des optimistes, notre conclusion sera que la vérité *est* entre les extrêmes. — 5. Mon désir est que vous *marchiez* dans les voies de l'honneur.

1328. - Mettez au mode convenable les verbes en italique.

1. L'opinion des vrais savants est que nous ne [*savoir*, prés.] le tout de rien. — 2. La crainte naturelle d'une mère est que quelque danger n' [*atteindre* prés.] son enfant. — 3. L'important est qu'au terme de l'année scolaire, vous [*être reçu*, prés.] à l'examen. — 4. Le sentiment de bien des gens est qu'ils [*accomplir*, prés.] de grandes choses s'ils étaient favorisés par le sort ; la vérité est qu'ils ne [*être*, prés.] capables que de petites actions. — 5. Ma conviction est qu'on ne [*faire*, prés.] rien de grand si l'on n'a pas appris à vouloir. — 6. Notre idée était que de semblables villes n' [*exister*, imparf.] pas dans la réalité. (Th. Gautier.)

1329. - Joignez aux expressions suivantes une subordonnée attribut.

1. Mon vœu est que ... — 2. Le souhait d'un bon fils est que ... — 3. Vous perdez un temps précieux : le résultat sera que ... — 4. Je vous ai fait voir les avantages de la bonne humeur ; ma conclusion sera que ... — 5. La première condition du bonheur est que ...

1330. - VOCABULAIRE : L'adjectif *palindrome* (gr. *palin,* en retour; *dromos,* course) se dit d'un mot, d'une phrase offrant le même sens quand on les lit de gauche à droite ou de droite à gauche. Exemples: d'un mot palindrome :

LAVAL ; — de phrases palindromes : L'ÂME DES UNS JAMAIS N'USE DE MAL ; — ÉSOPE RESTE ICI ET SE REPOSE.

1331. - ORTHOGRAPHE : Notez dans le carnet d'orthographe : *mater* quelqu'un (= l'humilier, le dompter), *mâter* un vaisseau (= le garnir de mâts), *nénuphar, effervescence, réminiscence.*

1332. - LANGAGE : On peut dire *en agir* au sens de « en user ». Exemple : « Il *en* a *agi* (ou : il en a usé) familièrement avec moi. » — Employez dans une courte phrase chacune des deux tournures.

1333. - CONJUGAISON : Conjuguez au plus-que-parfait de l'indicatif, forme interrogative négative: *sortir.*

1334. - ANALYSE : Analysez les mots en italique : « La science pénètre aujourd'hui *jusqu'*aux profondeurs de ce monde étonnant *dont* Pasteur *lui* a ouvert les portes : le *monde* des microbes. »

---

3. SUBORDONNÉES EN APPOSITION

1335. - Soulignez les **subordonnées en apposition** ; encadrez le nom ou le pronom auquel chacune d'elles est apposée.

a) 1. Que pourrait-on objecter contre cette maxime que l'union fait la force ? — 2. Le fait que vous vous excusez éveille l'idée que vous êtes coupable. — 3. Cet homme était instruit et, qui mieux est, il était d'une parfaite honnêteté. — 4. Souscrirez-vous à ce principe que la raison du plus fort est toujours la meilleure ? — 5. L'enfance a cela d'admirable qu'elle ne cache pas ses sentiments.

b) 1. Mon père est au bureau, qui lit. — 2. Les éducateurs insistent volontiers sur ce précepte que l'on fait soi-même son avenir. — 3. L'oisiveté nuit à la santé et, qui pis est, elle entraîne à toutes sortes de vices. — 4. Le fat s'arrête volontiers à cette opinion qu'il est largement pourvu d'excellentes qualités. — 5. Le malheur a ceci d'excellent qu'il peut nous rendre meilleurs. — 6. Le printemps vient, on le sent qui souffle partout sa tiède haleine. — 7. Il arriva un moment où Guillaume eut la certitude que le terrain mollissait constamment. (P.-A. Lesort.)

1336. - Joignez à chacune des expressions suivantes une **subordonnée en apposition** et faites entrer chaque fois l'assemblage dans une phrase.

1. Qui mieux est. — 2. Ceci de beau que... — 3. Qui plus est. — 4. Ce précepte que...

1337. - Justifiez l'emploi du **mode** dans la subordonnée en apposition.

    1. Défions-nous des flatteurs : leur affirmation qu'ils *veulent* nous être a-gréables sont sujettes à caution. — 2. Le principe qu'une bonne conscience *est* le meilleur des oreillers n'est pas contestable. — 3. Faisons cette hypothèse qu'on *abolisse* tous les impôts : qui supportera les charges publiques ? — 4. Partagez-vous mon opinion que la paix *régnerait* dans le monde si la justice et la charité présidaient aux relations internationales ? — 5. Cet honneur a suivi leur courage invaincu Qu'ils *ont vu* Rome libre autant qu'ils ont vécu. (Corneille.) — 6. Dieu nous garde de cette pensée que nous *vaudrions* mieux que les autres. (Péguy.)

1338. - Mettez au **mode** convenable les verbes en italique.

    1. Je veux donner à mes parents cette satisfaction que je [*comprendre*, prés.] leur dévouement. — 2. Les philosophes ont souvent fait cette réflexion que tout ici-bas n' [*être*, prés.] que vanité. — 3. Le travail a cela d'utile qu'il nous [*permettre*, prés.] d'échapper à l'ennui. — 4. Chez un bon citoyen ce souhait est naturel que sa patrie [*être*, prés.] grande et prospère. — 5. Je ne désire qu'une chose: que vous [*faire*, prés.] de beaux progrès. — 6. Rappelez-vous ce principe que vous [*réussir*, prés.] mieux si vous étiez méthodique.

1339. - VOCABULAIRE : Donnez 7 mots en -*cide* impliquant l'idée de « tuer » (lat. *caedĕre* = tuer). [Pensez aux éléments : un père, un homme, un frère, un roi, Dieu, un insecte, soi-même.]

1340. - ORTHOGRAPHE : Notez dans le carnet d'orthographe : *consciencieux, vainc-t-il? convainc-t-elle? neurasthénie, ecchymose.*

1341. - LANGAGE : Ne dites pas : « Je vous rends vos livres *tels que* » ; « Laissons les choses *telles que* ». — Dites : « ... *tels quels* » ; « ... *telles quelles* » (= comme ils se trouvent, sans changement). — Employez dans une courte phrase le tour correct.

1342. - PRONONCIATION : Prononcez bien : *porc-épic* [por-ké-pik], *psychiatre* [psi-kya-tr], *magnificat* [magh-ni-fi-kat], *une interview* [in-ter-vyou].

1343. - PHRASÉOLOGIE : « Pas un chat dans les rues du village ; tout le monde était à la grand-messe. » (A. Daudet.) — Imitez ce tour elliptique, en modifiant la phrase : « On ne voyait aucun promeneur dans le parc ; la pluie tombait par torrents. »

1344. - ANALYSE : Dites quelle est la fonction des mots en italique ; « Va bien vite *allumer* les cierges et sonner le premier coup de la messe ; *car voilà* que minuit est *proche*. » (A. Daudet.)

4. SUBORDONNÉES COMPLÉMENTS D'OBJET
(directs ou indirects)

Les Plaisirs de la pêche à la ligne.

Je me demande s'il y a un plaisir plus paisible que celui de la pêche. Voici que l'aube point; je quitte la maison non sans veiller à ce que ma canne à pêche, mes lignes, ma musette soient bien prêtes. Je ne sais pas si je prendrai mon poste au coude de la rivière ou un peu en aval. Je vois que je serai bien ici, au pied d'un saule: tout me persuade que la place est favorable: berge moussue, ombre tiède, eau tranquille, roulant des promesses mirifiques... Tout présage que les prises seront bonnes. Je vois que les prés, au bord de la rivière, sont séparés par des haies épaisses, mais je n'ignore pas comment on les franchit sur des degrés de bois qu'on appelle ici des échaliers.

Le calme est parfait; je me doute que, sur ce fond de sable, je trouverai du goujon; une certaine intuition m'avertit qu'un brochet chasse tout le jour sous ce bouquet de chênes, et je devine que des barbillons se promènent sous les souches des peupliers.

D'après Georges DUHAMEL,
Inventaire de l'abîme. (Mercure de France, édit.).

1345. - Soulignez, dans le texte ci-dessus, les **subordonnées compléments d'objet**; encadrez les verbes auxquels elles se rattachent.

1346. - Même exercice.

    a) 1. L'expérience enseigne que la paresse avilit. — 2. Convenons que nous avons nos défauts. — 3. Caton répétait à tout propos que Carthage devait être détruite. — 4. Les anciens ont cru que la Terre était plane. — 5. Je me convaincs qu'on ne fait rien de grand sans un noble idéal.

    b) 1. Le sage se souvient constamment qu'il n'est qu'un homme. — 2. J'ai cru que mon cœur était du soleil, tant je sentais de bonheur. (Ch.-L. Philippe.) — 3. Je me demandais si j'irais ramasser ma canne, qui avait roulé à mes pieds dans le fossé. (Hugo.) — 4. Je ne savais pas où j'allais, j'étais trop absorbé. (J.-P. Sartre.) — 5. Il savait bien comment tournerait cette affaire. (J. Green.)

1347. - Même exercice.

    a) 1. Le succès appartient à qui le conquiert. — 2. Dis-moi qui tu hantes, et je te dirai qui tu es. — 3. Dites-moi quels sont vos projets d'avenir. — 4.

Un homme sage ne s'attend pas à ce que les difficultés se résolvent d'elles-mêmes. — 5. Tu te plains de ce que ton ami t'a froissé ? Demande-toi si toi-même tu ne l'as pas un peu vexé.

b) 1. Peut-être aurai-je du mal à faire croire à un jeune lecteur qu'à douze ans je considérais les oranges comme un fruit prestigieux et rare. (P. Gaxotte.) — 2. Nicolas se rappela que le rez-de-chaussée était habité par des gens simples. (H. Troyat.) — 3. Il fallait regarder attentivement pour distinguer où se terminait la mer. (E. Fromentin.) — 4. J'entendis marcher derrière moi, et je sentis qu'on me touchait à l'épaule. (Marguerite Audoux.) — 5. Partout les rivages cédaient à la poussée montante, et l'on comprenait qu'en amont, des barrages avaient craqué. (H. Bosco.) — 6. Nous en étions encore à trouver incroyable, inimaginable, qu'un petit avocat de Bazas ait osé se porter, comme on dirait, contre le marquis de Lur-Saluces. (Fr. Mauriac.)

1348. - Remplacez les trois points par une **subordonnée complément d'objet.**

1. Parfois nous nous apercevons que ... — 2. Que de gens se plaignent de ce que ...! — 3. L'avare croit que ... — 4. Peu de personnes se demandent pourquoi ... — 5. Demandons aux philosophes si ... — 6. Nul ne sait quand ...

1349. - Soulignez les **propositions infinitives** compléments d'objet ; encadrez le verbe que chacune d'elles complète.

a) 1. L'homme énergique voit l'obstacle tomber devant lui. — 2. Quel enfant a regardé sans émotion sa mère pleurer ? — 3. Écoutez passer dans les branches les souffles du printemps. — 4. Voici venir la nuit. — 5. Ne laissons pas croître l'herbe sur le chemin de l'amitié. — 6. Un homme de caractère ne laisse pas tomber les bras après un échec ; on ne l'entend pas accuser le sort, mais on le voit reprendre sa tâche avec une énergie accrue.

b) 1. Le vieillard assistait à la fuite du jour. Il entendait fuir le bruit et gagner le silence. (J. de Pesquidoux.) — 2. Il vit distinctement une fantastique apparition glisser au pied du rocher. (G. Sand.) — 3. Tout en haut de la maison, l'homme veille. Il écoute mourir les bruits familiers. (G. Duhamel.) — 4. Chicot la regardait accomplir sa besogne. (Maupassant.) — 5. Quand tu jardineras, tu verras le rouge-gorge se percher sur le brancard de ta brouette. (M. Bedel.) — 6. J'ai vu l'aube frémir entre les grandes gerbes de blé. (A. Gide.)

1350. - Mettez dans une 1re colonne les sujets des **propositions infinitives** ; et dans une 2e colonne, en face de chacun d'eux, les infinitifs qui y correspondent.

1. La chèvre de M. Seguin regardait les étoiles danser dans le ciel clair. — 2. Laissez dire les sots : le savoir a son prix. (La Font.) — 3. Je me vois encore sauter sur les genoux de mon grand-père ; je l'entends encore me raconter ses histoires. — 4. Il est difficile d'extirper certaines habitudes quand on les a laissées prendre racine. — 5. Le chat a pris une souris ; il lui fait faire quelques pas, puis il lui plante ses griffes dans les flancs.

1351. - Discernez si les infinitifs en italique appartiennent ou non à une **proposition infinitive** ; dans l'affirmative, soulignez-les.

1. Qui veut *noyer* son chien l'accuse de la rage. — 2. Quoi de plus doux que les souvenirs d'enfance qu'on entend *monter* dans sa mémoire, le soir, en regardant la flamme *rougeoyer* ? — 3. Tout homme espère *trouver* le bonheur. — 4. Si vous voyez votre frère *tomber*, ne courrez-vous pas le *relever* ? — 5. L'air est si léger qu'on croit *sentir* les parfums du printemps *glisser* dans la lumière. — 6. Quand il voyait *passer* quelque pauvre glaneuse : Laissez *tomber* exprès des épis, disait-il. (Hugo.)

1352. - Transformez chaque phrase comme le suggèrent les mots en italique, et employez la **proposition infinitive.**

1. La colère s'allume-t-elle en nous : étouffons-la. / *Dès que nous sentons…* — 2. Ma mère plaint les malheureux. / *Que de fois j'ai entendu…* — 3. Tout change dans notre monde audio-visuel. / *Nous voyons…* — 4. Les hirondelles se rassemblent sur les toits : la mauvaise saison vient. / *On voit… ; voici…* — 5. Mon frère vous accompagnera. / *Je vous ferai…* — 6. Les étoiles brillent dans la nuit claire. / *Je regarde en rêvant…*

1353. - VOCABULAIRE : Donnez 10 mots en *-logie* (grec *logos*, discours, étude, science) [Pensez aux éléments grecs : *arkhaios* = ancien ; *bios* = vie ; *entomon* = insecte ; *etumos* = vrai ; *gê* = terre ; *psukhê* = âme ; *zôon* = animal ; *theos* = Dieu ; *lexikon* = lexique ; *phrasis* = expression, façon de parler.] — En consultant, au besoin, le dictionnaire, définissez sommairement chaque mot, par la formule « science de … ».

1354. - ORTHOGRAPHE : Notez dans le carnet d'orthographe, en mettant en rouge les traits d'union : *sur-le-champ* (= sans délai), *plain-chant, demi-mesure, dis-le-moi, moi-même, jusque-là, grand-mère, ce livre-là.*

1355. - PHRASÉOLOGIE : « Fier que j'étais de mes gros biceps, je voulais être boxeur. » — Imitez cette tournure, en modifiant la phrase : « J'étais passionné de cyclisme ; j'avais épinglé au mur de ma chambre les photos des grandes vedettes du Tour de France. »

1356. - LANGAGE : 1. *Renseigner,* c'est « donner des renseignements » ; *se renseigner,* c'est « prendre des renseignements ». — Gardez-vous d'employer *renseigner* au sens de « signaler, indiquer » comme dans ces phrases (belgicismes) : « *Renseignez*-moi un bon libraire » ; « Ce catalogue *renseigne* tous les ouvrages parus … » — Dites : « *Indiquez*-moi, *signalez*-moi, *enseignez*-moi un bon libraire » ; « Ce catalogue *indique, fait connaître* tous les ouvrages parus… ». — Inventez trois courtes phrases où vous emploierez semblablement : 1° *indiquer ;* 2° *signaler ;* 3° *enseigner.*

2. Canadianismes : « Le pêcheur fixe un *reel* à sa canne à pêche ; il *caste* un *empât* [pour : « … un *moulinet* » ; — « …*jette* une *amorce*, un *appât* »]. — Employez dans une phrase de votre invention les termes français.

1357. - CONJUGAISON : Conjuguez au futur simple : *défaillir*.

1358. - ANALYSE : « Qui dira si jamais la campagne fut plus belle que ce jour où je vis les riches moissons rentrer parmi les chants ? » (A. Gide.) — Distinguez, dans cette phrase, les diverses propositions (nature, fonction).

1359. - Justifiez l'emploi du **mode** dans la subordonnée complément d'objet.

1. Nous savons que le temps s'en *va*, mais nous ne réfléchissons pas que nous *passons* avec lui. — 2. Nous souhaitons qu'on *reprenne* les autres de leurs fautes, mais nous n'aimons pas qu'on nous *reprenne* des nôtres. — 3. Je crois que nous nous *plaindrions* moins de nos maux si nous pensions un peu plus à ceux de nos frères. — 4. Que la calomnie *soit* odieuse, chacun le sait. — 5. Croyez-vous que, dans ce match, la meilleure équipe *doit* gagner ? — 6. Croyez-vous que notre équipe *doive* gagner ?

1360. - Mettez au **mode** convenable les verbes en italique.

a) 1. Les vieilles gens estiment que le monde [*être*, imparf.] meilleur quand ils étaient jeunes. — 2. Supposons que vous [*être*, prés.] milliardaire : comment organiseriez-vous votre vie ? — 3. L'éloquence demande que l'orateur [*faire*, prés.] triompher la vérité. — 4. Croyez-vous qu'il [*appartenir*, prés.] à l'homme de commander aux tempêtes ? — 5. Croyez-vous que la somme [*être*, prés.] plus grande que chacune de ses parties ? — 6. Rebroussez chemin dès que vous vous apercevrez que vous [*faire*, prés.] fausse route.

b) 1. Le misanthrope nie qu'on [*pouvoir*, prés.] trouver au monde un homme droit et juste. — 2. L'avare se plaint constamment de ce que la vie [*être*, prés.] chère. — 3. Le sort accorde parfois un avantage à qui ne l' [*obtenir*, prés.] pas si le mérite seul servait de critère. — 4. Le cultivateur paresseux se plaint que la saison ne [*être*, prés.] pas favorable ; il s'étonne de ce que son champ ne [*produire*, prés.] qu'une maigre récolte. — 5. Que de fois nous nous sommes fâchés que les événements [*être*, imparf.] contraires à nos désirs !

1361. - Changez la tournure des phrases suivantes en mettant en tête de la phrase la **subordonnée complément d'objet :**

Modèle : « Vous savez que le travail est un trésor. » / *Que le travail soit un trésor, vous le savez.*

1. Tout homme sensé admettra qu'on doit réfléchir avant d'agir. — 2. Qui ne croirait que la paix vaut mieux que la guerre ? — 3. Le proverbe affirme que l'occasion fait le larron. — 4. On a dit avec raison qu'on prend plus de mouches avec une cuillerée de miel qu'avec cent barils de vinaigre. — 5. Tout le monde admet que la persévérance vainc beaucoup d'obstacles. — 6. L'expérience nous enseigne qu'on est puni par où on a péché.

1362. - VOCABULAIRE : Les verbes en *-oyer* marquent généralement la répétition ou le prolongement de l'action. Donnez les verbes en *-oyer* impliquant les idées de : *larme, guerre, poudre, rude, onde, vert, côte, foudre, fête, coude, tourner.*

1363. - ORTHOGRAPHE : Notez dans le carnet d'orthographe : *poulailler, quincaillier, aggraver, typhus, tranquillité, succinct.*

1364. - LANGAGE : Ne dites pas : « J'en ai assez de vos histoires : vous m'en *rabattez* les oreilles. » — Dites : « ... vous m'en *rebattez* les oreilles. » — Employez dans une phrase de votre invention *rebattre les oreilles* (= répéter inutile- ment et d'une manière ennuyeuse).

1365. - PRONONCIATION : Prononcez bien : *cobaye* [ko-bay', et non : ko-bèy'], que je *voie* [vwa, et non : vway'], *moelleux* [mwa-leu], *trouer* [ne pas intercaler *w* : trou-wer], *craie* [krè, et non : krèy'].

1366. - CONJUGAISON : Conjuguez au plus-que-parfait de l'indicatif, forme inter- rogative négative : *entrer.*

1367. - PONCTUATION : Mettez, aux endroits marqués par un trait vertical, le signe de ponctuation convenable : *A ces mots | il se mit à répandre un torrent de larmes | | Malheureux jour | disait-il | et pourquoi ai-je tant vécu | | | Mon- tesquieu | |*

---

5. SUBORDONNÉES COMPLÉMENTS CIRCONSTANCIELS

1° SUBORDONNÉES COMPLÉMENTS CIRCONSTANCIELS DE TEMPS

Un Cosaque survint...

Quand tout fut préparé par les mains paternelles
Pour doter l'humble enfant de splendeurs éternelles ;
Lorsqu'on eut de sa vie assuré les relais ;
Quand, pour loger un jour ce maître héréditaire,
On eut enraciné bien avant dans la terre
     Les pieds de marbre des palais ;

Lorsqu'on eut pour sa soif posé devant la France
Un vase tout rempli du vin de l'espérance,
Avant qu'il eût goûté de ce poison doré,

Avant que de sa lèvre il eût touché la coupe,
Un cosaque survint qui prit l'enfant en croupe
Et l'emporta tout effaré !

Victor HUGO, *Les Chants du crépuscule*, Napoléon II.

1368. - Décomposez le texte ci-dessus en ses diverses propositions (une propos. principale ; — deux propos. relatives ; — six subordonnées compléments circonstanciels de temps).

1369. - Soulignez les **subordonnées compléments circonstanciels de temps** ; encadrez le verbe que chacune d'elles complète.

1. Dès que les beaux jours arrivent, les hirondelles nous reviennent. — 2. Aussi longtemps que la fortune te favorisera, tu compteras de nombreux amis. — 3. Lorsque l'enfant paraît, le cercle de famille Applaudit à grands cris. (Hugo.) — 4. On se sent meilleur après qu'on a admiré un beau spectacle. — 5. Garde-toi, tant que tu vivras, De juger des gens sur la mine. (La Font.) — 6. Comme il me donnait cet avis, la cloche sonna le déjeuner. (A. France.) — 7. Au passage des ponts, on se trouve arrêté, jusqu'à ce que toute la caravane ait défilé (H. Taine.) — 8. Tu ne bougeras pas d'ici que tu n'aies demandé pardon. (G. Sand.)

1370. - Modifiez la tournure des phrases suivantes de façon que chacune d'elles présente une **subordonnée complément circonstanciel de temps** :

Modèle : « Le signal est donné : aussitôt la troupe se met en marche. » / *Aussitôt que le signal est donné, la troupe se met en marche.*

1. Faites-vous un plan ; après vous vous mettrez à écrire. — 2. Le printemps s'annonce ; aussitôt les pâquerettes éclosent. — 3. La fourmi amassait des provisions ; pendant ce temps, la cigale chantait. — 4. Je vous appellerai ; à ce moment-là, venez. — 5. Vous entrerez dans la vie ; en attendant, apprenez à vouloir. — 6. François Ier fut battu à Pavie ; alors il écrivit à sa mère : « Tout est perdu, fors l'honneur. »

1371. - Joignez à chacune des propositions suivantes une **subordonnée complément circonstanciel de temps** :

a) 1. Nous mettrons nos forces au service d'une noble cause. — 2. On n'a pas le droit d'être sévère pour autrui. — 3. Tout chante dans la nature. — 4. Notre cœur est doucement ému. — 5. La lutte contre les maladies infectieuses est devenue plus efficace.

b) 1. Nous éprouvons du remords. — 2. Le renard et le bouc songèrent à sortir du puits. — 3. Continuez vos efforts. — 4. On se déshonore. — 5. Le laboureur de la fable conseille à ses enfants de remuer leur champ.

1372. - Mettez au **mode** convenable les verbes en italique.

a) 1. Quand on [*courir*, prés.] après l'esprit, on attrape la sottise. — 2. Les hommes, dit Vauvenargues, ont la volonté de rendre service jusqu'à ce qu'ils

en [*avoir*, prés.] le pouvoir. — 3. La sagesse antique enseigne qu'il ne faut pro-
clamer nul homme heureux avant qu'il [*être*, prés.] mort. — 4. Après qu'il
[*faire*, passé] tous ses tours, Jeannot lapin retourna aux souterrains séjours.
— 5. Accomplissez de petits actes de volonté, en attendant que la vie vous
[*mettre*, prés.] en occasion d'en accomplir de plus grands.

b) 1. Maintenant que les pouvoirs publics [*décréter*, passé] l'instruction
obligatoire, les illettrés sont rares. — 2. Après qu'un homme [*tout perdre*,
passé], il lui reste encore l'espérance. — 3. Redoublez de courage, jusqu'à ce
que vous [*vaincre*, passé] la difficulté. — 4. Après qu'il [*pleuvoir*, passé], si nous
en croyons le dicton, le beau temps vient. — 5. Supposons que tu sois un chef
et que je sois ton subordonné : aussitôt que tu me [*donner*, passé] un ordre,
je l'exécuterais.

2° SUBORDONNÉES COMPLÉMENTS CIRCONSTANCIELS DE CAUSE

1373. - Soulignez les **subordonnées compléments circonstanciels de cause** ;
encadrez le verbe que chacune d'elles complète.

a) 1. Comment le paresseux récolterait-il dans sa vieillesse, puisqu'il n'a
rien semé dans sa jeunesse ? — 2. Quelques-uns se croient modestes, parce
qu'ils tiennent les yeux baissés en notre présence. — 3. Attendu que notre
jugement n'est pas infaillible, nous devons parfois nous défier de nous-mêmes.
— 4. Comme nos actes nous suivent, nous réfléchirons aux conséquences qu'ils
peuvent avoir. — 5. Dès lors que vous ne faites pas d'efforts, je dois renoncer
à vous tirer d'embarras.

b) 1. Étant donné que l'avenir est incertain, prévoyons bien les difficultés à
venir. — 2. Je contredirai votre témoignage : non que je veuille vous humilier,
mais la vérité a ses droits. — 3. Comment aurais-je médit de vous, l'an passé,
si je n'étais pas né ? répondit l'agneau. — 4. Comme il a la vue basse, qu'il
doit se pencher ainsi sur son livre ! — 5. Du moment que vos parents vous
autorisent à faire ce voyage, je n'ai pas à m'y opposer.

c) 1. Puisqu'il était un homme supérieur, je n'ai pas besoin de vous dire
qu'il était modeste. (É. Faguet.) — 2. Attendu que la provision d'eau s'é-
puise rapidement et que le siège peut durer longtemps, la ration est réduite
à un demi-bidon. (E.-M. de Vogüé.) — 3. La lumière baissant toujours, nous
revenons sur nos pas. (P. Loti.) — 4. La princesse de Parme était gênée de faire
des amabilités, vu qu'ils en avaient fort peu pour elle. (M. Proust.) — 5. Et
les gens, du moment que je ne leur réclamais rien, me fournissaient volontiers
les renseignements utiles. (P.-A. Lesort.) — 6. Mais tu n'as pas faim, que tu
ne finis pas tes huîtres ? (P. Bourget.) — 7. Elle prête l'oreille parce que c'est
son père qui parle. (Simone de Beauvoir.)

1374. - Tournez les phrases suivantes de façon que chacune d'elles contienne une
subordonnée complément circonstanciel de cause :

1. La persévérance est une des conditions du succès ; sachez donc prolonger
votre effort. — 2. Mettons à profit chaque jour qui passe : le temps est court.

— 3. Je vois votre repentir : je vous pardonne. — 4. Ne te fie pas aux apparences, car elles sont souvent trompeuses. — 5. Tu ne réponds pas ? tu ne m'as pas entendu ? — 6. J'ai peu d'expérience : pour cette raison, je ne jugerai pas à la légère.

1375. - Complétez chacune des propositions suivantes par une **subordonnée complément circonstanciel de cause** :

1. Hâtez-vous. — 2. Rapportons-nous-en à l'expérience de nos maîtres. — 3. Aidez-vous mutuellement. — 4. Il faut apprendre l'orthographe. — 5. Je serai fidèle à mes promesses. — 6. Vous rendrez à chacun ce qui lui revient.

1376. - Mettez au **mode** convenable les verbes en italique.

1. Défiez-vous des méthodes dites faciles ; non pas qu'on [*devoir*, prés.] les rejeter comme faciles, mais les choses difficiles exigent que nous fassions de grands efforts. — 2. Étant donné que l'habitude [*être*, prés.] en germe dans le premier acte, une faute isolée n'est pas sans conséquence. — 3. Il importe de bien choisir notre profession, vu que le bonheur de notre vie en [*dépendre*, prés.] pour une part. — 4. Le présent qui s'enfuit est déjà loin, puisqu'il [*s'anéantir*, prés.] dans le moment même que nous parlons. — 5. Le vent [*souffler*, partic. prés.] avec violence, j'ai passé la nuit sur la terrasse. — 6. Observez la discipline, parce que, si vous prétendiez vous y soustraire, vous en [*éprouver*, prés.] de graves inconvénients.

3° SUBORDONNÉES COMPLÉMENTS CIRCONSTANCIELS DE BUT

1377. - Soulignez les **subordonnées compléments circonstanciels de but** ; encadrez le verbe que chacune d'elles complète.

a) 1. Honore tes parents, afin que tu vives longuement. — 2. N'achetons pas le superflu, de peur que nous ne soyons forcés de vendre le nécessaire. — 3. Travaillez pendant votre jeunesse pour que votre vieillesse soit à l'abri du besoin. — 4. Montrez-moi vos mains, que je voie si elles sont propres. — 5. Ne t'endors pas dans l'oisiveté, de crainte que tu ne te réveilles dans la misère.

b) 1. On apporta une toile pliée en quatre, pour que les planches fussent moins dures. (P. Loti.) — 2. Taisez-vous une minute, mes enfants, que je voie clair. (G. Duhamel.) — 3. Avec précaution, de crainte que quelqu'un des deux ne fût endormi, je montai. (Alain-Fournier.) — Ah ! mon Dieu ! grand Saint-Père, quelle brave mule vous avez là !... Laissez un peu que je la regarde. (A. Daudet.)

1378. - Tournez les phrases suivantes de telle façon que chacune d'elles contienne une **subordonnée complément circonstanciel de but** :

1. Si vous êtes aveugle, ne vous faites pas conduire par un autre aveugle : il faut craindre que vous ne tombiez tous deux dans le fossé. — 2. Un bon père de famille pratique l'économie : il désire que ses enfants ne manquent

de rien plus tard. — 3. Certaines gens étalent leurs connaissances : ils veulent qu'on admire leur vaste culture. — 4. Approchez : je vous verrai mieux. — 5. Le meunier et son fils portaient, suspendu, leur âne à la foire : ils escomptaient que l'animal serait ainsi plus frais et de meilleur débit.

1379. - Complétez chacune des phrases suivantes par une **subordonnée complément circonstanciel de but** :

1. L'avare enfouit son trésor. — 2. La poule couvre ses poussins de ses ailes. — 3. Vers le soir, le jardinier couvre d'une cloche les jeunes melons. — 4. On défend aux enfants de jouer avec le feu. — 5. Certaines gens font l'aumône. — 6. Notre mère se priverait même du nécessaire.

1380. - Mettez au **mode** convenable les verbes en italique.

1. On voit des gens protester contre les louanges qu'on leur donne, mais c'est afin qu'on [*renchérir*, prés.] — 2. Relisez ce que vous avez écrit, pour qu'on n' [*avoir*, prés.] aucune faute d'orthographe à vous reprocher. — 3. Ne vous exposez pas de gaieté de cœur au danger, de crainte que vous n'y [*succomber*, prés.] — 4. Enrichissez sans cesse votre esprit, afin que votre culture générale [*être*, prés.] aussi large que possible. — 5. Que de soins minutieux prennent les pinsons pour que le nid, berceau de la couvée, [*être*, prés.] chaud et moelleux !

4° SUBORDONNÉES COMPLÉMENTS CIRCONSTANCIELS DE CONSÉQUENCE

1381. - Soulignez les **subordonnées compléments circonstanciels de conséquence** ; encadrez le verbe que chacune d'elles complète.

a) 1. La mouche du coche se vantait d'avoir tant fait que l'attelage était enfin arrivé au haut de la côte. — 2. Qui est assez puissant pour que les tempêtes s'apaisent à son commandement ? — 3. Conduisons-nous de manière qu'on n'ait rien de grave à nous reprocher. — 4. L'homme droit a une telle horreur de la duplicité qu'il n'en supporte pas même l'ombre. — 5. Des gens qui se conduisent de telle façon que leur raison domine sur leurs sentiments, on peut dire qu'ils ont beaucoup de bon sens. — 6. La paresse va si lentement que la pauvreté l'atteint bientôt.

b) 1. Un bloc de marbre était si beau Qu'un statuaire en fit l'emplette. (La Font.) — 2. Il faut faire une enceinte de tours Si terrible que rien ne puisse approcher d'elle. (Hugo.) — 3. La vie est trop courte pour que nous en perdions une part précieuse à nous contrefaire. (Vigny.) — 4. La sécheresse fut très grande, de manière que les terres qui étaient dans les lieux élevés manquèrent absolument. (Montesquieu.) — 5. Il se prit en commisération au point que les larmes lui vinrent aux yeux. (A. Hermant.) — 6. On était au milieu de tant de bruit que la voix des hommes semblait n'avoir plus aucun son. (P. Loti.) — 7. Les piécettes d'or fondaient que c'était un plaisir. (A. Daudet.)

1382. - Tournez les phrases suivantes de manière que chacune d'elles contienne une **subordonnée complément circonstanciel de conséquence :**

1. L'honneur est trop précieux : ne nous exposons pas à le perdre. — 2. Votre jugement est-il sûr ? Vous ne vous trompez jamais ? — 3. Les fils du laboureur retournèrent très bien leur champ, qui en rapporta davantage. — 4. Il y a des gens fort susceptibles : la moindre critique les fait bondir. — 5. Quelle angoisse m'étreignait ! Je n'osais pas faire un mouvement.

1383. - Complétez les propositions suivantes par une **subordonnée complément circonstanciel de conséquence :**

1. Le temps est trop précieux ... — 2. Le lièvre de la fable folâtra tant ... — 3. Cet élève s'applique si peu ... — 4. La sobriété du chameau est telle ... — 5. Nous diviserons la difficulté ... — 6. Il a gaspillé sa fortune, en sorte ...

1384. - Mettez au **mode** convenable les verbes en italique.

1. L'esprit est tellement esclave de l'imagination qu'il lui [*obéir*, prés.] toujours lorsqu'elle est échauffée. — 2. Quel est l'homme si savant qu'il [*savoir*, prés.] tout ce que renferme le cercle des connaissances humaines ? — 3. Nul portrait si exact, si conforme au modèle, que l'artiste n'y [*mettre*, prés.] un peu de lui. (Michelet.) — 4. La vitesse du martinet est telle que cet oiseau [*pouvoir*, prés.] faire jusqu'à cent kilomètres par heure. — 5. Mme veuve Lefrançois, la maîtresse de cette auberge, était si fort affairée qu'elle [*suer*, imparf.] à grosses gouttes en remuant ses casseroles. (Flaubert.) — 6. Il y a encore des hommes qui ont à ce point l'amour de leur patrie que, s'il le fallait, ils [*donner*, prés.] leur vie pour elle. — 7. Elle déclara qu'elle avait des ennuis et que je devenais assez grand pour qu'elle me les [*confier*, imparf.] (J. Green.)

1385. - VOCABULAIRE : 1. Quel est le contraire de « *se concilier* les sympathies » (pensez à la racine latine *alienus*, étranger) ?

2. Donnez les diminutifs de : *lapin, lièvre, mou, aigre, pâle, nègre.*

1386. - ORTHOGRAPHE : Devant *b, m, p,* le préfixe *en-* s'écrit *em- : embarquer, emmener, empocher.* — Donnez, pour chacun des trois cas, deux exemples (infinitifs).

1387. - LANGAGE : *Après que* ne se fait pas suivre du subjonctif. Ne dites pas : « Après qu'il *ait* parlé, on s'interroge » ; dites : « Après qu'il *a* parlé, on s'interroge » ; « Après qu'il *eut* parlé, on s'interrogea » ; « Après qu'il *aura* parlé, on s'interrogera ». — Inventez une phrase où vous emploierez *après que.*

1388. - PHRASÉOLOGIE : « Qui avait machiné cette intrigue, on ne le sut jamais. » (La subordonnée complément d'objet est mise en vedette, et reprise par un pronom personnel.) — Imitez ce tour dans une phrase de votre invention.

1389. - CONJUGAISON : Conjuguez au présent de l'indicatif : « ne pas *se départir* de son devoir ».

1390. - ANALYSE : Décomposez la phrase suivante en ses diverses propositions (indiquez : nature, fonction) : *Ah ! çà, me dit-il, je m'étonne que vous ne sachiez pas encore que, lorsqu'un supérieur parle, on écoute l'autorité s'exprimer par sa voix.*

5° SUBORDONNÉES COMPLÉMENTS CIRCONSTANCIELS D'OPPOSITION

La Forêt en automne.

Quoique la saison soit plutôt maussade, on ne voit rien dans cette forêt qui ne fasse plaisir. Des genévriers, tout rabougris qu'ils paraissent, s'amusent avec le vent qui les rabat sur le tapis roux des bruyères ; au milieu, un bouquet de jolis bouleaux, sous quelque angle qu'on les regarde, laissent apercevoir entre leurs cheveux la neige mouvante des nuages. À droite, des pins, pour noir que soit leur bataillon, rient sur la campagne lumineuse.

Le vent d'automne siffle et s'enfle : au lieu qu'on s'en irrite, on se plaît à l'entendre ronfler à travers les pins et grésiller dans les feuillages des bouleaux. Les feuilles dorées, bien qu'elles ressemblent à des papillons morts, font, en tournoyant dans la lumière, une farandole très agréable à voir.

D'après Hippolyte TAINE, *Thomas Graindorge*. (Hachette, éditeur).

1391. - Soulignez, dans le texte ci-dessus, les **subordonnées compléments circonstanciels d'opposition** et encadrez le verbe que chacune d'elles complète.

1392. - Soulignez les **subordonnées compléments circonstanciels d'opposition** ; encadrez le verbe que chacune d'elles complète.

a) 1. Quoi que vous ayez fait de grand, ne vous enorgueillissez pas. — 2. Où que vous soyez, restez dignes. — 3. Homme, qui que tu sois, tu n'es qu'un homme. — 4. Loin qu'on doive se décourager après un échec, il faut redoubler d'énergie. — 5. Une profession, quelle qu'elle soit, a sa noblesse.

b) 1. L'éléphant étant écouté, Tout sage qu'il était, dit des choses pareilles. (La Font.) — 2. En quelque endroit qu'il aille, le paresseux porte avec lui son ennui. — 3. Quoi que vous puissiez penser de moi, je ne vous quitterai pas dans un pareil moment. (A. Theuriet.) — 4. Encore que le jour baissât, monsieur le curé d'Ozeron n'hésita pas à reconnaître les visiteuses du soir de la Toussaint. (Fr. Jammes.) — 5. Quoiqu'il fût Normand, son visage avisé n'était pas rusé. (Barbey d'Aurevilly.) — 6. Tout le visage était de proportions heureuses, malgré que le menton fût un peu court. (H. de Régnier.)

1393. - Tournez les phrases suivantes de telle façon que chacune d'elles contienne une **subordonnée complément circonstanciel d'opposition** :

1. On a beau être savant, on ne peut tout savoir. — 2. Vous direz ce que vous voudrez : je n'admettrai pas que la fin justifie les moyens. — 3. Vercingétorix combattit avec courage ; pourtant il ne put résister à César. — 4. La maison de Socrate était petite ; elle lui paraissait pourtant trop grande encore pour être remplie de vrais amis. — 5. Réglez votre existence de la façon que vous voudrez : les gens en parleront.

1394. - Remplacez les mots en italique par une **subordonnée complément circonstanciel d'opposition.**

1. Certaines personnes ont une grande fermeté d'âme, *malgré la débilité de leur corps.* — 2. *En dépit des calomnies,* l'homme de bien va son chemin. — 3. *Malgré son jeune âge,* Condé remporta à Rocroi, en 1643, une éclatante victoire. — 4. *Malgré les flatteries,* le sage garde une vue claire de ses mérites. — 5. *Je concède que l'argent est utile ;* il ne fait pas le bonheur.

1395. - Joignez à chacune des propositions suivantes une **subordonnée complément circonstanciel d'opposition** :

1. On a toujours quelque chose à apprendre. — 2. Un cheveu fait de l'ombre. — 3. Cet homme a échoué dans son entreprise. — 4. Ne désespérons pas de l'avenir. — 5. Respecte les convenances.

1396. - Mettez au **mode** convenable les verbes en italique.

a) 1. Quelques injustices qu'on [*subir,* prés.] dans sa patrie, il faut l'aimer. — 2. Pour brillant que [*être,* prés.] le soleil, il a ses taches. — 3. Quand bien même le menteur [*jurer,* prés.] qu'il dit la vérité, on ne le croirait pas. — 4. Quoi que vous [*faire,* prés.], faites-le consciencieusement. — 5. Encore qu'on [*pouvoir,* prés.] préférer la beauté du printemps, on ne saurait rester insensible au charme apaisant de l'automne.

b) 1. Pour grands que [*être,* prés.] les rois, ils sont ce que nous sommes. (Corneille.) — 2. Tout bavard qu'il [*être,* imparf.], Lesprat ne parlait pas de ses projets avant d'être certain de leur réussite. (É. Henriot.) — 3. Quoiqu'il [*faire,* imparf.] froid et qu'il [*y avoir,* id.] même encore de la neige, la terre commençait à végéter. (J.-J. Rousseau.) — 4. Alors que ses camarades [*savourer,* imparf.] les merveilleuses rillettes fournies par les familles, le petit Balzac mangeait son pain sec. (A. Maurois.) — 5. Je me souviens qu'il avait coutume d'appeler ma mère : maman, bien qu'il ne [*être,* imparf.] pas son fils. (J. Green.)

6° SUBORDONNÉES COMPLÉMENTS CIRCONSTANCIELS DE CONDITION

1397. - Soulignez les **subordonnées compléments circonstanciels de condition** ; encadrez le verbe que chacune d'elles complète.

a) 1. Si tu t'endors dans l'oisiveté, tu te réveilleras dans la misère. — 2. L'orateur n'est digne d'être écouté qu'à condition qu'il s'efforce de faire triompher la vérité. — 3. Qu'ils me haïssent, pourvu qu'ils me craignent ! disait l'empereur romain Caligula. — 4. Supposé que l'adversité t'accable, tes amis ne t'abandonneront-ils pas ? Au cas où tu aurais besoin de leur aide, te la donneront-ils ? — 5. Pour peu qu'on réfléchisse, on reconnaîtra la vanité des grandeurs humaines.

b) 1. Car que faire en un gîte, à moins que l'on ne songe ? (La Font.) — 2. Que si le roi souffrait, on le secourait bien faiblement. (P. Valéry.) — 3. Le goût du risque, si nous savons l'acquérir, nous ne manquerons pas, en cette époque étonnante, d'occasions de l'exercer. (A. Maurois.) — 4. Il l'avait chargé de me le dire dans le cas où il ne pourrait quitter ses archives. (A. Daudet.) — 5. Si je souffrais d'un rhume, je toussais un peu plus qu'il n'était nécessaire. (Saint-Exupéry.)

1398. - Tournez les phrases suivantes de manière que chacune d'elles contienne une **subordonnée complément circonstanciel de condition :**

1. Tu veux qu'on t'épargne ? épargne aussi les autres. — 2. Je vous pardonne, mais à une condition : promettez-moi de vous corriger. — 3. L'avare s'accommode des pires choses, mais il doit conserver son trésor. — 4. Vous ne parvenez pas à triompher de l'ennemi ; par votre union, vous y parviendrez. — 5. Supposons que vos amis vous trahissent ; souhaiterez-vous leur malheur ? — 6. On peut me blâmer, on peut me louer, je n'en ferai qu'à ma tête, dit le meunier de la fable.

1399. - Remplacez par une **subordonnée complément circonstanciel de condition** les mots en italique.

1. *Vous voulez chasser le naturel ?* il reviendra au galop. — 2. *A vaincre sans péril* on triomphe sans gloire. — 3. *A moins d'un repentir sincère,* le coupable n'obtiendra pas son pardon. — 4. *Moyennant quelques modifications,* votre plan aurait des chances d'être approuvé. — 5. *Il suffira de mieux ordonner vos calculs :* vous résoudrez le problème. — 6. *Tu veux la paix ?* prépare la guerre, dit l'adage romain.

1400. - Complétez chacune des propositions suivantes par une **subordonnée complément circonstanciel de condition :**

1. Comment entreprendrais-tu des choses difficiles ? — 2. Vous parviendrez au succès. — 3. L'expérience nous instruira d'une excellente manière. — 4. J'aurai l'estime des honnêtes gens. — 5. Adresse-toi avec confiance à tes professeurs. — 6. Nous aurions plus facilement vaincu la difficulté.

1401. - Distinguez parmi les **subordonnées compléments circonstanciels de condition** celles qui expriment : 1° la supposition pure et simple ; 2° le potentiel ; 3° l'irréel.

1. Si tu te départs de ton devoir, tu te dégrades. — 2. Si quelque malheur vous frappait, le supporteriez-vous avec courage ? — 3. Si tu achètes le superflu, tu vendras bientôt le nécessaire. — 4. Si mon petit chien parlait, que de choses affectueuses il me dirait ! — 5. Si un malheureux implorait votre assistance, la lui refuseriez-vous ? — 6. Si Paris n'était pas plus gros que mon

petit doigt, je pourrais le mettre dans une bouteille. — 7. Si notre ouïe était mille fois plus fine qu'elle n'est, que d'harmonies merveilleuses elle percevrait !

1402. - Mettez au **mode** et au **temps** convenables les verbes en italique.

   a) 1. Si les hommes [*être*] plus modérés, ils vivraient plus heureux. — 2. A moins qu'un homme ne [*être*] un monstre, l'amour maternel touche toujours son cœur. — 3. Pour peu que vous [*réfléchir*], vous reconnaîtrez votre erreur. — 4. La lecture vous sera très profitable, sous condition qu'elle [*être*] saine. — 5. Au cas où votre méthode vous [*paraître*] évidemment mauvaise, suivez-en une autre.

   b) 1. Je mets en fait que si tous les hommes [*savoir*] ce qu'ils disent les uns des autres, il n'y aurait pas quatre amis dans le monde. (Pascal.) — 2. Si vous [*reculer*] quatre pas et que vous [*creuser*], vous trouverez un trésor. (La Font.) — 3. On leur avait donné à chacun une pièce d'or, sous la condition qu'ils [*aller*] camper à Sicca. (Flaubert.) — 4. Demande aux forêts et aux pierres ce qu'elles [*dire*] si elles pouvaient parler. (Musset.) — 5. Ce second cheval devait servir de remonte en cas qu'il [*arriver*] quelque accident aux chevaux des voyageurs. (Chateaubriand.)

1403. - En mettant dans les deux propositions, puis dans l'une des deux seulement, le conditionnel passé 2e forme, modifiez les phrases suivantes [pour chaque phrase, 3 tournures autres que celle qui est donnée] :

   1. S'il avait cherché, il aurait trouvé. — 2. S'ils avaient mieux manœuvré, ils auraient gagné le match. — 3. Si tu l'avais demandé, je t'aurais aidé.

1404. - Modifiez la construction des phrases suivantes en introduisant par **que** chacune des subordonnées compléments circonstanciels de condition en italique (attention au **mode !**) :

   1. Si cet homme tombe malade et *s'il vient à mourir*, que deviendra sa famille ? — 2. Si vous suivez une bonne méthode et *si vous êtes persévérant*, vous réussirez. — 3. Si j'oubliais les bienfaits de mes parents ou *si j'étais insensible à leurs peines*, je serais bien ingrat. — 4. Si vous ouvrez la porte à une mauvaise habitude et *si vous la laissez s'installer*, elle commandera bientôt en maîtresse. — 5. Si nous montons un cheval difficile, mais *si nous connaissons par avance ses défauts*, nous savons à quoi nous nous exposons. — 6. Que vous sert d'avoir de l'esprit si vous ne l'employez pas et *si vous ne vous appliquez pas ?*

1405. - VOCABULAIRE : 1. En vous aidant du dictionnaire expliquez : « une santé *précaire ;* — un argument *spécieux ;* — un vice *rédhibitoire ;* — un danger *imminent ;* — un homme *veule.* »

   2. Que signifie l'expression latine *ipso facto ?* — Employez-la dans une courte phrase.

1406. - ORTHOGRAPHE : Notez dans le carnet d'orthographe : *professionnel, attraper, s'enorgueillir, balluchon* (ou: *baluchon*).

1407. - LANGAGE : 1. Ne dites pas : « Il est fort riche, *si pas* milliardaire » ; — dites : « *...sinon* milliardaire ». — Employez dans une courte phrase le tour correct.

2. Ne dites pas : « J'*ai bon* près du feu » ; — dites : « Je *suis bien* ... », ou : « Je *me sens bien*... », ou : « J'*ai chaud*... ». — Employez l'un des tours corrects dans une phrase de votre invention.

1408. - PHRASÉOLOGIE : « *Trouve-t-il ce chemin barré ?* il accepte un détour. » (A. Maurois.) — Imitez cette construction dans une phrase de votre invention.

1409. - PRONONCIATION : Prononcez bien : *thermos* (bouteille) en faisant entendre l'*s* ; — à *huis* clos (ne pas faire entendre l'*s*) ; — *période* (*o* bref et ouvert) ; — *persister* [per-sis-té, et non : per-zis-té].

1410. - ANALYSE : Décomposez la phrase suivante en ses diverses propositions (nature, fonction) : *Pendant que j'étais aux Indes, le gouvernement avait lancé une campagne contre les sauterelles, mais les paysans les ménageaient, allaient jusqu'à les entretenir et les soigner, par pitié pour une vie animale qu'ils estimaient sacrée.* (A. Siegfried.)

7° SUBORDONNÉES COMPLÉMENTS CIRCONSTANCIELS DE COMPARAISON ET AUTRES

1411. - Soulignez les subordonnées compléments circonstanciels **de comparaison ;** encadrez le verbe que chacune d'elles complète.

a) 1. Comme on fait son lit on se couche. — 2. Le temps est un trésor plus grand qu'on ne peut croire. — 3. L'adversité éprouve l'homme courageux de même que le feu éprouve l'or. — 4. Les événements ont tourné moins mal qu'on ne le craignait. — 5. L'homme fait sa vie comme le limaçon sa coquille.

b) 1. La voile tombe comme une aile se replie. (A. Chamson.) — 2. A mesure que l'on sait mieux voir, un spectacle quelconque renferme des joies inépuisables. (Alain.) — 3. Selon que vous serez puissant ou misérable, Les jugements de cour vous rendront blanc ou noir. (La Font.) — 4. Il avait donc fait ainsi qu'il avait dit. (J. Lemaître.) — 5. La rue est un brutal sentier que l'homme suit comme l'eau le canal. (A. Maurois.) — 6. Mon âme écoute un plain-chant dont le sens s'augmente à mesure que je m'y prête. (M. Barrès.)

1412. - Tournez les phrases suivantes de telle manière que chacune d'elles contienne une subordonnée complément circonstanciel **de comparaison :**

1. Ces braves se sont élancés contre l'ennemi ; tels les flots se ruent sur les falaises. — 2. Le cheval est ardent ; dans la même mesure, l'âne est patient. — 3. On se regarde d'une certaine manière ; on regarde le prochain d'une autre manière. — 4. La rouille ronge le fer ; de même l'oisiveté ronge l'âme. — 5. Certaines gens sont plus complaisants quand on les flatte plus.

1413. - Composez des phrases où vous établirez, au moyen d'une subordonnée complément circonstanciel **de comparaison,** un rapport entre les éléments suivants :

1. Les âges de la vie / les saisons. — 2. Les défauts d'autrui / nos propres défauts. — 3. Les progrès de la science / le bonheur des hommes. — 4. Nous montions / l'horizon s'élargissait. — 5. Les abeilles construisent maintenant leurs alvéoles d'une certaine manière / au temps de Virgile, elles les construisaient de la même manière.

1414. - Distinguez les subordonnées compléments circonstanciels **de lieu, d'addition, de restriction, de manière.**

1. On voyait un lierre gravé, avec la devise : Je meurs où je m'attache. — 2. Beaucoup de gens pensent comme leur journal le leur suggère. — 3. Outre que vous avez été paresseux, vous avez été négligent. — 4. Ce fut donc un repas de loups, sauf qu'on ne le servit pas saignant. (J. de Pesquidoux.) — 5. Sauf qu'il avait tellement grossi, il avait gardé bien des choses d'autrefois. (M. Proust.) — 6. Quelle joyeuse humeur ! Il ne regarde rien qu'il n'en aperçoive les côtés plaisants. — 7. La belette croyait pouvoir sortir par où elle était entrée. — 8. Votre devoir me satisfait, excepté qu'il est écrit sans soin.

1415. - Mettez au **mode** convenable les verbes en italique.

1. Nous avons plus d'imagination pour échafauder des projets que nous n' [*avoir*] de volonté pour les réaliser. — 2. L'avenir n'est pas toujours aussi beau que nous le [*souhaiter*, plus-que-parf.] — 3. Parlons de nos amis absents de la même façon que nous [*parler*] d'eux s'ils étaient présents. — 4. Tartarin s'approcha pour lui donner son pourboire ainsi qu'il le [*voir*, plus-que-parf.] faire aux autres touristes. (A. Daudet.) — 5. Outre qu'il [*être*, imparf.] très riche, il descendait en ligne directe de Jean sans Terre. (M. Aymé.) — 6. Il s'arrêta brusquement comme s'il [*arriver*, plus-que-parf.] au bord même d'un abîme et qu'il le [*trouver*, imparf.] à ses pieds. (E. Jaloux.) — 7. Les convives quittèrent la table sans que j' [*avaler*, plus-que-parf.] une bouchée. (A. France.)

RÉCAPITULATION DES SUBORDONNÉES COMPLÉMENTS CIRCONSTANCIELS

Au large!

Quand on n'est encore qu'un écolier, généralement on ne se soucie pas fort de faire son avenir. Mais bientôt, à mesure que les années passeront, des perspectives vont s'ouvrir, et si l'on a quelque jugement et quelque esprit de décision, on choisira sa carrière. Tant d'excursions sont possibles vers des horizons nouveaux! Après qu'ils ont fait le tour de leur pays, plusieurs décident d'ouvrir le grand livre du monde. Si l'on ne sait pas jouer des coudes, il est difficile aujourd'hui de se faire, dans la société, sa place.

Puisque les circonstances actuelles incitent certains jeunes gens à passer les frontières et les mers, pourquoi leurs familles ne les encourageraient-elles pas à suivre les vocations hardies, toutes hasardeuses qu'elles peuvent paraître? Bien qu'elles soient hérissées d'obstacles, les routes neuves, quand on a le courage de les prendre, conduisent parfois jusqu'à des sommets radieux.

1416. - Discernez, dans le texte ci-dessus, les **subordonnées compléments circonstanciels** et analysez-les.

1417. - Même exercice.

a) 1. N'hésitez pas à vous dédire dès que vous vous apercevez de votre erreur. — 2. Un homme a autant de personnalités qu'il sait de langues. — 3. Le roitelet est si délicat qu'il passe à travers les broussailles les plus enchevêtrées. — 4. Où certains hommes ont échoué, d'autres remportent d'éclatants succès. — 5. Outre qu'il écarte de nous le besoin, le travail nous préserve de l'ennui et du vice. — 6. Quand le devoir commande, je lui obéis, quoi qu'il arrive.

b) 1. Puisque tu l'aimes tant, cette brave bête, je ne veux plus que tu vives loin d'elle. (A. Daudet.) — 2. Où le père a passé passera bien l'enfant. (Musset.) — 3. J'ai commencé ma vie comme je la finirai sans doute : au milieu des livres. (J.-P. Sartre.) — 4. Il y a des gens qui ne prennent pas au sérieux les douleurs d'un enfant, sous prétexte qu'elles s'apaisent vite. (P. Mille.) — 5. Ces carrosses, tout délabrés qu'ils fussent, ne laissaient pas que de faire impression sur la foule. (Th. Gautier.)

1418. - Joignez aux propositions suivantes des **subordonnées compléments circonstanciels.**

1. L'instruction est aujourd'hui si importante ... [*conséquence*]. — 2. L'oisiveté nous lasse ... [*comparaison*]. — 3. Nous apprécions mieux le charme du foyer ... [*temps*]. — 4. J'accomplirai mon devoir ... [*opposition*]. — 5. Nous serions plus sensibles aux maux d'autrui ... [*condition*]. — 6. L'avare ne goûte aucun instant de tranquillité ... [*cause*]. — 7. Travaillez avec patience et courage ... [*but*]. — 8. Nous nous tiendrons courageusement ... [*lieu*].

1419. - Remplacez par une subordonnée complément circonstanciel les mots en italique.

1. Le combat cessa *faute de combattants.* — 2. *En dépit des difficultés,* je tenterai cette entreprise. — 3. Certains arbres restent stériles ; *bien taillés,* ils produiraient d'excellents fruits. — 4. *A moins d'un redressement,* cet élève a peu de chance d'être reçu à son examen. — 5. Il a ouvert la porte *et on ne l'a pas entendu.*

1420. - VOCABULAIRE : 1. Donnez 12 infinitifs de la famille de *poser,* — et 10 infinitifs de la famille de *porter.*

2. Cherchez dans le dictionnaire le sens de : *invétéré, hétéroclite, fringale.* — Employez chacun de ces mots dans une courte phrase.

1421. - ORTHOGRAPHE : Notez dans le carnet d'orthographe qu'on écrit ordinairement par la minuscule : *les jésuites, les dominicains, les franciscains, les rédemptoristes, les ursulines, les clarisses,* etc.

1422. - LANGAGE : Ne confondez pas : «*acceptation* d'une offre» (= action d'accepter) et «*acception* d'un mot» (= sens dans lequel il se prend). — Employez chacun de ces mots dans une courte phrase.

1423. - PHRASÉOLOGIE : «Je ne suis pas superstitieux, mais elle me fit peur, cette lettre.» (Vigny.) — Sujet annoncé d'abord par un pronom personnel, et exprimé à la fin de la phrase. Imitez ce tour dans une phrase de votre invention.

1424. - PRONONCIATION : Prononcez bien : *grêlon* [grè-lon, et non : gre ...], *équinoxe* [é-ki...], *Bruxelles* [bru-sèl'], *quadrillé* [ka-dri-yé], *quadrupède* [kwa...], *sanguinaire* [san-ghi...].

1425. - CONJUGAISON : Conjuguez au plus-que-parfait du subjonctif, forme pronominale négative : *embarrasser.*

-----

6. SUBORDONNÉES COMPLÉMENTS D'AGENT

1426. - Soulignez les subordonnées **compléments d'agent** et encadrez le verbe passif que chacune d'elles complète.

1. Les beaux exemples sont admirés par qui a le sens de la grandeur morale. — 2. Les hommes bons et charitables sont aimés de quiconque les fréquente. — 3. Les honneurs ne sont pas toujours obtenus par qui les a mérités. 4. Le langage de la compassion est toujours compris de quiconque souffre. — 5. Ce chef bon et juste sera estimé de qui servira sous ses ordres.

1427. - Joignez à chacune des propositions suivantes une subordonnée **complément d'agent :**

1. Il conviendrait que cette entreprise fût dirigée ... — 2. Si vous vous départiez de vos devoirs, vous seriez méprisés ... — 3. Le mensonge et la fourberie sont détestés ... — 4. Les moissons ne sont pas toujours faites ... — 5. Les richesses sont peu prisées ...

1428. - Mettez au **mode** convenable les verbes en italique.

1. Les vrais chefs-d'œuvre seront toujours admirés de quiconque [*avoir*, prés.] le goût de la beauté. — 2. Je souhaite que vous soyez conseillés par qui [*avoir*: fait considéré simplement dans la pensée] beaucoup de jugement, et beaucoup de cœur. — 3. Puissions-nous, si le malheur nous accable, être réconfortés par qui [*comprendre*: fait considéré dans la pensée] notre peine. — 4. La félonie sera toujours détestée de quiconque [*avoir*, prés.] le sens de l'honneur. — 5. Il y a des âmes vénales, qui seraient achetées par qui [*vouloir*: fait éventuel] les asservir.

7. SUBORDONNÉES COMPLÉMENTS DE NOM OU DE PRONOM

(SUBORDONNÉES RELATIVES)

Le Château abandonné.

Le château semblait abandonné depuis longtemps. Les toits paraissaient plier sous le poids des végétations qui y croissaient. Les murs, quoique construits de ces pierres schisteuses et solides dont abonde le sol, offraient de nombreuses lézardes où le lierre attachait ses griffes.

Deux corps de bâtiments réunis en équerre à une haute tour et qui faisaient face à l'étang composaient tout le château, dont les portes, les volets, les fenêtres battaient lamentablement à tous les vents.

La brise soufflait alors à travers ses ruines auxquelles la lune prêtait par sa lumière indécise le caractère et la physionomie d'un grand spectre squelettique.

D'après Honoré de BALZAC, *Les Chouans.*

1429. - Relevez, dans le texte de Balzac, en les numérotant, les **subordonnées relatives** (il y en a six) ; pour chacune d'elles, indiquez le nom antécédent.

1430. - Soulignez les **subordonnées relatives** ; encadrez, pour chacune d'elles le nom ou le pronom antécédent qu'elle complète.

a) 1. L'homme qui travaille échappe à l'ennui. — 2. Celui qui accable aujourd'hui des personnes qu'il louait hier n'est pas un honnête homme. — 3. Puissiez-vous trouver le bonheur auquel vous aspirez ! — 4. Nous aimons ceux qui nous donnent des éloges, mais nous devrions nous défier des flatteries par lesquelles ils nous séduisent. — 5. La maison où tu vis, les choses familières dont elle est remplie : voilà le cadre d'un bonheur que tu te rappelleras plus tard avec une douce émotion.

b) 1. Et chacun croit fort aisément Ce qu'il craint et ce qu'il désire. (La Font.) — 2. Les rivières sont des chemins qui marchent. (Pascal.) — 3. Ceux qui vivent, ce sont ceux qui luttent, ce sont Ceux dont un dessein ferme emplit l'âme et le front. (Hugo.) — 4. Notre pire souffrance n'est-elle pas de ne pouvoir imaginer l'endroit où ceux que nous aimons nous évitent ? (J. Cocteau.) — 5. Les seuls maîtres auxquels Ferdinand se montrât docile étaient son maître d'armes et son maître de manège. (Ph. Hériat.)

1431. - Complétez les **subordonnées relatives.**

1. J'aime les clairs matins de mai, qui ... — 2. La vie humaine ressemble à un chemin dont ... — 3. Les lieux où ... nous paraissent empreints d'une douce poésie. — 4. Vos parents, à qui ..., méritent bien votre reconnaissance. — 5. Les leçons que ... sont plus profitables encore que celles des livres. — 6. Une ferme volonté : voilà le signe auquel ...

1432. - Distinguez, parmi les subordonnées relatives, celles qui sont compléments **déterminatifs** et celles qui sont compléments **explicatifs.**

1. Qui ne croirait des témoins qui se laissent égorger ? — 2. L'adversité, qui abat les âmes faibles, grandit les âmes fortes. — 3. La cigale, qui avait chanté tout l'été, se trouva fort dépourvue quand l'hiver fut venu. — 4. Les victoires dont nous nous souvenons le plus volontiers sont celles qui nous ont coûté le plus de peines. — 5. Les jeunes gens, qui voient la vie devant eux, considèrent leurs beaux espoirs ; les vieillards, qui la voient derrière eux, remuent leurs souvenirs.

1433. - Formez, sur chacun des thèmes suivants, une phrase contenant une **subordonnée relative :**

a) *Relative complément déterminatif :* 1. Un livre. — 2. Les efforts. — 3. Le sport.

b) *Relative complément explicatif :* 1. Le travail. — 2. Les vrais savants. — 3. Les cosmonautes.

1434. - Analysez les subordonnées en italique.

1. La preuve *que vous avez tort,* c'est que vous vous fâchez. — 2. Le bruit se répandit *qu'un incendie dévorait la ferme voisine.* — 3. Quand nous nous examinons, l'idée ne nous vient guère *que notre amour-propre est un grand flatteur.* — 4. Le printemps est là, *qui ramène les premières hirondelles.* — 5. La brise est tiède : on la sent *qui caresse le paysage.* — 6. Bonne fête, grand-maman ! ... Toute la famille est là, *qui lui dit son affection.* Grand-maman se trouble : on la voit *qui rougit d'émotion.*

1435. - Transformez les subordonnées circonstancielles en **subordonnées relatives.**

1. Il n'est pas bien difficile, hélas ! de berner les hommes, *parce qu'ils se repaissent volontiers de chimères.* — 2. Un bon éducateur donne à lire aux enfants des livres tels *qu'ils soient adaptés à leur âge.* — 3. Ne te fie pas aux apparences, *parce qu'elles sont souvent trompeuses.* — 4. Un homme, *s'il savait plusieurs langues étrangères,* comprendrait mieux qu'un autre une foule de

choses. — 5. Notre équipe, *bien qu'elle eût conquis la première place du classement général,* s'est fait battre sur son terrain.

1436. - Justifiez l'emploi du **mode.**

a) 1. L'honnête homme qui *dit* oui ou non mérite d'être cru. — 2. Faites-vous des amis en qui vous *puissiez* avoir confiance. — 3. Nous avons des amis en qui nous *pouvons* avoir confiance. — 4. Est-il un homme qui *puisse* se vanter de n'avoir nul besoin de l'aide d'autrui ? — 5. C'est le seul poste que vous *puissiez* remplir. — 6. C'est le seul poste que vous *pouvez* remplir. — 7. Cherchez le mot propre, qui *convienne* exactement à l'idée à exprimer. — 8. L'homme qui *déracinerait* chaque année un défaut serait bientôt parfait. — 9. Ce malheureux n'a pas une pierre où *reposer* sa tête.

b) 1. Le plus fort est celui qui *tient* sa force en bride. (Hugo.) — 2. Il n'y a donc rien à quoi la vertu *soit* préférable. (Diderot.) — 3. Vouloir ce que Dieu veut est la seule science Qui nous *met* en repos. (Malherbe.) — 4. Je souhaiterais un jardin sauvage où les fleurs se *répandraient* librement. (J. Chardonne.) — 5. Nous descendons vers Nazareth, à la recherche d'un menuisier qui *sache* nous faire une caisse. (P. Loti.)

1437. - Mettez au **mode** convenable les verbes en italique.

a) 1. Un verre d'eau que vous [*donner,* prés.] au pauvre ne restera pas sans récompense. — 2. Que trouverez-vous sur la terre qui [*avoir,* prés.] assez de force et de dignité pour mériter vraiment le nom de puissance ? — 3. Il y a encore, Dieu merci, des braves gens qui vous [*donner,* prés.] l'hospitalité si vous la leur demandiez. — 4. Les bonnes habitudes qu'on [*acquérir,* prés.] sont des libertés que l'on [*conquérir,* prés.]. — 5. Est-il un repos qui [*valoir,* prés., fait envisagé dans la pensée] celui que vous [*acheter,* prés.] par le travail ? — 6. Néron, dit-on, monta sur une tour d'où il [*pouvoir,* imparf., idée de but] voir l'incendie de Rome qu'il [*faire,* plus-que-parf.] allumer.

b) 1. Le premier rayon de bonheur que nous [*voir,* passé, fait considéré dans sa réalité] briller devant nous fut un sourire de notre mère. — 2. La vie est une loterie à laquelle nous [*prendre,* prés.] plus ou moins de billets ; c'est à l'école que nous en prenons la plus grosse part. — 3. Je cherche un ami qui [*comprendre,* prés., idée de but] bien mon idéal. — 4. J'ai trouvé un ami qui [*comprendre,* prés., fait réel] bien mon idéal. — 5. Un élève qui [*prendre,* prés., fait éventuel] la peine de récapituler chaque semaine les connaissances qu'il [*acquérir,* passé] ferait d'étonnants progrès.

1438. - Composez sur chacun des thèmes suivants une phrase contenant une **subordonnée relative :**

a) *Avec le verbe à l'indicatif :* 1. Nos projets. — 2. Mes plus beaux souvenirs. — 3. Un vrai chef.

b) *Avec le verbe au subjonctif :* 1. La bonne humeur. — 2. Les scouts. — 3. Le remède contre l'ennui.

c) *Avec le verbe au conditionnel :* 1. Relire sa copie. — 2. Les louanges. — 3. Faire réflexion sur ses actions.

d) *Avec le verbe à l'infinitif :* 1. Choisir un endroit pour camper. — 2. Une âme affligée a besoin de consolation.

1439. - VOCABULAIRE : 1. Cherchez dans le dictionnaire le sens de : un homme *vénal,* un espoir *chimérique,* un *antidote.*

2. Racine grecque : *graphein,* écrire. Donnez 11 mots en *-graphie.* [Pensez aux éléments grecs : *gê,* terre ; — *daktulos,* doigt ; — *bios,* vie ; — *biblion,* livre ; — *ethnos,* peuple ; — *lithos,* pierre ; — *phôs, phôtos,* lumière ; — *dêmos,* peuple ; — *kosmos,* monde ; — *stenos,* étroit, resserré ; — et à l'élément latin *radius,* rayon.]

1440. - ORTHOGRAPHE : Notez dans le carnet d'orthographe : *mufle, buffle, souffler, boursoufler, attraper, féerique, triptyque.*

1441. - LANGAGE : Ne dites pas : « un intérêt *pécunier* » ; — dites : « ... *pécuniaire* ». — Employez ce dernier adjectif dans une courte phrase.

1442. - PRONONCIATION : Articulez nettement les consonnes finales dans : *ombre grise* [non : omp' grìsse], *ouvre la lettre* [non : ouf' la lett'], *trèfle rouge* [non : trèf' roûch'], *corde solide* [non : cort' solìt'].

1443. - PHRASÉOLOGIE : « Que je ferme les paupières, et je revois l'hôpital. » (G. Duhamel.) — Imitez ce tour dans une phrase de votre invention.

1444. - ANALYSE : Analysez les mots en italique : « La douceur du vent permettait à *Amélie* de *garder ouverte* une petite ombrelle à manche brisé, tendue du même *écossais* rouge et vert *dont* elle était vêtue. » (Ph. Hériat.)

---

8. SUBORDONNÉES COMPLÉMENTS D'ADJECTIF

Un Amateur de bon vin.

Lesprat buvait, heureux qu'on eût si bien rempli son verre, attentif à ce qu'il ne s'en perdît pas une goutte. Le coude sur la table, l'œil émerillonné, il regardait voluptueusement ce beau vin, digne qu'on le savourât dans les règles : il prenait une petite gorgée, sûr qu'en faisant clapper sa langue, il reconnaîtrait aussitôt l'âge et la dignité du cru.

Dédaigneux de quiconque avale d'un coup le nectar, il faisait, lui, artistement tourner dans son verre la divine liqueur, tout content qu'elle fût de si belle couleur, en humait le bouquet; puis, inquiet de ce qu'elle semblait légèrement sirupeuse, il y trempait ses lèvres; certain alors que rien ne manquait à ses délices, il se rinçait la bouche à gros bouillon avec la gorgée qu'il avait prise. Enfin il restait en arrêt un instant, un peu triste qu'il ne restât dans le fond du verre plus rien à déguster.

D'après Émile HENRIOT, *Aricie Brun*. Librairie Plon, tous droits réservés.

1445. - Relevez, dans le texte ci-dessus, en les numérotant, les subordonnées **compléments d'adjectif** (il y en a neuf) ; pour chacune d'elles, indiquez l'adjectif qu'elle complète.

1446. - Soulignez les **subordonnées compléments d'adjectif** ; encadrez chaque fois l'adjectif complété.

1. Certaines gens ne doutent de rien ; sûrs que le succès leur est promis, ils s'aventurent partout ; souvent, honteux de ce que leurs entreprises ont échoué, ils regrettent leur présomption. — 2. Ils demandaient fort peu, certains que le secours serait prêt dans quatre ou cinq jours. (La Font.) — 3. Fier de ce que maman l'a chargé d'une responsabilité, mon petit frère guette l'arrivée du facteur. — 4. Nous avons déménagé : nos meubles, tristes, semble-t-il, que tant d'étrangers les dérangent, attendent qu'on leur ait trouvé leur place. — 5. Certains élèves, las qu'on leur fasse des reproches, perdent courage ; ils devraient plutôt être honteux qu'on doive si souvent les réprimander. — 6. L'homme de bonne humeur, complaisant envers quiconque l'approche, se concilie toutes les sympathies.

1447. - Complétez les subordonnées **compléments d'adjectif.**

1. Nous sommes heureux que ... — 2. Mon père paraît soucieux de ce que ... — 3. Êtes-vous certain que ...? — 4. Nous ne devons pas être fâchés que ... — 5. Confus de ce que ..., le corbeau jura qu'on ne l'y prendrait plus.

1448. - Faites entrer chacune des expressions suivantes dans une subordonnée **complément d'adjectif :**

1. Indigne que ... — 2. Sûr que ... — 3. Furieux de ce que ... — 4. Attentif à ce que ... — 5. Tout content que ...

1449. - Mettez au **mode** convenable les verbes en italique.

1. Un savant qui a voué toute son existence aux progrès de la science est digne que nous l' [*admirer*, prés.]. — 2. Diverses choses vous affligent : êtesvous bien certain qu'elles [*être*, prés., fait envisagé dans la pensée] vraiment affligeantes ? Si elles le sont, supportez-les avec courage et soyez sûr qu'elles [*pouvoir*, prés.] vous rendre plus énergique. — 3. Ma grand-mère est secourable à qui [*souffrir*, prés.] ; triste que tant de malheureux [*être*, prés., fait envisagé dans la pensée] dénués de ressources, elle voudrait être très riche pour subvenir à leurs besoins. — 4. Mon professeur, certain que j' [*acquérir*, prés.] des idées et du style si je lisais beaucoup, m'a indiqué quelques bons ouvrages.

— 5. Une bonne ménagère, attentive à ce que toutes choses [*être*, prés.] à leur place, fait régner au foyer un ordre séduisant.

1450. - VOCABULAIRE : 1. Cherchez dans le dictionnaire le sens de : un œil *émerillonné;* un *cru* de Bourgogne ; *humer* le *bouquet* du vin ; un *clappement.*
       2. Quels sont les verbes péjoratifs en *-ailler* correspondant à : *mirer, crier, traîner, tirer, répéter, disputer, écrire ?*

1451. - ORTHOGRAPHE : Notez dans le carnet d'orthographe : *intéresser, session* d'examens (lat. *sedēre,* siéger, être assis), *cession* de biens (de *céder*), *échalote,* prendre son *essor.*

1452. - PRONONCIATION : Prononcez bien : *wagon* [va-gon], *tandis que* [ne pas faire entendre l'*s*], *séquence* [sé-kans'], *séquestrer* [sé-kes-tré], *lumbago* [lon-ba-go], *quasi* [ka-zi].

1453. - LANGAGE : Ne confondez pas *marier* et *épouser. Marier,* c'est unir (un homme et une femme) par le lien conjugal, au nom de la religion ou de la loi, — ou : faire décider le mariage : «C'est le curé de telle paroisse qui a *marié* Paul et Suzanne» ; — « L'adjoint les a *mariés* à défaut du maire. » (Acad.) — « Il veut *marier* sa fille avec un ingénieur. » — Ne dites pas : « Paul a *marié* Suzanne » ; — dites : « ... a *épousé* Suzanne ».

1454. - ANALYSE : Analysez tous les mots de la phrase : *Si quelqu'un vous proposait un marché frauduleux, vous le tiendriez sûrement pour un malhonnête homme.*

RÉCAPITULATION DES PROPOSITIONS
(Exercices sur l'Analyse des phrases.)

1455. - Décomposez en leurs diverses propositions (nature, fonction) les phrases suivantes :

     a) 1. La patience est amère, mais les fruits en sont doux. — 2. L'orgueil et l'ambition entraînent beaucoup d'hommes à leur perte. — 3. On frappe à ma porte ; j'ouvre : mon frère se jette dans mes bras. — 4. Mauvaise herbe, affirme le dicton, croît toujours. — 5. Certaines personnes maudissent le travail ; cependant il fait notre félicité. — 6. Heureux les humbles !

     b) 1. Un baudet chargé de reliques S'imagina qu'on l'adorait. (La Font.) — 2. Les premières gouttes de pluie résonnaient contre les vitres comme je montais à ma chambre. (J. Green.) — 3. A Dieu ne plaise que je fasse le procès du mécanisme. (M. Barrès.) — 4. D'une petite bonbonnière de métal il tirait des boules de gomme, qu'il mâchonnait lentement. (M. Genevoix.) — 5. Avant que l'on se décidât à allumer la lampe, il s'écoulait toujours quelques minutes durant lesquelles le foyer nous éclairait tout seul. (R. Boylesve.)

1456. - Même exercice.

a) 1. Un proverbe affirme qu'une hirondelle ne fait pas le printemps. — 2. Il convient qu'on exerce sa mémoire. — 3. Bien des gens conviennent facilement qu'ils ont tort, mais ils n'admettent guère qu'on les en blâme. — 4. Un bon père veille à ce que ses enfants reçoivent une solide instruction et il se demande quels compagnons ils fréquentent. — 5. Qui veut la fin veut les moyens. — 6. Quand nous voyons souffrir un malheureux, nous sentons notre cœur battre de compassion.

b) 1. Il y a des soirs sinistres où la tramontane vous soufflette à tous les coins de rues. (V. Larbaud.) — 2. Nous mangions notre pain de si bon appétit Que les femmes riaient quand nous passions près d'elles. (Hugo.) — 3. L'enfance est le tout d'une vie, puisqu'elle nous en donne la clef. (Fr. Mauriac.) — 4. On entendait tinter des clarines derrière le torrent. (H. Bosco.) — 5. Ôte donc ton masque, que nous voyions ta face réjouie. (Töpffer.)

1457. - Discernez, dans les phrases suivantes, les diverses propositions (nature, fonction) :

a) 1. Un bon citoyen se souvient toujours que la patrie est notre commune mère. — 2. Que la paresse dégrade l'homme est utile à rappeler. — 3. A bon vin point d'enseigne. — 4. Nous écoutons volontiers quiconque parle de nous avec éloge, mais nous ne nous informons pas s'il est sincère. — 5. La pensée qu'il faudrait quitter la maison me remplissait de mélancolie.

b) 1. Cette cérémonie achevée, on retourna à la pierre du tombeau. (Chateaubriand.) — 2. Mon excuse est que je ne savais pas ce que je disais. (J. Green.) — 3. Il m'est impossible, quoi que je fasse, de rester indifférent devant la souffrance. (Musset.) — 4. Nous vîmes les nuées s'ouvrir et tomber le feu du ciel qui éclaira, une seconde, nos visages attentifs. (Fr. Mauriac.) — 5. Il pourrait bien sortir avec moi, qu'on le voie un peu... (A. Chamson.) — 6. Tout bonheur me paraît haïssable qui ne s'obtient qu'aux dépens d'autrui et par des possessions dont on le prive. (A. Gide.) — 7. On apercevait une allée très mélancolique de tombes, où des promeneurs en deuil circulaient par petits groupes, cependant qu'un ciel menaçant assombrissait la terre. (H. Bosco.)

1458. - Discernez les diverses propositions (nature, fonction).

Le Prestidigitateur.

a) Il monta sur une chaise, se coiffa d'un bonnet pointu parsemé d'étoiles et retroussa les manches de son veston. Nous le vîmes tirer de sa trousse un œuf, qu'il palpa longuement; il le roula si bien dans sa main qu'il en tira soudain trois mouchoirs de soie noués bout à bout, et qui figuraient le drapeau français.

b) Ensuite il dévissa un petit cylindre plein de terre, qu'il agita pour qu'on entendît bien le son que rendaient ses parois, le revissa; après qu'il l'eut frôlé de sa baguette magique, le couvercle à nouveau revissé, nous regardâmes sortir du mystérieux cylindre un arbrisseau de carton verdâtre.

c) Enfin, saisissant un long couteau, il se le planta dans la paume avec des grimaces de douleur, pendant qu'un crissement de ressort nous avertissait qu'au lieu de traverser les chairs saignantes, la lame s'enfonçait dans le manche.

D'après Henri TROYAT, *Faux jour*. (Plon, édit.).

1459. - Discernez les diverses propositions (nature, fonction).

a) 1. Il n'est pas indispensable que nous arrivions toujours au succès ; l'important est que nous fassions tout notre possible. — 2. Le véritable historien n'est d'aucun temps ni d'aucun pays ; quoiqu'il aime sa patrie, il ne la flatte jamais en rien. — 3. Si un aveugle tombe dans un fossé lui refuseras-tu ton aide ? — 4. On s'irrite qu'il y ait des ingrats, parce qu'on veut de la reconnaissance par amour-propre, dit Fénelon. — 5. Si tu vois un tambour battre rapidement, dit un proverbe marocain, sache qu'il va s'arrêter.

b) 1. La température s'abaissa au point que Germaine demanda qu'on allumât des bourrées dans la cheminée. (J. Green.) — 2. Il faut à la foule un vivant à qui rattacher ses espérances. (J. et J. Tharaud.) — 3. On entend l'eau bouillir dans un pot de terre fumé, d'où sort une odeur de soupe rance. (Fr. Jammes.) — 4. L'idée que l'autorité se pût construire par en bas ne serait pas entrée dans la tête de nos grands-parents, qui étaient sages. (Ch. Maurras.) — 5. Ma seule consolation, quand je montais me coucher, était que ma mère viendrait m'embrasser quand je serais dans mon lit. (M. Proust.)

1460. - Même exercice.

a) 1. Leur soif étanchée, le renard et le bouc considérèrent qu'il fallait sortir du puits. — 2. Quelque modeste profession que vous exerciez, il est certain qu'elle est digne que vous accomplissiez les devoirs qu'elle vous impose. — 3. Comme la menue monnaie, qui a son emploi tous les jours, les petites vertus ont cet avantage tous les jours, qu'elles sont à la portée de tous. — 4. Bien des gens, quand le malheur les frappe, devraient se souvenir qu'ils n'ont rien fait pour le conjurer. — 5. Est-il un homme si parfait que la flatterie n'ait aucune prise sur lui ?

b) 1. Celui qui règne dans les cieux et de qui relèvent tous les empires, à qui seul appartient la gloire, la majesté et l'indépendance, est aussi le seul qui se glorifie de faire la loi aux rois et de leur donner, quand il lui plaît, de grandes et de terribles leçons. (Bossuet.) — 2. Il y avait en face de chez Mlle Cloque un savetier que l'on voyait travailler à toute heure derrière sa rangée de chaussures ressemelées, sans que l'on pût savoir à quel moment ce diable d'homme prenait ses repas. (R. Boylesve.) — 3. Je n'ose pas encore réclamer un poêle, bien que je sente, moi qui suis très frileuse, que je ne pourrai continuer d'habiter cette mortelle chambre l'hiver. (O. Mirbeau.)

1461. - Décomposez en ses diverses propositions (nature, fonction) les phrases du texte suivant :

Les Histoires de Grand-mère.

J'aime ma grand-mère d'un amour infini. J'aime les gâteries de toutes sortes dont elle me comble. J'éprouve un délicieux plaisir, quand vient le soir, à me pelotonner dans ses bras et je lui demande qu'elle me raconte des histoires. Elle les raconte si bien que je ne m'en rassasie jamais. Dès que l'une est terminée, j'insiste pour qu'elle m'en raconte une autre : « Encore une, grand-maman ! » Je tressaille de bonheur quand j'entends sortir de ses lèvres les mots annonciateurs de choses merveilleuses : « Il était une fois... » Et si elle s'arrête, je l'embrasse sur sa bonne figure parcheminée, de peur qu'elle ne me dise : « Assez pour aujourd'hui ! Il faut que tu ailles dormir maintenant... »

1462. - VOCABULAIRE : 1. Cherchez dans le dictionnaire le sens de : *tramontane, clarine,* allumer une *bourrée,* une terreur *panique,* un hommage *posthume,* un consentement *tacite.*

2. Donnez 10 mots de la famille de *jour.*

1463. - ORTHOGRAPHE : Notez dans le carnet d'orthographe : *exsangue, langage, abattage, aux dépens de, gracier, en bandoulière.*

1464. - PHRASÉOLOGIE : Au moyen des gallicismes *c'est... qui* ou *c'est ... que,* mettez successivement en relief chacun des éléments (sauf le verbe) de la phrase suivante : « Je | partirai | demain | à l'aube | en voiture | pour Genève. »

1465. - LANGAGE : Ne dites pas : « un texte avec une *ajoute* », ni : « une *ajoute* de table » (belgicismes) ; — dites : « un texte avec une *addition* » ou : « ... un *ajout* », ou : « ... un *rajout* », ou : « ... un *ajouté* » ; — « une *allonge* ou une *rallonge* de table ». — Inventez deux courtes phrases où vous emploieriez les termes corrects.

1466. - PRONONCIATION : Prononcez bien : *jadis* (faire entendre l's), *abbaye* [a-bè-i], *antienne* [an-tyèn'], *un ouistiti* (sans liaison), *et cœtera* [èt'-sé-tè-ra ; ne pas dire : ek'sé-tè-ra, ni : èt'-sé-tra].

1467. - CONJUGAISON : Conjuguez au présent de l'indicatif : *interdire ;* — au futur simple : *pourvoir.*

CONCORDANCE DES TEMPS

1468. - Employez à l'**indicatif** et au **temps** convenable les verbes en italique.

a) 1. On rapporte que Cincinnatus [*labourer*] son champ quand les envoyés du sénat lui présentèrent les insignes de la dictature. — 2. Il est évident que la paix [*valoir*] mieux que la guerre. — 3. Les Aduatiques se convainquaient que les Romains ne [*prendre*] jamais leur forteresse. — 4. Mon grand-père me racontait que, dans son enfance, il [*voir*] des chasseurs rapporter au village un grand loup qu'ils [*tuer*]. — 5. Qui sait si vous [*retrouver*] demain la belle occasion d'aujourd'hui ? — 6. Il déclara qu'il [*revenir*] dans peu de jours.

b) 1. Il savait que la méfiance [*être*] mère de la sûreté. (La Font.) — 2. Lorsque je [*écrire*] ces lignes, je les montrai à la maman de Caillou. (P. Mille.) — 3. Quand je [*être*, antériorité] docile, mademoiselle de Gœcklin me faisait cadeau d'une image. (A. Gide.) — 4. Ils parvinrent à un endroit où la route [*monter*, simultanéité] et [*faire*, id.] un angle droit. (A. Maurois.) — 5. Je sens bien que M. Krauset ne nous [*quitter*, postériorité] plus désormais. (G. Duhamel.) — 6. C'est l'instruction qui me manque. Si je [*lire*, antériorité] plus de livres, je ferais mieux encore. (H. Troyat.)

1469. - Complétez la principale en mettant dans la subordonnée divers **temps de l'indicatif.**

Idée subordonnée : *faire ce travail.*

1. Je crois que ... (7 phrases, en variant le temps dans la subordonnée.)
2. Je croyais que ... (simultanéité : 2 phrases ; — postériorité : 2 phrases ; — antériorité : 2 phrases).

1470. - Justifiez, par les règles de la concordance des temps, l'emploi des **temps du subjonctif.**

1. Personne ne nie qu'il ne *soit* avantageux de savoir plusieurs langues étrangères. — 2. Nous nous étonnons que certains penseurs de l'antiquité *aient cru* que la Terre était plane. — 3. J'étais enchanté que ma grand-mère me *donnât* à remuer le fabuleux mélange de boutons qu'elle gardait dans un coffret de chêne ciré. — 4. Que vouliez-vous qu'il *fît* contre trois ? — Qu'il *mourût !* (Corneille.) — 5. Il ne faut pas vendre la peau de l'ours qu'on *ait mis* la bête par terre. — 6. Je doute que les hommes *fussent* plus heureux s'ils pouvaient connaître l'avenir. — 7. Je demeurais quelquefois une heure dans une compagnie sans qu'on m'*eût regardé.* (Montesquieu.)

1471. - Mettez le verbe principal à l'imparfait et employez dans la subordonnée le **temps** convenable du **subjonctif.**

1. Je veux qu'il m'*avertisse.* — 2. Nous ne croyons pas que cela *puisse* arriver. — 3. Il entre sans qu'on s'en *aperçoive.* — 4. Ce cheval ne cesse de ruer jusqu'à ce qu'il *ait mis* son cavalier à bas. — 5. La modestie de ce savant n'empêche pas qu'il ne *sente* son mérite. — 6. Il est généreux, quoiqu'il *soit* économe. — 7. Bien qu'on l'*ait averti* du danger, il veut tenter l'escalade.

1472. - Mettez à l'imparfait le texte suivant (employez le **temps** convenable dans les subordonnées au subjonctif) :

L'Horloge de Grand-père.

Grand-père est un homme d'ordre et de méthode ; son premier soin de la journée est de remonter l'horloge, avant même qu'il *ait fait* son café.

Une fois tous les quinze jours, il en graisse les chaînes avec du suif. Chaque matin, il passe sur la gaine de chêne, quoiqu'elle *soit* luisante de propreté, un doux chiffon de laine, et il ne songe pas à rougir de cette espèce de tendresse, car il ne croit pas qu'on la *comprenne*. N'est-il pas tout naturel qu'il *veuille* tenir en état ce meuble, qui est, selon lui, le plus beau que nous *ayons* et le seul qui *vaille* la peine qu'on l'*entretienne* ?

Il tient à son horloge et c'est au point que ma mère même n'a guère le droit d'y toucher ; il considère comme une sorte de sacrilège qu'un autre que lui se *permette* d'en approcher.

D'après Louis GUILLOUX, *Le Pain des rêves*. © Éditions Gallimard.

1473. - Employez au **subjonctif,** et au **temps** convenable, les verbes en italique.

a) 1. Il arrive que l'événement ne [*répondre*] pas à notre attente. — 2. Caligula souhaitait que le peuple romain n' [*avoir*] qu'une tête, afin qu'il [*pouvoir*] l'abattre d'un seul coup. — 3. Je souhaiterai que vous [*mettre*] toujours d'accord vos actes et vos convictions. — 4. Je doute que les hommes [*être*] plus heureux s'ils pouvaient connaître l'avenir. — 5. On nous congédia sans que nous [*exposer*, antériorité] l'objet de notre visite.

b) 1. Une heure passa sans que je [*avoir*, simultanéité] la force de me lever. (J. Green.) — 2. Je tiens pour mauvais qu'on [*faire*, simultanéité] dans un pays des distinctions de races. (A. France.) — 3. Je conviens qu'il est juste Que mon cœur [*saigner*, antériorité], puisque Dieu l'a voulu. (Hugo.) — 4. Les Romains ne voulaient point de batailles hasardées mal à propos ni de victoires qui [*coûter*, postériorité] trop de sang. (Bossuet.) — 5. Il semblait que le cœur de chacun [*s'endurcir*, antériorité]. (A. Camus.) — 6. Nous ne croyons pas qu'il [*commettre*, antériorité] ce crime. (Montesquieu.)

1474. - Même exercice.

a) 1. Quoi que ma grand-mère [*faire*], elle le faisait avec un soin méticuleux. — 2. Les Égyptiens, dit Bossuet, sont les premiers où l'on [*savoir*, antériorité] les règles du gouvernement. — 3. Le savetier se plaignait que l'on ne [*pouvoir*, simultanéité] acheter au marché la tranquillité et le sommeil. — 4. Nous regardions des images et nous arrivions au bout de l'album sans qu'on nous [*faire*, antériorité] la moindre réprimande. — 5. Où est le père qui n' [*accepter*] pas, si on les lui faisait, des promesses de bonheur pour ses enfants ?

b) 1. Le printemps venait; quoique l'air [*être*] encore froid, on y sentait circuler des brises déjà tièdes. — 2. Il est douteux que nous [*parvenir*, antériorité] à ce beau succès si nous avions manqué de persévérance. — 3. Je souhaite que vous [*être*] plus tard des gens d'honneur. — 4. Les anciens Gaulois, dit-on, ne craignaient qu'une chose, c'est que le ciel ne [*tomber*] sur leur tête. — 5. Un moment après éclata un des plus beaux orages que je [*voir*, antériorité relativement au moment où l'on est]. (Hugo.) — 6. Ses cils étaient si longs, si noirs, qu'on les [*prendre*, simultanéité] pour des plumes peintes. (P. Loti.)

1475. - Dans chacune des phrases suivantes, le verbe subordonné, au subjonctif, peut être mis à deux **temps** différents ; lesquels ? [Notez que l'un des deux est uniquement « littéraire », et le plus souvent « apprêté » et « puriste » ou encore « plaisant ».]

1. Je souhaiterais que chacune de vous [*avoir*] une devise. — 2. Il serait beau que chacun [*donner*] son superflu aux pauvres. — 3. Je voudrais que vous [*mettre*] mieux l'orthographe. — 4. Il me serait agréable que vous [*arriver*] à l'heure. — 5. Il faudrait que je le [*voir*] avant son départ. — 6. On aimerait que vous [*savoir*] parfaitement les règles de la concordance des temps. — 7. Je craindrais que vous n' [*amasser*] des connaissances inutiles. — 8. Il ne faudrait pas que nous [*s'embarrasser*] de tant de bagages.

1476. - Complétez les phrases suivantes, en mettant le verbe subordonné à deux **temps** différents du subjonctif :

1. Je voudrais que ... — 2. Il serait bon que ... — 3. On craindrait que ... — 4. Nous souhaiterions que ...

1477. - VOCABULAIRE : 1. Cherchez dans le dictionnaire le sens de *conjecture* et de *conjoncture*. — Employez chacun des deux mots dans une courte phrase.

2. Que signifie l'expression figurée *avoir plusieurs cordes à son arc?*

1478. - ORTHOGRAPHE : 1. Notez dans le carnet d'orthographe : *inonder, ciguë, physionomie, pas de sitôt, dahlia, bibliothèque.*

2. Observez que tous les adjectifs en **-onnel** ont deux *n : professionnel, exceptionnel, sensationnel, occasionnel, confessionnel, traditionnel,* etc.

1479. - LANGAGE : *Avatar :* dans la religion hindoue, chacune des incarnations du dieu Vichnou, qui passa par dix formes : poisson, tortue, sanglier, etc. — Par extension, *avatar* signifie : « chacun des états par où passe un individu ou un objet qui en a déjà subi plusieurs. » — Employez *avatar* dans une phrase et notez bien qu'il ne peut se prendre au sens d'*aventure.*

1480. - PHRASÉOLOGIE : « Dieu ! le joli repas que j'ai fait ce matin-là — un morceau de chevreau rôti ; du fromage de montagne, de la confiture de moût, des figues, des raisins muscats. » (A. Daudet.) — Imitez ce tour dans une phrase de votre invention (thème : un beau paysage).

1481. - PRONONCIATION : Prononcez bien : *Alexandre* [a-lek'-san-dr', et non : a-lègh-zan-dr'], *Chamonix* [cha-mo-ni], *Auxerre* [ô-sèr'], *huit* [wit', et non : ou-it'], *puissant* [pwi-san, et non : pou-i-san], *sens dessus dessous* [san ..., et non : sans' ...], *milieu* [mi-lyeu, et non : mi-yeu], un *square* [skwâr].

1482. - CONJUGAISON : Conjuguez à l'imparfait de l'indicatif, forme pronominale négative : *distraire.*

DISCOURS INDIRECT

D'Énergiques Protestations.

L'oncle accusait Feuerbach d'être un égoïste, prêt à fléchir la tête sous l'arrogance des Prussiens, qui traitaient le Palatinat et le Hundsrück en pays conquis; il s'écriait qu'il existait des lois à Mayence, à Trèves, à Spire, aussi bien qu'en France; que madame Thérèse avait été laissée pour morte par les Autrichiens; qu'on n'avait pas le droit de réclamer les personnes et les choses abandonnées; qu'elle était libre; qu'il ne souffrirait pas qu'on mît la main sur elle; qu'il protesterait; qu'il avait pour ami le jurisconsulte Pfeffel, de Heidelberg; qu'il écrirait, qu'il se défendrait, qu'il remuerait le ciel et la terre; qu'on verrait si Jacob Wagner se laisserait mener de la sorte; qu'on serait étonné de ce qu'un homme paisible était capable de faire pour la justice et pour le droit.

ERCKMANN-CHATRIAN, *Madame Thérèse.* (Hachette, édit.).

1483. - Mettez en **style direct** (et au présent) le texte ci-dessus.

Commencez ainsi : L'oncle s'écrie : « Vous êtes, Feuerbach, un égoïste, etc. »

1484. - Discernez les phrases où l'on a le **discours direct** et celles où l'on a le **discours indirect.**

1. Joubert disait: « Ferme les yeux, et tu verras ». — 2. Le loup répondit qu'il fallait qu'il se vengeât. — 3. Nos maîtres nous ont souvent répété que la persévérance est une des conditions du succès. — 4. Sire, dit le renard, vous êtes trop bon roi. — 5. Un proverbe dit que la faim chasse le loup du bois. — 6. Bonté divine ! dit M. Seguin ; mais qu'est-ce qu'on leur fait donc à mes chèvres ? (A. Daudet.)

1485. - Complétez les phrases suivantes en employant :

a) *le discours direct :* 1. Le laboureur de la fable disait à ses enfants ... — 2. Un poète a dit ... — 3. Un proverbe déclare ... — 4. Mon père affirme souvent ...

b) *le discours indirect :* 1. L'agneau répondit au loup ... — 2. Tous les moralistes affirment ... — 3. Notre professeur nous répète souvent ... — 4. Le bulletin météorologique annonce ...

1486. - Transformez les phrases suivantes par l'emploi du **style indirect libre** :

1. Une femme se présenta et raconta que le malheur l'avait frappée, que son mari était malade, que ses enfants manquaient de vêtements, que son loyer n'était pas payé, qu'elle était absolument sans ressources. — 2. L'hiver venu, la cigale alla trouver la fourmi et dit qu'elle souffrait cruellement de la faim, qu'elle suppliait sa charitable voisine de lui prêter quelques grains, qu'elle la payerait sans faute avant l'août.

1487. - Transformez les phrases suivantes par le passage du **style indirect libre** au **style indirect ordinaire** :

1. Des députés du peuple rat vinrent trouver le rat retiré du monde et lui demandèrent quelque aumône légère : ils allaient en terre étrangère chercher du secours contre le peuple chat ; leur capitale Ratapolis était bloquée ; on les avait contraints de partir sans argent, attendu l'état indigent de la république attaquée ; ils demandaient fort peu, certains que le secours serait prêt dans quatre ou cinq jours. — 2. Tante Louise vint prendre de nos nouvelles : elle avait appris nos embarras ; comment se serait-elle dispensée de nous faire une visite ? N'avait-elle pas bien des raisons de nous montrer son affection ? Elle s'offrait à nous aider de tout son pouvoir ; Dieu d'ailleurs nous soutiendrait.

1488. - VOCABULAIRE : Par quels noms exprime-t-on la qualité de celui qui est : *vif ? — fin ? — lucide ? — prompt ? — clairvoyant ? — pédant ? — ingénieux ?*

1489. - ORTHOGRAPHE : Notez dans le carnet d'orthographe : *profession, excellence, ascendant, embarrassant, engeance, pamphlet.*

1490. - PHRASÉOLOGIE : Dans les phrases suivantes, remplacez *chose* par un nom précis : « Le manque de jugement est une *chose* bien difficile à corriger. » — « Le professeur a fait la synthèse des principales *choses* du règne de Louis XIV. » — « Bien jouer du violon est une *chose* délicate. » — « La vraie humilité est une *chose* très rare. »

1491. - LANGAGE : Distinguez bien : « *près de* partir » = sur le point de partir, — et « *prêt à* partir » = disposé à partir. — Inventez une phrase où vous emploierez le premier tour, et une phrase où vous emploierez le second.

1492. - CONJUGAISON : Conjuguez au présent du subjonctif : *pouvoir ; résoudre.*

1493. - ANALYSE : Décomposez en ses diverses propositions (nature, fonction) la phrase suivante : *Que vous servirait d'avoir ces belles qualités que vos parents et vos maîtres ont cultivées en vous si vous vous écartiez de la voie du devoir ?*

1494. - PONCTUATION : Mettez, aux endroits marqués par un trait vertical, les signes de ponctuation convenables : *Les heures de la nuit | quand elles sonnent | sont pour moi comme les voix douces de quelques tendres amies qui m'appellent et me disent | l'une après l'autre | Qu'as-tu | Vigny |*

1495. - Transformez les phrases suivantes par le passage du **style indirect** au **style direct :**

1. Pascal a dit que l'homme est un roseau, mais un roseau pensant. — 2. Si quelqu'un affirme qu'on peut s'enrichir sans travailler, le croirez-vous ? — 3. Nos maîtres nous répètent que l'instruction est un trésor. — 4. Dieu dit à Moïse qu'il frappât le rocher et qu'il en jaillirait de l'eau. — 5. Avant de mourir, le laboureur de la fable dit à ses fils qu'ils se gardassent de vendre leur champ, qu'un trésor était caché dedans et qu'un peu de courage le leur ferait trouver. — 6. Maître Cornille criait de toutes ses forces qu'on voulait empoisonner la Provence avec la farine des minotiers.

1496. - Transformez les phrases suivantes par le passage du **style direct** au **style indirect :**

1. L'âne vint à son tour et dit : « J'ai souvenance d'avoir mangé un peu d'herbe dans un pré de moines. » — 2. Notre professeur nous a dit : « Je suis content de vous ! » — 3. Je ne demande rien, capitaine, dit-il avec une voix aussi douce que de coutume ; je serais désolé de vous faire manquer à vos devoirs. (Vigny.) — 4. Le proverbe l'affirme : une hirondelle ne fait pas le printemps. — 5. Jeanne d'Arc répondit : « Les gens d'armes batailleront, et Dieu donnera la victoire. » — 6. L'avare Harpagon, à qui on avait volé sa cassette, criait : « Je suis perdu, je suis assassiné, on m'a coupé la gorge : on m'a dérobé mon argent ! »

1497. - Même exercice.

a) 1. Il déclara : « Je pense librement et je vous dis tout ce que je pense. » — 2. Alceste, le misanthrope de Molière, affirme : « Je veux que l'on soit homme, et qu'en toute rencontre Le fond de notre cœur dans nos discours se montre. » — 3. « Laissez-moi carpe devenir, disait le carpeau au pêcheur, je serai par vous repêchée. » — 4. « Tu as raison, écrivait Guizot à sa fille, de vouloir t'élever un peu toi-même ; tu le peux, car tu as beaucoup d'intelligence et un excellent cœur ; tu sais parfaitement quand tu as tort et tu ne veux jamais faire de chagrin à ceux que tu aimes. » — 5. « Faisons notre devoir, recommandent les moralistes, soyons en tout et toujours des hommes de devoir. »

b) 1. « Je suis maître de moi, comme de l'univers, dit l'empereur Auguste dans une tragédie de Corneille ; Je le suis, je veux l'être. » — 2. « Après avoir

ramassé le portefeuille, dit le maire au paysan maître Hauchecorne, vous avez
encore cherché longtemps dans la boue si quelque pièce de monnaie ne s'en
était pas échappée. » — 3. Le chêne un jour dit au roseau : « Vous avez bien
sujet d'accuser la nature : Un roitelet pour vous est un pesant fardeau ; Le
moindre vent qui d'aventure Fait rider la face de l'eau, Vous oblige à baisser
la tête. » (La Fontaine.) — 4. Le laboureur disait à ses enfants : « Gardez-vous
de vendre l'héritage Que nous ont laissé nos parents : Un trésor est caché dedans.
Je ne sais pas l'endroit ; mais un peu de courage Vous le fera trouver. »

1498. - Employez, dans le texte suivant, le **discours indirect** :

L'amiral lord Collingwood
et son prisonnier, le capitaine Renaud.

[L'amiral me déclara:] « J'ai déjà écrit à l'Amirauté pour qu'au premier
échange vous fussiez renvoyé en France. Mais cela pourra être long, (...)
je ne vous le cache pas ; car, outre que Bonaparte s'y prête mal, on nous
fait peu de prisonniers. — En attendant, je veux vous dire que je vous
verrai avec plaisir étudier la langue de vos ennemis; vous voyez que nous
savons la vôtre. Si vous voulez, nous travaillerons ensemble et je vous
prêterai Shakespeare et le capitaine Cook. »

Alfred de VIGNY, *Servitude et Grandeur militaires.*

1499. - Transformez le texte suivant par l'emploi du **discours indirect** :

Le Courage du Sapeur Dumont.

a) [*Le fils du sapeur Dumont nous raconta que...*]

Je voyais un vaste bâtiment brûler. Tout à coup j'entendis sur la place
s'élever un grand cri et je distinguai mon père portant une forme humaine
entre les bras. Je regardai le corps descendre de mains en mains; j'ob-
servai qu'on le portait à travers la foule dans la direction de l'hôpital et
je vis mon père se replonger tranquillement dans la fumée.

b) [*Il ajouta que...*]

Je haletais d'angoisse. Je poussai un soupir de soulagement quand, au
bout d'une minute, le sauveteur reparut, apportant cette fois une femme
qui criait. J'entendis un immense applaudissement saluer son retour et
la foule crier: « Vive Dumont! » À la place où je me tenais, tous les
visages ruisselaient de sueur; je sentais mes yeux brûler et je suivais avec
anxiété le déroulement du drame.

c) [*Il dit encore que...*]

Je vis mon père se montrer de nouveau à la fenêtre ouverte, tenant chacun sous un bras deux enfants évanouis. Alors je respirai mieux : je savais que le chef d'atelier était le seul habitant de la maison et que la famille ne comptait que quatre personnes. Mais quand je vis avec horreur que mon père allait rentrer dans la fournaise, je lui criai avec la foule : « Assez ! Descendez ! »

D'après Edmond ABOUT, *Le Roman d'un brave homme.*

1500. - VOCABULAIRE : En vous aidant du dictionnaire, donnez le sens des locutions suivantes : *jeter sa langue aux chiens; — suer sang et eau; — bayer aux corneilles; — de fil en aiguille; — n'y voir que du feu.* — Employez chacune de ces locutions dans une phrase.

1501. - ORTHOGRAPHE : Notez dans le carnet d'orthographe : *incommensurable, que nous ayons, que nous soyons, le faîte du toit, désintéressé, bifteck.*

1502. - PRONONCIATION : Prononcez bien : *souiller* (sou-yé, et non : soul-yé), *corbillard* (kor-bi-yar, et non : kor-bil-yar), *détritus* (l's se prononce), *désuet* (dé-zwè), *transaction* (tran-zak-syon), *geôlier* (jô-lyé).

1503. - LANGAGE : *Exaction* signifie : « action d'exiger ce qui n'est pas dû ou plus qu'il n'est dû (spécialement en parlant d'un agent public) » — et non : « acte de violence, cruauté, brutalité, etc. ». — Employez *exaction* dans une phrase.

1504. - PHRASÉOLOGIE : Modifiez les phrases suivantes, où deux adverbes en *-ment* sont maladroitement associés : « Ce beau spectacle, vous vous le rappellerez *certainement fréquemment.* » — « Ce compositeur a une activité *tellement étroitement* attachée aux modes de la musique moderne qu'il semble méconnaître la musique classique. »

1505. - CONJUGAISON : Conjuguez au présent du subjonctif, voix passive : *tenir;* — au passé simple : *prédire.*

1506. - PONCTUATION : Mettez, aux endroits marqués par un trait vertical, les signes de ponctuation convenables : *Quoi | Quand je dis | Nicole | apportez-moi mes pantoufles | et me donnez mon bonnet de nuit | c'est de la prose |* Molière |

CHAPITRE XIII

La Ponctuation

1507. - Mettez, à l'endroit marqué par un trait vertical, soit un **point**, soit un **point d'interrogation**, soit un **point d'exclamation**.

a) 1. Le livre est pour vous un vrai trésor | Je ne parle pas du mauvais livre, qui détruirait ce que nous avons d'excellent dans l'esprit et dans le cœur | Faut-il dire que je ne parle pas non plus du livre médiocre ou frivole, qui remplirait notre esprit d'idées vulgaires ou dangereuses | Je parle du bon livre | — 2. Dieu | que le son du cor est triste au fond des bois | (Vigny.) — 3. Oh | combien je voudrais soulager la misère de ceux qui souffrent | Qui ne se sent ému en se représentant leur triste sort | — 4. Le vrai bonheur qu'on a vient du bonheur qu'on donne |

b) 1. Eh bien | te voilà encore à bayer aux corneilles | Quand donc vas-tu te remettre au travail | — 2. Hélas | que de maux la guerre a répandus sur la surface de la terre | — 3. Les belles actions cachées sont les plus méritoires | — 4. Je me demande pourquoi nous ne sommes jamais contents de notre sort | — 5. Ah | mon cher petit village | Quand reverrai-je ton clocher, tes maisons accueillantes et ta simplicité | — 6. O Waterloo | je pleure et je m'arrête, hélas | (Hugo.)

1508. - Justifiez l'emploi de la **virgule**.

a) 1. Les richesses, les honneurs, les plaisirs passent. — 2. On aime la compagnie d'un homme juste, bon, raisonnable. — 3. Pourquoi donc, cher ami, n'as-tu pas répondu à ma lettre ? — 4. Albert Schweitzer, ce grand philanthrope, a reçu en 1952 le prix Nobel de la paix. — 5. Dans les circonstances difficiles, le sage ne prend pas de décisions précipitées. — 6. Ni l'or, ni la grandeur, ni les plaisirs ne sauraient nous rendre pleinement heureux.

b) 1. Rompez, rompez tout pacte avec les fourbes. — 2. Le combat reprend, la mort plane, le sang ruisselle. — 3. La renommée a pu vanter la naissance, ou les richesses, ou le talent d'un homme. — 4. Rappelez-vous, mes amis, que ni le rang social, ni la fortune, ni les qualités de l'esprit ne suffisent pour faire un véritable grand homme. — 5. L'égoïste ne sent que ses maux ; que lui font, à lui, les souffrances des autres ? — 6. Le soir venu, nous avons fait halte.

c) 1. N'en dites rien surtout, car vous me feriez battre. (La Font.) — 2. Le devoir d'un chef est de commander ; celui d'un subordonné, d'obéir. — 3. Le travail, qui paraît parfois si pénible, fait cependant notre félicité plutôt que notre misère. — 4. A bon vin, dit le proverbe, point d'enseigne. — 5. Nous nous abstiendrons de toute action déloyale, parce que l'honneur le veut.

1509. - Mettez la **virgule** là où elle est demandée.

a) 1. La paresse, l'indolence, l'oisiveté consument beaucoup de belles énergies. — 2. Ayez un noble idéal mes chers amis et placez-le très haut. — 3. Char-

lemagne visitait dit-on les écoles. — 4. Lorsque la colère nous saisit notre jugement est obscurci. — 5. L'homme résiste à la force à la raison à la science au
châtiment à tout ; il cède au bien qu'on lui fait. — 6. Grand-mère arrive : accourez accourez et préparez-vous à crier : « Bonne fête ! »

b) 1. Ce n'est ni le difficile ni le rare ni le merveilleux que nous devons chercher ; c'est le beau simple aimable commode que nous devons goûter. —
2. Dans la Chine d'autrefois les vieillards étaient l'objet d'une affection cheva-
leresque. — 3. Quand le devoir commande dit Corneille il lui faut obéir. — 4.
Hérodote qu'on nomme le père de l'histoire raconte avec un art remarquable.
— 5. Notre mérite nous a attiré la louange des honnêtes gens et notre chance
celle du public.

1510. - Même exercice.

a) 1. La modestie vous le savez sied à tout le monde. — 2. Dans la fraîcheur
du soir des souffles tièdes des rumeurs des parfums subtils circulent doucement. — 3. Vous vos bergers vos chiens disait le loup à l'agneau vous ne m'é-
pargnez guère. — 4. Nature au front serein comme vous oubliez ! (Hugo.) —
5. Quelle que soit l'issue d'un rêve généreux il grandit toujours celui qui l'a fait.

b) 1. Si je passais une journée sans travailler disait Pasteur il me semble-
rait que je commettrais un vol. — 2. Quelques martinets qui durant l'été s'en-
fonçaient en criant dans les trous des murs étaient mes seuls compagnons.
(Chateaubriand.) — 3. Quand tout paraît perdu c'est l'heure des grandes âmes.
— 4. Ah ! mon lieutenant quand on est dans la Garde on ne peut pas trop
l'être sur son honneur. (Vigny.) — 5. Car toi loup tu te plains quoiqu'on ne t'ait
rien pris. (La Font.) — 6. Comme les animaux sont sensibles à la douleur
il est indigne de les maltraiter de les frapper de leur imposer des souffrances
inutiles.

1511. - Mettez, à l'endroit marqué par un trait vertical, soit un **point-virgule,** soit
deux points, soit des **points de suspension,** soit des **guillemets.**

a) 1. Chaque homme a trois caractères | celui qu'il a, celui qu'il montre et
celui qu'il croit avoir. — 2. Le renard dit au bouc | | Que ferons-nous, com-
père ? | — 3. Quand nous cherchons la vérité, méfions-nous de nos sens | il
n'est pas toujours sûr, par exemple, que nous ayons bien vu et entendu | de là
des erreurs sur les faits et sur les personnes. — 4. Je me verrai trahir, mettre
en pièces, voler, Sans que je sois | Morbleu ! je ne veux point parler, Tant ce
raisonnement est plein d'impertinence ! (Molière.) — 5. Si nous en croyons
l'épitaphe que La Fontaine composa pour lui-même, le fabuliste faisait de
son temps deux parts | l'une, il la passait à dormir | l'autre, il la passait à ne
rien faire.

b) 1. Napoléon s'écria | | Allons ! faites donner la garde ! | — 2. L'accusé
avoua qu'il | travaillait | dans le cambriolage et dans le vol à main armée. —
3. Bravement cet homme revint d'Amérique pour faire une révolution | dans
la confiserie. — 4. La pauvre mère répétait sans cesse | | Ah! si j'avais pu
prévoir | | — 5. Il faut, autant qu'on peut, obliger tout le monde | On a souvent
besoin d'un plus petit que soi. (La Font.)

1512. Mettez, aux endroits marqués par des traits verticaux, les signes de ponctuation convenables.

a) 1. Tout passe ici-bas | la gloire | les richesses | les plaisirs | seuls nos mérites nous restent. — 2. Trois choses sont nécessaires pour arriver au succès | le talent | la méthode | la persévérance | mais peu de gens les possèdent | — 3. Il est nécessaire qu'un enfant soit poli | rien n'est plus beau | plus aimable que la politesse | — 4. Hélas | si j'avais su | Mais que ferai-je à présent | — 5. Quand je rends un service | disait Franklin | je ne crois pas accorder une faveur | mais payer une dette |

b) 1. Si l'on dit du mal de toi et qu'il soit véritable | corrige-toi | si ce sont des calomnies | contente-toi d'en rire | — 2. Ce que nous savons | c'est une goutte d'eau | ce que nous ignorons | c'est un océan | — 3. Telle est la loi de l'univers | Si tu veux qu'on t'épargne | épargne aussi les autres | (La Font.) — 4. Connaissez-vous le proverbe oriental | | Ne laissons pas croître l'herbe sur le chemin de l'amitié | | — 5. Ah | mon Dieu | pourquoi s'est-il enfui de la sorte | (Vigny.) — 6. Les carillons des cloches | au milieu de nos fêtes | semblaient augmenter l'allégresse publique | dans des calamités | au contraire | ces mêmes bruits devenaient terribles | (Chateaubriand.)

1513. - Mettez les divers signes de ponctuation.

Jeanne d'Arc entend une voix.

Un jour d'été jour de jeûne à midi Jeanne étant au jardin de son père tout près de l'église elle vit de ce côté une éblouissante lumière et elle entendit une voix Jeanne sois bonne et sage enfant va souvent à l'église La pauvre fille eut grand-peur

Une autre fois elle entendit encore la voix vit la clarté mais dans cette clarté de nobles figures dont l'une avait des ailes et semblait un sage prud'homme Il lui dit Jeanne va au secours du roi de France et tu lui rendras son royaume Elle répondit toute tremblante Messire je ne suis qu'une pauvre fille je ne saurais chevaucher ni conduire les hommes d'armes La voix expliqua Tu iras trouver M de Baudricourt capitaine de Vaucouleurs et il te fera mener au roi Sainte Catherine et sainte Marguerite viendront t'assister Elle resta stupéfaite et en larmes comme si elle eût déjà vu sa destinée tout entière

Jules MICHELET, *Histoire de France. (Moyen âge).*

1514. - Même exercice.

Regrets sur ma vieille robe de chambre.

Pourquoi ne l'avoir pas gardée Elle était faite à moi j'étais fait à elle Elle moulait tous les plis de mon corps sans le gêner j'étais pittoresque

et beau L'autre raide empesée me mannequine Il n'y avait aucun besoin
auquel sa complaisance ne se prêtât car l'indigence est presque toujours
officieuse Un livre était-il couvert de poussière un de ses pans s'offrait à
l'essuyer L'encre épaissie refusait-elle de couler de ma plume elle présen-
tait le flanc On y voyait tracés en longues raies noires les fréquents services
qu'elle m'avait rendus Ces longues raies annonçaient le littérateur l'écrivain
l'homme qui travaille À présent j'ai l'air d'un riche fainéant on ne sait
qui je suis

Denis DIDEROT.

Table des textes suivis

Table des matières

CHAPITRE VIII. — L'Adverbe.

CHAPITRE IX. — La Préposition.

CHAPITRE X. — La Conjonction.

CHAPITRE XI. — L'Interjection.

CHAPITRE XII. — Les Propositions subordonnées.